MÉMOIRES D'UN AUTRE JOUR

HAROLD ROBBINS

MÉMOIRES D'UN AUTRE JOUR

Traduit de l'américain
par
Nicole et Bernard Mocquot

UNE ÉDITION SPÉCIALE DE LAFFONT CANADA LTÉE,
EN ACCORD AVEC LES ÉDITIONS HACHETTE.

Cet ouvrage a été publié sous le titre *Memories of Another Day*, par Simon and Schuster, New York.

Bibliothèque nationale du Québec

ISBN 2-89149-305-2

Pour Grazia Maria
Con amore

AUJOURD'HUI

La dernière fois que j'ai vu mon père, il était tranquillement allongé, bien à plat dans son cercueil, les yeux clos ; sa crinière blanche et ses sourcils broussailleux soigneusement brossés donnaient à ses traits énergiques une expression curieusement inexpressive. Moi, j'étais là, à le regarder dans le silence de la chapelle où il reposait. Je me suis dit que quelque chose clochait. Mais quoi ? Il m'a fallu un moment pour comprendre ce que c'était : jamais mon père ne dormait sur le dos. En tout cas, moi, je ne l'avais jamais vu dormir dans cette position.

D'habitude, mon père se carrait sur le flanc, le torse et le ventre enfoncés dans le matelas, le bras replié sur le front pour se protéger de la lumière, le visage farouchement crispé même lorsqu'il dormait. A présent, ses traits s'étaient comme effacés ; on n'y lisait plus rien. Pas même l'appréhension du réveil qui, tous les matins, venait l'arracher à son univers. On a rabattu le couvercle du cercueil et je n'ai plus revu mon père.

J'ai éprouvé un grand soulagement. C'était fini. J'étais libre. Cessant de fixer le cercueil d'acajou aux poignées de cuivre, j'ai levé les yeux.

Le prêtre nous invitait à nous retirer. Ce que j'ai fait. Mon frère, D.J. — abréviation de Daniel Junior — m'a retenu.

« Prends le bras de ta mère, m'a-t-il soufflé, la voix rauque. Et cesse de sourire bêtement. Il y a tout un tas de photographes qui nous attendent dehors. »

Je l'ai dévisagé. Il a trente-sept ans, vingt de plus que moi. Autant dire que des années-lumière nous séparent. C'est le fils de la première femme de mon père ; je suis, moi, le produit de la dernière. Entre les deux, mon père a connu d'autres femmes mais n'en a pas eu d'enfants.

« Fais pas chier », lui ai-je dit, en dégageant mon bras. Je suis passé dans la petite pièce contiguë à la chapelle, là où la famille est censée attendre que se forme le cortège des autos. Et j'ai allumé une cigarette. Plusieurs amis intimes de mon père et quelques-uns de ses associés s'y trouvaient déjà.

Moses Barrington, son bras droit, s'est approché de moi. Son visage noir luisait de sueur. « Et ta mère ? Comment le prend-elle ? »

Avant de lui répondre, j'ai aspiré une longue bouffée de tabac que j'ai retenue dans mes poumons. « Ça va. »

Il regardait les volutes de fumée qui me sortaient des narines. « Tu sais que ça donne le cancer, ce truc-là ?

— Ouais, je sais lire. C'est écrit sur le paquet. »

La porte s'est ouverte et tout le monde s'est retourné. Ma mère entrait, appuyée sur le bras de D.J. qui semblait l'aider à marcher. Il avait plus l'air de son grand frère que de son beau-fils. Ce qui n'a rien d'étonnant, étant donné qu'il a trois ans de plus qu'elle.

Dans sa tenue de veuve, ma mère paraissait plus jeune. Sa peau semblait plus translucide et ses longs cheveux blonds, plus clairs encore. Une fois la porte refermée, elle avait l'air moins vulnérable. Elle s'est libérée de l'étreinte de D.J. pour s'approcher de moi. « Jonathan, mon chéri, je n'ai plus que toi au monde ! »

Je me suis esquivé, exprès. Jamais elle ne pourrait me faire croire ça. Même en admettant que, dans ce que les journaux racontaient sur mon père, il fallait en prendre et en laisser. A un moment ou à un autre, quelque part, il avait bien dû planquer un magot. Qu'il ait été syndicaliste, qu'il ait eu des démêlés avec la justice, qu'il ait fait de la tôle ne changeait rien à l'affaire.

Ma mère est restée là un moment, à battre l'air de ses mains, qu'elle a fini par laisser retomber. « Donne-moi une cigarette. »

J'ai sorti mon paquet et je lui en ai allumé une. « Ça va mieux » a-t-elle dit, après avoir tiré dessus.

Son visage reprenait des couleurs. Elle est jolie ma mère, et elle le sait. « Quand nous serons rentrés, il faudra que je te parle.

— D'accord. » J'ai écrasé ma cigarette dans le cendrier. « Je vais t'attendre à la maison.

— Tu vas m'attendre ? A la maison ? » a-t-elle fait en écho. J'ai acquiescé.

« Je n'irai pas au cimetière.

— Comment ? Tu ne viens pas au cimetière ? D.J. s'était approché derrière elle. Mais de quoi aurons-nous l'air ?

— Ça, je m'en fous complètement.

— Mais c'est très important. La cérémonie va être télévisée. Tous les membres du syndicat vont la regarder !

— Eh bien, arrange-toi pour être au premier plan pour qu'on te voie. C'est ça qui est important. C'est toi qui vas prendre la tête de la confédération, pas moi. »

Il s'est tourné vers ma mère : « Margaret, il vaudrait mieux que tu lui fasses comprendre.

— Jonathan... »

Je lui ai coupé la parole : « Non, maman. Tu perds ton temps. Je n'ai jamais aimé mon père et, maintenant qu'il est mort, je ne vois pas pourquoi j'irais faire croire que je l'adorais. Je ne veux pas me prêter à ce genre de comédie hypocrite. »

Et je suis sorti dans un silence gêné. En me retournant pour fermer la porte derrière moi, j'ai aperçu les autres qui s'empressaient autour de ma mère. Seul Jack Haney restait tranquillement adossé au mur. Il les observait. Il ne se pressait pas, lui. Il l'aurait plus tard. Au lit. Enfin, s'il en avait toujours envie, maintenant qu'elle n'était plus la femme du numéro un de la confédération et qu'elle ne pouvait plus lui servir à rien. Il m'a vu et m'a adressé un petit signe. Je lui ai répondu et, sans bruit, j'ai refermé la porte.

Pas plus pourri qu'un autre. Pas pire en tout cas que tous ceux qui gravitaient autour de mon père. Je ne pouvais lui reprocher ce qu'il faisait, pas plus à lui qu'à ma mère. Mon père s'était arrangé pour corrompre tous ceux qui l'entouraient.

Je suis sorti par une porte latérale pour éviter la foule massée devant la maison mortuaire. D.J. avait raison. Il y avait là plusieurs centaines de personnes. Au premier rang, des caméras de télévision et derrière, toute une meute de journalistes. Appuyé contre le mur, je me suis mis à les observer.

Le cortège était en train de sortir et s'apprêtait à monter dans de grandes limousines noires. En tête, venait le vice-président des États-Unis, avec son profil d'oiseau de proie. Il a marqué une pause devant les caméras ; il s'était composé un visage de circonstance. Ses lèvres remuaient. Je n'arrivais pas à entendre ce qu'il disait mais c'était sûrement ce qu'il fallait dire, pas l'ombre d'un doute. Tout compte fait, les militants syndicalistes sont aussi des électeurs. Derrière lui venaient des gouverneurs, des sénateurs, des députés, des maires, des hauts fonctionnaires, d'autres leaders syndicaux. L'un après l'autre, ils s'arrêtaient sous les projecteurs, chacun espérant apparaître au journal télévisé régional.

Derrière moi, dans l'allée, un camion a stoppé. J'ai entendu un bruit de pas et j'ai senti l'homme sans avoir besoin de tourner la tête. C'était un éboueur, je l'avais deviné.

« C'est Big Dan qu'on enterre ? »

Je l'ai dévisagé. Épinglé à la poche de son bleu taché et crasseux, il portait le macaron bleu et blanc du syndicat. « Oui.

— Y en a du monde !

— Ouais.

— Y a de la fesse dans le coin ?

— Pourquoi cette question ?

— A ce qu'on dit, Big Dan crachait pas dessus. Notre chef de section à nous, il l'a rencontré deux ou trois fois. D'après lui, Big Dan, c'était pas les gonzesses qui lui manquaient, ni le whisky.

— J'en ai pas vues.

— Ah bon ? » Il avait l'air déçu. Il a ajouté, un peu plus guilleret.

« C'est vrai ce qu'on dit ? Qu'il y avait une nana avec lui dans l'avion, quand il s'est écrasé ? »

Je me suis dit que je ne pouvais pas décemment le décevoir plus longtemps. Bien qu'il n'y ait eu personne autour de nous, j'ai baissé la voix pour lui confier dans un murmure : « Tu veux que je te dise comment ça s'est passé, vraiment ? »

Il a fouillé dans sa poche à la recherche d'un paquet de cigarettes qu'il m'a tendu. Nous en avons allumé une chacun. Il était suspendu à mes lèvres. « La culbute supersonique, tu connais ?

— Non, qu'est-ce que c'est ?

— Ça consiste à s'envoyer une nana en avion.

— Ah ! dis donc, fit-il, admiratif. Et c'est ça qu'il était en train de faire ?

— Mieux que ça ! Il était avec une poule, une blonde avec des gros nichons. Elle s'est agenouillée devant lui et elle lui a coincé la queue entre ses lolos. Elle était en train de lui pomper le dard lorsqu'ils sont sortis des nuages et qu'il a vu une montagne leur arriver dessus. Il a bien essayé de tirer le manche à lui pour redresser l'avion mais, rien à faire. Sa tête à elle bloquait le manche. Il pouvait plus le bouger.

— Ah, dis donc ! C'est ce qui s'appelle s'envoyer en l'air ! » J'ai rien répondu. Il regardait la foule par-dessus la barrière. « Y a du beau linge !

— Ouais.

— C'était vraiment un type formidable, a-t-il ajouté, admiratif. Mon vieux, il m'a raconté que pendant la crise, il gagnait neuf dollars par semaine pour le boulot que je fais. Moi maintenant, j'en touche cent quatre-vingt-quinze ! Pour les ouvriers, Big Dan en a fait plus que n'importe qui !

— C'était une ordure. Les ouvriers, il s'en est servi pour conquérir le pouvoir.

— Hé, dis donc ! répète un peu ! » Il brandit le poing, menaçant. « T'as pas le droit de dire ça !

— J'en ai parfaitement le droit. C'était mon père. » Il m'a regardé d'un drôle d'air. Sa main est retombée.

« Excuse-moi, fiston. »

Et il est reparti vers son camion. Je l'ai regardé se hisser dans la cabine et démarrer. Puis j'ai regardé de l'autre côté. Ma mère et D.J. venaient de sortir. Les photographes se précipitaient pour essayer de les prendre. J'ai tourné les talons et descendu l'allée au moment où ils s'engouffraient dans la limousine.

« En voilà une façon de parler de ton père !

— Va-t-en, le vieux. Tu es mort !

— Je ne suis pas mort. Je vivrai tant que tu vivras, tant que tes enfants et les enfants de tes enfants vivront. Il y a quelque chose de moi

dans chacune des cellules de ton corps. Tu ne peux pas te débarrasser de moi comme ça.

— Tu es mort. Mort et enterré.

— Tu as dix-sept ans et tu ne crois à rien, c'est ça ?

— Oui.

— Tu veux vraiment savoir ce qui s'est passé dans l'avion avant qu'il ne s'écrase ?

— Oui.

— Tu le sais déjà. Tu l'as raconté à l'éboueur.

— Je l'ai inventé.

— Non. Pas du tout. C'est moi qui t'ai soufflé ces paroles. N'oublie pas que ton cerveau est constitué de cellules, lui aussi.

— Je ne te crois pas. Tu me racontes des histoires. Tu m'as toujours menti.

— Je ne t'ai jamais menti. Je n'aurais pas pu. Tu fais partie de moi. Tu étais ma vérité. Tu n'étais pas comme ton frère. Lui, c'est un double de moi. Tandis que toi... tu es toi-même. Tu es ma vérité.

— Mensonges, mensonges, mensonges ! La tombe elle-même ne t'arrête pas.

— Ils croient avoir mis quelque chose dans la tombe : il n'y a rien, qu'un corps, une enveloppe vide. Je suis ici. En toi.

— Je ne sens rien. Tu n'as jamais été là. Je ne te sens pas plus aujourd'hui.

— Avec le temps, ça viendra.

— Jamais.

— Jonathan, mon fils.

— Va-t'en, le vieux. Tu es mort. »

J'ai tourné le coin de la rue pour arriver chez moi. La première chose que j'ai vue, c'étaient des voitures garées devant la maison. Plusieurs types attendaient, à l'ombre des arbres. Des journalistes. Je croyais qu'ils seraient déjà partis. Mais non, ils espéraient encore. Apparemment, Big Dan les intéressait toujours, même mort et enterré.

J'ai bifurqué et je suis passé par derrière, en empruntant l'allée des Forbes, nos voisins. On peut rentrer chez nous en enjambant la barrière qui sépare les deux maisons.

Je me suis efforcé de ne pas piétiner les plates-bandes le long de la clôture. Si j'écrasais ses fleurs, Mme Forbes allait encore piquer une crise ! J'avais déjà le pied gauche sur la barrière quand Anne m'a appelé. Avec précaution, je l'ai reposé à terre et me suis retourné. Elle était assise sur les marches du seuil, un verre de vin à la main.

« Je te croyais à l'enterrement.

— J'ai assisté au service religieux. Je ne suis pas allé au cimetière. Faut pas pousser, quand même. Je suis passé par ici parce qu'il y a encore les journalistes devant chez nous. Et je n'ai pas envie de leur parler.

— Je sais. Ils sont plantés là depuis ce matin. Ils m'ont demandé comment était ton père, en tant que voisin.

— Qu'est-ce que tu leur as dit ?

— Je ne leur ai pas parlé. Ma mère et mon père s'en sont chargés. Elle se mit à pouffer. Ils leur ont dit quel grand homme c'était. Tu vois le genre ? »

Je n'ai pu m'empêcher de sourire. Entre les Forbes et mon père, ce n'était pas le grand amour. Quand nous étions venus habiter là, les Forbes lui avaient déclaré la guerre. Pas question qu'un sale syndicaliste à la solde des cocos vienne polluer l'air pur de leur banlieue chic.

« Où sont tes vieux ? » Elle s'est remise à rire.

« A l'enterrement. Où veux-tu qu'ils soient ? »

J'ai ricané. Décidément, le monde c'était vraiment de la merde. Tous des hypocrites !

« Tu veux un verre de vin ? m'a-t-elle demandé.

— Non. Mais si tu en as, je boirais bien une bière.

— Bouge pas. » Elle a disparu dans la cuisine et je me suis installé sur les marches. L'instant d'après, elle revenait avec une bière fraîche.

J'ai tiré la languette et la mousse m'a giclé sur la main. Je me suis dépêché d'avaler. J'étais complètement assoiffé, je ne m'en suis rendu compte qu'en sentant le liquide glacé me couler dans la gorge. J'ai vidé la moitié de la boîte avant de reprendre ma respiration. Je me suis adossé contre l'un des montants de la véranda.

« Tu as l'air complètement noué.

— Non, non, ça va.

— Pas si bien que ça. » Elle fixait la boîte de bière que je tenais à la main. « Tu as les mains qui tremblent. »

J'ai allongé le bras. Elle avait raison.

« Je n'ai pas beaucoup dormi, cette nuit.

— Tu veux un tranquillisant ? » J'ai fait non de la tête. Je suis pas très porté sur ces cochonneries. « J'ai un shit de première qualité. Du bon. Tu veux que je te roule un joint ?

— Non, merci. Ça ne me dit rien pour le moment.

— Ça te fait rien si j'en fume un ?

— Te gêne pas. » Je l'ai regardée ramasser la petite blague posée sur le plancher à côté de sa chaise, se rouler adroitement un joli pétard et l'allumer après en avoir légèrement tapoté les deux bouts. Elle a pris une profonde inspiration, avalé un verre de vin et tiré de nouveau longuement sur son joint.

Ses yeux sont devenus tout brillants. Il ne lui fallait pas grand-chose pour décoller : elle était pratiquement défoncée tout le temps.

« J'ai beaucoup pensé à ton père.

— Ah, oui ?

— A force de penser à lui tout l'après-midi, ça m'a fait bander. Je trouve que la mort, ça a quelque chose d'excitant. »

J'ai avalé une gorgée de bière.

« Ah bon ?

— C'est vrai, je t'assure. J'ai lu quelque part que, les bombardements de la dernière guerre, les gens, ça les excitait. Je suppose que ça a quelque chose à voir avec l'immortalité.

— Tu parles ! Quelle réflexion profonde ! Les gens, baiser, ils aiment ça, figure-toi ! Alors pour eux, c'était l'occasion ou jamais de faire ce qu'ils voulaient.

— Oui, mais il y a autre chose. Quand je me suis réveillée, ce matin, je me suis dit que c'était triste qu'il ait disparu. J'ai pensé que, plus jamais, il ne pourrait ajouter quoi que ce soit. Là-dessus, je me suis mise à imaginer qu'on faisait l'amour une fois, rien qu'une. C'était bath. Il me faisait un enfant qu'il me laissait, là, dans le ventre. Ça m'a tellement excitée que je me suis fait jouir trois fois aujourd'hui. »

J'ai ri. « Tu parles d'un pied ! »

Elle m'a regardé, furieuse. « Tu ne comprends rien.

— Mon père avait soixante-quatorze ans. Tu en as dix-neuf.

— L'âge ne fait rien à l'affaire. Tu as dix-sept ans. La première fois qu'on a fait l'amour, tu en avais quatorze. C'est pas ça qui nous a arrêtés.

— C'était différent.

— Non, c'est pareil. J'ai couché avec des hommes plus âgés. Ça revient au même. Tout dépend de ce que tu ressens. » Elle s'est remise à tirer sur son joint puis elle a ajouté, après avoir bu une gorgée de vin : « Mais maintenant, il n'est plus là. Tout ce qu'il me reste, c'est le regret d'avoir loupé l'occase. »

J'ai vidé ma bière et écrasé la boîte dans ma main. « Merci pour la bière.

— Pas de quoi. »

J'allais partir. Elle m'a rappelé.

« Qu'est-ce que tu vas faire, maintenant ? Cet été, je veux dire.

— J'avais l'intention de partir en stop jusqu'à la rentrée, jusqu'à l'automne. Mais maintenant, je ne sais plus.

— Tu vas bientôt avoir dix-huit ans.

— Exact. Je vais pouvoir voter ; ça me fait une belle jambe. Dans deux mois, je serai adulte, majeur. Dans sept semaines, exactement. » Je regardais les volutes de fumée qui lui sortaient des narines. « Au fait, dis-moi.

— Oui ?

— Si mon père te faisait bander, pourquoi est-ce que tu n'as rien tenté ?

— Je crois que j'avais la trouille.

— De quoi ? » Son regard est devenu songeur.

« D'être rejetée. J'avais peur qu'il se moque de moi. Qu'il me prenne pour une idiote. Elle a hésité un moment. Ça m'est arrivé une fois avec un autre. J'ai mis des mois à m'en remettre.

— Ça ne se serait pas passé comme ça avec mon père. » J'ai sauté à bas des marches, m'enfonçant dans la terre meuble.

« Jonathan. » Elle est venue s'accouder à la balustrade et m'a regardé. « Tu ne te sens pas seul ? Affreusement seul ?

— Je me suis toujours senti seul. Même du vivant de mon père. »

J'ai pris la clé sous le paillasson et je suis entré. Longeant le couloir, je me suis dirigé vers la cuisine. Dans la maison, on n'entendait que le bruit de mes pas. Il y avait des casseroles sur le feu et des assiettes soigneusement disposées sur le comptoir, à côté de l'évier. Le monde aurait pu s'écrouler, Mamie aurait quand même préparé le dîner pour sept heures pile. C'était l'heure à laquelle mon père aimait manger. Est-ce que cela allait changer ?

Brusquement, j'ai eu faim. J'ai ouvert le réfrigérateur, j'ai sorti du jambon et du fromage et je me suis fait un sandwich. Je me suis pris une bière et me suis assis à table. Ce n'est qu'après la première bouchée que je me suis rendu compte qu'il y avait quelque chose de bizarre. La maison était absolument silencieuse.

Je me suis levé et j'ai allumé la télé. Pendant que je me rasseyais, elle s'est mise à ronronner en chauffant. L'instant d'après l'écran s'éclairait. Le visage de mon père est apparu ; il me regardait d'un air menaçant. Sa voix rauque emplissait la cuisine.

Il prononçait son fameux discours. *Le Défi démocratique*. « L'homme naît, il travaille et il meurt. Et puis, il ne reste plus rien... »

Je me suis relevé pour changer de chaîne. Ce discours, je l'avais déjà entendu. Sur la 11, on redonnait *L'Empire contre-attaque*. Je me suis décidé pour celle-là. Les monstres venus d'ailleurs me plaisent infiniment plus que les monstres terrestres. M. Spock faisait son numéro. C'est pas le gars souriant, on peut pas dire.

Mon sandwich fini, je suis sorti de la cuisine en laissant le poste allumé. Le son m'a suivi dans la maison. J'ai regardé par les fenêtres du rez-de-chaussée avant de monter dans ma chambre. Les journalistes étaient toujours là.

J'ai ôté mon costume et j'ai enfilé un jean et un polo. J'ai abandonné mes chaussures de cuir noir et mis des baskets. Ensuite, je suis passé dans la salle de bains, je me suis ébouriffé les cheveux pour faire partir la brillantine. Je me suis regardé dans la glace. Mon reflet me contemplait d'un œil critique.

Pas trop mal. Pas de boutons.

Je me suis fait un petit salut et je suis descendu. La porte du bureau de mon père était ouverte. Je suis resté sur le seuil un moment et, finalement, je suis entré.

La pièce avait déjà comme un air vieillot. Comme si, tout d'un coup, elle avait appartenu au passé. Quelque chose indiquait que mon père ne l'habitait plus.

Je me suis approché de son bureau pour l'examiner. Il était couvert de papiers et de rapports. Plusieurs cendriers contenaient des mégots de cigares. Quant à la corbeille à papiers, elle était pleine. Nonchalamment, je me suis glissé derrière le bureau pour m'asseoir dans l'immense fauteuil en cuir. Il gardait encore l'empreinte du volumineux postérieur paternel et je me suis enfoncé dedans. Il a fallu que je me redresse pour pouvoir feuilleter les papiers qui traînaient.

Il s'agissait essentiellement de rapports émanant de sections locales. Des relevés de cotisations, des arriérés, des circulaires. Rien que des trucs barbants. Comment mon père avait-il pu perdre son temps à éplucher chacun de ces trucs-là, alors qu'il avait tant à faire ?

Un jour, je lui avais demandé. A présent, je me souvenais de sa réponse. « On ne peut pas diriger une grande entreprise si l'on ne sait pas, à chaque instant, quel est l'état de ses finances, fiston. Or ce syndicat, ne l'oublie pas, est l'un des plus importants des États-Unis. Avec l'ensemble de nos cotisations, nous avons un excédent de près de deux cents millions de dollars. Nous avons investi partout, dans les emprunts nationaux aussi bien que dans les casinos de Las Vegas.

— Alors vous n'êtes pas différents des entreprises contre lesquelles vous luttez, avais-je fait observer. Tout ce qui vous intéresse, c'est de faire des bénéfices.

— Nous avons des motivations différentes, fiston.

— Je ne vois vraiment pas où est la différence. Quand il s'agit d'argent, tu es aussi réactionnaire que les autres. »

Mon père avait ôté les grosses lunettes dont il se servait pour lire et les avait posées sur son bureau. « J'ignorais que tu t'intéressais à ce que nous faisions. — Non, non, ça ne m'intéresse pas, m'étais-je empressé d'ajouter. Simplement, d'après ce que je vois, les gros syndicats et les grosses boîtes, c'est du pareil au même. La seule chose qui leur importe, c'est de faire du pognon. »

Mon père m'avait fixé de ses yeux bleus scrutateurs. Enfin, il m'avait dit : « Un jour, quand j'aurai le temps, nous en reparlerons. J'espère pouvoir te prouver que tu te trompes. »

Mais, comme toujours, quand mon tour venait, il n'avait plus le temps. A présent, c'était trop tard. J'ai remis les papiers sur le bureau et j'ai entrepris d'ouvrir les tiroirs.

Celui du milieu était rempli de papiers. Celui de gauche, idem. Mais le tiroir de droite ne contenait rien. Rigoureusement vide !

C'était absurde. Tous les autres étaient pleins à ras bord. J'ai plongé ma main dans le tiroir en tâtonnant. Toujours rien. Puis j'ai senti une petite encoche. J'ai appuyé et le fond du tiroir a coulissé.

J'ai regardé dans le double fond. Et j'ai vu un énorme colt automatique, noir avec des reflets bleus, huilé, sinistre. Lentement, je m'en suis emparé. Dans ma main, il pesait une tonne. Rien d'un joujou ; c'était un engin tout ce qu'il y a de sérieux. J'ai lu quelque part qu'une balle tirée par un colt 45 automatique fait un trou aussi large qu'une pièce de un dollar en argent quand elle ressort de l'autre côté.

Je l'ai remis dans le tiroir que j'ai refermé. Je suis resté là les yeux fixés sur le bureau ; au bout d'un moment, je me suis levé et j'ai quitté la pièce. J'ai pris une autre boîte de bière dans le frigo et je suis sorti sur la véranda, derrière la maison.

Anne était toujours assise comme je l'avais laissée. Elle m'a fait un signe. Je lui ai répondu et je me suis assis dans le rocking-chair. J'ai avalé une gorgée de bière et nous sommes restés là, tous les deux assis, à nous regarder par-dessus la barrière qui sépare nos deux jardins.

« *Pourquoi as-tu fouillé mon bureau ?*

— *Je ne sais pas. Ça s'est trouvé comme ça. Voilà tout.*

— *Je ne te le reproche pas. Simple curiosité.*

— *Tu es mort. Qu'est-ce que ça peut bien te faire ? Les morts n'ont plus de secrets.*

— *Je ne suis pas mort. Je croyais que tu avais commencé à le comprendre.*

— *Foutaises ! Quand on est mort, on est mort.*

— *On ne meurt jamais. Toi, tu es bien vivant.*

— *Tandis que toi, tu ne l'es plus !*

— *Pourquoi as-tu changé de chaîne pour regarder* L'Empire contre-attaque ? *Tu avais peur de me regarder ?*

— *C'était plus intéressant que toi !*

— *Pourquoi restes-tu assis là ? Je croyais que tu devais partir.*

— *Je ne suis pas encore tout à fait décidé.*

— *Tu partiras.*

— *Pourquoi es-tu si sûr de toi ?*

— *A cause de cette fille, là-bas. Je n'en ai pas encore fini avec elle.*

— *Décidément, tu n'as pas changé.*

— *Pourquoi aurais-je changé ? Tu vis, toi.* »

La boîte de bière était vide. Je me suis levé pour la jeter dans la poubelle en plastique à côté de la porte de la cuisine. J'ai ouvert et, avant d'entrer, je me suis retourné pour regarder Anne.

Elle n'avait pas bougé. Son visage était presque dissimulé par les volutes de fumée, mais ses yeux me fixaient. Depuis le temps, elle devait être complètement pétée. Je l'ai vue me faire un vague signe d'assentiment, puis elle s'est mise lentement debout. Elle a disparu derrière la moustiquaire et j'ai entendu le déclic de la serrure. Le bruit a paru durer jusqu'à ce que, moi aussi, je ferme la porte derrière moi. Je suis monté dans ma chambre, je me suis jeté sur mon lit et presque instantanément, j'ai sombré dans le sommeil.

C'est un vague brouhaha, qui montait du plancher, qui m'a réveillé. J'ai ouvert les yeux. Le soleil déclinant n'éclairait plus mes fenêtres. J'ai regardé le plafond en écoutant le murmure des voix qui me parvenait d'en bas.

C'était un bruit familier, curieusement rassurant. Il m'est souvent arrivé de m'endormir exactement de la même façon, avec le bruit assourdi d'une conversation. Ma chambre est située juste au-dessus du bureau de mon père.

C'étaient les mêmes conversations assourdies, à un détail près, cependant : cette fois-ci, quelque chose manquait. Il m'a fallu un moment avant de comprendre quoi : sa voix. D'une façon ou d'une autre, j'avais toujours su la reconnaître au milieu du brouhaha.

Je me suis levé et je suis descendu. La porte du bureau était fermée, mais les voix passaient à travers le panneau. J'ai ouvert et jeté un œil. Brusquement, dans la pièce, le silence s'est fait.

D.J. était installé dans le fauteuil derrière le bureau et Moses se tenait à côté de lui comme lorsqu'il se trouvait avec mon père. Jack était assis à la droite de D.J. J'en voyais trois autres de dos, assis devant le bureau. Ils se sont tournés et m'ont regardé sans rien dire. Je ne les connaissais pas.

« Mon frère Jonathan », a dit D.J.

C'était plus une explication qu'une présentation. Les étrangers ont salué de la tête, un salut prudent. Méfiant, D.J. n'a pas pris la peine de me les présenter.

« Je ne savais pas que tu étais rentré.

— Je suis rentré directement. » J'étais resté sur le seuil. « Où est ma mère ?

— Le docteur lui a donné un cachet et lui a dit d'aller se coucher. Elle a eu une rude journée. »

De la tête, j'ai acquiescé.

« J'ai pensé qu'il valait mieux se réunir ici. Nous avons certains problèmes à résoudre avant que je ne rentre chez moi. Je dois prendre un avion à huit heures et nous avons une réunion du comité exécutif tôt dans la matinée. » Je suis entré dans le bureau.

« Ça va comme tu veux ? » D.J. m'a regardé.

« Qu'est-ce que tu veux dire ?

— Ben quoi... Tu refais le monde, une fois de plus, toi aussi. » Je me suis approché du bureau que j'ai inspecté. Tous les papiers que j'avais vus dans les tiroirs se trouvaient à présent étalés dessus. Mais le revolver n'y était pas. Je me suis demandé s'il l'avait trouvé.

« La terre ne s'arrête pas de tourner simplement parce que... » D.J. n'a pas achevé.

J'ai poursuivi à sa place : « Le roi est mort. Vive le roi ! » D.J. a rougi. C'est Moses qui gentiment m'a dit : « Tu sais, Jonathan, nous avons vraiment beaucoup de travail. »

Je l'ai regardé. Il avait quelque chose de tendu que je ne lui connaissais pas. Comme s'il n'était pas sûr de lui. J'ai observé les autres. Brusquement, j'ai compris. Les fondations avaient disparu ; ils avaient tous peur que la maison ne s'écroule.

Ils m'ont fait pitié. Ils étaient tout seuls à présent. Mon père n'était plus là pour leur dire ce qu'il fallait faire.

« Je vous laisse tranquilles. » J'ai regardé mon frère.

« Te bile pas. Ça se passera très bien. » Il n'a rien répondu. Je lui ai tendu la main. « Bonne chance. »

Il a fixé ma main, puis son regard s'est posé sur moi. Quand il l'a prise, sa voix était rauque et, dans ses yeux, il y avait quelque chose qui ressemblait fort à des larmes.

« Merci, Jonathan. Ses paupières ont battu rapidement. Merci, a-t-il ajouté.

— Tu t'en tireras.

— J'espère. Mais ce ne sera pas facile. Les choses vont changer.

— Elles finissent toujours par changer », ai-je répondu, et j'ai quitté la pièce. Après avoir refermé la porte, je me suis adossé un instant contre la cloison. La conversation avait repris. Les yeux clos, j'ai cherché la voix de mon père. En vain.

D.J. l'aimait beaucoup. Moi pas. Pourquoi ? Pourquoi cette différence entre nous ? Nous sommes tous les deux ses fils. Que lui trouvait D.J. qui, à moi, m'avait échappé ?

J'ai repris le couloir jusqu'à la cuisine. Mamie s'activait parmi ses poêles et ses casseroles. Elle se parlait à elle-même.

« A quelle heure est-ce qu'on dîne ? ai-je demandé.

— Je sais pas. Faut plus rien me demander. Dans cette maison, tout est sens dessus dessous. Ton frère ne veut pas dîner et ta mère est là-haut en train de pleurer toutes les larmes de son corps.

— Je croyais que le docteur lui avait donné un cachet pour dormir.

— Peut-être bien. Mais tout ce que je sais, c'est que ça ne marche pas ». Elle a plongé la louche dans une casserole et elle me l'a tendue toute fumante. « Goûte. Mais souffle d'abord : c'est chaud. »

Après avoir soufflé, j'ai goûté. Fameuse, la daube !

« Ça manque un peu de sel. »

Elle s'est mise à rire en reprenant la louche. « J'aurais dû m'y attendre. Exactement comme ton papa. Il disait toujours ça. »

Je l'ai regardée. « Tu l'aimais, mon père ? »

Elle a reposé la louche dans l'évier et s'est tournée vers moi.

« Voilà bien la question la plus bête que j'aie jamais entendue, Jonathan ! Ton papa, je l'adorais. C'était l'homme le plus extraordinaire qui soit.

— Pourquoi est-ce que tu dis ça ?

— Parce que c'est la vérité. Voilà pourquoi. Là-bas, chez nous, tu peux demander à n'importe qui. Ils te diront tous la même chose. Nous, les Noirs, il nous a toujours traités comme des êtres humains. Bien avant qu'on ait le droit de vote ! » Elle est retournée à ses fourneaux, elle a ôté le couvercle de la marmite pour jeter un coup d'œil. « Tu dis que ça manque de sel ?

— Oui », ai-je répondu en sortant. Je suis monté à l'étage et me suis planté devant la porte de la chambre de ma mère.

Mamie se trompait. Il n'y avait pas un bruit.

Jack Haney est entré dans la cuisine, où j'étais en train de dîner, tout seul.

« Je vais prendre une tasse de café avec toi, m'a-t-il dit, en tirant une chaise à lui.

— Prends un peu de daube. Il y en a assez pour nourrir une armée.

— Non, merci. » Mamie est venue lui servir une tasse de café. « On doit manger un morceau dans l'avion. » Je l'ai regardé porter la tasse de café à ses lèvres.

« Vous allez à Washington ? »

Il a fait signe que oui.

« Dan veut que je sois avec lui à la réunion du comité exécutif, demain. Il risque d'y avoir des problèmes juridiques. » Voilà que tout d'un coup on ne l'appelait plus D.J. ni même Daniel Junior, mais Dan, tout simplement.

« Ce sera compliqué ?

— Je ne crois pas. Ton père avait tout prévu.

— Alors pourquoi D.J. s'inquiète-t-il ?

— Il y a des vieux de la vieille qui risquent de ne pas apprécier de voir un homme aussi jeune que lui prendre la succession.

— Pourquoi protesteraient-ils ? Ça fait un moment qu'ils sont au courant !

— C'est vrai. Mais quand ton père était en vie, ils n'osaient rien dire. A présent, c'est une autre histoire ! Ce qu'ils ne comprennent pas, c'est que pour la première fois ils ont quelqu'un de parfaitement compétent, quelqu'un qui n'aura pas besoin d'apprendre le métier au fur et à mesure. Quelle importance qu'il n'ait jamais travaillé de ses mains, qu'il n'ait jamais été militant de base, qu'il n'ait jamais fait le piquet de grève ! Diriger un syndicat, c'est à peu près la même chose que diriger une grande entreprise. Il faut avoir de l'expérience. C'est pour ça que les organisations s'arrachent les majors de promotion des grandes écoles. Ton père avait toujours pensé que c'était ce qu'il fallait faire. Et c'est pour ça qu'il a poussé Dan à poursuivre des études.

— Je suis bien placé pour le savoir. Mon père m'a poussé à faire la même chose. Des études de droit à Harvard et ensuite une grande école de commerce. Il avait tout prévu. Tout, si ce n'est que moi, j'ai horreur d'être programmé ! » J'ai saucé mon assiette avec du pain. Mamie regardait mon assiette vide.

« Tu en veux encore ? » J'ai refusé. Elle a pris mon assiette. « C'était assez salé ?

— C'était parfait. » Elle s'est mise à rire et a posé une tasse de café devant moi.

« Exactement comme ton papa ! Tu te plains d'abord qu'il n'y a pas assez de sel et puis tu te régales sans que j'en aie rajouté un grain ! » Je me suis tourné vers Jack.

« Qu'est-ce qui va se passer, exactement, demain ?

— Le comité exécutif doit statuer sur la situation. Dan sera président par intérim jusqu'à la prochaine élection générale qui aura lieu dans neuf mois, au printemps prochain. D'ici là, nous espérons avoir tout en main. »

J'ai approuvé. Si c'était mon père qui avait tout combiné, ça marcherait. Ses projets finissaient toujours par aboutir. Jack a vidé sa tasse de café et s'est levé.

« Tu veux bien expliquer à ta mère pourquoi je pars ? Dis-lui que je l'appellerai demain matin.

— D'accord.

— Merci », m'a-t-il fait, la main sur la poignée de la porte. Quelques minutes plus tard j'ai entendu une portière claquer dans l'allée. Je suis allé à la fenêtre et j'ai aperçu la grosse Cadillac noire qui démarrait. Je l'ai regardée jusqu'à ce que ses feux arrière disparaissent dans la rue. Ensuite je suis monté et je me suis arrêté devant la porte de ma mère. Tout était toujours silencieux.

Doucement, j'ai tourné la poignée et j'ai regardé dans la pièce. Dans la pénombre, j'ai aperçu sa silhouette sur le lit. Sans faire de bruit, je suis entré dans la chambre et je l'ai regardée.

Endormie, elle avait un air désespéré, un teint pâle que je ne lui avais jamais connus. Tout doucement, j'ai remonté le drap qui avait glissé. Elle n'a pas bougé.

Sur la pointe des pieds, j'ai quitté la chambre et je suis descendu dans l'entrée. J'ai sorti mon sac à dos du placard et j'ai rangé mes affaires. Ça m'a pris dix minutes. Il est vrai que je n'ai pas grand-chose à emporter.

J'ai ouvert les yeux une minute avant la sonnerie du réveil. J'ai tendu le bras pour l'arrêter. Inutile de réveiller toute la maison. Après m'être rapidement habillé, je suis descendu.

Les couloirs étaient sombres mais la cuisine orientée à l'est recevait les premiers rayons du soleil. J'ai branché le percolateur. Comme d'habitude, Mamie avait tout préparé.

Mon père se levait toujours tôt. Le matin, il descendait seul, s'asseyait et buvait son café en attendant que la maison s'éveille. Il disait que c'était son heure de méditation. Le seul moment où il était tranquille. Quant à ses problèmes, grands ou petits, au moment où le reste de la maison s'éveillait, il y avait réfléchi ; dès lors, ce n'étaient plus des problèmes mais une simple tâche à accomplir.

Je suis monté dans ma chambre pour prendre mon sac. La porte du bureau était ouverte ; quelque chose m'a poussé à entrer et à ouvrir le tiroir.

Le revolver s'y trouvait toujours. Ils n'avaient pas remarqué le double fond. J'ai pris l'arme pour la regarder. Bien huilée, elle contenait un chargeur plein. Ça m'a paru bizarre. Seuls les gens peureux possèdent des armes. Or mon père ne savait pas ce que c'était que la peur.

J'ai ouvert une des poches de mon sac à dos et j'ai fourré le revolver dedans, entre mes slips et mes chemises. D'un coup de genou, j'ai refermé le tiroir. Le café devait être prêt maintenant.

« Jonathan. Ma mère était debout sur le seuil. Que fais-tu ?

— Rien. » Réponse classique de l'enfant que ses parents surprennent le doigt dans le pot de confiture. Depuis combien de temps se trouvait-elle là ? Elle est entrée dans la pièce.

« Je sens encore l'odeur de ses cigares », a-t-elle murmuré, comme si elle se parlait à elle-même.

« Si l'on en croit la pub, un peu d'Airwick et tu ne sentiras plus rien ! Elle s'est tournée vers moi.

— Tu crois que ce sera si facile ? » J'ai réfléchi un bon moment avant de répondre :

« Non. A moins qu'on n'invente un produit qui désinfecte l'intérieur du crâne. Elle a remarqué mon sac.

— Tu pars ? Déjà ?

— Je ne vois pas pourquoi j'attendrai. Il ne me reste plus que sept semaines pour profiter de l'été.

— Tu ne peux pas attendre un petit peu ? Nous avons tellement de choses à mettre au point.

— Quoi, par exemple ?

— Tes études. L'établissement dans lequel tu iras, ce que tu veux faire plus tard.

J'ai ri.

— J'ai pas tellement le choix ! C'est l'armée qui décidera.

— Ton père dit — elle s'est reprise — ton père disait que tu ne ferais pas ton service militaire.

— Bien sûr. Il avait tout combiné. Comme il combinait toujours tout.

— Tu ne crois pas qu'il serait temps de cesser de te rebeller contre lui, Jonathan ? Il est mort à présent. Il n'y peut plus rien. » Sa voix s'est brisée.

« Et toi, qu'est-ce que tu en penses ? Tu ne crois pas plus que moi à ce que tu me dis. Il a tout prévu, tout, même sa mort. »

Elle restait debout, silencieuse et les larmes coulaient sans bruit sur ses joues. Je me suis approché d'elle et, maladroitement, je lui ai entouré les épaules de mes bras. Elle s'est enfoui le visage contre ma poitrine.

« Jonathan, Jonathan !

— Ne t'en fais pas, maman, ai-je dit en lui caressant les cheveux. C'est fini.

— Je me sens si coupable. » Ma chemise étouffait le son de sa voix. « Je ne l'ai jamais aimé. Je l'adorais, mais je ne l'ai jamais aimé. Peux-tu comprendre ça ?

— Pourquoi l'as-tu épousé, alors ?

— A cause de toi.

— Moi ? Je n'étais pas encore né.

— J'avais dix-sept ans. J'étais enceinte, a-t-elle murmuré.

— Même à cette époque, il y avait moyen de se débrouiller. » Elle s'est écartée de moi.

« Donne-moi une cigarette. » Je la lui ai allumée. « Tu as branché la machine à café ? »

J'ai fait signe que oui ; je l'ai suivie à la cuisine. Elle a rempli deux tasses et nous nous sommes assis à table.

« Tu n'as pas répondu à ma question. Tu n'étais pas obligée de l'épouser ?

— Il n'a rien voulu savoir. Il désirait un fils ; c'est ce qu'il disait.

— Pourquoi ? Il en avait déjà un.

— Dan ne lui suffisait pas. Il s'en rendait compte et je crois que parfois Dan lui-même le sentait. Voilà pourquoi il essayait toujours de faire plaisir à son père par tous les moyens. Mais Dan est un doux, pas comme ton père. » Voilà que ma mère, elle aussi, ne l'appelait plus D.J. « Ton père a obtenu ce qu'il a voulu. Et, que ça te plaise ou non, tu es exactement comme lui. » Je me suis levé et j'ai apporté la cafetière sur la table.

« Encore un peu de café ? » Elle n'en voulait plus. J'ai rempli ma tasse.

« Tu bois trop de café. » Ça m'a fait rire.

« Tu crois que ça va retarder ma croissance ? Je fais plus d'un mètre quatre-vingts. » Elle n'a pas pu s'empêcher de sourire. « Tu sais, maman, tu es une très jolie femme. »

Elle a haussé les épaules.

« Ce n'est pas l'effet que je me fais en ce moment !

— Un peu de patience. Tu verras ! » Elle a hésité, puis son regard a croisé le mien.

« Tu es au courant pour... Jack et moi ? » J'ai hoché la tête. « Je m'en doutais. Pourtant, tu n'as jamais rien dit ?

— Ça ne me regardait pas.

— A présent, il veut qu'on se marie. Mais je ne suis pas décidée.

— Y a pas le feu. Personne ne t'y oblige, cette fois. »

Elle m'a fixé, l'air stupéfait.

— Quand tu as dit ça, on aurait cru ton père.

— Impossible ! Si j'étais mon père, je n'aurais pas compris que tu ne m'aies pas rejoint dans le crématoire !

— Quelle horreur !

— Quand j'ai faim, je deviens toujours horrible. Il était comme ça, lui aussi ?

— Exactement. Elle s'est levée. Et je vais faire pour toi ce que je faisais pour lui. Je vais te confectionner le plus gigantesque déjeuner que tu aies jamais ingurgité ! »

« Je crie " pouce " ! Maintenant, je vais pouvoir passer une semaine sans manger. » Ma mère a souri.

« C'est exactement ce que je voulais. » Elle a empilé les assiettes vides dans l'évier et rempli les tasses de café. « Tu sais où tu vas ?

— Pas vraiment. D'abord dans le Sud et ensuite, peut-être, vers l'Ouest. Mais ça dépend surtout des gens qui me prendront.

— Tu seras prudent ? J'ai fait signe que oui.

— Il y a toutes sortes de gens sur les routes.

— Je me débrouillerai.

— Tu m'écriras pour me dire où tu te trouves ?

— Bien sûr. Ne t'inquiète donc pas.

— Si. Je vais m'inquiéter. Si tu as le moindre ennui, tu m'appelleras ?

— En P.C.V.

— D'accord. Elle a souri. Comme ça, je suis tranquille. »

J'ai jeté un coup d'œil à la pendule. Elle marquait sept heures moins le quart. « Je ferais mieux de partir. » Tandis que je me levais, elle gardait les yeux fixés sur moi.

« Je suis trop jeune. J'ai toujours été trop jeune.

— Comment ça ?

— D'abord, je me suis mariée trop jeune et ensuite j'ai eu un enfant trop jeune. Maintenant je suis trop jeune pour être veuve, pour être seule.

— Tout le monde finit par vieillir un jour. Ton tour est peut-être venu.

— Tu parles comme ton père. Il avait la même façon froide, presque clinique de séparer sa vie en deux : lui d'un côté, de l'autre ses émotions. » Elle m'a regardé curieusement. « Es-tu vraiment mon fils, Jonathan ? Ou bien ne serais-tu qu'un prolongement de ton père qu'il a implanté en moi, comme il disait ?

— Je suis moi. Je suis ton fils. Et le sien. Voilà tout !

— Tu m'aimes ? » Je suis resté sans rien dire un moment puis je lui ai pris la main que j'ai embrassée.

« Oui, maman.

— Tu as assez d'argent ? » Sa question m'a fait rire. J'avais pas loin de cent dollars. A raison de dix dollars par semaine, je ne me faisais pas de bile.

« Oui, maman. »

J'ai pris mon sac à dos et j'ai descendu l'allée. En arrivant dans la rue encore endormie, je me suis retourné. Ma mère se tenait sur le seuil. Elle m'a fait signe. Je lui ai répondu et je me suis engagé dans la rue.

Vu la température qu'il faisait ce matin-là, la journée promettait d'être chaude. Les moineaux s'éparpillaient déjà sur la pelouse, en quête de nourriture ; à leurs piaillements se mêlait parfois le trille d'un rouge-gorge. L'air était saturé de senteurs végétales. L'autoroute n'était qu'à deux kilomètres de là, de l'autre côté du pont qui franchit la baie de Schuylkill.

Le camion du laitier a tourné le coin de la rue juste en même temps que moi. En m'apercevant, Pete s'est arrêté. « Jonathan ! »

J'ai attendu qu'il descende de sa cabine. Il tenait un jus d'orange dans une main, une boîte de bière dans l'autre. « Arrêt-buffet : tu choisis ! »

J'ai pris la bière. Par un matin pareil c'était ce qu'il fallait. Déjà je sentais la chaleur m'envahir. Après avoir remis le jus d'orange dans son camion, il a sorti une bière pour lui. Nous les avons décapsulées en même temps et le bruit a résonné dans la rue silencieuse.

Il a bu une longue gorgée et s'est essuyé la bouche du revers de la main.

« Toutes mes condoléances, hein ? »

J'ai baissé la tête. « Où tu vas comme ça ?

— J'en sais trop rien. Je pars. Il a approuvé.

— Ça fait du bien de partir. Ta mère, ça va ?

— Ça va. C'est une femme courageuse. » Il m'a regardé un moment comme s'il réfléchissait à ce que je venais de lui dire. Pete nous connaît depuis longtemps. Quinze ans. Finalement, il s'est décidé :

« C'est vrai. » Quand j'ai fini ma bière, j'ai écrasé la boîte dans ma main. Il me l'a prise. « Tu pars combien de temps ?

— Sept semaines.

— Merde ! Ça veut dire quatre-vingt-quatre bouteilles en moins. Je peux dire adieu à ma prime. J'ai ri.

— Ça fait rien. Laisse les bouteilles quand même. Ma mère s'en apercevra sûrement pas !

— Elle, non. Mais je te parie que Mamie m'a déjà mis un petit mot dans la bouteille vide qui m'attend. » Il est remonté dans son camion. Il a farfouillé dedans pendant un moment et il est ressorti avec un pack de six bières. « Si j'étais toi, j'emporterais ça. Il va faire rudement chaud aujourd'hui.

— Merci. » Il me dévisageait.

« Ton père va nous manquer. » Il m'a montré le macaron du syndicat qu'il porte sur sa combinaison blanche. « Ça, tu vois, grâce à lui, ça veut dire quelque chose. Tout ce que j'espère, c'est que ton frère fera presque aussi bien.

— Il fera mieux. » Il m'a fixé de nouveau un instant.

« On verra ça. Mais il remplacera pas ton père.

— Qui pourrait le remplacer ?

— Toi. » Ça m'a surpris.

« Mais j'ai pas encore l'âge !

— Ça viendra, un jour. On attendra. » Il a embrayé et je l'ai regardé disparaître au coin de la rue. Là-dessus, j'ai traversé la chaussée.

« Alors, tu me crois maintenant ?

— Non. C'est toi qui as voulu faire croire ça. C'est toi qui as mis cette idée dans la tête des gens.

— Pourquoi aurais-je fais une chose pareille ?

— Parce que t'es givré. Parce que tu étais jaloux de D.J. Tu sais qu'il réussira bien mieux que toi !

— Tiens, voilà que tu aimes ton frère !

— Pas du tout. Mais je reconnais ses qualités. C'est quelqu'un de bien.

— Moi aussi.

— Quand ça ? Il y a combien d'années ? Avant ma naissance, quand tu n'étais pas encore avide d'argent et de pouvoir ?

— Tu refuses toujours de comprendre.

— Non. Je comprends trop bien.

— Tu crois que tu comprends. Mais un jour, tu verras.

— Va-t'en. Tu es aussi ennuyeux mort que vivant !

— Je serai vivant tant que toi et tes enfants vivrez. Je suis dans tes gènes, dans tes cellules, dans ton esprit. Laisse faire le temps. Tu t'en rappelleras.

— Je me rappellerai quoi ?

— Tu te souviendras de moi.

— Je ne veux pas me souvenir de toi !

— Si, tu t'en souviendras ! De mille façons différentes. Tu ne pourras pas t'en empêcher.

— En tout cas, pour l'instant, je suis en vacances. »

Elle était assise sur le parapet en béton, à l'entrée du pont. Elle avait posé son sac à côté d'elle et laissait pendre ses jambes au-dessus du fleuve. Elle fixait l'eau au-dessous d'elle, et de ses lèvres s'échappaient d'épaisses et âcres volutes de fumée.

« Bonjour, Jonathan », m'a-t-elle dit sans tourner la tête. Je me suis arrêté mais je n'ai pas répondu. « Je t'attendais, a-t-elle ajouté sans me regarder. Tu n'es pas fâché ?

— Non. »

Elle a pivoté pour me faire face. Elle souriait.

« Alors, tu m'emmènes ? » Rien qu'à sa façon de me regarder, j'ai compris.

« T'es complètement pétée !

— Un peu, seulement. » Elle m'a tendu le joint. « Tu veux un taf ? C'est du shit de première bourre !

— Sans façons. L'autoroute, c'est vraiment pas l'endroit idéal pour venir se défoncer.

— Alors, t'es fâché ?

— Je t'ai dit que non !

— Mais tu n'en penses pas moins.

— Non, j'étais sincère, je t'assure.

— Alors, pourquoi est-ce que je peux pas venir avec toi ?

— Parce que je veux être seul. Tu comprends ?

— Je te gênerai pas. Je te laisserai tranquille.

— Rentre chez toi. N'insiste pas, ça marchera pas. » J'ai monté le péron qui conduisent à l'escalier. Elle m'a hélé.

« Pourquoi m'as-tu donné rendez-vous ici ? » A mi-course, je me suis retourné pour la regarder.

« Moi ? Quand est-ce que je t'ai dit ça ?

— Hier après-midi. » Ses yeux embrumés brillaient curieusement. « Juste après que tu as parlé avec ton père.

— Mon père est mort.

— Je sais.

— Comment est-ce que j'aurais pu lui parler ? J'ai l'impression que tout le shit que tu fumes te tape sur le ciboulot.

— Je t'ai vu qui lui parlais, a-t-elle répliqué, l'air buté. Ensuite tu t'es levé pour aller vers la porte et tu m'as regardée. Alors, tu m'as dit, je t'ai entendu : " Rendez-vous au pont demain matin. " Je t'ai fait signe que j'avais compris et je suis rentrée. »

Je n'ai rien dit. « Tu as exactement la même voix que ton père. »

Je la regardais. A cause de la chaleur matinale, de fines gouttelettes de sueur étaient apparues sur son visage qui brillait dans la lumière crue. Des taches mouillaient sa chemise entre les seins, deux croissants sombres s'élargissaient sous ses bras.

« Je n'ai rien dit d'autre ?

— Si. Mais ce n'était pas très clair. Je n'ai pas bien compris. Quelque chose comme : " Je n'en ai pas encore fini avec toi. " Tout ce que je sais, c'est que ça m'a excitée. Je suis montée dans ma chambre, je me suis déshabillée. je me suis allongée nue et sans rien faire, j'ai joui plusieurs fois de suite jusqu'à ce que je n'en puisse plus. »

J'ai tendu le bras.

« Passe-moi ton joint. » Anne me l'a placé entre les doigts. Sa main était chaude et sèche. « Il te reste du shit ? »

Elle a fouillé dans son sac et en a sorti sa petite blague. Je l'ai prise. « C'est tout ? »

Elle a hoché la tête.

J'ai tout jeté dans la rivière. Elle s'est penchée pour la voir flotter un moment à la surface de l'eau puis s'enfoncer lentement tandis que le courant l'entraînait sous le pont.

« Je ne pourrais jamais ravoir un shit de cette qualité-là, s'est-elle écriée, pleine de dépit. Pourquoi as-tu fait ça ?

— J'ai pas envie de me faire pincer et de passer mes sept semaines de vacances en tôle, dans un trou quelconque. » Brusquement ses yeux se sont emplis de larmes.

« Touche-moi », m'a-t-elle dit.

Je lui ai pris la main ; elle a guidé la mienne sur ses seins. Elle a fermé les yeux, écrasant les larmes entre ses paupières. « Ah, ça fait du bien ! »

Anne est descendue du parapet. Nous l'avons contourné et nous sommes passés sous le pont. Et là, nous avons fait l'amour, avec le fracas des camions qui grondait sur la chaussée, au-dessus de nos têtes, et qui couvrait ses gémissements. Après, elle est restée tranquillement étendue, elle m'a regardée remonter mon jean et me reboutonner. Elle s'est baissée pour prendre son sac, elle a attrapé quelques Kleenex qu'elle s'est fourrés dans l'entre-cuisses.

« C'est tellement bon que je veux pas en perdre une goutte. C'est bien mieux que tout ce que je peux gamberger. » Je n'ai rien répondu. Elle m'a pris la main. « Jonathan, tu crois que je suis amoureuse de toi ? »

Je l'ai regardée dans les yeux. Ils brillaient d'une évidente satisfaction.

« Non, ai-je répliqué brièvement. Tu n'es pas amoureuse de moi. Tu es amoureuse de mon père. »

Il faisait déjà chaud sur l'autoroute et à la poussière venait s'ajouter la nappe gris-bleuté des gaz d'échappement qui pesait sur le bitume. Après avoir attendu un trou dans la circulation, nous avons traversé pour nous mettre du côté qui menait vers le sud. Nous sommes restés là à regarder filer les voitures.

Elle a repoussé ses longs cheveux moites qui lui barraient la figure.

« Il doit bien faire déjà plus de trente degrés.

J'ai approuvé.

— On pourrait peut-être trouver un coin à l'ombre pour se rafraîchir un peu ? » Je l'ai menée vers un bouquet d'arbres et nous nous sommes installés par terre, à l'ombre. J'ai défait deux bières du pack que Pete m'avait donné. « Ça va nous faire du bien. » Elle a bu une longue gorgée.

« Le hasch me déshydrate. Et puis baiser, ça me donne soif. »

J'ai ri. « Il va falloir te modérer un peu. »

Elle m'a fait un petit sourire. Tout en dégustant ma bière, j'observais la route. A cette heure, il n'y avait plus beaucoup de camions, on voyait surtout des banlieusards qui filaient vers New York. Les grosses voitures, équipées de l'air conditionné, roulaient toutes vitres fermées pour se protéger de la chaleur et des odeurs. Les petites avaient grandes ouvertes les leurs ; les conducteurs espéraient sans doute que le vent de la vitesse atténuerait la chaleur. Vu la densité de la circulation, ça paraissait bien improbable.

« Où allons-nous ? a demandé Anne.

— En Virginie.

— Pourquoi en Virginie ?

— C'est un endroit qui en vaut bien d'autres. Et puis, je n'y suis jamais allé. »

Je ne lui ai pas dit que c'était de là que mon père était originaire. Il est né non loin de Fitchville, une bourgade que j'ai repérée un jour sur une carte. Je me demandais à quoi ça pouvait bien ressembler, parce qu'il n'en avait jamais parlé. A présent, brusquement, je savais qu'il fallait que j'y aille — même si ce matin, en quittant la maison, l'idée ne m'avait pas effleuré.

J'ai terminé ma bière d'un coup et je me suis levé. J'ai rangé les autres boîtes dans mon sac et j'ai regardé Anne.

« Prête ? »

Dans son balluchon, elle a déniché un vieux chapeau de feutre mou qu'elle s'est enfoncé sur la tête.

« Ça me va ?

— Superbe ! » A son tour, elle a bondi sur ses pieds.

« Allons-y. »

Une heure plus tard, nous faisions toujours du stop, le bras tendu vers les voitures qui passaient sans s'arrêter. Anne avait fini par s'asseoir sur son barda, le visage rouge. Elle avait chaud. J'ai allumé une cigarette que je lui ai tendue.

« C'est pas aussi facile qu'au cinéma, hein ? » J'ai souri en allumant une autre cigarette pour moi.

« Tu l'as dit.

— J'ai envie de faire pipi. »

Je lui ai indiqué le bouquet d'arbres.

« Va là-bas. »

Elle m'a regardé d'un air dubitatif.

« Tu feras bien de t'y habituer. »

Elle a sorti deux ou trois Kleenex de son sac et elle a disparu derrière les arbres. De mon côté, je surveillais la route. A présent, la circulation était plus fluide ; l'heure de pointe était passée. Il y avait peu de voitures particulières, davantage de camions. La chaussée commençait à trembler dans l'air chaud.

J'ai entendu Anne qui revenait. Le soleil me faisait grimacer. Un énorme semi-remorque est apparu au sommet de la colline. Il descendait vers nous. Machinalement, j'ai levé la main pour lui faire signe et j'ai entendu le sifflement de ses puissants freins à air comprimé. Tout doucement, le camion a fini par s'arrêter. Son ombre gigantesque nous a soudain abrités du soleil.

La portière s'est ouverte sans bruit, à un mètre au-dessus du sol. Sans voir le conducteur, j'ai entendu sa voix : « Alors, les enfants, je vous emmène en ville ? » J'ai senti la main d'Anne se crisper sur mon bras, mais la voix que j'ai entendue n'était pas la sienne : « *Daniel, papa nous a dit d'y aller à pied.* »

Dans un geste d'impatience, je me suis dégagé. « Oh oui, m'sieur, c'est pas de refus ! » ai-je répondu au routier.

Livre I

AUTREFOIS

1

Accroché au flanc de la colline, le petit champ était nu à l'exception de quelques rares et maigres buissons qui avaient résisté à la sécheresse et à la chaleur de l'été. La terre commençait à fraîchir en même temps que le soleil déclinait lorsque le lapin risqua prudemment le bout du nez hors de son terrier dissimulé par un taillis et renifla l'air tranquille. L'instant d'après, il avait émergé. Avec de petits mouvements saccadés, il tourna la tête dans toutes les directions. Il ne vit rien. Tout danger avait disparu.

Pourtant, il continuait à se déplacer avec prudence. Les oreilles en arrière, aplaties contre son crâne, il maintenait son corps tout près du sol de façon à ce que son poil blanc, tacheté de gris, ne se remarque pas sur la terre nue, blanchie par le soleil. Par petits bonds rapides, il progressa de buisson en buisson, s'arrêtant derrière chacun pour observer les alentours, avant de descendre la colline vers le petit bois qui bordait les rives d'un ruisseau pratiquement à sec.

Il parcourut les cent derniers mètres à une vitesse prodigieuse et s'immobilisa dans l'ombre épaisse des halliers, le cœur battant, tant il avait peur de s'être exposé. Mais il était trop affamé et l'odeur du fenouil sauvage qui poussait près des racines d'acacia eut finalement raison de sa prudence.

Mais à présent, il se tenait de nouveau sur ses gardes. Il restait collé au sol, pour mieux dissimuler sa fourrure, dans la pénombre. Le parfum du fenouil était plus fort maintenant, mais comme la plante était à sa portée, le lapin domina sa faim et attendit d'être en sécurité. Quand les battements désordonnés de son cœur se furent un peu calmés, il se dirigea très doucement vers les acacias.

Il trouva le bouquet de fenouil à quelques mètres du lit de la rivière où ne coulait qu'un maigre filet d'eau. Vite, il se mit à gratter la terre pour atteindre les racines, plus tendres et plus savoureuses. Un instant plus tard, il tenait dans ses pattes antérieures une longue tige et, assis sur son derrière, il l'approcha de son nez. Timidement, presque avec délicatesse, il mordilla la racine. Jamais il n'avait rien goûté d'aussi bon ! Ce fut son dernier festin. Au même instant, il vit le garçon planté à quinze mètres de lui. Leurs regards se croisèrent, l'espace d'une seconde. Puis, avant même qu'il puisse réagir à la panique qui l'envahissait, une balle de 22 lui déchira le cortex à la base du cou, lui fracassant l'échine. Projeté en l'air, il mourut avant même de toucher le sol.

Daniel Boone Huggins attendit que l'écho de la détonation et le léger panache de fumée sortant du canon s'évanouissent, avant de s'élancer pour ramasser le lapin. Il le souleva par les oreilles. Les yeux étaient déjà vitreux et vides. Il l'attacha soigneusement à un lien de cuir qu'il portait à la taille. Puis il s'agenouilla avec précaution pour examiner les traces laissées par l'animal.

Il eut vite fait de ramasser une poignée de fenouil et se mit à reconstituer le trajet du lapin. Quelques minutes plus tard, il se trouvait dans le champ sur l'autre versant de la colline, à l'opposé des buissons d'où le lapin était sorti. Il découvrit le petit trou dans le sol. Soigneusement, sans faire de bruit, il élargit l'orifice et plaça le lapin devant le trou en disposant des pousses de fenouil tout autour.

L'instant d'après, il était accroupi à vingt mètres de là et il attendait. Ce n'était qu'une question de temps : bientôt l'odeur du fenouil et du lapin ferait sortir la femelle de son terrier pour voir ce qui se passait.

Jeb Stuart Huggins était assis sur le seuil de sa maison aux vieilles marches de bois branlantes ; à portée de la main, il avait son cruchon de gnôle, ce qu'il lui fallait pour la soirée ; il regardait venir son fils aîné.

« Bonne chasse ? » fit-il d'une voix enrouée d'homme que les circonstances avaient rendu taciturne.

« Deux lapins, répondit Daniel.

— Fais-moi voir ça », ordonna son père.

Daniel défit le lien autour de sa taille et tendit les lapins à son père. Celui-ci les soupesa un moment, puis les lui rendit.

« Pas très charnus, fit-il. Juste bons à faire en ragoût !

— La sécheresse, c'est pas bon pour le gibier non plus, déclara Daniel, sur la défensive.

— Je me plains pas répliqua son père. Faut prendre tout ce que le Bon Dieu veut bien nous donner. »

Daniel approuva. Ils mangeraient de la viande pour la première fois depuis plus d'une semaine.

« Porte-les à ta mère et dis-lui de les mettre à cuire. »

Daniel hocha la tête ; il allait s'éloigner.

« Combien de balles t'as tiré ? » interrogea son père. Daniel s'immobilisa.

« Deux. »

Jeb acquiesça.

« Oublie pas de bien nettoyer le fusil.

— Non, p'pa. »

Jeb regarda son fils disparaître derrière la maison.

Daniel serait bientôt un jeune homme. il allait sur ses quatorze ans et, monté comme il l'était, son pantalon devenait trop petit. Il était temps de l'isoler ; il ne pouvait plus dormir dans la même chambre que ses frères et sœurs. Ce n'étaient pas des choses à montrer aux petits. Ça leur mettait de mauvaises idées en tête ; il avait bien assez d'ennuis avec Molly Ann, pour sûr.

Molly Ann était son aînée. Elle avait un an de plus que Daniel ; c'était déjà une femme faite ; elle avait ses affaires depuis plus de deux ans. Il était temps de songer à la marier. Mais dans les parages, il n'y avait pas de jeunes gens. Ils avaient tous quitté les collines pour aller travailler en ville, à la verrerie et dans des filatures.

Il poussa un soupir, s'empara du cruchon et but une rasade. Il sentit l'alcool descendre comme une flamme, lui brûler l'estomac. Voilà qui réconfortait. Que de problèmes ! Comment ne pas en avoir avec sept enfants à élever ? Et dire qu'il aurait pu en avoir dix, si trois n'étaient pas morts à la naissance ! Les voies du Seigneur sont impénétrables. Dieu avait sans doute pensé que Jeb Stuart Huggins aurait assez de peine à nourrir ceux qui avaient survécu. Pourtant, il y avait de quoi se plaindre, surtout depuis que la mère ne desserrait plus les cuisses et le tenait à distance. Finis les enfants ! Pour un homme, c'était dur. Surtout pour un homme comme lui, qui n'avait pas l'habitude de se priver. Et voilà que maintenant Molly Ann se promenait devant lui avec ses petits nichons bien fermes et sa croupe rebondie ! Il lui venait toutes sortes de pensées coupables. Il avala une nouvelle gorgée de gnôle et se demanda quand le pasteur passerait faire sa tournée. Rien de tel qu'une bonne cérémonie religieuse pour écarter les tentations sacrilèges que le diable se plaisait à lui inspirer. De nouveau, il soupira. En ces temps difficiles, un père de famille avait bien du souci.

Marylou Huggins regardait avec attention le contenu de la marmite en fonte noircie posée sur l'antique fourneau à bois. Le liquide frémissait et bouillonnait ; on voyait de grosses bulles de graisse jaune enfler et éclater à la surface. A l'aide d'une fourchette à long manche, elle récupéra le bout de lard dans le jus où il avait cuit. Elle l'examina, l'égouttant au bout de la fourchette. Satisfaite, elle le reposa sur une assiette. Il servirait bien encore deux fois avant d'être complètement fondu. Prestement, elle jeta un monceau de pommes de terre, de navets et de haricots dans le bouillon, qu'elle se mit à remuer. Elle devina plutôt qu'elle n'entendit Daniel ouvrir la porte de la cuisine. Elle ne se retourna même pas.

« M'man. »

La voix grave de son fils la surprit ; elle ne pouvait s'y faire. Il lui semblait qu'hier encore, c'était un enfant.

« Oui, Dan.

— J'ai eu deux lapins. P'pa a dit qu'il fallait que tu les prépares. »

Elle se tourna pour lui faire face. Elle n'avait que trente-quatre ans, mais elle était mince, presque décharnée et son visage ridé la faisait paraître beaucoup plus vieille. Elle s'empara des lapins qu'il lui tendait.

« Ça nous changera des écureuils.

— Mais ça fait plus d'un mois qu'on n'a pas eu d'écureuil », protesta-t-il.

Son visage soucieux s'éclaira d'un sourire. Daniel était déjà trop sérieux pour un garçon de son âge.

« Je disais ça pour rire, mon fils. »

Les yeux de Daniel brillèrent.

« Oui, m'man.

— Va dire à Molly Ann de venir pour m'aider à dépiauter les lapins. Elle est là-bas derrière à s'occuper des petits.

— Oui, m'man. » Il hésita un instant, reniflant l'air de la pièce. « Pour sûr, ça sent rudement bon.

— C'est rien qu'un peu de lard et des légumes. Tu as faim ? »

Il acquiesça.

Elle prit un morceau de pain rassis sur l'étagère à côté du fourneau qu'elle frotta sur le lard pour l'imbiber de graisse et le lui tendit.

Il mordit à belles dents, mâcha et avala.

« C'est bon. Merci, m'man. »

Elle sourit.

« A présent, va chercher ta sœur. »

Elle le regarda partir, se retourna et prit le couteau qu'elle se mit à aiguiser doucement contre la pierre.

Daniel se dirigea derrière la maison sans se presser. Avant de tourner le coin, il attendit un moment, le temps de finir son morceau de pain. Il ne voulait pas que les autres le voient, sinon ils se mettraient tous à en réclamer. Lorsqu'il eut dégluti le dernier morceau, il tourna de l'autre côté.

Le vacarme le surprit quand deux des enfants débouchèrent à toute allure, filant en direction des champs. Mase, le bébé qui avait seize mois, se mit à brailler dans son hamac qui était accroché au tronc d'un vieux pin décharné à côté du tas de bois. Molly Ann le calma en le remontant, agitant un hochet qui brillait dans sa main. « Richard et Jane ! revenez ici tout de suite ! Si p'pa vous entend, vous aurez une raclée ! »

Les enfants ignorèrent son avertissement. Molly Ann se tourna vers Rachel qui avait dix ans, assise sur un billot en train de regarder un livre d'images. « Rachel, va les chercher et ramène-les ici. »

Rachel, l'intellectuelle de la famille, se leva et, après avoir marqué la page dans son livre, s'élança à la poursuite des deux plus jeunes qui s'étaient dissimulés dans les hautes herbes du champ.

Molly Ann écarta ses longs cheveux bruns ; son visage était rouge.

Elle prit un rameau près des chutes de bois qu'elle donna à sucer au bébé. Aussitôt, Mase se tut, mâchonnant la petite tige.

« Ces gosses me rendent folle, dit-elle. Elle regarda son frère. Qu'est-ce que t'as fait toute la journée ?

— J'ai chassé.

— T'as eu quelque chose ?

— Deux lapins. M'man m'a dit qu'il fallait que tu viennes l'aider à les vider. »

Soudain, elle se rendit compte qu'il fixait l'échancrure de sa robe. Elle avait défait les boutons du haut pour pouvoir agiter le petit hochet et ses seins étaient pratiquement découverts.

« Qu'est-ce que tu lorgnes ? demanda-t-elle, sans toutefois faire un geste pour se couvrir.

— Rien. »

Il regarda ailleurs, se sentit coupable et rougit jusqu'à la racine des cheveux.

« Tu regardais mes nichons », répliqua-t-elle, accusatrice. Elle entreprit de se reboutonner. « Rien qu'à ton air, je m'en suis doutée.

— C'est pas vrai, marmonna-t-il, gardant la tête basse.

— Mais si, c'est vrai. » Quand elle eut fini de se rajuster, elle s'approcha de lui. « Faut que tu t'occupes de surveiller les gosses si tu veux que j'aille aider m'man.

— D'accord. » Il évitait toujours son regard.

« T'as une grosse bosse à ton pantalon », fit-elle.

Daniel sentit son visage devenir plus rouge encore.

Il n'eut pas la force de répondre. Elle rit.

« T'es comme p'pa. Tout craché. »

Il leva les yeux sur elle.

« Qu'est-ce que tu veux dire ? » Elle se remit à rire.

« Cet après-midi, je suis descendue au ruisseau pour me laver. Et du coin de l'œil, j'ai vu p'pa qui me regardait, caché derrière un arbre. »

Il ne put s'empêcher de manifester son étonnement.

« Et il sait que tu l'as vu ?

— Non. J'ai fait semblant de ne pas le voir, mais j'ai continué à le surveiller sans en avoir l'air. Il s'astiquait le machin, exactement comme tu fais, toi. Seulement, la sienne est plus grosse. On aurait dit que sa trique mesurait un mètre de long ! »

Daniel la regardait, bouche bée.

« Nom de Dieu !

— Cesse de blasphémer ! » répliqua-t-elle sèchement.

Il ne répondit pas.

« M'man a bien raison, poursuivit-elle. Vous, les hommes, vous êtes tous pareils. Vous ne pensez qu'à ça. M'man dit que vous avez le diable au corps. »

Rachel revint, suivie des deux petits. « Va faire la toilette de ces deux-là, ordonna Molly Ann. Ensuite, tu iras chercher Alice au potager et tu lui diras de rentrer pour finir d'apprendre ses leçons. »

Obéissants, les enfants se dirigèrent vers la maison. Molly Ann s'approcha du hamac et prit Mase dans ses bras. Tout content, il se mit à gazouiller ; des morceaux d'écorce s'étaient collés sur ses lèvres. Molly Ann nettoya sa bouche d'un revers de main qu'elle essuya à sa robe.

« Tu ferais bien de fendre ce bois, fit-elle à Daniel. M. Fitch vient ce soir et m'man tient à avoir un beau feu. P'pa voudrait bien lui vendre un peu de gnôle. »

Daniel regarda sa sœur entrer dans la maison, tenant avec aisance le bébé sur un bras ; sous la robe de coton, on devinait son corps jeune et plein. Il s'approcha du tas de bois et ramassa la hache.

Quelques instants plus tard, on n'entendait plus que le bruit de la cognée qui s'abattait et les bûches qui craquaient en s'ouvrant.

2

Ils allaient se mettre à table lorsqu'ils entendirent grincer les roues d'une carriole qui entrait dans la cour. Jeb les arrêta d'un geste. « Mets un couvert de plus, la mère. » Il se leva et gagna la porte.

Il avait déjà descendu les marches et se trouvait dans la cour lorsque la mule s'arrêta.

« Bonsoir, M. Fitch, lança-t-il. Vous arrivez juste à temps pour dîner avec nous.

— Bonsoir, Jeb, répondit M. Fitch. Je ne veux pas vous déranger.

— Ça ne nous dérange point. La patronne a fait un civet de lapin. Ce serait dommage de rater ça.

— Un civet de lapin », répéta Fitch, songeur. Il s'attendait à une potée de légumes. « Un civet de lapin, ça ne se refuse pas ! » Il descendit de la carriole en soufflant bruyamment. M. Fitch arborait une énorme bedaine. « Le temps de faire boire ma mule et de la nourrir, je vous rejoins.

— Dan va s'en occuper, fit Jeb. Il appela son fils qui sortait de la maison. Tu connais M. Fitch que voilà. »

Daniel fit un signe d'assentiment.

« Bonsoir, M. Fitch. »

Le gros homme sourit.

« Bonsoir, Daniel.

— Prends bien soin de la mule de M. Fitch, fiston.

— Tu trouveras le sac d'avoine à l'arrière de la voiture, indiqua M. Fitch. Seulement, ne la laisse pas trop boire. Sinon, elle pète, que c'en est affreux ! Et j'ai encore trente kilomètres à faire ce soir. »

Jeb empoigna le cruchon de gnôle.

« Tenez, M. Fitch, goûtez-moi donc ça. Ça va vous rincer la bouche de toute la poussière du chemin !

— Ma foi, c'est bien aimable à vous, Jeb. »

Fitch essuya le bord de la cruche d'un revers de la main et but une bonne lampée. Il fit claquer ses babines et sourit en reposant le cruchon.

« On dirait que vous l'avez pas trop baptisée c'te gnôle, Jeb. C'est comme ma mule, moins on l'arrose, mieux elle se porte ! »

Dix minutes plus tard, ils étaient tous assis à table et Marylou posait la grosse marmite où avait mijoté le civet devant son mari. Derrière elle, Molly Ann apportait un plateau débordant de pain de maïs encore tout chaud.

Jeb joignit ses mains devant lui et baissa les yeux. Tous les autres l'imitèrent.

« Seigneur, daigne bénir cette table, cette maison, ceux qui y habitent et notre hôte, M. Fitch. Pour Ta bonté et pour la nourriture que Tu nous accordes, Seigneur, nous Te remercions. Amen. »

La tablée tout entière répéta « Amen » en chœur et les enfants levèrent des yeux d'affamés. Aussitôt, Jeb remplit généreusement l'assiette de M. Fitch puis la sienne. Il fit signe à Marylou. Elle prit la louche et se mit à servir les enfants. Quand ce fut son tour, il ne restait presque plus de lapin mais elle ne s'en souciait guère. Elle n'avait jamais eu beaucoup d'appétit.

D'ailleurs, elle se sentait bien aise à l'idée que M. Fitch irait raconter à tous les voisins que les Huggins lui avaient servi un civet au dîner et que chez eux, on ne mangeait pas uniquement de la potée au lard comme on le faisait chez certains.

Ils mangeaient en silence, rapidement, sans parler, sauçant leurs assiettes jusqu'à la dernière goutte avec le pain de maïs tout chaud qui fumait encore.

M. Fitch repoussa sa chaise loin de la table et se tapota l'estomac d'un air satisfait.

« Voilà le meilleur civet que j'aie jamais mangé, Mme Huggins. Marylou rougit.

— Merci, M. Fitch. »

Le gros homme se cura les dents. D'un geste cérémonieux, il tira sa montre du gousset et la consulta.

« Il va être six heures et demie, Jeb. Si nous sortions pour causer de nos affaires ? »

Jeb approuva. Il se leva de table.

« Viens, Daniel. »

Daniel suivit les deux hommes qui descendaient les marches et traversaient la cour. Son père avait pris la tête ; il tourna derrière la maison et gravit la petite colline où se trouvait la distillerie. Sur l'étroit sentier, ils marchaient en file indienne.

« Combien vous m'en avez gardé, Jeb ? interrogea M. Fitch.

— Soixante-dix litres, environ. C'est de l'alcool de première qualité. »

M. Fitch resta silencieux jusqu'à ce qu'ils parviennent au sommet de la colline.

« C'est pas beaucoup.

— C'te sécheresse m'a grillé tout mon maïs, M. Fitch, expliqua Jeb en manière d'excuse.

— Ça vaut à peine le coup que je me tue à monter jusqu'ici ! »

M. Fitch n'avait plus rien du convive aimable qui s'était assis pour partager leur dîner. C'était Fitch le négociant, qui tenait à sa merci la plupart des cultivateurs de la vallée, grâce au crédit qu'il leur accordait dans son épicerie et au prix qu'il leur payait l'alcool et les récoltes, quand ils en avaient à vendre.

Les grandes bassines de cuivre et les alambics étaient camouflés sous les feuillages et l'entrelacs des branches. On avait entassé des bûches dans un coin.

« Sors une bonbonne, Daniel », ordonna son père.

Daniel se mit à retirer des bûches sur un tas. Au bout d'un moment, on aperçut les bonbonnes en terre cuite.

Jeb en prit une qu'il déboucha avec ses dents.

« Tenez, sentez-moi c'te gnôle, M. Fitch. »

Fitch prit le récipient et le renifla.

« Goûtez-moi ça », ajouta Jeb, d'une voix pressante.

Le gros homme renversa la bonbonne. Il avala une gorgée.

« Y a la qualité, M. Fitch, fit Jeb. C'est de la pure et de la bonne. Pas de noir animal, pas de soude, pas de cochonneries. C'est doux et c'est naturel. Ça ferait pas de mal à un nourrisson !

— Pas mauvais, reconnut M. Fitch. Il lui jeta un coup d'œil torve. Combien que vous en voulez ?

— A mon avis, ça vaut un dollar la bonbonne de quatre litres », répondit Jeb, sans le regarder.

Fitch ne répondit pas.

Jeb s'impatienta : « Soixante cents ?

— Quarante, répliqua Fitch.

— Quarante cents pour une gnôle de cette qualité, c'est pas juste. C'est le prix de la bibine, pas celui d'un whisky naturel, distillé lentement, comme celui-là, protesta Jeb.

— Les affaires vont mal. Les gens n'achètent plus rien. La guerre en Europe a tout chamboulé.

— Cinquante cents la bonbonne, c'est pas grand-chose. »

Jeb le suppliait presque à présent. « Faites un petit effort, au moins, M. Fitch. »

Fitch le dévisagea tranquillement.

« Combien est-ce que vous me devez, Jeb ? »

Jeb baissa les yeux : « Quatre dollars, à peu près, je crois.

— Quatre dollars et cinquante-cinq cents, rectifia M. Fitch.

— Je crois que ça doit être ça », admit Jeb, sans relever la tête.

Daniel n'osait regarder son père. La honte l'en empêchait. On n'avait pas le droit d'humilier un homme comme ça, pour la seule raison qu'il était pauvre. Il gardait les yeux fixés au loin, sur les champs.

« Écoutez-moi, Jeb, trancha Fitch. Je suis de bonne humeur. D'humeur généreuse, dirais-je même. Et vous pouvez remercier Mme Huggins de son civet parce qu'il m'a bien disposé. Quand on a l'estomac bien rempli les discussions d'affaires sont plus faciles. Je vous en offre soixante cents la bonbonne.

Jeb leva les yeux.

— Vous pouvez pas faire mieux ?

— J'ai dit que je me montrais généreux. J'ai pas dit " fou ". » Le ton de M. Fitch avait quelque chose de définitif.

Jeb eut dans la bouche le goût amer de la défaite. Trois mois de travail, jour et nuit, qu'il pleuve ou qu'il fasse soleil, à surveiller la distillation, à récolter l'alcool goutte à goutte au fur et à mesure qu'il se condensait sur les parois de l'alambic afin que chaque goutte soit claire et pure comme du cristal. Il se força à sourire.

« Merci, M. Fitch. » Il se tourna vers son fils :

« Va porter les bonbonnes dans la voiture de M. Fitch. »

Daniel hocha la tête. Il n'osait ouvrir la bouche. Il sentait monter en lui une colère telle qu'il n'en avait jamais éprouvée. Une colère qui lui nouait l'estomac, qui l'étranglait comme le nœud coulant d'une potence.

Jeb regarda le gros homme. « Venez à la maison, M. Fitch. La patronne a dû préparer le café. »

« Je sais pas trop ce que le pays va devenir, maintenant, déclara M. Fitch en prenant une tasse de café fumant — du café à la chicorée. Du train où vont les affaires... et avec tous ces gens qui quittent la terre parce qu'ils ne peuvent plus payer leurs fermages ! Vous ne savez pas la chance que vous avez, Jeb, d'avoir une terre bien à vous. »

Jeb approuva.

« Pour ça, nous pouvons remercier le Seigneur. Mais pour le reste, j'sais pas trop. Neuf bouches à nourrir ! Avec c'te sécheresse et les mauvaises récoltes, c'est pas commode.

— Vous avez jamais pensé à venir travailler en ville ? s'enquit M. Fitch.

Jeb branla la tête.

— J'suis pas un homme de la ville. Et je l'serai jamais. Si le matin, quand j'me réveille, j'peux pas voir mes champs, j'préfère crever. Et puis, là-bas, qu'est-ce que j'y ferais ? Travailler la terre, c'est tout ce que je sais faire. »

Marylou entra dans la pièce, frotta une allumette et enflamma le petit bois dans la cheminée. « Le fond de l'air devient frais. »

« Mme Huggins, déclara M. Fitch avec un sourire, pour ce qui est de mettre les hommes à leur aise, on peut dire que vous vous y entendez. »

Marylou rougit, ébaucha un sourire, mais garda la tête baissée.

— Merci, M. Fitch », risqua-t-elle avant de quitter la pièce. Cependant, elle demeura tout près, dans la cuisine, pour ne pas perdre un mot de la conversation.

Fitch avala une gorgée de café brûlant :

« Vous avez jamais pensé à envoyer vos deux aînés travailler en ville ? »

Jeb fut surpris.

« Dan et Molly Ann ? »

Fitch hocha la tête.

« Votre garçon a quatorze ans et sa sœur est l'aînée, si je me souviens bien ?

— Elle a quinze ans.

— Les patrons des verreries et des filatures sont de bons amis à moi. Ils sont toujours prêts à embaucher des jeunes gens honnêtes. Je pourrai leur en toucher un mot.

— J'sais pas trop. » Jeb était sceptique. « Je les trouve un peu jeunes pour quitter la maison.

— Ils pourraient bien gagner quatre, peut-être même cinq dollars par semaine. Nourris et logés dans une pension convenable qui ne leur coûterait qu'un dollar et demi. Il leur resterait cinq, disons peut-être sept dollars par semaine qu'ils pourraient vous envoyer. Ça vous aiderait rudement à nourrir les autres. » Fitch l'étudiait. « Vous pourriez même faire des travaux dans la maison. A ce qu'on m'a dit, la Compagnie d'électricité vous mettra la lumière si vous leur payez cinq dollars par mois.

— J'aime pas trop ces lumières électriques, déclara Jeb. C'est pas naturel. Ça brille trop. C'est pas doux comme les lampes à pétrole. » Pourtant, en même temps, il s'interrogeait. Sa maison serait la première dans ces montagnes à avoir l'électricité. Daniel entra dans la pièce.

« Ça y est, c'est fait, p'pa. »

M. Fitch glissa une main dans sa poche et en sortit une pièce toute neuve.

« T'es un bon gars, Daniel. Tiens, pour ta peine. »

Daniel fit non de la tête.

« Merci, M. Fitch. Y a pas de raison. »

En hâte, il sortit de la salle.

« C'est un gentil garçon que vous avez là, Jeb, s'exclama Fitch.

— Merci, M. Fitch. »

Fitch se dirigea vers la porte.

« Vaut mieux que je me mette en route. Ma vieille mule n'y voit pas trop dans le noir, dans ces chemins de campagne.

— Vous avez au moins une heure avant le coucher du soleil. D'ici là, vous serez dans la vallée. Ça ira tout seul. »

Fitch acquiesça. Il éleva la voix, sachant fort bien que Marylou se trouvait dans la cuisine et l'entendait.

« Et surtout remerciez bien Mme Huggins pour son délicieux civet de lapin et son chaleureux accueil.

— J'y manquerai pas, M. Fitch. »

Fitch descendit les marches et remonta dans sa carriole. Il se pencha sur le côté pour parler à Jeb d'une voix suffisamment forte pour que Marylou n'en perde rien.

« Et rappelez-vous bien ce que je vous ai dit. Deux enfants qui ramènent chacun quatre ou cinq dollars par semaine, c'est pas de la roupie de sansonnet ! Si vous vous décidez, vous n'avez qu'à me les envoyer et je leur trouverai une place. »

Jeb hocha de nouveau la tête.

« Merci M. Fitch. Bonsoir, M. Fitch.

— Bonsoir, Jeb. »

M. Fitch claqua de la langue et cingla le dos de sa mule. Lentement, l'animal se mit en route et traversa la cour. Fort satisfait, M. Fitch se mit à siffloter. Jeb avait raison. C'était la meilleure gnôle qu'il ait jamais goûtée. Il en tirerait bien un dollar vingt-cinq la bonbonne. Bénéfice net : soixante-huit dollars !

Et puis bientôt, les enfants de Jeb viendraient lui demander du travail, il en était sûr. Ça aussi, ça représentait de l'argent. Il s'était bien gardé de dire à Jeb que les patrons des manufactures lui donnaient vingt dollars par enfant recruté.

3

La lumière jaune et tremblante de la lampe à pétrole projetait un cercle mouvant sur la table et les pièces d'argent que Jeb avait entassées devant lui prenaient l'apparence de l'or terni. Lentement, non sans peine, il se mit à les compter. Au bout d'un moment, Marylou vint le rejoindre et s'assit sans rien dire en face de lui. Elle attendit pour parler qu'il ait fini son opération.

« Combien ça fait-il ?

— Sept dollars et quarante-cinq cents.

— C'est pas beaucoup », déclara-t-elle. Elle ne se plaignait pas. Elle constatait, tristement.

« On lui devait quatre dollars cinquante-cinq, répliqua Jeb pour se justifier. Et puis, les prix sont à la baisse. Les affaires marchent mal, à ce que dit M. Fitch. Y a la guerre en Europe.

— Je vois pas bien comment une guerre aussi loin de chez nous peut nous faire des misères.

— Moi non plus, avoua Jeb. Mais si c'est M. Fitch qui le dit, ça doit être vrai. Pour moi, tout ce qu'on peut espérer, c'est que le président Wilson arrange les choses. Si y en a un qui en est capable, c'est bien lui. Il a de l'instruction, c'est un grand professeur, il paraît.

— Je sais. Mais depuis le temps qu'il est président, ça ne s'est guère arrangé. Nous voilà en 1914 et c'est pire que jamais.

— Ça prend du temps, ces choses-là. Les femmes, vous avez pas la patience et la jugeote qu'il faut pour comprendre. »

Marylou resta silencieuse, digérant la rebuffade sans rien dire. Elle se demandait parfois pourquoi le Seigneur avait jugé bon de doter les femmes d'une cervelle si elles n'étaient point censées s'en servir. Mais c'était une question qu'elle gardait pour elle. C'était une pensée inspirée par le diable, une réflexion malsaine.

« Il nous reste à peine de quoi acheter des graines pour semer », constata Jeb.

Elle hocha la tête. C'était toujours la même chose. Chaque année, on aurait dit qu'ils s'enfonçaient de plus en plus, que les dettes pesaient davantage.

« Il me faut du tissu pour vêtir les enfants. Ils poussent si vite ! J'y suffis plus. Et l'automne va venir ; il leur faudra des chaussures pour aller à l'école. Il fera trop froid pour s'y rendre pieds nus. Et puis, ils auraient l'air de quoi ?

— Moi, j'ai pas eu de chaussures avant seize ans, répliqua Jeb. Je m'en suis pas plus mal porté.

— Mais t'es pas allé à l'école, non plus. Les choses ont changé. Aujourd'hui, les enfants doivent recevoir de l'instruction.

— Tout ce que je devais savoir, c'est mon père qui me l'a appris. C'est pas parce qu'il sait lire que Daniel travaille mieux aux champs. A présent qu'il a quitté l'école, il n'est pas plus avancé qu'avant. »

A nouveau, elle se tut.

« Et l'école n'a rien apporté à Molly Ann, non plus. Elle s'est toujours pas trouvé de mari. Toi, quand tu avais seize ans, on était déjà mariés, nous autres.

— C'est pas sa faute ; elle demande qu'à se marier, elle. Seulement, par ici tous les gars sont partis chercher du travail en ville. »

Il la regarda.

« M. Fitch dit qu'il peut leur trouver un bon travail à tous les deux, pourvu qu'on soye d'accord. »

Marylou ne répondit rien. Elle avait entendu la proposition de M. Fitch, mais elle devait faire comme si de rien n'était.

« Il dit qu'ils pourraient bien gagner quatre ou même cinq dollars par semaine.

— Ça fait des sous. »

Jeb hocha la tête.

« Peut-être que Molly Ann pourrait se trouver un mari, là-bas. Elle a grandi tellement vite, notre fille, que j'en crois pas mes yeux. »

Marylou approuva. Elle avait bien remarqué la façon que Jeb avait de suivre sa fille du regard quand elle passait devant lui. Elle le connaissait, son mari. Jeb avait beau être un brave homme, il était, comme les autres, la proie des mauvaises pensées que le diable lui inspirait. Et puis, elle savait que, parfois, les hommes ne pouvaient plus lutter contre leurs sales désirs. La preuve : toutes les histoires qui étaient arrivées dans les alentours. Ça ne manquait pas, les filles qu'on avait envoyées chez des cousins parce que leur père avait succombé au diable. Et le pasteur avait mis longtemps avant de se décider à venir chez eux pour les absoudre.

« Ça pourrait être une bonne chose, dit-elle.

— J'ai pas beaucoup d'ouvrage pour Daniel par ici. Avec c'te sécheresse, la terre ne donne guère. Du côté du nord, les champs sont tout brûlés.

— Rachel pourra m'aider. Elle s'occupera des petits en revenant de l'école », ajouta Marylou.

Il contempla les pièces posées sur la table.

« On pourra peut-être se faire mettre l'électricité. »

Elle regardait ses mains manipuler l'argent.

« On serait peut-être à même d'avoir quelques poules, une ou deux truies, une vache, qui sait ? Ça leur ferait pas de mal aux petits, un peu de lait frais.

— Callendar qu'habite de l'autre côté de la colline, m'a dit qu'il me vendrait une de ses mules pour cinq dollars, fit Jeb songeur. Ça m'aiderait pour labourer, c'est sûr. Et le dimanche, on pourrait l'atteler pour aller voir la famille alentour. »

Ils restèrent silencieux, chacun plongé dans ses pensées. Au bout d'un moment, Jeb entreprit de ramasser les pièces qu'il serra dans une bourse de cuir fermée par des cordons.

« Peut-être qu'on devrait se décider, fit Jeb, pour voir.

— Peut-être bien », répéta Marylou, sans lever les yeux.

Il se mit debout et alla placer l'argent sur une étagère au-dessus de la cheminée. Il se tourna pour la regarder.

« Tu peux prendre deux dollars là-dessus pour ce qu'il te faut.

— Merci, Jeb. » Ça ne suffirait pas, loin de là. Mais c'était mieux que rien. « Je crois que je vais aller jeter un coup d'œil aux enfants avant d'aller au lit. »

Elle se dirigea vers la porte. « Tu viens te coucher bientôt ?

— Je vais d'abord fumer une pipe tranquillement, répondit-il sans lever la tête.

— Tarde pas trop. Surtout que demain, Daniel et toi vous devez défricher le champ ouest. »

Il s'assit lourdement et se mit à bourrer sa pipe avec le tabac qu'il puisa dans un pot, sur la table. Ils savaient bien tous les deux pourquoi il n'allait pas se coucher immédiatement. De cette façon, elle pourrait faire semblant de dormir. Il n'aurait pas à lui demander et elle n'aurait pas à refuser.

Daniel était tranquillement étendu sur le lit qu'il partageait avec son frère Richard. Celui-ci dormait recroquevillé contre le mur, roulé en boule sur le drap de coton grossier. De l'autre côté de la chambre, il entendait la douce respiration de ses sœurs qui dormaient. Molly Ann partageait son lit avec Alice, la plus jeune et Rachel couchait avec Jane. Mase, le bébé, avait encore son berceau dans la chambre des parents.

Il ferma les yeux mais le sommeil ne voulait pas venir. Il se sentait vaguement mécontent. C'était quelque chose de flou, d'imprécis ; il n'arrivait pas à en déceler la cause. Mais l'impression persistait et le troublait profondément.

Ce n'était pas leur pauvreté qui le tracassait. Il avait toujours su qu'ils étaient pauvres. Et puis, ils n'étaient pas plus malheureux que les autres familles qu'il connaissait. Mais pour une raison ou une autre, aujourd'hui, ça ne passait pas. Ce Fitch était si sûr de lui, si arrogant ! Et puis, tout d'un coup, il avait senti à quel point son père avait peur de lui, une peur qu'il s'efforçait de cacher. C'était trop injuste.

La lune, blanche comme elle l'est à la montagne, s'encadra dans la fenêtre et Daniel se tourna pour la contempler. D'après sa position dans le ciel, il calcula qu'il devait être à peu près neuf heures. Il entendit des pas à travers la mince cloison qui séparait la chambre de ses parents de la sienne. C'étaient ceux de son père. Il entendit le bruit des bottes qui tombaient sur le plancher et le grincement du lit lorsque son père s'y étendit. Le silence revint. Un silence étrange.

Ça n'avait pas toujours été comme ça. C'était seulement depuis la naissance de Mase. Avant, la nuit, on entendait toujours des bruits étouffés. Des bruits tendres et affectueux, quelquefois des cris de plaisir, des rires. A présent, c'était toujours le silence. On aurait dit qu'il n'y avait personne dans la chambre voisine.

Un jour, Molly Ann lui avait expliqué. Son père et sa mère ne voulaient plus d'enfant. Mais, pour lui, ça n'avait pas grand sens. Cela voulait-il dire qu'ils n'auraient plus de plaisir ensemble ? Pourquoi pas ? Le sexe n'avait rien de mystérieux pour lui. C'était un phénomène banal et quotidien. Il suffisait de regarder les animaux s'accoupler dans la cour. Il pensait simplement que ses parents devaient faire la même chose. Cette soudaine interruption lui paraissait anormale.

Il changea de position sur le lit et s'étendit tête-bêche à côté de son frère, sur le ventre pour pouvoir continuer à observer la lune. Le vent de la nuit lui apportait les plaintes assourdies de chiens errant dans le lointain. Il se demanda vaguement qui pouvait bien chasser des ratons laveurs ; tout le monde savait qu'ils étaient remontés vers le nord pour y trouver de l'eau.

Doucement, il se glissa hors du lit et s'approcha de la fenêtre. Les aboiements semblaient provenir de la colline à l'ouest de la maison. Il crut reconnaître l'un des chiens : le gros jaune, celui de M. Callendar qui habitait dans la vallée.

Il entendit un léger bruit d'étoffe froissée à côté de lui et il se retourna.

« Toi non plus, tu ne peux pas dormir ? demanda Molly Ann.

— Non », souffla-t-il.

Elle s'était mise à la fenêtre à côté de lui et regardait dehors.

« J'ai réfléchi, commença-t-elle. T'as entendu ce que M. Fitch a dit à p'pa ? »

De la tête, il fit oui. « J'me suis toujours demandé comment c'était de vivre en ville, chuchota-t-elle. J'ai entendu dire... »

L'un des lits craqua.

« Chut, fit-il. Tu vas réveiller les gosses !

— Tu veux qu'on sorte ? »

Il acquiesça et sans faire de bruit, ils allèrent dans la cour, après avoir fermé doucement la porte derrière eux. Dehors, la lune était si brillante qu'on se serait cru en plein jour.

« Que ça sent bon, la nuit, s'exclama-t-elle.

— C'est vrai. Ça sent bon.

— Et puis, tout est si tranquille. Quelle différence avec la journée ! Tout paraît si calme, si paisible. »

Il se dirigea vers le puits, plongea la louche dans le seau, se désaltéra, puis la lui tendit.

De la tête, elle fit non ; il reposa la louche dans le seau. Les chiens n'aboyaient plus ; on les entendait japper faiblement.

« Tu crois qu'ils ont pris quelque chose ? demanda-t-elle.

— Ces idiots de chiens, fit-il, méprisant. Une chouette peut-être, et encore !

— T'as entendu ce qu'a dit m'man. Si on part à la ville, ils pourront avoir des poulets et peut-être même une vache. P'pa a dit qu'il pourrait acheter la vieille mule de Callendar pour cinq dollars. »

Daniel restait silencieux. « A quoi tu penses ? » interrogea-t-elle.

Les mots sortirent lentement, presque à contrecœur.

« Ce Fitch, je l'aime pas. Y a quelque chose chez lui qui me chiffonne.

— Tu veux dire que si p'pa t'envoie, t'iras pas ?

— J'ai pas dit ça. J'aime pas ce type, c'est tout.

— Moi, il me paraît plutôt gentil.

— Te laisse pas prendre à ses grands airs et à ses manières polies. Il est féroce.

— Tu crois que p'pa va nous envoyer à la ville ? »

Il se retourna pour la dévisager. Au bout d'un moment, il hocha la tête.

« Je crois que oui. P'pa n'a pas le choix. On a besoin d'argent et on n'a pas d'autre moyen d'en gagner.

— J'ai entendu dire que tous les samedis soirs, il y avait un bal où les gens vont danser quand ils ont fini leur travail. » La voix de Molly Ann trahissait une certaine excitation.

Il l'observa un moment.

« C'est le diable qui te met ces idées-là en tête. »

Elle éclata de rire et le montra du doigt.

« Ça te va bien de dire ça, toi, avec ta grosse bosse là où je pense ! »

La chaleur lui monta au visage. Il avait espéré que, la nuit, elle ne verrait rien.

« C'est toujours comme ça quand je vais faire pipi, la nuit ! se défendit-il.

— Eh bien, va faire pipi, lui lança-t-elle, tournant la tête et revenant vers la maison. Mais tâche de ne pas être trop long, sinon je saurai ce que tu fabriques !

— Molly Ann ! » Elle fit volte-face. « Pourquoi que tu tiens tant à partir ? »

Elle le scrutait dans l'obscurité.

« Tu devines pas, Dan ? » Il fit signe que non.

« Ici, j'ai aucun avenir, déclara-t-elle tranquillement. A force d'attendre, je finirai vieille fille ! Là-bas, en ville, j'aurai peut-être ma chance. Je me sentirai moins inutile, moins seule. » Il se taisait toujours. « Les garçons, c'est différent. Ils peuvent faire ce qu'ils veulent. Ils sont pas obligés de se marier, s'ils en ont pas envie. » Elle se rapprocha de lui. « J'suis pas une dévergondée, Daniel, je t'assure. Mais je suis plus une petite fille ; je suis une femme, je vais avoir seize ans et je sens qu'il y a des choses que je dois faire. Je le sens là, en moi. Faut que j'aie une famille à moi, avant que je sois trop vieille. »

Elle se pencha et lui prit la main. Celle de Molly Ann lui parut froide. « Je vous aime bien, m'man, p'pa, toi et les enfants. Mais il faut que je vive ma vie. Tu comprends, Daniel ? »

Il la dévisagea un long moment.

« Je crois que oui », répondit-il, hésitant.

Elle lui lâcha la main.

« Tu ferais mieux de venir te coucher. Va falloir te lever tôt pour aider p'pa à défricher son champ.

— J'y vais. » Il la regarda rentrer dans la maison et se dirigea derrière le tas de bois pour aller pisser. Lorsqu'il rentra dans la chambre, on n'entendait plus que le doux bruit de la nuit endormie.

Dans la cuisine, il sentit l'odeur du porridge aux flocons d'avoine que sa mère faisait frire.

« J'suis allé au champ, mais j'ai pas vu p'pa. »

Marylou se tourna vers lui.

« Ton père est parti de bonne heure ce matin voir s'il pouvait emprunter la mule de Callendar pour avoir moins de peine. Il devrait pas tarder. » Elle lui tendit une assiette. « Assieds-toi et mange un morceau. »

Il prit une chaise, se mit à table et engouffra l'espèce de bouillie à grands coups de cuillère.

« Ton père et moi, on a pensé que peut-être, Molly Ann et toi, vous iriez travailler à la ville. Ça te plairait ? »

Il haussa les épaules.

« J'sais pas, j'y ai jamais pensé.

— M. Fitch dit que ça pourrait vous rapporter quatre ou peut-être même cinq dollars par semaine. »

Il leva la tête.

« Et à lui, qu'est-ce que ça lui rapportera ? »

Elle dévisagea son fils, interloquée.

« A qui ?

— A M. Fitch. »

Marylou était scandalisée.

« Rien, voyons. Où tu prends des idées pareilles ? M. Fitch est un brave homme. Il a bien vu qu'on a du mal à joindre les deux bouts ; il veut nous aider, c'est tout.

— Alors pourquoi il paie si mal p'pa ? lança Daniel.

— Ça, c'est autre chose, répondit sa mère. C'est ses affaires.

— Pour moi, c'est la même chose. » Il vida son assiette et se leva. « Je dis qu'un homme peut pas avoir deux façons de faire. »

Marylou se mit en colère.

« T'as pas le droit de parler comme ça d'un brave homme comme M. Fitch. Lui qui a toujours été bon pour nous. Est-ce qu'il nous fait pas crédit, à son magasin, quand on n'a pas d'argent ?

— Il se rattrape quand il vient chercher sa gnôle ! Il prend pas beaucoup de risques.

— Ferme-la, Daniel, coupa-t-elle sèchement. Si je racontais ça à ton père, il serait pas content ! M. Fitch a aidé bien des familles par ici. Et puis, il a trouvé de bons emplois pour les jeunes gens. Alors, j'te conseille de surveiller ta langue et tes manières. »

Daniel sortit sans desserrer les dents. Il se dirigea vers les marches et s'assit. Il fixait la route sur laquelle son père allait apparaître. Peut-être serait-ce une bonne chose s'il allait travailler à la ville.

Après tout, Molly Ann avait peut-être raison. S'il restait ici, lui non plus n'avait pas beaucoup d'avenir.

4

« Si vous ne lambinez pas trop sur la route, vous arriverez au magasin de M. Fitch avant le coucher du soleil. »

Jeb leva la tête vers le soleil matinal et cligna des yeux. « Devrait point faire trop chaud aujourd'hui. Ce sera pas trop pénible. »

Daniel regarda son père.

« Ça ira.

— Je t'ai mis un pantalon et une chemise de rechange. Ils sont propres et bien repassés, lui dit sa mère. Surtout, n'oublie pas de laver ton linge de corps tous les jours.

— J'oublierai pas.

— Que les gens aillent pas penser que dans la montagne, on vit comme des porcs. On n'a pas à rougir de notre nom. C'est un nom honorable et qui en vaut bien d'autres. Je tiens à ce que les gens le sachent. »

Daniel se dandinait sur place, mal à l'aise. Les chaussures qu'il portait commençaient à le serrer. D'habitude, il n'en mettait pas avant les premières gelées d'hiver.

Ce fut Molly Ann qui répondit à sa place :

« Je m'en occuperai. T'en fais pas m'man. »

Marylou se tourna vers sa fille.

« Sois sage. Rappelle-toi ce que je t'ai dit. Va surtout pas écouter les douces paroles des garçons. Ils sont point d'la campagne, comme nous autres.

— Je sais me tenir, m'man, répliqua Molly Ann. Je suis plus un bébé. »

Marylou regarda sa fille sans rien dire. Molly Ann rougit. Elle savait à quoi sa mère pensait. « Je serai sage, m'man », ajouta-t-elle.

Jeb plongea sa main dans sa poche et en sortit quelques pièces.

« J'vous donne un dollar ; c'est pour vous deux. Ce sera pour payer votre pension jusqu'à ce que vous ayez trouvé du travail. Surtout, n'acceptez rien de personne. J'veux pas qu'on vienne me dire que les Huggins vivent de la charité des autres. »

En silence, Daniel prit les pièces que lui tendait son père et les glissa dans sa poche.

« C'est beaucoup d'argent, fit Jeb. Allez pas le gaspiller à des bêtises.

— Non, p'pa. Sois tranquille. »

Jeb regarda le ciel de nouveau.

« M'est avis que vous feriez mieux de partir. »

Daniel acquiesça. Il regarda ses parents, ses frères et sœurs qui faisaient cercle autour d'eux dans la cour.

« Oui, je crois aussi. »

Les enfants les dévoraient des yeux sans rien dire. L'instant était solennel mais ils n'avaient pas voix au chapitre.

Daniel esquissa un geste de la main, ramassa le petit balluchon qui contenait sa chemise, son pantalon de rechange et son bleu de travail. Il glissa son bâton dans le nœud et le balança sur son épaule. « Viens, Molly Ann. »

Sa sœur le regarda un instant puis courut se jeter dans les bras de sa mère. Un long moment, Marylou étreignit son aînée, puis la laissa s'échapper. Vivement, Molly Ann embrassa les enfants sur la joue et elle rejoignit Daniel. Ils prirent tout doucement la direction de la route qui menait à la ville.

« Daniel ! » appela Jeb d'une voix rauque.

Ils s'arrêtèrent.

« Oui, p'pa ? »

Il s'approcha d'eux.

« Si jamais ça marchait pas, fit-il maladroitement, pour une raison ou une autre, revenez ici ! Vous avez une famille qui vous aime et qui est fière de vous ; l'oubliez pas. »

Daniel sentit sa gorge se serrer. Le visage de son père était impassible quoiqu'un peu crispé, mais ses yeux pâles s'embuaient.

« Mais oui, on le sait bien, p'pa, répondit-il avec une gentillesse et un élan qui le surprirent lui-même. Te fais pas de bile. Tout ira bien ! » Jeb les regarda un moment en silence puis hocha la tête.

« J'en suis sûr », finit-il par dire. Il cligna des yeux et ajouta : « Veille bien sur ta sœur, fiston !

— Oui, p'pa. »

Jeb tendit sa main rude, prit celle de Daniel et la lui serra longuement. Puis brusquement, il relâcha son étreinte, tourna les talons et s'éloigna.

Daniel suivit son père des yeux, le vit se diriger derrière la maison et lorsqu'il eut disparu, il se tourna vers sa sœur. « Viens, Molly Ann. On a un grand bout de chemin à faire ! »

Pour être précis, ils avaient cinquante-deux kilomètres à parcourir.

Il faisait chaud ce jour-là, bien plus chaud que Jeb ne l'avait prévu. Le soleil leur tombait droit sur le crâne, un soleil impitoyable dont les rayons aveuglants martelaient la route poussiéreuse.

« Combien de chemin tu crois qu'on a fait ? » interrogea Molly Ann.

Daniel repoussa sur sa nuque son chapeau à larges bords pour s'essuyer le visage avec son bras. Il l'en retira trempé de sueur. C'était salé.

« Dix-sept, peut-être dix-huit kilomètres.

— J'ai mal aux pieds, se plaignit-elle. On peut p't'être se reposer un p'tit moment ? »

Après réflexion, il accepta.

« Je crois que oui. »

Ils s'écartèrent de la route et elle le suivit dans un champ. Ils allèrent s'asseoir sous un arbre. Aussitôt, ils ôtèrent leurs chaussures et, après s'être allongés, se dégourdirent joyeusement les doigts de pieds.

« Ce qui m'embête, c'est que pour aller en ville, il faut mettre des chaussures, soupira-t-elle.

— J'aime pas ça, moi non plus. Il se frottait les orteils. Mais je crois qu'il faudra nous y habituer.

— J'ai la bouche sèche. Dommage qu'on n'ait pas d'eau !

— Il y a un ruisseau à cinq kilomètres environ. On pourra boire et manger nos casse-croûtes.

— Et nous laver les pieds, aussi ? »

Il se mit à rire.

« C'est une idée. » Il se leva. « Allons-y. »

Elle regarda les pieds de son frère.

« T'as pas remis tes chaussures.

— A mon avis, vaut mieux les économiser. Sinon, elles seront complètement usées avant qu'on soit rendus. »

Elle sourit : « Tu as raison. »

Leurs souliers à la main, ils reprirent la route qui descendait la colline. Au bout de quelques instants, elle ouvrit la bouche :

« Daniel.

— Oui ?

— Tu crois que c'est vrai ce que M. Fitch a raconté à p'pa ?

— Je crois que oui.

— Tu l'aimes pas, hein ? »

Daniel ne répondit pas.

« Bah, ça fait rien, du moment qu'il nous trouve du travail comme il l'a promis. »

Daniel resta un instant songeur.

« Non, ça n'a pas d'importance.

— Daniel, fit-elle d'une voix altérée. Daniel, je me sens pas trop bien. »

Vivement, il se tourna vers elle. Elle était devenue toute pâle, et son front était inondé de sueur. Aussitôt, il ôta son chapeau qu'il lui mit sur la tête. Il sentit ses longs cheveux châtain clair tout brûlants. Il lui prit le bras.

« Viens t'asseoir par ici. T'as pris un coup de lune. »

Elle se laissa conduire à l'ombre. Doucement, il la fit s'étendre « Repose-toi un petit peu. »

Elle tenta de protester : « Non. Faut continuer, sans quoi, on y arrivera jamais.

— Repose-toi. » Sa voix avait pris une intonation autoritaire. « Si tu attrapes une insolation, on y arrivera sûrement pas. Reste là ; pendant ce temps, je vais voir si je trouve de l'eau. »

Elle s'allongea et ferma les yeux.

« Comme tu veux, Daniel », articula-t-elle faiblement.

Il eut tôt fait de desserrer le nœud de son balluchon et sortit le quart de fer-blanc qu'il avait placé entre ses vêtements. Il descendit la colline et courut vers un bouquet d'arbres. Il savait que, d'ordinaire, là où il y avait des arbres, il y avait de l'eau. Il se mit à genoux, ramassa une poignée de terre qu'il renifla. Elle était humide.

A quatre pattes, il entreprit de suivre la trace de l'eau. Quand la terre lui mouilla les doigts, il se mit à gratter la surface du sol. Lorsqu'il eut creusé une trentaine de centimètres, l'eau commença à sourdre.

Aussitôt, il fit un trou rond dont il prit soin de consolider les bords. Il plongea une main au fond et de l'autre appuya de toutes ses forces, de tout son poids. Au bout de quelques instants, l'eau lui entoura les doigts. Il continua à appuyer jusqu'à ce qu'elle ait atteint son poignet et qu'elle commence à s'infiltrer dans les parois. De sa main libre, il plaça son quart au fond et attendit qu'il soit plein.

Prenant garde à ne pas le renverser, il se hâta d'aller retrouver sa sœur. Molly Ann reposait tranquillement, les yeux clos. Elle paraissait moins pâle que tout à l'heure. Elle ouvrit des yeux las et tenta de s'asseoir.

« Bouge pas », dit-il, s'agenouillant à ses côtés. Il prit un petit mouchoir dans son sac. Après l'avoir imbibé d'eau, il le pressa sur le front de sa sœur et lui essuya doucement le visage.

« Ça fait du bien », murmura-t-elle.

Il essora le mouchoir et le trempa de nouveau. Cette fois, il le tordit au-dessus de sa bouche, humectant ses lèvres desséchées, qu'elle entrouvrit pour y passer la langue.

« Ça va mieux ? » interrogea-t-il.

Elle acquiesça.

« Je meurs de soif. Je peux boire ?

— Juste un peu. »

Lui soutenant les épaules de son bras, il l'aida à se relever. Il approcha le quart de ses lèvres. « Pas trop, maintenant. Juste une gorgée. »

Elle avala et poussa un soupir.

« J'sais pas ce qui m'est arrivé.

— T'aurais dû mettre un chapeau. Le soleil est méchant.

— J'peux me reposer un petit peu ? Dès que ça ira mieux, on pourra repartir.

— Ça presse pas. On finira bien par y arriver. M. Fitch va pas s'envoler. »

Elle s'allongea et ferma les yeux. L'instant d'après, elle dormait. Délicatement, il lui épongea de nouveau le visage puis la laissa reposer. Un petit somme ne lui ferait pas de mal.

Daniel s'assit, cligna des yeux vers le soleil puis regarda la route que la chaleur faisait trembler. Il devait être midi, à peu près. A quoi bon se remettre en marche maintenant ? Au cours des prochaines heures, la route serait un véritable four. Il valait mieux attendre deux heures. A ce moment-là, le soleil se trouverait au-dessus des collines à l'ouest et il ferait meilleur sur le chemin. Il s'étendit, les bras sous la nuque et ferma les yeux. Un instant plus tard, il dormait.

Ce fut une fauvette, perchée sur une branche au-dessus de lui, qui le réveilla. En regardant le ciel bleu limpide à travers les feuilles, il observa l'oiseau qui chantait, puis s'assit. Effarouchée par son mouvement, la fauvette s'envola.

Il se tourna vers sa sœur : elle avait les yeux grands ouverts.

« Comment tu te sens ?

— Mieux », fit-elle.

Il se dressa d'un bond.

« Autant y aller, si ça va. »

Elle s'assit.

« Ça m'était jamais arrivé avant.

— T'es jamais restée quatre heures en plein soleil, la tête nue, faut dire, répliqua-t-il en souriant.

— C'est vrai. » Elle se mit debout, resta sans bouger un moment et le regarda. « Je me sens bien. »

Il fit un signe d'assentiment et renoua son balluchon.

« Quand on sera arrivés au ruisseau, tu pourras boire tant que tu voudras. » Là-dessus, Daniel empoigna son sac et celui de sa sœur et ils se remirent en route. Elle fit mine de lui rendre son chapeau. « Non. Garde-le. J'ai plus l'habitude du soleil que toi. »

Ils marchèrent sans rien dire pendant une bonne demi-heure avant d'atteindre le ruisseau. Ils quittèrent le chemin, s'aspergèrent gaiement et burent jusqu'à plus soif.

« Ça, c'est de la bonne eau ! » s'exclama-t-il.

Molly Ann approuva et sourit.

« J'connais rien d'aussi doux.

— Il faut se remettre en route.

— Je te suis. »

Il prit la tête et parvint sur la route juste au moment où un chariot tiré par un mulet débouchait d'un tournant, masqué par les arbres. Il s'arrêta au bord de l'étroit chemin pour le laisser passer. Molly Ann s'immobilisa derrière lui.

Un jeune homme mince dont le visage était à demi dissimulé sous un chapeau à larges bords, conduisait l'attelage assis, laissant pendre mollement les rênes entre ses doigts. « Hue donc ! Avance un peu ! » cria-t-il à l'animal qui rechignait à tirer son fardeau par cette chaleur. Le mulet ne changeait pas d'allure ; il se contentait d'avancer laborieusement. « Bon Dieu de vieille carne ! » jura le jeune homme sans se fâcher vraiment pour autant. La charrette arriva en face d'eux et l'inconnu les regarda.

« Alors, les enfants, je vous emmène en ville ? »

La main de Molly Ann se crispa sur le bras de son frère.

« Daniel ! Papa nous a dit d'y aller à pied. »

Dans un geste d'impatience, il se dégagea. Quelle sotte ! Ne se rendait-elle pas compte qu'elle n'était pas en état d'y arriver ? Il regarda le jeune homme mince.

« Oh oui, m'sieur, c'est pas de refus ! »

5

Jimmy Simpson avait les cheveux blond cendré, les yeux bleus et un sourire étincelant. En vingt ans d'existence, il n'avait jamais travaillé et n'en avait jamais éprouvé le besoin. Pourtant, l'argent ne lui avait jamais fait défaut. Il avait plusieurs cordes à son arc : tantôt il jouait aux tarots avec les mineurs polonais, tantôt au poker quand il allait dans la montagne ou encore au billard avec des petites frappes quand il était en ville. Et puis, on pouvait toujours trafiquer un peu d'alcool quand les temps étaient durs. Et c'était le cas.

Il avait passé toute la journée là-haut. Ça n'avait pas été de la tarte ! Le vieux Fitch avait fait sa tournée la veille et avait raflé toute la bonne camelote. Si Jimmy n'avait pas payé deux fois mieux que Fitch, il serait rentré bredouille. Mais lui ne lésinait pas. Moyennant quoi, il obtenait du bon whisky, le meilleur, celui qu'on se gardait pour la réserve personnelle.

Il regarda Daniel poser les deux balluchons qu'il portait dans la charrette puis aider sa sœur à s'asseoir sur le banc avant de grimper à côté d'elle. Il repoussa son chapeau sur sa nuque et une mèche rebelle retomba sur son front.

« Je m'appelle Jimmy Simpson. »

Le jeune garçon avait un regard sérieux.

« Enchanté », répondit-il. Sa voix était plus grave que Jimmy ne l'aurait cru. « Je m'appelle Daniel Boone Huggins. Ma sœur, Molly Ann.

— Content de faire votre connaissance », fit Jimmy avec un sourire. Il regarda la jeune fille. Autant qu'on pouvait en juger avec le large chapeau qui lui mangeait la figure — chapeau qui de toute évidence, appartenait à son frère — elle était très jolie. « Vous avez fait beaucoup de chemin ?

— A peu près vingt-cinq kilomètres, depuis ce matin. Mais la chaleur nous a retardés.

— Et vous allez loin, comme ça ?

— A Fitchville. »

Jimmy sourit de nouveau.

« C'est là que je vais, moi aussi. Vous allez voir de la famille ?

— Non. On y va pour travailler.

— Et vous avez déjà trouvé de l'emploi ?

— Pas encore. Mais M. Fitch a dit à mon père qu'il s'en occuperait.

— Qu'il s'occuperait de vous deux ?

— Oui. »

Jimmy resta silencieux. Décidément, ce vieux salopard tenait le pays tout entier sous sa coupe. Rien de ce qui entrait ou sortait des montagnes n'échappait à ses pattes avides, pas même les gens. Mais comment cet enfant de salaud n'y serait-il pas parvenu ? C'était son arrière-arrière-grand-père qui avait donné son nom à la ville !

Daniel jeta un coup d'œil derrière lui. Il repéra les bonbonnes, bien qu'on ait pris soin de les recouvrir de toiles à sac. Il se retourna vers la route. Après tout, ça ne le regardait pas.

Jimmy observait la jeune fille. Elle s'appuyait contre son frère, se laissant doucement bercer par le mouvement de la charrette, les yeux clos. On aurait dit qu'elle somnolait.

« Si votre sœur est fatiguée, on peut lui faire une petite place ; elle ira s'étendre derrière. »

Molly Ann se redressa.

« J'veux pas vous causer d'embarras », s'écria-t-elle vivement.

Il arrêta sa bête.

« C'est un plaisir d'aider une belle fille comme vous. » Il enjamba le siège et se mit à ranger les bonbonnes sur le côté de la charrette. Il eut vite fait d'improviser un matelas avec les toiles à sac et fixa une petite bâche sur les ridelles pour l'abriter du soleil. « On est pas mal, fit-il en se relevant. C'est là que j'ai dormi la nuit dernière. »

Il lui tendit la main.

Molly Ann regarda son frère pour voir ce qu'il en disait. Daniel hocha la tête. Elle prit la main de Jimmy et enjamba le siège. Elle leva les yeux vers lui.

« Vous êtes bien aimable, M. Simpson. »

Il sourit.

« Appelez-moi Jimmy, comme tout le monde.

— Merci, Jimmy. »

Soudain il se rendit compte qu'il lui tenait toujours la main. Il la relâcha.

« Mettez-vous à votre aise », ajouta-t-il maladroitement.

Elle sentit son cœur battre à tout rompre dans sa poitrine ; elle sut qu'elle rougissait. Elle n'osait pas se risquer à parler. Le soleil avait dû l'étourdir plus qu'elle ne le pensait. Elle se contenta d'un signe de tête.

Il regagna son siège et ramassa les rênes. Un rapide coup d'œil par-dessus son épaule lui apprit qu'elle s'était déjà allongée. Il fit claquer les rênes : « Hue dia, Bon Dieu de carne ! » jura-t-il d'une voix étouffée : il ne voulait pas empêcher sa passagère de dormir.

Molly Ann se réveilla brusquement en sentant dans l'atmosphère la fraîcheur du soir. Elle allait se mettre sur son séant lorsqu'elle se rendit compte qu'on l'avait enveloppée dans une couverture grossière. Elle la repoussa et prit une profonde inspiration. A présent, elle se sentait mieux.

Elle se tourna et aperçut son frère et le jeune homme assis qui lui tournaient le dos ; leurs silhouettes se découpaient sur le crépuscule. Elle se demanda combien de temps elle avait pu dormir. Le jeune homme secoua les rênes. A nouveau, elle sentit une bouffée de chaleur lui monter au visage. Il s'était montré gentil.

« T'es réveillée ? » Daniel l'avait entendue.

« Oui. »

Jimmy se tourna vers elle.

« Vous voulez venir devant ? »

Elle acquiesça. Il arrêta le mulet et lui tendit la main. Elle la prit. De nouveau, elle sentit son cœur se mettre à battre plus fort. Elle la lâcha, confuse.

« Il reste combien de chemin à faire ?

— Encore deux heures, dit Jimmy. Cette vieille carne n'est pas fichue d'avancer ! C'est le mulet le plus paresseux de tout le pays. »

Elle jeta un coup d'œil à Daniel.

« Il va être tard quand nous y serons. Comment faire si le magasin de M. Fitch est fermé ?

— Nous irons le trouver demain matin.

— Vous savez où loger ? Vous avez de la famille ?

— Non, répondit Daniel.

— Je peux vous arranger ça. Je loge chez la veuve Carroll ; elle tient une bonne pension. » Le frère et la sœur se regardèrent, hésitants.

« Pour une seule nuit, elle vous fera rien payer, ajouta aussitôt Jimmy. Vous êtes mes invités.

— On a de quoi payer, s'empressa de dire Daniel. On a de l'argent. Seulement, on voudrait pouvoir travailler aussi vite que possible.

— Vous allez travailler où ? A la filature ? »

De nouveau Molly Ann regarda son frère.

« On sait pas encore très bien, avoua Daniel. M. Fitch a dit à notre père que, si on venait, il s'occuperait de nous.

— Et Fitch n'a pas dit quel genre de travail vous feriez ?

— Pour ça, non. Il a dit qu'on gagnerait gros. Quatre, ou peut-être cinq dollars par semaine. »

Jimmy se mit à rire. Un rire sans joie.

« Sacré Fitch ! Les belles promesses ne lui coûtent pas cher.

— Vous voulez dire qu'il n'y a pas de travail ? demanda Molly Ann d'une voix anxieuse.

— Non, ce n'est pas ce que je veux dire. Pour ce qui est du travail, il y en a. Mais à sept cents de l'heure, il vous faudra travailler au moins douze heures par jour pour gagner ça.

— Le travail nous fait pas peur », déclara Molly Ann.

Il la regarda.

« Vous avez déjà travaillé dans une filature ?

— Non.

— On est debout toute la journée à changer les bobines sur une machine qui va à toute vitesse. Et ça, pendant douze heures ! On a l'impression que son corps va éclater en mille morceaux. C'est pas du gâteau !

— Rien n'est facile, répondit-elle. Si on est bien payé, on peut pas demander que ça se fasse tout seul.

— Bien payé ? » De nouveau, il se mit à rire. « Vous appelez ça bien payé ? Pourquoi est-ce qu'ils emploient des enfants ? Parce qu'ils peuvent vous payer sept cents de l'heure alors que les adultes, ils les paient quinze. La différence, c'est tout bénéfice pour eux.

— Ce que font les autres, ça nous regarde pas, intervint Daniel. Nous, tout ce qu'on veut, c'est travailler honnêtement. »

Jimmy eut envie de rire, mais quelque chose dans l'expression de ce garçon l'en empêcha. Ce n'était pas la naïveté habituelle du paysan débarquant de ses montagnes. On sentait dans son regard une maturité précoce, une façon d'appréhender choses et gens, très au-dessus de son âge. Au bout d'un moment il ajouta : « Chacun fait comme il l'entend. »

Mais au fond de lui-même, Jimmy n'en pensait pas moins. Dans ce pays-ci, les gens n'en faisaient pas à leur tête ; ils s'agitaient comme des marionnettes que d'autres manipulaient pour servir leurs desseins et leurs intérêts.

Il était neuf heures passées quand ils arrivèrent dans la grand-rue. La carriole s'arrêta devant le magasin de M. Fitch. La porte était fermée et les vitrines sombres. Ils restèrent quelques minutes sans parler.

Jimmy se sentit obligé de s'excuser.

« Je suis désolé. Si cette vieille carne n'était pas si entêtée, on aurait été rendus ici une heure plus tôt.

— C'est pas votre faute, répondit Daniel. Il se tourna vers sa sœur. Vaudrait peut-être mieux descendre ici.

— Mais non, ce serait idiot, dit aussitôt Jimmy. Vous allez venir avec moi chez la veuve. Vous aurez à souper, on vous trouvera un lit et vous pourrez être ici à la première heure, demain matin. Daniel le regarda.

— On voudrait pas prendre la place des autres. On vous doit déjà une fière chandelle !

— Vous prendrez la place de personne. Pour ce qui est de la place et des lits, c'est l'affaire de la veuve. »

La veuve Carroll était une femme anguleuse, au visage aigu et à la langue acérée. Elle en faisait bon usage et dirigeait ses pensionnaires à la baguette. Elle avait une clientèle particulière : des hommes rudes qui travaillaient dans les filatures, les usines et les mines et qui venaient des quatre coins du monde. Des Slaves d'Europe centrale côtoyaient des montagnards secrets et taciturnes qui travaillaient dans un lieu qui leur était aussi étranger qu'aux immigrants. Néanmoins, la veuve Carroll faisait marcher son monde. Chez elle, pas de bagarres, pas d'ivrognes, pas de jurons. Ce que ses pensionnaires faisaient hors de chez elle lui était indifférent, mais lorsqu'ils se mettaient à table, il valait mieux qu'ils se soient lavé les mains et la figure ; sinon, elle ne les autorisait pas à s'asseoir. Elle leur inspirait à tous une sainte frousse. Ils parlaient en baissant curieusement la voix dès qu'elle se trouvait dans les parages : aucun d'entre eux ne voulait perdre sa place dans la pension. La nourriture n'avait pourtant rien d'extraordinaire, mais dans la région, c'était chez elle qu'on mangeait le mieux.

« Vous arrivez trop tard pour souper, lança-t-elle à Jimmy. Vous savez bien qu'on se met à table à six heures et demie.

— C'est à cause de cette vieille carne. » Jimmy essaya de l'amadouer. « Impossible de la faire avancer ! Pas moyen ! Et puis j'ai trouvé ces gosses qui marchaient sur la route par cette chaleur. Je pouvais tout de même pas les laisser comme ça, hein ? »

La veuve Carroll considéra Daniel et Molly Ann et renifla sans mot dire. Son regard inquisiteur les mettait mal à l'aise.

« Ils allaient chez M. Fitch pour y trouver du travail. Mais le magasin est fermé.

— Pas de femme chez moi », aboya-t-elle. Elle se tourna vers Jimmy : « Vous connaissez le règlement de ma maison. »

Daniel prit sa sœur par la main.

« Viens, Molly Ann. Nous ne voulons pas vous causer d'ennuis, M. Simpson Merci de votre gentillesse. »

Quelque chose dans le ton de sa voix toucha une corde sensible chez la veuve Carroll. Son mari était originaire des montagnes et, bien des années auparavant, lorsqu'ils étaient jeunes tous les deux, il avait un peu la même voix que ce garçon — une voix forte, pleine de dignité. Mais c'était il y a longtemps, avant que le travail à la mine lui ait ravagé les poumons, et que le tord-boyaux lui ait rongé les tripes. Il était mort en crachant un sang noirâtre dans ses beaux draps blancs bien propres.

« D'ailleurs, je n'ai qu'une chambre de libre », déclara-t-elle.

Daniel la regarda droit dans les yeux.

« C'est parfait, madame. Ma sœur et moi, on a toujours dormi dans la même chambre avec nos autres frères et sœurs.

— Je me fiche pas mal de ce que vous faisiez, répliqua-t-elle sèchement. Il est hors de question qu'un homme et une femme couchent dans la même chambre sous mon toit, même s'ils sont frère et sœur.

— Je peux dormir dans la véranda, si vous le permettez, madame. Molly Ann pourra dormir dans la chambre.

— Je ne sais pas, fit-elle, hésitante. Ce n'est pas très convenable que quelqu'un dorme dans ma véranda.

— Il peut utiliser mon lit de camp, celui qui est dans ma chambre », proposa aussitôt Jimmy.

La veuve Carroll s'était décidée. Ils avaient l'air gentil et comme il faut, ces gosses.

« Entendu, fit-elle. Mais il n'y a plus que du porc froid et du pain, c'est tout ce que vous aurez à souper.

— Ça nous convient. Vous êtes bien aimable, madame », déclara Daniel.

Elle le dévisagea.

« Ce sera dix cents pour chacun. » Elle hésita un instant et ajouta : « Petit déjeuner compris, servi à cinq heures et demie tapantes ! »

En silence, Daniel sortit quelques pièces de sa poche et les lui tendit.

« Merci, madame, de vous mettre en peine pour nous. »

Elle hocha la tête et se tourna vers Molly Ann.

« A présent, mademoiselle, venez avec moi que je vous montre votre chambre. »

Molly Ann était allongée sur son lit dans la petite pièce sombre et épiait le silence. C'était étrange. Il n'y avait pas un bruit. Pour la première fois, elle dormait seule dans une chambre, elle n'entendait plus le bruit familier de ses frères et sœurs. Il lui faudrait s'y habituer.

Elle songea à sa famille et se demanda si elle lui manquait. Inexplicablement, les larmes se mirent à ruisseler sur ses joues. On frappa doucement à la porte. Elle se glissa hors du lit et traversa la pièce. « Oui ? » murmura-t-elle.

« C'est moi, Daniel. » Sa voix feutrée lui parvenait à travers la porte. « Ça va ?

— Oui, très bien. »

Il hésita un moment.

« Bon, eh bien,... bonne nuit, alors.

— Bonne nuit. »

Elle entendit ses pas s'éloigner et elle regagna son lit sur la pointe des pieds. Tant de choses avaient changé en l'espace d'un jour ! *Tout* avait changé.

Jusqu'alors, Daniel avait été son petit frère. Mais voilà qu'aujourd'hui, il était soudain devenu différent. Elle sentait en lui une force qu'elle n'avait jamais soupçonnée. Comme si en un bref instant, sous ses yeux, il était devenu un homme.

Elle se sentit envahie d'un étrange sentiment de sécurité ; ses larmes cessèrent de couler et elle sombra dans un sommeil profond et sans rêves.

6

Il était à peine plus de six heures du matin : Daniel et Molly Ann attendaient devant le magasin dans la grand-rue lorsque la porte s'ouvrit. Un vieux Noir en sortit, un balai à la main. Il leur jeta un coup d'œil intrigué, mais continua sans rien dire à balayer les planches de l'entrée. Daniel se dirigea vers la porte et regarda à l'intérieur de la boutique.

« Il n'y a encore personne, fit le Noir. Si vous voulez acheter quelque chose, M. Harry ne va pas tarder.

— Nous attendons M. Fitch, expliqua Daniel.

— Il ne vient jamais avant huit heures.

— On va attendre. »

Daniel revint vers sa sœur. Il y avait un petit banc devant l'une des vitrines. Ils s'assirent.

Quelques minutes plus tard, un petit homme à l'air nerveux, portant veste de lustrine, faux-col et cravate, entra d'un air très affairé dans le magasin.

« Il y a déjà des clients, Jackson ? » interrogea-t-il. Il avait une voix haut perchée d'employé consciencieux.

Le Noir s'effaça poliment pour laisser passer le petit homme.

« Non, personne, M. Harry. »

Celui-ci s'arrêta pour dévisager Daniel et Molly Ann mais ne leur adressa pas la parole.

« Qu'est-ce qu'ils veulent ?

— Ils viennent voir M. Fitch.

— Vous cherchez du travail, les gosses ? »

Il s'était décidé à leur parler. Daniel se leva.

« Oui, c'est ça.

— Vous ne pouvez pas rester là, fit-il sèchement. Ce banc est réservé à la clientèle.

— Excusez-moi », commença Daniel, mais le petit homme avait déjà disparu dans le magasin. Il se tourna vers Molly Ann qui s'était levée elle aussi. Ils restèrent là, ne sachant trop quoi faire.

« Il y a un banc de l'autre côté du magasin ; vous pouvez vous y asseoir », dit le vieux Noir. Daniel remercia. Ils tournèrent le coin du bâtiment et se rassirent.

Peu à peu, la petite ville commençait à s'éveiller autour d'eux. Les boutiques s'ouvraient, les gens commençaient à sortir dans la rue. Ensuite quelques voitures passèrent, de plus en plus nombreuses. Un peu après sept heures, l'animation était à son comble.

Ils regardaient de tous leurs yeux, sans rien dire. Les passants ne semblaient pas faire attention à eux. On aurait dit que chacun était absorbé dans ses pensées. Les hommes se rendaient au travail, les femmes faisaient les courses, les enfants jouaient. Tous semblaient très occupés.

« Combien de temps à attendre encore ? » demanda Molly Ann.

Daniel cligna des yeux en direction du soleil.

« Une demi-heure, peut-être.

— Tu as vu M. Simpson, ce matin ?

— Il dormait encore quand j'ai quitté la chambre.

— Il n'a pas pris son petit déjeuner, fit-elle observer.

— Avant de se coucher, il m'a dit qu'il ne mangeait jamais le matin. Pourtant, il était rudement bon, ce petit déjeuner qu'elle nous a servi, cette dame ! Des œufs, du porridge, du pain de maïs, du beurre et du vrai café ! Faut être fou pour laisser passer un déjeuner pareil !

— J'aurais voulu le remercier de sa gentillesse.

— Te tracasse pas pour ça. Je l'ai remercié pour nous deux.

— Il a été vraiment gentil », ajouta-t-elle, d'une voix douce.

Daniel jeta un coup d'œil à sa sœur et sourit.

« Reconnais que tu as un faible pour lui », fit-il, taquin.

Elle rougit.

« Que tu es bête ! J'peux pas dire qu'un garçon est gentil sans que tu ailles t'imaginer des choses ? » Le sourire de Daniel s'accentua. Il aurait pu lui dire que Jimmy n'avait cessé de lui poser des questions sur elle. Mais si Molly Ann l'avait su, ça lui aurait tourné la tête.

Le vieux Noir tourna l'angle du magasin et s'approcha d'eux.

« M. Fitch vient d'arriver. Si vous voulez le voir... » Ils le suivirent dans le magasin. Il fallait un certain temps pour s'habituer à l'obscurité quand on venait de l'extérieur où il faisait grand soleil. Mais au bout d'un moment, ils s'y accoutumèrent et distinguèrent les tonneaux et les sacs empilés autour d'eux, les étagères où s'entassaient jusqu'au plafond toutes sortes d'articles, depuis les conserves jusqu'aux coupons de tissu. Il les fit passer le long du comptoir devant le petit employé besogneux et les conduisit devant un minuscule bureau vitré.

M. Fitch était assis derrière sa table ; il avait encore gardé sur sa tête son chapeau à larges bords. Il ne parut pas les reconnaître.

« Qu'est-ce que vous voulez, les gosses ? interrogea-t-il, bourru.

— C'est notre père qui nous envoie chez vous, répondit Daniel. Il nous a dit que vous nous donneriez du travail. »

M. Fitch n'eut aucune réaction.

« Votre père ?

— Oui. Jeb Huggins. »

Le gros homme changea de ton, brusquement. Sa voix se fit plus cordiale. Il s'extirpa derrière son bureau.

« Ah, vous êtes les enfants Huggins ! Ma parole, je ne vous avais pas reconnus dans vos beaux habits. Oui, oui, c'est ce que j'ai dit à votre père. »

Daniel se sentit soulagé. Il commençait à croire qu'il y avait un malentendu.

« C'est ça, M. Fitch. »

Il regarda le garçon.

« Toi, tu t'appelles, Daniel, c'est ça ? Le fils de Jeb hocha la tête. Et toi, Molly Ann ? » Elle sourit.

« Oui, M. Fitch.

— Ah, il était délicieux, ce petit civet que ta mère nous a servi à dîner. »

Ils ne répondirent rien.

Fitch s'assit et se mit à fourrager dans les papiers qui encombraient son bureau. « Bien... Voyons voir... Ah, les voilà ! » Il tendit deux feuilles à Daniel. « Faut que votre père me signe ces papiers. Ensuite, on pourra vous trouver du travail. » Daniel le fixa, interloqué.

« P'pa nous a pas dit qu'il devait signer des papiers.

— Bien sûr que si qu'il faut les signer ! Vous, les gosses vous êtes mineurs, aux yeux de la loi. Et, tant que vous n'aurez pas vingt et un ans, faudra que vos parents signent.

— Mais, M. Fitch, protesta Daniel, pour y aller et revenir, il y a plus de cent kilomètres. Ça va nous prendre au moins deux jours pour les faire signer.

— Ça, j'y peux rien. La loi, c'est pas moi qui la fais »

Daniel sentit la colère s'emparer de lui.

« Mais pourquoi que vous l'avez pas dit à mon père avant de nous faire venir jusqu'ici ? »

Fitch regarda le garçon. Ses yeux étaient devenus sombres. Ce gosse avait du caractère ! Il n'était pas fait pour travailler dans les filatures ou les verreries du coin. Mieux valait l'envoyer à une trentaine de kilomètres au sud, dans les mines de Grafton. M. Fitch soupira : « J'ai complètement oublié ! finit-il par admettre. « Et puisque c'est ma faute, je vais vous trouver du travail ; je m'occuperai moi-même de faire signer les papiers par votre père. »

Daniel se sentit soulagé. Il approuva sans rien dire.

« Combien tu mesures, fiston ? » La voix de Fitch s'était beaucoup radoucie.

« Près d'un mètre quatre-vingts, j'crois, répondit Daniel. P'pa dit que j'ai poussé de bonne heure.

— Tu es vraiment grand », admit Fitch. Il réfléchit un instant.

« Bien trop grand pour travailler dans les verreries. Là, on emploie surtout des garçons de petite taille parce qu'il faut pouvoir se glisser sous un tas de tuyaux. Que dirais-tu de travailler comme hercheur ?

— Hercheur ? demanda Daniel. Qu'est-ce que c'est ?

— C'est un travail à la mine. Au début, on te fera faire du déblayage. Après tu pourras devenir mineur.

— J'ai rien contre.

— Bien, bien, approuva Fitch. On embauche dans un nouveau puits, près de Grafton. Je vais te faire un mot et tu pourras partir tout de suite.

— Mais Grafton, c'est à plus de trente kilomètres d'ici ! » protesta Daniel.

Fitch lui lança un coup d'œil.

« Tu veux travailler, oui ou non, mon garçon ? »

Daniel acquiesça.

« Ton père me fait suffisamment confiance pour vous avoir envoyés jusqu'ici. A présent, tu peux bien me faire confiance pour que je vous trouve de bons emplois, à tous les deux.

— Mais Molly Ann et moi, on croyait qu'on pourrait rester ensemble.

— A ta guise, reste ici ; mais tu ne trouveras pas de travail. Y a qu'à Grafton que t'en auras.

— Et pour Molly Ann, alors ? »

Fitch regarda la jeune fille.

« Je vais lui trouver un bon emploi ici, à la filature. »

Daniel se tourna vers sa sœur.

« Je sais pas, fit-il, hésitant.

— T'inquiète pas, Daniel, intervint Molly Ann. Je me débrouillerai.

— Je veillerai sur elle, mon garçon, dit Fitch. Mme Fitch s'occupera de lui trouver un bon logement. »

Daniel regarda successivement le gros homme bedonnant derrière son bureau, puis sa sœur. Ça ne lui plaisait pas. Mais il n'avait guère le choix. Son père les avait envoyés ici pour trouver du travail. Il ne pouvait se permettre de rentrer à la maison sous prétexte que ça ne lui convenait pas. Il prit donc la décision de retourner chez la veuve Carroll et de demander à Jimmy de veiller sur sa sœur. Daniel sentait qu'on pouvait avoir confiance en lui. M. Fitch, au contraire, ne lui inspirait que de la méfiance.

« Très bien, finit-il par articuler, à contrecœur.

— Enfin, te voilà raisonnable, répondit Fitch tout souriant. Il se leva. J'ai justement un fourgon qui part pour Grafton cet après-midi. Tu pourras voyager dedans. » Il se dirigea vers la porte de son bureau. « Attendez-moi ici, le temps de m'occuper de tout ça. »

Lorsqu'il fut parti, ils se regardèrent.

« Il me plaît pas », se contenta de dire Daniel.

Molly Ann lui prit la main.

« T'as grandi trop vite, Daniel. Mais moi aussi, je grandis, oublie pas. »

Lorsque Daniel et Molly Ann furent de retour à la pension, il était un peu plus de dix heures. Ils frappèrent et la veuve Carroll vint leur ouvrir.

« Mme Carroll, est-ce que M. Simpson est encore là ? demanda Daniel.

— Il est là-bas dans la grange en train de s'occuper de son mulet », fit-elle sèchement. Elle lui jeta un coup d'œil perçant. « Vous avez l'intention de dormir ici, ce soir ?

— Non, madame. Je pars à Grafton cet après-midi.

— Ta sœur aussi ?

— Non, madame. Elle a trouvé du travail ici, à la filature.

— En tout cas, elle ne peut pas loger ici. La nuit dernière, c'était une exception. Mais je ne veux pas de femmes chez moi. Tôt ou tard, elles attirent toujours des ennuis. »

Daniel la regarda dans les yeux.

« Nous vous remercions de votre hospitalité, madame, déclara-t-il tranquillement. Nous n'avons pas l'intention d'en abuser. »

Elle ne put soutenir son regard. Elle se sentait curieusement embarrassée.

« Bien sûr, si elle... »

Daniel l'interrompit : « Ce ne sera pas nécessaire, madame. Merci de votre amabilité. »

Elle les vit descendre les marches du perron et contourner la maison, puis elle ferma la porte et retourna à son ménage. Elle avait raison. Elle était sûre d'avoir raison. Les filles, ça faisait toujours des histoires. Un jour ou l'autre, les hommes finissaient par se bagarrer à cause d'elles. Pourtant, celle-ci avait l'air gentille et bien élevée. Elle n'avait rien à voir avec la racaille qu'on embauchait dans les filatures. Elle se dit qu'elle avait peut-être parlé trop vite. Toujours sa maudite langue ! C'était son défaut et il ne datait pas d'hier. Contrariée, elle se mit à faire voler la poussière à grands coups de balai.

Daniel et Molly Ann trouvèrent Jimmy dans la grange, mais il ne s'occupait pas de son mulet. Il était absorbé par une autre tâche. L'animal mâchonnait tranquillement son avoine dans la mangeoire. Jimmy, lui, était en train d'embouteiller sa gnôle.

Il s'était installé devant un banc en bois où il avait aligné des bouteilles d'un demi-litre. Il avait une bonbonne coincée sous un bras et un entonnoir dans sa main restée libre. Rapidement, avec beaucoup d'adresse et une sûreté de geste qui révélait des années de pratique, il glissait le bout de l'entonnoir dans la bouteille, inclinait la bonbonne et laissait couler le liquide transparent. Quand la bouteille était pleine, il passait à la suivante.

Daniel l'observa, fasciné. Pas tellement par l'embouteillage, mais plutôt par le fait qu'en s'écoulant dans la bouteille, l'alcool transparent prenait immédiatement une teinte ambrée. Il n'avait jamais rien vu de tel auparavant. Ils demeurèrent silencieux jusqu'à ce que Jimmy ait vidé sa bonbonne et s'apprête à en reprendre une autre.

« M. Simpson. »

Jimmy se tourna et sourit. Il posa la bonbonne vide.

« Tout va bien ?

— Oui, si on veut. Il regarda les bouteilles. Nous ne voulons pas vous déranger. »

Jimmy se mit à rire.

« Le whisky de Simpson, ça fait un moment qu'ils l'attendent. Ils pourront bien attendre un peu plus !

— C'est du whisky ? » fit Daniel, stupéfait.

Jimmy hocha la tête.

« C'est ce que je suis en train de fabriquer. Quelques gouttes de salsepareille, un peu d'extrait de malt et je défie quiconque de faire la différence entre mon whisky et celui qu'on achète dans les magasins. Seulement, moi, je le vends moins cher et c'est du bon alcool. »

Daniel hésita.

« J'ai un service à vous demander, mais vous avez déjà été tellement gentil...

— Vous gênez pas. Demandez, interrompit Jimmy. Si c'est dans mes cordes...

— M. Fitch dit que je suis trop grand pour travailler à la verrerie. Il m'a trouvé du travail dans une mine, du côté de Grafton. »

Jimmy ne fit pas de commentaire.

« Et votre sœur ?

— Elle va travailler ici, à la filature. »

Daniel se tourna vers Molly Ann. « C'est pas comme ça qu'on envisageait les choses. On croyait qu'on pourrait rester ensemble. M. Fitch dit qu'il veillera sur elle. » Il se tut.

Jimmy regarda Molly Ann. Elle baissa pudiquement les yeux. Il vit ses joues se colorer légèrement.

« Qu'est-ce que vous en pensez ? » lui demanda-t-il.

Elle ne répondit rien. Il se tourna vers Daniel. « Vous ne l'aimez pas, hein, ce Fitch ? » C'était plus une constatation qu'une question.

« C'est vrai qu'il me revient pas, admit Daniel. Je me sentirai bien plus tranquille si je sais que c'est vous qui avez l'œil sur elle plutôt que Fitch. »

Jimmy hocha la tête.

« Je comprends. » De nouveau, il s'adressa à Molly Ann. « Qu'est-ce que vous en dites, Mlle Molly ? »

Elle répondit d'une voix douce, mais sans oser le regarder : « Avec vous, je me sentirai en sécurité parce que vous êtes gentil. »

Jimmy eut un sourire.

« Dans ce cas, je vous aiderai bien volontiers. La première chose, c'est de vous trouver un logement décent. Je connais des gens, des amis à moi, dont la fille aînée vient de se marier ; ça fait qu'ils ont une chambre de libre. Un petit loyer arrangerait bien leurs affaires. Allons-y, on verra si ça leur convient. »

Il posa son entonnoir sur le banc et s'approcha d'eux.

« Mais... et votre whisky ? » demanda Daniel.

Jimmy éclata de rire.

« Ça peut attendre. Le whisky, plus ça vieillit, meilleur c'est ; on vous l'a jamais dit ? »

7

Dans son sommeil, Daniel entendit au loin le sifflement aigu dans la mine qui annonçait la relève des équipes. Il se tourna sur son étroit lit de camp et ouvrit les yeux. Les trois autres garçons avec lesquels il partageait sa chambre, étaient encore enfouis sous leurs couvertures d'étoffe grossière.

Sans faire de bruit, il sortit du lit et se dirigea pieds nus vers le lavabo. Il boucha la cuvette et la remplit d'eau à l'aide d'une énorme cruche. Le contact de l'eau glacée sur son visage le réveilla. Il regarda dans le petit miroir terni et craquelé au-dessus du lavabo.

Le visage qui s'y reflétait n'était plus le même que celui qu'il y avait aperçu, trois mois auparavant. Son hâle avait disparu depuis longtemps. Il avait la peau d'un blanc particulier, légèrement bleuté et les traits tirés. Ses yeux s'enfonçaient dans les orbites creuses ; on aurait dit deux morceaux d'anthracite, de ce charbon sur lequel il travaillait à longueur de journée.

Il se frotta les joues. Il y avait comme un léger duvet d'un noir bleuâtre. Sans le toucher, il ne pouvait jamais savoir si c'était de la barbe ou de la poussière de charbon qui avait pénétré les pores de la peau et y laissait une trace indélébile. Il plongea les doigts dans la boîte de savon noir et s'enduisit le visage d'une couche de cette pâte abrasive. Pourtant, même après s'être rincé et essuyé avec une serviette rugueuse, il ne constata aucun changement, sinon que la peau lui faisait mal, à cause des grains de sable contenus dans le savon. La poussière de charbon s'incrustait dans la peau un peu comme les mauvaises herbes dans la terre. Quoi qu'on fasse, on ne pouvait s'en débarrasser.

Après avoir mouillé ses cheveux et les avoir plaqués d'un coup de peigne, il revint vers son lit et s'habilla. Sa chemise bleue et son bourgeron étaient raides de poussière. De même que les lourdes bottes qu'il portait pour travailler. Il prit son casque de mineur et vérifia la lampe qui y était attachée. La mèche était molle et il y avait assez de pétrole dans le réservoir pour toute la journée.

Sans bruit, il se dirigea vers la porte. Il jeta un dernier coup d'œil aux autres qui dormaient toujours mais ne tenta rien pour les réveiller. C'étaient des cribleurs ; ils ne reprenaient leur travail qu'une demi-heure après lui, à sept heures.

Il ferma la porte derrière lui et descendit l'étroit escalier qui conduisait au rez-de-chaussée de la pension. Il longea le couloir jusqu'à la cuisine. La cuisinière, une forte femme dont le visage noir luisait déjà de la chaleur des fourneaux, le regarda en souriant.

« Bonjour, m'sieur Daniel.

— Bonjour, Carrie.

— Comme d'habitude, m'sieur Daniel ?

— Oui, s'il vous plaît. Et n'oubliez pas...

— Bien sûr que non ! fit-elle avec un sourire. les œufs bien cuits avec beaucoup de sel et de poivre. »

Il se mit à table et, empoignant l'énorme cafetière de fer étamé, se servit une tasse de café fumant. Il ajouta de la crème, trois grosses cuillerées de sucre et remua le tout.

« J'ai du lard extra. Si ça vous dit, je peux le faire frire avec les œufs.

— C'est gentil à vous, Carrie. Je dis pas non, ma foi. » Il beurra généreusement le pain qu'elle venait de sortir du four et l'entama à belles dents. « Carrie, je vous déclare qu'après ma mère, vous êtes la meilleure boulangère de toute la Virginie !

— Allons, allons, taisez-vous m'sieur Daniel », protesta-t-elle. Mais un sourire de satisfaction éclairait son visage lorsqu'elle apporta le lard et les œufs sur la table. Il tendit la main vers la salière. « Attendez d'avoir goûté. J'ai déjà mis plein de sel ! »

Il goûta les œufs et hocha la tête.

« C'est parfait. » Mais dès qu'elle eut le dos tourné, il s'empressa de rajouter du sel.

Il mangeait rapidement, sans en perdre une miette, sauçant le jaune d'œuf avec son pain. Lorsqu'il eut fini son café, il se leva.

Elle lui apporta sa gamelle en métal noir.

« J'vous ai mis une pomme et une orange en plus. Je sais que vous adorez les fruits frais.

— Merci, Carrie. » Il prit la musette qu'elle lui tendait et se dirigea vers la porte. « A ce soir !

— Attention, soyez prudent, m'sieur Daniel. Ne vous approchez pas trop des charges de dynamite !

— Non, non », fit-il en souriant tandis qu'il sortait.

Son travail consistait précisément à placer les charges et à les allumer. Ça lui rapportait un dollar de plus par semaine. Il n'allait pas laisser passer une chance pareille. Sept dollars par semaine, c'était quasiment la paie d'un adulte.

En silence, il descendit la rue envahie par la boue que la pluie avait ramollie, longea les corons noircis par la poussière du charbon et s'engagea dans le chemin qui conduisait au carreau de la mine. Il commençait à y avoir du monde : certains partaient au travail, d'autres en revenaient. Quelques-uns allaient occuper les lits que ceux de l'équipe de jour venaient juste de libérer. Les lits étaient rares et la plupart des dortoirs logeaient deux équipes. Le dimanche, lorsque la mine fermait, la confusion était générale et souvent, des bagarres éclataient entre équipes qui se disputaient le droit à occuper les lits. Selon le règlement, les hommes devaient en avoir la jouissance à tour de rôle, mais ça n'avançait pas à grand-chose, car tous les gars étaient épuisés et prompts à faire le coup de poing. Daniel se disait qu'il avait de la chance d'avoir trouvé une chambre où l'on s'arrangeait. Les adultes en revanche ne semblaient guère disposés à partager.

Daniel parvint à l'entrée de la mine. Comme d'habitude, il était le premier de son équipe. Il s'assit sur un coffre et regarda les hommes qui sortaient.

Ils avaient le visage noir et leurs vêtements étaient encore plus sales que les siens. Ils clignaient péniblement des yeux pour s'habituer à la lumière du matin. Ils avançaient lentement, presque douloureusement ; il leur fallait s'accoutumer à marcher droit au lieu de progresser à moitié cassés en deux, comme ils devaient le faire dans les galeries de la mine. L'un d'eux s'arrêta devant lui. C'était un homme corpulent, au torse puissant ; ses cheveux blonds, presque blancs étaient couverts de poussière.

« Andy est déjà là ? demanda-t-il.

— Non, monsieur », fit Daniel en secouant la tête. Andy était son chef d'équipe. Celui-ci dirigeait une équipe de nuit.

Le contremaître chercha autour de lui un instant.

« Tu lui diras que la galerie ouest a besoin d'être étayée avant de dynamiter. Les parois sont devenues trop légères. »

Daniel hocha la tête.

« Je lui dirai.

— Surtout, n'oublie pas, insista l'autre. Sinon, vous risquez de bouffer du charbon !

— J'oublierai pas, promit Daniel. Merci. »

Hochant la tête, l'homme se remit en route d'un air las. Daniel fouilla dans sa poche et en retira un morceau de tabac à chiquer. Il en cassa un bout avec ses dents qu'il se cala dans la bouche et se mit à mâchonner. Cracher un bon coup de jus de chique, ça vous décrassait les poumons. Adroitement, il lança une giclée sur un cafard qui s'approchait de ses pieds. Noyé, l'insecte disparut dans la flaque brunâtre et toxique.

Daniel regarda s'éloigner le contremaître. Il n'était pas particulièrement inquiet. Ce genre d'avertissement, on en recevait tous les jours. Chaque équipe essayait de se décharger de la corvée d'étayage sur l'équipe suivante parce que c'était du temps perdu et que les mineurs étaient payés à la quantité de charbon extrait. Étayer et renforcer les galeries, c'était autant de charbon perdu.

Dans la mine, l'air était saturé d'humidité et les murs moisis suintaient. Par terre, sous les pieds, le sol était mou et spongieux ; en s'y enfonçant, leurs lourdes bottes faisaient gicler de l'eau qui recouvrait tout de suite leurs empreintes.

« Nom de Dieu ! jura le contremaître. On ferait bien d'amener des pompes ici sinon, on aura de l'eau jusqu'au cul avant de pouvoir dire ouf.

— Ils ont pris toutes les pompes pour s'en servir dans la galerie est », déclara l'un des hommes de l'équipe.

Le contremaître se tourna vers Daniel.

« Remonte à la direction et dis-leur qu'il faut qu'on nous amène des pompes parce que nos mules ont de l'eau jusqu'au ventre et qu'elles peuvent plus tirer le charbon. »

Daniel acquiesça et tourna les talons.

Il enfila la galerie jusqu'à l'entrée principale, dépassa une équipe de manœuvres qui déblayaient la voie pour les berlines.

« A quoi ça ressemble en bas ? interrogea l'un d'eux.

— On patauge, répondit Daniel. Je vais réclamer des pompes.

— Tant que t'y es, ramène donc un piaf, fit l'homme. J'aime pas trop l'odeur qu'y a par ici. » Daniel sourit. Ce n'était pas la première fois qu'on lui faisait faire ce genre de commission. Les canaris étaient censés pouvoir détecter le grisou ou le manque d'oxygène, mais depuis qu'il travaillait dans la mine, il n'en avait pas aperçu la queue d'un.

« J'peux même vous attraper un aigle si vous faites le boulot à ma place », répliqua-t-il.

Un éclat de rire le suivit jusqu'à ce qu'il tourne le coin. L'entrée se trouvait en haut d'un plan incliné à vingt mètres de lui, à peu près. Au bout du tunnel, il aperçut le ciel bleu foncé où scintillaient des milliers d'étoiles. Il en fut émerveillé. Dehors, il faisait grand jour, mais vu à travers la longue galerie étroite, on aurait dit un ciel nocturne. Derrière le soleil, les étoiles étaient toujours là. Au fur et à mesure qu'il se rapprochait de l'entrée, elles pâlirent et disparurent lentement.

A l'entrée, le contrôleur l'arrêta.

« Où vas-tu, mon gars ?

— Andy m'a dit d'aller réclamer des pompes au bureau du directeur.

— Tu perds ton temps, répliqua le contrôleur. Retourne en bas travailler.

— Les mules ont de l'eau jusqu'au ventre. Elles peuvent plus tirer le charbon. »

Après l'avoir dévisagé un moment, le contrôleur haussa les épaules et ajouta sur un ton menaçant : « Vas-y. Mais tu perds rien pour attendre. »

Daniel entra dans le bureau. Après avoir frappé, il pénétra dans la pièce. Le secrétaire le toisa par-dessus son bureau.

« Qu'est-ce que tu veux ?

— Andy m'envoie chercher des pompes pour la galerie ouest. On peut plus sortir le charbon.

— Pourquoi ? »

Daniel lui jeta un regard mauvais. Il éprouvait déjà le mépris instinctif des mineurs pour les gratte-papier.

« Les mules peuvent pas nager et tirer le charbon en même temps, figurez-vous ! »

Le secrétaire lui retourna son regard.

« Très drôle ! » Il baissa les yeux sur son bureau. « Tu diras à Andy qu'il n'y a plus de pompes. »

Daniel s'obstina.

« Il m'a dit de m'adresser à la direction.

— Le directeur n'est pas là.

— J'attendrai. Il chercha une chaise des yeux.

— Ah non, sûrement pas, s'écria le secrétaire. Retourne au travail sinon tu seras viré !

— D'accord, fit Daniel qui ajouta, à dessein : « Je vais faire la commission à Andy. Mais vous le connaissez. Il y va pas par quatre chemins. Et c'est lui qui remontera ici, en personne. » L'employé battit en retraite. Tout le monde connaissait Andy de réputation. La mine, c'était son affaire : il y avait trimé toute sa vie et il n'avait pas précisément bon caractère. Personne ne se risquait à le contredire à moins d'être prêt à la bagarre.

« Entendu, déclara le secrétaire. Dis-lui que je vais lui envoyer quelques pompes. »

Daniel hocha la tête et s'apprêta à partir. Le secrétaire le héla : « Tu es nouveau ici ?

— Pas tout à fait.

— Comment tu t'appelles ?

— Daniel Boone Huggins. »

L'employé prit une note sur une feuille de papier, devant lui.

« Parfait, ajouta-t-il. Je m'en souviendrai.

— Dis donc, tu t'es bien amusé en route », lui lança le contrôleur, acerbe, lorsque Daniel passa devant lui. Daniel ne répondit pas. Il s'enfonça dans l'obscurité. Andy s'approcha de lui.

« Alors, ces pompes ?

— Le directeur était pas là. Le secrétaire a dit qu'il allait nous en envoyer. » Andy fit la grimace. Il frappa le sol du talon. L'eau gicla.

« Ils ont intérêt à se magner. J'ai comme l'impression qu'on est tombés sur une source souterraine. » Il leva les yeux vers Daniel. « Va donc chercher des planches pour étayer.

— J'y vais. »

Daniel longea la galerie jusqu'au tas de bois de charpente dont on se servait comme étais. Alors, une par une, il charria péniblement les madriers de quatre mètres dans la boue épaisse jusqu'au fond de la galerie.

Près d'une heure s'était écoulée et il avait transporté une trentaine de grosses planches lorsqu'il entendit le haveur s'écrier : « Hé ! chef, ça y est ! J'ai touché la source ! » Tous se figèrent un instant, le regard braqué sur Andy. Le contremaître restait calme, il jaugeait la situation. Un torrent d'eau giclait dans la paroi la plus éloignée, emportant la terre sur son passage.

« Restez pas là comme deux ronds de flan, tas d'imbéciles ! hurla Andy. Rebouchez-moi ça. »

Immédiatement, une douzaine de pelles se mirent à creuser frénétiquement, lançant la terre contre la paroi pour essayer d'endiguer le flot.

« Amenez-moi les planches ici ! hurla Andy. Montez un mur d'un petit mètre. » Il se tourna vers un autre mineur : « Toi, creuse un drain ! »

Tous se mirent à travailler d'arrache-pied, mais il leur fallut plus d'une heure avant de venir à bout de l'inondation et quand ils eurent réussi, ils étaient tous épuisés, trempés de sueur, à bout de souffle. L'un après l'autre, ils se laissèrent tomber sur le sol, sans forces. Andy s'appuya contre les planches d'étai et les regarda. Il se passa la main sur le front pour essuyer la sueur qui dégoulinait. Il prit une profonde inspiration.

« Debout, vous autres ! Sortez-moi ce charbon. On a déjà perdu vingt tonnes ! »

Daniel s'efforça de se lever. Son bleu était trempé, sa veste à tordre.

« Et les pompes ? » interrogea-t-il. Andy le regarda.

« Qu'ils aillent se faire foutre ! On s'en est tirés. L'équipe de nuit n'a qu'à s'en occuper. D'ailleurs, ils auraient déjà dû le faire.

— Mais... »

Le contremaître le foudroya du regard.

« Tu vas me charger ce charbon dans les berlines. Sinon, t'auras mon pied au cul ! »

Daniel ne se décidait toujours pas.

« Allez, secoue-toi ! aboya Andy. Ça nous regarde pas. J'vois pas pourquoi on s'ferait de la bile pour eux, puisqu'ils se foutent de nous ! »

Sans un mot, Daniel se mit au travail. Le contremaître avait raison. Chacun pour soi.

C'est du moins ce qu'il s'était dit. Mais, vers trois heures du matin, le hurlement sinistre et plaintif de la sirène d'alarme le réveilla en sursaut.

Il s'assit et se frotta les yeux. Dans la pièce, les autres étaient déjà réveillés. « Je me demande ce qui se passe », fit l'un d'eux. Dehors, on entendait des gens courir. Daniel s'approcha de la fenêtre et regarda. Déjà, des hommes sortaient en foule des maisons, dans la rue sombre. Il ouvrit la fenêtre et se pencha au-dehors.

« Qu'est-ce qui se passe ? » cria-t-il.

L'un de ceux qui couraient s'arrêta, leva la tête vers lui. Son visage était livide dans l'obscurité.

« Un éboulement dans la mine ! hurla l'homme. La galerie ouest s'est effondrée ! »

8

« Toi, mon garçon, va me chercher une autre lampe ! » La voix du directeur résonna dans l'ouverture de la galerie.

Daniel s'éloigna en pataugeant dans le sol bourbeux, attrapa une lampe sur un rayonnage et revint au mur de terre, là où l'effondrement s'était arrêté. Il regarda le directeur. « Monte sur les planches d'étai et éclaire-moi sans bouger », lui ordonna celui-ci.

Daniel grimpa jusqu'à ce que sa tête ne soit plus qu'à quelques centimètres de la paroi de terre humide. Il dut se retenir d'une main pour garder son équilibre.

Le directeur fit signe à Andy et les deux hommes se hissèrent à côté de Daniel pour examiner la terre détrempée en contrebas. Au-dessous d'eux, ils aperçurent l'eau qui filtrait en abondance à la base du tas de décombres. On entendait le bruit d'aspiration et le sifflement des pompes. Les deux hommes restaient silencieux, jaugeant la situation.

Fasciné, Daniel les observait. Ils étaient on ne peut plus différents : Andy puissamment bâti, taillé à coups de serpe, le bleu de travail couvert de boue et de charbon. Le directeur était petit, mince, soigné de sa personne. Sa cravate, sa chemise à col empesé, son costume gris semblaient protégés, comme par miracle, de la boue, de la suie qui les environnaient. Derrière son pince-nez, ses yeux brillaient. Daniel suivit la direction de son regard. Depuis les deux ou trois minutes qu'ils se trouvaient là, le niveau de la boue sur les planches avait monté d'au moins deux centimètres.

« Ça continue, déclara le directeur d'une voix neutre.

— En effet, monsieur. » Andy, qui avait une voix tonitruante, chuchotait presque.

« Pourquoi n'avez-vous pas amené des pompes ici ?

— J'ai envoyé Daniel en chercher. Mais il est revenu sans. »

Le directeur se tourna vers Daniel.

« Pourquoi ne les as-tu pas ramenées ? »

Daniel s'éclaircit la gorge.

« Le secrétaire a dit qu'il allait en envoyer. »

Le directeur s'adressa à Andy : « Je crois qu'il vaut mieux remonter au bureau. » Il n'avait pas fait deux pas qu'il s'arrêta. « Venez avec ce garçon. » Il s'éloigna des étais en prenant soin de marcher sur les planches afin de ne pas gâter ses bottines et sortit de la galerie.

Andy le suivit des yeux un moment puis lança un jus de chique sur le sol. Il se tourna vers Daniel.

« Tu es sûr que tu lui as bien dit, au secrétaire ?

— J'ai pas l'habitude de mentir, monsieur Androjewicz », répondit tranquillement ce dernier.

Andy n'ajouta rien, il descendit des planches et attendit que Daniel ait fait de même. Il se tourna vers les hommes de l'équipe :

« Continuez à pomper et tâchez de m'enlever encore un peu de cette saloperie. »

Les hommes hochèrent la tête et se remirent au travail. Mais ils avaient beau creuser aussi vite qu'ils pouvaient, lançant de grosses pelletées dans une cuve, des coulées de terre grasse occupaient aussitôt l'endroit qu'ils venaient de déblayer. Andy resta là un moment à les regarder faire puis il s'en alla. « Viens, Daniel » jeta-t-il sans se retourner.

La lumière du jour lui fit mal aux yeux ; le silence étrange de la foule qui attendait l'oppressa. Lorsque Daniel se fut accoutumé, il distingua les femmes, la tête enveloppée dans de vieux châles, les lèvres mincies par l'angoisse. Il remarqua des enfants, les yeux écarquillés, sombres, muets. Des hommes dont l'expression résignée témoignait de leur accoutumance aux accidents.

Comme Andy passait devant lui, un vieux le héla : « Comment que c'est, au fond ? »

Andy secoua la tête sans répondre. La foule laissa échapper un soupir douloureux. Puis ce fut le silence à nouveau, le terrible silence de la résignation.

« V'là deux jours que ça dure, fit un autre. Vous vous êtes rapprochés d'eux ?

— Non, répondit Andy. Le sol est trop mou, y a trop d'eau et ça bouge encore. »

Une femme se mit à sangloter. Aussitôt, ses voisins firent cercle autour d'elle pour cacher ses larmes. L'instant d'après, on l'emmenait. Telle était la règle : on ne devait pas pleurer sur le carreau de la mine. On n'avait pas le droit de montrer que tout espoir était perdu.

Daniel suivit Andy dans le bureau. Le secrétaire installé à sa table, leva les yeux. Du geste, il leur montra la porte derrière lui.

« M. Smathers m'a chargé de vous dire d'entrer. »

Il y avait deux hommes dans la pièce, à côté du directeur. Ils étaient assis près de lui, derrière le bureau. Ils avaient étalé devant eux un plan de la mine. Smathers fit les présentations.

« M. Androjewicz, chef de l'équipe de jour dans la galerie ouest.

Andy, voici M. Carter et M. Riordan, ingénieurs responsables de la sécurité, délégués par le gouvernement. »

Ceux-ci inclinèrent la tête. Ils ne firent pas mine de lui serrer la main : Andy n'esquissa pas un geste non plus.

« Ces messieurs sont en train d'essayer de comprendre les raisons de l'éboulement », ajouta M. Smathers. Andy opina. Il se gardait bien de parler. Le premier imbécile venu la connaissait, la raison de l'effondrement ! Il y avait trop d'infiltrations. Les pompes auraient pu empêcher l'accident, mais comme on n'en avait pas vu la couleur, il était trop tard maintenant pour faire quoi que ce soit. M. Carter se décida à prendre la parole.

« D'après ce que j'ai compris, pendant que votre équipe était au travail, vous êtes tombé sur une source que vous avez comblée et vous avez étayé. Mais pourquoi n'avez-vous pas utilisé de pompes ?

— J'en ai demandé, mais on m'en a pas envoyé.

— Vous les avez réclamées en personne ?

— Non, monsieur. J'ai envoyé Daniel, ici présent. »

Les deux hommes se tournèrent vers Daniel.

« A qui avez-vous demandé ces pompes ? »

Daniel les regarda bien en face.

« Au secrétaire, celui qui est là, à côté. »

Les deux hommes se regardèrent en silence.

« Si vous ne me croyez pas, s'empressa d'ajouter Daniel, pourquoi ne l'appelez-vous pas pour lui demander ? »

M. Smathers intervint calmement.

« C'est ce que nous avons fait, mon garçon. Il soutient que vous n'avez jamais mis les pieds ici. Allons, pourquoi ne pas nous dire la vérité ? Nous serons indulgents. »

Daniel sentit la colère monter en lui.

« Mais je vous dis la vérité, M. Smathers. Y a vingt-sept hommes qui sont restés au fond. Y en avait que je connaissais bien. Vous croyez que je mentirais si j'étais responsable de leur mort ?

— Le secrétaire affirme que personne n'est venu réclamer de pompes, répéta Smathers.

— Mais je suis venu, s'emporta Daniel. Même que le contrôleur m'a repéré.

— Ça ne figure pas sur son rapport, répliqua le directeur. Nous avons vérifié. »

Daniel sentit que le sang se retirait de son visage. Ils étaient tous contre lui. Bien décidés à lui mettre l'accident sur le dos pour se blanchir. Tout en les regardant l'un après l'autre, il se mit à réfléchir rapidement.

« M. Smathers, quand vous avez demandé au secrétaire si j'étais venu, lui avez-vous donné mon nom ?

— Comment aurais-je pu, mon garçon ? demanda le directeur, agacé. Je ne sais même pas comment tu t'appelles.

— Et vous croyez que votre secrétaire le connaît, mon nom ?

— En quel honneur ? Il n'a rien à voir avec le personnel.

— Il a écrit mon nom sur un registre qu'il avait sur son bureau. Il était furieux quand je lui ai dit qu'il aurait affaire à Andy, s'il n'envoyait pas les pompes. C'est pour ça qu'il m'a demandé mon nom.

— Même s'il connaît ton nom, cela ne prouvera rien.

— Si, ça prouvera que j'étais ici, comme je l'ai dit. »

Andy intervint brusquement :

« Je me porte garant de Daniel. C'est pas un menteur !

— Je crains que vous ne vous trompiez, répondit doucement Smathers. Quoi qu'en dise ce garçon.

— Ça ne vous coûte rien d'aller vérifier ce registre sur son bureau », risqua Andy. Il avait le visage très rouge. Smathers le regarda un long moment en silence et finit par se lever.

« Venez avec moi, messieurs. »

Ils le suivirent dans la pièce voisine. Le secrétaire leva les yeux sur eux.

« Hatch, demanda le directeur, vous connaissez ce jeune garçon ?

— Non, monsieur, répondit Hatch.

— Vous l'avez déjà vu ?

— Non, monsieur. »

Smathers lança un coup d'œil aux deux ingénieurs.

« Satisfaits ? »

Ils hochèrent la tête.

Smathers fit mine de rentrer dans son bureau. Arrivé devant la porte, il se tourna et regarda le secrétaire.

« Hatch, apportez-moi le dossier de ce jeune garçon. »

Tous le suivirent dans son bureau et le directeur ferma la porte derrière lui. Il passa derrière la table et s'assit. Daniel ne le quittait pas des yeux.

« S'il ne connaît pas mon nom, comment va-t-il faire pour trouver mon dossier ? »

Smathers regarda Daniel avec un soudain respect.

« Tu as de l'idée, mon garçon ! »

Un instant plus tard, le secrétaire pénétra dans la pièce. Il avait un papier à la main. Il le plaça sur le bureau devant M. Smathers et s'apprêta à sortir.

« Hatch ! » M. Smathers avait ramassé la feuille et l'examinait. « Vous vous êtes trompé de dossier. »

Hatch se retourna, le visage plein de confusion.

« Mais... non, monsieur. C'est le bon dossier. Celui de Daniel Boone Huggins. C'est marqué en haut... »

Il s'interrompit brusquement en voyant tous les regards braqués sur lui.

« Que vont-ils faire de lui ? » demanda Daniel.

Andy remua, mal à l'aise. Ils étaient assis sur une poutre, dehors, pas très loin du bureau du directeur. Les sourcils froncés, Andy surveillait l'entrée de la mine.

« Rien. »

Daniel fut stupéfait.

« Mais, c'est sa faute...

— Ferme-la ! fit Andy sur un ton sans réplique. Tu ferais mieux d'oublier, à présent. Ne compte pas sur la Compagnie pour qu'elle prenne la moindre part de responsabilité. Estime-toi heureux qu'ils t'aient pas mis l'accident sur le dos.

— Mais il faut bien qu'ils donnent des explications, protesta Daniel.

— Pour ça, ils en donneront. Tu peux me croire, ils donneront des explications ! »

La porte du bureau s'ouvrit. Smathers apparut.

« Rentrez. »

Ils franchirent le seuil. Hatch était assis à son bureau, le nez dans un grand registre ouvert devant lui. Il ne leva pas la tête lorsqu'ils passèrent pour entrer chez le directeur.

Après avoir fermé la porte, Smathers retourna s'asseoir derrière sa table. Les deux ingénieurs se tenaient debout, nonchalamment appuyés contre le mur. Smathers regarda Andy.

« Nous avons établi les raisons de l'effondrement et nous aimerions savoir si vous êtes d'accord avec nous. »

Andy resta silencieux. Smathers se râcla la gorge. « Selon nous, l'équipe de jour a fait exploser des charges pour dégager une veine de charbon sans prendre la peine de vérifier les étais. C'est de sa faute. Elle a fait preuve d'une terrible négligence. »

Andy affronta sans ciller le regard du directeur.

« Une terrible négligence », répéta-t-il.

Smathers poussa un soupir de soulagement.

« C'est ce qu'on expliquera dans le rapport que ces messieurs vont rédiger. » Le regard d'Andy se posa sur les deux hommes avant de s'arrêter sur Smathers.

« S'il y en a qui savent de quoi il retourne, c'est bien eux ; ce sont des experts. » Suivit un silence gêné que Smathers se décida à rompre.

« Mais la Compagnie a décidé de se montrer généreuse. Nonobstant le fait que cet accident est dû à une faute professionnelle, nous accorderons à chacune des familles sinistrées une somme de cent dollars et six mois de loyer gratuit dans nos logements, à titre de dédommagement. »

Andy resta silencieux. Smathers se leva. « A présent, il s'agit de remettre la mine en état, pour pouvoir reprendre l'exploitation. Sans charbon, pas d'argent pour vous ni pour la Compagnie.

— Il va falloir un bon mois pour dégager la galerie ouest, déclara Andy.

— Je sais, fit Smathers froidement. Par conséquent, nous ne la dégagerons pas. Nous allons la condamner. Nous creuserons une nouvelle galerie dans la veine sud.

— Mais... Et les hommes qui sont au fond ? interrogea Andy.

— Quels hommes ? La voix de Smathers ne trahissait pas la moindre émotion. Les cadavres, vous voulez dire ? Ces hommes sont morts et enterrés. On ne peut pas se permettre de risquer d'autres vies pour aller les chercher simplement pour les enterrer ailleurs. »

Andy se tut. Il regardait Daniel. Celui-ci vit ses yeux briller de colère et de désespoir. Finalement, il se tourna vers le directeur.

« Je suppose que vous avez raison, M. Smathers. »

Ce dernier eut un sourire.

« Vous pourrez aussi dire à vos hommes que la Compagnie ne tiendra pas compte du temps qu'ils ont perdu durant les deux derniers jours, bien qu'ils n'aient pas sorti de charbon. La Compagnie se soucie avant tout de son personnel.

— Bien, M. Smathers », fit Andy en hochant la tête.

Le directeur se tourna vers Daniel.

« Quel âge as-tu, mon garçon ?

— Seize ans, répondit-il, se rappelant à temps qu'il avait triché en remplissant sa fiche.

— Tu sais lire et écrire ?

— Oui, monsieur. J'ai été six ans à l'école.

— M. Hatch nous quittera aujourd'hui. J'aimerais que, dès demain, tu viennes le remplacer ici. Tu seras mon secrétaire. »

Daniel ne put s'empêcher de manifester sa surprise. Il regarda Andy, hésitant. Le contremaître baissa imperceptiblement les paupières pour lui faire signe d'accepter. Daniel croisa le regard du directeur.

« Je vous suis reconnaissant de la chance que vous m'offrez, M. Smathers. »

Dans le bureau, l'ambiance se détendit. Les deux ingénieurs eux-mêmes souriaient. Cette fois, en se quittant, tout le monde se serra la main.

Daniel observait Andy tandis qu'ils s'en retournaient vers la mine. Le contremaître semblait perdu dans ses réflexions. Enfin, il se décida :

« T'as une chique ? »

Daniel fouilla dans sa poche et lui tendit un morceau de tabac. Andy, d'un coup de dents, en cassa un gros bout qu'il mâcha un moment puis cracha. « Quel salaud ! s'écria-t-il.

— Qu'est-ce que tu veux dire ? interrogea Daniel.

— Il est malin, ce Smathers. Il a blanchi tout le monde, y compris la Compagnie. Et il nous tient tellement qu'on peut rien dire. Même les familles des pauvres diables qui y sont restés vont devoir lui être reconnaissantes. »

9

La sirène de six heures fit entendre son hurlement déchirant : la journée s'achevait. Molly Ann se recula sur l'étroite plate-forme, s'éloignant des bobines qui tournaient à toute vitesse. Elle prit soin de calculer la longueur du fil qui restait à enrouler, puis, au moment voulu, leva la main et bascula la manette, arrêtant la machine. Elle vit la bobine ralentir son mouvement de rotation et s'immobiliser juste comme elle était pleine ; elle hocha la tête, satisfaite, et ôta rapidement ce qui restait de fil brut qu'elle déposa dans le panier. Après un dernier regard, elle quitta son poste. L'air était plein de sifflements et de râles : les énormes machines à vapeur, qui fournissaient l'énergie, cessaient leurs formidables pulsations. On était samedi ; ce soir, le seul de la semaine, la filature resterait silencieuse.

Elle se trouva prise dans la bousculade des filles qui sortaient des bâtiments, passaient devant les machines géantes et se dirigeaient vers le guichet du trésorier, près de la grille d'entrée. On aurait dit qu'elles étaient en vacances. C'était le jour de la paie. Le samedi soir. Elles parlaient fort, comme si elles étaient encore devant leurs machines et, tout excitées, évoquaient leurs projets pour le soir et le lendemain.

« Tu vas au bal de l'église baptiste, ce soir, Molly Ann ? demanda l'une d'elles.

— Il y a un pique-nique demain au champ de foire, lança une autre.

— L'église sanctifiée organise une fête demain, annonça une troisième. Il paraît qu'il y aura des tas de nouveaux venus du Nord, des gens épatants. On aura sûrement droit à des sermons formidables. »

Molly Ann sourit sans répondre. Depuis six mois qu'elle était ici, elle avait beaucoup changé. Ses traits n'avaient plus rien d'enfantin ; ils donnaient à son visage une expression très particulière. Ses pommettes saillantes accentuaient le vert franc de ses yeux, les lèvres pleines, le menton volontaire. Sa silhouette aussi s'était affinée : les seins s'étaient développés, la taille creusée, les hanches arrondies, les jambes allongées.

« Molly Ann ne sait jamais ce qu'elle va faire, déclara la plus bavarde. Elle attend les ordres de Jimmy.

— Cause toujours, fit Molly Ann avec un sourire.

— T'as le béguin pour lui », ajouta l'autre, taquine.

Molly Ann la laissa dire. C'étaient des enfants, après tout. Comment auraient-elles pu comprendre ce qu'elle ressentait pour Jimmy ? Et, à plus forte raison, ce que lui éprouvait pour elle ? Elles ne s'intéressaient qu'au bal du samedi soir, au plaisir qu'elles y prendraient. Une fois la fête passée, elles attendaient le samedi suivant.

Elle prit place dans la queue qui s'allongeait devant le guichet du caissier. La file diminuait vite ; ce fut bientôt son tour.

Le vieil employé la regarda à travers le carreau.

« Bonsoir, Molly Ann », fit-il, poussant sous la grille le reçu qu'elle devait signer.

« Bonsoir, M. Thatcher », répondit-elle. Elle signa la feuille et la lui rendit.

Après l'avoir prise et examinée, il compulsa des enveloppes rangées dans une boîte sur le comptoir à côté de lui, trouva la sienne et la lui tendit.

« Vérifie que tu as bien ton compte, conseilla-t-il. Avec tes heures supplémentaires, ça fait beaucoup d'argent. Quatre-vingts heures, cette semaine. »

Elle ouvrit l'enveloppe en silence. L'argent lui tomba dans la main. Rapidement, elle le compta.

« Six dollars et quarante cents, fit-elle en le regardant.

— C'est ça, approuva-t-il. Huit cents de l'heure. A présent, fais bien attention. Ne va pas dépenser tout cet argent d'un coup, hein ?

— Non, M. Thatcher, je vous le promets. »

Elle remit la somme dans l'enveloppe et se dirigea vers les grilles. Dehors, comme à l'ordinaire, se pressait une foule d'hommes et de jeunes gens alignés tout au long de la rue, qui attendait les filles à la sortie du travail. Les pères attendaient leurs filles, les maris leurs femmes, les garçons leurs amies. Et tous ne pensaient qu'à une chose : c'était jour de paie.

Le vent froid du soir s'engouffra dans sa robe de coton trempée de sueur, la plaquant étroitement contre elle. Elle frissonna et se serra dans son châle. Elle dépassa les premiers garçons. Ils l'appelèrent et la sifflèrent. Détournant la tête, elle pressa le pas.

L'un d'eux la héla : « Qu'est-ce que tu fais, ce soir, Molly Ann ? Ma parole, Jimmy n'est pas là ? »

Elle ne répondit pas. Elle savait que Jimmy n'y serait pas. Il était parti dans la montagne, chercher de l'alcool et il ne rentrerait que tard.

Une fille se mit à pleurer et Molly Ann se retourna. Elle vit un gros homme déjà à moitié saoul frapper l'enfant. La fillette tomba à la renverse dans la boue, regardant l'homme, les yeux écarquillés, remplis d'effroi.

Lui restait là, vacillant, tenant dans sa main l'enveloppe jaune qui contenait la paie de son enfant.

« Ça t'apprendra ! Tu sauras à qui appartient ta paie ! hurla-t-il. Obéis à ton père. Allez, fais ce que je te dis ! Va prévenir ta mère que je lui donnerai ce qui me plaira, nom de Dieu ! »

Au bout d'un moment, il tourna les talons et s'éloigna en titubant. Les hommes se contentaient de regarder, sans intervenir. Molly Ann revint sur ses pas et aida la fillette à se relever.

L'enfant semblait n'avoir pas plus de onze ans ; la peur la faisait sangloter. « Allons, allons, remets-toi ; ça va aller mieux », fit Molly Ann pour tenter de la consoler.

« Non ! s'écria la fillette. Ma mère va me battre si je ramène pas mon enveloppe à la maison.

— Tu n'auras qu'à lui dire ce qui s'est passé.

— Ça changera rien ! » La fillette se mit à brosser sa robe maculée de boue. Elle leva vers Molly Ann des yeux encore pleins de larmes. « Je voudrais être grande, comme toi. Je pourrais faire ce que je veux de mon argent. Merci, tout de même », ajouta-t-elle quand elle eut fini de se brosser.

Molly Ann regarda l'enfant s'éloigner tristement et tourner le coin de la rue. Elle poussa un grand soupir. Il y en avait des choses qui ne tournaient pas rond dans cette ville ! De quel droit certains parents traitaient-ils leurs propres enfants comme des esclaves ? Dieu merci, ses parents à elle n'étaient pas comme ça ! Un garçon la suivit et l'accosta.

« Tu viens au bal avec moi, ce soir, Molly Ann ? »

Elle leva les yeux sur lui. Il était grand, coiffé à la dernière mode, les cheveux plaqués en arrière. Son haleine empestait la bière. De la tête, elle fit non.

Il lui prit le bras. « Allez, Molly Ann, insista-t-il ; fais pas ta fière. Y a pas que Jimmy dans cette ville ! Jolie comme tu es, tu devrais sortir un peu et t'amuser.

— Ôte ta main de mon bras, sinon tu auras des nouvelles de Jimmy ! » fit-elle tranquillement.

Il s'empressa de la lâcher.

« T'es vraiment bête ! Tu t'imagines peut-être que tu es la seule ? Mais tu te trompes ! Jimmy, les filles, il en a autant qu'il veut. Ici, en ville, il les ramasse à la pelle !

— Menteur ! Allez, va-t'en ! »

Il s'arrêta tandis qu'elle poursuivait sa route.

« Attends, Molly Ann, lui cria-t-il, tu verras ! »

Arrivée au carrefour, elle descendit vers la grand-rue pour aller au magasin de M. Fitch.

« C'est une petite ville bien tranquille, M. Cahill. » La voix de Fitch se faisait sincère et persuasive. « Les gens sont braves : simples, travailleurs, bien-pensants et honnêtes. Ce n'est pas la main-d'œuvre qui manque. Il y a beaucoup de familles nombreuses. Huit ou dix gosses, c'est monnaie courante. Et tôt ou tard, il leur faudra des emplois. Avec les gosses, pas de problèmes. Ils font leur travail et se contentent de peu. C'est pas comme sur la côte ou comme là-haut, dans le Nord. Ici, il n'y a pas de syndicats. Les gens n'en veulent pas, ils n'en ont pas besoin. Ils sont beaucoup trop indépendants. Ce sont des montagnards. Ils se méfient des étrangers.

— Et de vous, ils se méfient ? » demanda M. Cahill.

Fitch partit d'un gros rire.

« De moi ? Pourquoi ? Je suis des leurs. Je suis né ici, j'y ai toujours vécu. C'est mon arrière-arrière-grand-père qui a fondé cette ville. Tout le monde sait que Sam Fitch est son ami. Ce que je vous dis, vous pourrez le répéter à vos associés de Philadelphie. Sam Fitch leur certifie que s'ils installent une autre filature ici, ils auront toute la main-d'œuvre qu'ils désirent au prix qu'ils voudront. Et, pendant vingt-cinq ans au moins, ici à Fitchville, ils seront exonérés d'impôts.

— A vous entendre, Fitchville est un véritable paradis, M. Fitch, déclara M. Cahill avec un sourire.

— Parfaitement ! Est-ce que vous avez eu des ennuis avec la première filature ? Si vous en construisez une autre, ça se passera encore mieux.

— Dans les mêmes conditions que la première ? interrogea Cahill.

— Les mêmes, absolument. Sam Fitch n'est pas gourmand. Tout ce que je veux, c'est faire le bonheur de ma petite ville. »

M. Cahill hocha la tête. « Parfait, parfait, M. Fitch. Je vais en discuter avec mes collègues et je suis sûr qu'ils seront favorablement disposés. Soyez sûr que j'appuierai votre proposition.

— Merci, M. Cahill. » Fitch se leva.

Son énorme bedaine semblait remplir le petit réduit vitré. Il s'extirpa avec difficulté de derrière sa table et traversa le magasin avec M. Cahill qu'il accompagna jusque dans la rue. Ils se serrèrent la main et M. Cahill monta dans sa voiture.

Fitch attendit que l'attelage ait disparu puis il fit demi-tour et rentra dans le magasin. Il avait l'air songeur. Une nouvelle filature, ça signifiait au moins deux cents emplois supplémentaires. Si la chose se faisait, il ramasserait beaucoup d'argent.

« M. Fitch ! » Une voix douce interrompit ses réflexions.

Surpris, il se retourna. Il ne l'avait pas vue entrer dans le magasin. Il était trop occupé par M. Cahill.

« Tiens, Molly Ann !

— On est samedi soir, M. Fitch. »

Il eut tôt fait de reprendre ses esprits.

« C'est vrai. » Sa face s'éclaira d'un large sourire. « Viens dans mon bureau. »

Pesamment, il s'assit derrière la table et la regarda d'un air approbateur. Molly Ann était devenue un beau brin de femme. Tandis qu'il la comparait avec son épouse, l'eau lui venait à la bouche. « Alors, comment ça va, ma belle ?

— Bien, merci, M. Fitch. » Elle ouvrit l'enveloppe qui contenait sa paie et en sortit trois dollars. « Je voudrais que vous mettiez ça sur le compte de mon père.

— Ce sera avec grand plaisir. » Il ramassa l'argent qu'il mit dans un tiroir de son bureau. « Comment va ta famille ?

— Pour écrire, ils ne sont pas très forts. Mais je les ai vus le mois dernier ; ils allaient tous bien. Papa est très content de sa mule. Il espère que la récolte donnera quatre fois mieux qu'avant.

— Ils ont de quoi être fiers de toi et de ton frère. M. Smathers m'a dit que Daniel est le meilleur secrétaire qu'il ait jamais eu. »

Molly Ann hocha la tête.

« Merci, M. Fitch. »

Il se leva.

« Tu devrais venir ici plus souvent, Molly Ann. Pas seulement une fois par semaine, le samedi soir, pour déposer ton argent. Ça me fait plaisir de te voir, tu sais.

— Vous êtes très occupé, M. Fitch. Je voudrais pas vous déranger. »

Il contourna son bureau et lui prit la main.

« Sache qu'une jolie fille comme toi, Molly Ann, ne me dérange jamais. » Maladroitement, elle retira sa main. Elle ne savait quoi dire. « Le monsieur qui vient de me quitter, là, tu sais qui c'est ? » demanda Fitch brusquement. Elle fit signe que non.

« C'est M. J.R. Cahill. Il est venu me parler, à moi, Sam Fitch, de la nouvelle filature qu'on va construire ici. Tu sais ce que ça veut dire ? » A nouveau, elle fit signe que non. « Ça veut dire que si tu es gentille avec moi, je peux m'arranger pour te faire avoir une place de contremaître dans la nouvelle filature. »

Soudain, elle sourit. A présent, elle comprenait. Elle leva les yeux sur lui.

« C'est bien aimable à vous, M. Fitch. »

Il lui reprit la main.

« Tu es une chic fille, ma mignonne. Tu ne devrais pas perdre ton temps avec ce vaurien de Jimmy Simpson. Tu n'as qu'un mot à dire, un seul et tu auras un véritable ami.

— Je vous remercie sincèrement, M. Fitch. »

Elle souriait. « Et quand la nouvelle filature ouvrira, ne vous étonnez pas si je viens frapper à votre porte. »

Il la considéra un long moment avant de lui lâcher la main.

« C'est ça, insista-t-il lourdement, ne te gêne surtout pas pour venir. »

Elle était déjà sur le seuil.

« Bonsoir, M. Fitch. »

Il la salua de la tête, voilant son désir sous ses lourdes paupières.

« Bonsoir, Molly Ann. » Longtemps après qu'elle eut disparu, il fixait encore la porte. Il prit un cigare qu'il se mit à mâchonner. Au bout d'un moment, il l'alluma. Que les jeunes filles étaient sottes ! Il aspira une profonde bouffée et souffla lentement l'épaisse fumée grise. Il la regarda monter en volutes vers le plafond. Après tout, quelle importance ! Tôt ou tard, il finirait par l'avoir. Il était extrêmement patient.

Molly Ann était assise dans le *tub* qu'on avait posé par terre, au milieu de la cuisine. Sa logeuse prit une grande marmite qui chauffait sur le fourneau à charbon et s'approcha d'elle.

« Encore un peu d'eau chaude ? »

Molly Ann acquiesça.

« Oui, merci, Mme Wagner. »

Elle se pencha en avant pour que l'eau coule derrière elle sans l'ébouillanter. Des nuages de vapeur montaient jusqu'à son visage. Au bout d'un moment, elle s'adossa à nouveau, les yeux clos. Elle sentait s'évanouir peu à peu la fatigue et les courbatures d'une longue journée passée devant la machine.

« Mme Wagner ?

— Oui, Molly Ann ?

— Ça coûte cher, un tub comme celui-là ?

— Quelque chose comme trois ou quatre dollars, il me semble. »

Molly Ann soupira.

« Un de ces jours, si j'ai mis un peu d'argent de côté, j'aimerais bien en acheter un à ma mère. Je suis sûre que ça lui ferait plaisir. »

10

C'était un dimanche superbe ; le soleil brillait et la douce brise de mars apportait les premières senteurs du printemps. Des bourgeons d'un vert tendre apparaissaient aux arbres, enveloppant les branches nues d'un brouillard mordoré. Molly Ann descendit les marches du perron où Jimmy l'attendait, à côté de sa carriole.

Il se tourna vers elle, fasciné par sa robe blanche, très ample, garnie de rubans jaunes à la taille, motif répété sur sa capeline. Il eut un sifflement d'admiration.

« Molly Ann ! Je n'en crois pas mes yeux ! »

Elle sourit toute rougissante.

« Ça te plaît ? »

Il était aux anges.

« Tu es belle. Ça te va très bien.

— C'est moi qui l'ai faite. J'ai acheté le tissu. Il vient de Paris ; c'est la dernière mode ! »

Il lui prit la main.

« Je commence à me poser des questions, fit-il, hésitant.

— Pourquoi ?

— Cette vieille carriole, ma vieille mule. Si c'est pas malheureux de s'asseoir là-dessus avec une robe pareille !

— Tu n'as qu'à mettre une couverture sur le siège et puis, cesse de dire des bêtises ! »

Tout en riant, il l'aida à s'installer. Il s'immobilisa, la tête levée vers elle.

« Jamais tu n'as été aussi belle, Molly Ann !

— Merci. A présent, va à la cuisine. J'ai préparé un panier pour le pique-nique.

— Pas possible ? Comment savais-tu qu'il ferait beau ? »

Elle se mit à rire.

« J'ai regardé par la fenêtre, nigaud ! Allez. dépêche-toi ! Le temps file. »

Quelques minutes plus tard, il se trouvait à côté d'elle sur le siège et la mule les tirait sur la route.

« Tu as le choix, fit-il. Il y a un pique-nique au champ de foire, une kermesse organisée par l'église sanctifiée et une fête à Woodfield Brook.

— Une fête à Woodfield Brook ? Je n'en ai pas entendu parler ! Qui y aura-t-il ?

— Personne. Rien que nous deux. »

Elle glissa son bras sous le sien et sourit.

« Alors, mon choix est déjà fait. »

Jimmy avala la dernière bouchée de tarte aux pommes et s'étendit, la tête sur son bras replié pour contempler Molly Ann.

« Voilà le meilleur pique-nique que j'aie jamais fait, s'exclama-t-il.

— C'est trois fois rien, voyons, répondit-elle en souriant. Du poulet rôti, du pain de maïs et de la tarte aux pommes !

— Tu oublies cette délicieuse limonade. Tu n'aurais pas dû dépenser tant. Tu travailles dur pour gagner ta vie.

— Et comment t'aurais-je prouvé que je sais cuisiner ? fit-elle en le regardant.

— Tu as peut-être raison, finalement, répliqua-t-il, riant à son tour.

— Tu as vu mon père ?

— Oui, tout le monde va bien. Ils te disent bien des choses.

— Le petit Mase a dû grandir !

— Ça oui ! Si tu l'avais vu gambader sur ses petites jambes dodues !

— J'aimerais tant les voir, mais c'est trop loin, fit-elle avec mélancolie.

— Peut-être que ta chef pourrait te donner un congé, samedi prochain ? On pourrait être de retour dimanche.

— Ce serait formidable », fit-elle ; son visage s'éclaira pour se rembrunir aussitôt. « Elle voudra pas. On a pris du retard ; on fait toutes des heures supplémentaires. »

Ils restèrent silencieux un moment. Puis la conversation reprit.

« Ce sera peut-être plus facile, si je travaille à la nouvelle filature.

— Quelle nouvelle filature ?

— Celle dont M. Fitch m'a parlé, hier, quand je suis allée à son magasin pour déposer de l'argent sur le compte de p'pa. M. Fitch m'a dit que, peut-être, il pourrait m'avoir une place de contremaître quand la nouvelle filature ouvrira.

— Il t'a dit ça ? » Jimmy avait un ton cassant qu'elle ne lui avait jamais connu jusque-là. « Et pour avoir cette place, il faut que tu fasses quelque chose de particulier ? »

Elle le regarda. Elle savait très bien ce qu'il voulait dire, mais elle pensa qu'il valait mieux ne pas mentionner cet aspect de sa conversation avec Fitch.

« Non. Il m'a simplement dit d'aller le voir au moment voulu. »

Jimmy n'ajouta rien. Il fixait la couverture, absorbé dans ses pensées. Une nouvelle filature !

Il se demanda où on allait la construire. Ce vieux grigou de Fitch avait sans doute déjà acheté le terrain à quelque cultivateur écrasé de dettes. Il garda le silence si longtemps que Molly Ann reprit la parole.

« Ça te contrarie, Jimmy ?

— Non. Mais quand donc les habitants de cette ville comprendront-ils que ce Fitch est une crapule ? ajouta-t-il, plein d'amertume. Ils ne voient donc pas qu'il les saigne à blanc, qu'il leur suce le sang jusqu'à la dernière goutte ?

— Jimmy ! s'exclama-t-elle, horrifiée. Comment peux-tu dire des horreurs pareilles ?

— Parce que c'est la vérité, s'écria-t-il, hors de lui. Tiens, toi par exemple, tu lui donnes ton argent toutes les semaines pour qu'il le verse sur le compte de ton père, pas vrai ? Elle acquiesça. Tu lui as déjà demandé combien il y avait sur ce compte ?

— Non. Ça me regarde pas. C'est le compte de mon père.

— Si tu mettais cet argent dans une banque, on te verserait des intérêts. Lui, il ne te donne rien. Je parie même qu'il te roule. Je suis sûr que si ton père lui demandait combien il a, Fitch lui dirait qu'il n'a rien ! »

Molly Ann resta silencieuse. « D'après toi, combien de gens se font prendre à ses manigances, comme toi ? Plus d'une trentaine, peut-être. Ça représente beaucoup d'argent ! Et ce vieux gredin de Fitch se le met dans la poche sans la moindre difficulté. » Il eut un rire sarcastique. « Et vous, pauvres innocents, vous lui êtes reconnaissants de vous trouver des emplois qui vous permettent juste de crever de faim, vu les dettes que vous accumulez chez lui. Mais au moindre faux pas, attention ! Vous verrez de quel bois se chauffe votre bon ami Sam Fitch. Plus un sou, plus de crédit. Rien ! Là-dessus, le shérif s'amènera pour la saisie : adieu la maison, adieu le terrain ! Plus de toit ! C'est ce qui est arrivé aux Craig, ceux qui habitaient au bord de la rivière. Ils avaient vingt hectares. Le lendemain, ils n'avaient plus rien ! » Il s'interrompit brusquement. Il venait de comprendre. « Bon Dieu ! s'exclama-t-il. C'est clair maintenant !

— Ne jure pas », fit-elle remarquer sèchement.

Il la fixait intensément.

« Voilà ce qu'il a manigancé. Tu ne comprends donc pas ? Il mijote son coup depuis plus d'un an. Les enfants des Craig ont tous perdu leur emploi à la filature et à la verrerie. Et ça, sans aucune raison. Comme si, en huit jours, ils étaient tous devenus des voyous. Un mois plus tard, le vieux Fitch s'est amené et leur a racheté leur propriété pour une somme à peine supérieure au montant de leurs dettes. Et ils ont dû déménager.

— Je ne comprends pas.

— La nouvelle filature ! C'est là qu'on va la construire. Sur l'ancienne propriété des Craig ! Il y a tout ce qu'il faut : l'eau, l'électricité et de la place. Toute la place qu'on veut !

— Pourquoi te montes-tu la tête comme ça ? Ça nous regarde pas, après tout. »

Jimmy la considéra.

« Peut-être que ça nous regarde pas. Pour le moment. Mais ça viendra un jour. Fitch devient de plus en plus puissant et bientôt, dans cette vallée, tout lui appartiendra, y compris les gens. »

Elle l'observa un moment sans rien dire puis saisit le cruchon.

« Tiens. Bois un peu de limonade. Tu t'échauffes pour rien. »

Il prit le verre qu'elle avait rempli. Son visage se détendit ; un sourire vint décrisper ses traits contractés par la colère. Il leva son verre et regarda le soleil au travers.

« Molly Ann, tu es une enfant adorable et innocente. Un beau jour, tu feras le bonheur d'un homme. »

Elle lui fit sauter le verre qu'il tenait à la main, éclaboussant sa chemise de limonade. Furieuse, elle se leva.

« Je ne suis plus une enfant ! J'ai seize ans passés. Je suis une femme ! cria-t-elle. Et tu ferais mieux d'avoir le courage de me demander en mariage. Sinon, tu peux me ramener à la maison ! » Il la contemplait, stupéfait. L'humiliation et la colère la rendaient plus belle encore. Il sentit son cœur se gonfler comme s'il allait éclater.

« Mais c'est ce que je fais. » Le son de sa propre voix lui parut étrange. « Veux-tu m'épouser, Molly Ann ? »

Ce fut son tour d'être surprise. Elle en resta sans voix. « Je t'ai fait ma demande en mariage, Molly Ann, répéta-t-il. Qu'est-ce que tu en dis ?

— Oh, Jimmy ! s'écria-t-elle, en se jetant dans ses bras, les larmes aux yeux. Oui ! Mille fois oui ! »

Un mois plus tard, ils se mariaient : le 1er mai 1915 dans l'église baptiste de Fitchville.

Toute la famille avait fait le voyage. Tous avaient mis leurs beaux habits du dimanche. Tous, sauf Daniel. On ne lui avait pas permis de quitter son travail.

Ce même jour, on commença à défoncer le terrain des Craig pour bâtir la nouvelle filature.

Molly Ann entra dans la chambre, dans un état de grande excitation.

« Réveille-toi ! cria-t-elle, secouant Jimmy par l'épaule. Réveille-toi ! »

Il se protégea les yeux avec un bras.

« Laisse-moi tranquille, marmonna-t-il. On est dimanche.

— M. Fitch veut te voir. Il est là.

— Le vieux Fitch ? » A présent, il était réveillé. « Il veut me voir ? » Elle acquiesça. « Je me demande ce qu'il veut.

— Je ne sais pas ! On a frappé à la porte. J'ai ouvert : c'était lui. C'est très important, il paraît.

— Très important ? » Il se redressa brusquement et l'attira à lui. « On est dimanche et je n'ai pas encore eu ma petite récompense. » Molly Ann tenta de se dégager.

« Tu dormais beaucoup trop profondément. » Jimmy lui couvrit les lèvres de baisers. « Je t'en prie, Jimmy, que va-t-il penser ? murmura-t-elle.

— Ça, je m'en moque, nom de Dieu ! »

Elle se libéra de son étreinte.

« Ne jure pas ! Allez, maintenant, habille-toi et descends. » Elle se dirigea vers la porte. « Je viens de faire le café. »

Lorsqu'il entra dans la cuisine, il trouva Fitch installé à table, devant une assiette d'omelette au jambon, une montagne de tartines beurrées et un bol de café fumant. Il enfournait d'énormes bouchées comme s'il n'avait pas mangé depuis des mois.

« Bonjour, M. Fitch. »

Avant de répondre, M. Fitch avala un dernier morceau.

« Bonjour, Jimmy. La petite femme que tu as, je le déclare, est aussi bonne cuisinière que sa mère. Tu en as de la chance ! »

Jimmy opina. Il s'approcha de la table et s'assit. Molly Ann lui apporta une tasse de café et retourna à son fourneau. Jimmy prit sa tasse : le café était chaud et sentait bon.

« Je sais », dit-il.

Fitch sauça son omelette avec une tartine jusqu'à ce que son assiette soit propre. Il engloutit la tartine entière et la fit descendre avec un demi-bol de café. Après quoi, il s'adossa et se caressa la bedaine.

« Ça, c'est un petit déjeuner, Mme Simpson ! »

Molly Ann rougit comme sa mère. Elle n'avait pas manqué de remarquer qu'au lieu de l'appeler Molly Ann, il lui donnait maintenant du Mme Simpson.

« Merci, M. Fitch. Elle se tourna vers Jimmy. Tu veux prendre ton petit déjeuner, maintenant ?

— Non, pas tout de suite. Je vais d'abord boire mon café.

— Eh bien, messieurs, je vais vous laisser à vos affaires », fit-elle poliment. Elle passa dans la pièce à côté, mais comme sa mère, elle resta près de la porte pour pouvoir entendre ce qui se dirait.

« Qu'est-ce qui vous amène un dimanche matin ? » interrogea Jimmy, prenant les devants. Fitch sourit.

« Il me semble que je ne t'ai pas vu beaucoup à l'église ces derniers dimanches. »

Jimmy ne répondit pas. Le vieux Fitch savait même qu'il n'allait guère aux offices. « Mais je me suis dit, continua Fitch doucement, un jeune homme comme lui qui vient de se marier avec une jolie femme comme elle... Qu'est-ce qu'il irait faire à l'église un dimanche matin, hein, je te le demande ? »

Jimmy prit sa tasse de café et l'examina.

« Molly Ann m'a dit que vous vouliez me voir pour quelque chose d'important.

— C'est vrai, déclara Fitch, sérieux tout à coup. C'est très important. Il s'arrêta pour ménager son effet. Voilà longtemps que je t'observe, mon gars. Et ce que j'ai vu me plaît, je dois dire. Ça me rappelle beaucoup ce que j'étais à ton âge. Tu es plein d'allant. »

Jimmy hocha la tête sans rien dire. « Et puis j'ai réfléchi. Comme je ne rajeunis pas, je me suis dit qu'un garçon comme toi pouvait faire un grand bout de chemin en s'associant avec moi. J'ai trop de travail et je ne connais personne à qui je puisse me fier.

— Vous voulez m'employer, M. Fitch ? » Jimmy n'en croyait pas ses oreilles.

« Il y a de ça. Mais il y a autre chose en même temps. Je voudrais que tu t'occupes de certaines choses à ma place pour que j'aie le temps de me consacrer au reste de mes affaires.

— Quel genre de choses, M. Fitch ?

— Appelle-moi, Sam, tu veux ?

— D'accord, Sam. Quel genre de choses ?

— Ici, les gens te connaissent. On t'aime bien. Tu pourrais me donner un coup de main au magasin, acheter la gnôle, t'occuper des bons clients. Tu vois ce que je veux dire ?

— Non, pas très bien.

— Dans le commerce, il y a toujours des problèmes. Quelquefois, les gens ne comprennent pas qu'on agit pour leur bien. »

Jimmy acquiesça sans rien dire. Il saisissait parfaitement. Ce n'était pas toujours facile de faire croire aux gens que c'était pour leur bien qu'on les volait.

Fitch prit le silence de Jimmy pour une approbation.

« J'ai toujours agi pour le bien de ma ville. Mais aujourd'hui, on commence à raconter que je ne songe qu'à faire mon beurre. Cette nouvelle filature, par exemple : ça représente deux cents emplois pour les braves gens qui sont ici. Eh bien, ça n'empêche pas qu'on dise que je m'en occupe parce que ça me rapporte.

— Ça ne vous rapporte rien ?

— Bien sûr que ça me rapporte ! En affaires, c'est normal. Mais ça rapportera aussi à la ville. Grâce à moi, il y aura plus d'industrie et plus d'emplois. Et pourtant, j'entends dire que les Craig vont raconter partout que je les ai étranglés, que je les ai chassés de leur terre pour pouvoir la revendre à la filature. Maintenant, ils prétendent qu'ils possèdent encore plus de trois hectares au bord de la rivière. Ils disent que ça appartient en propre à leur grand-père qui est toujours en vie.

— Mais on a déjà commencé à défoncer le terrain au bord de la rivière. Comment ça se fait, si la filature ne possède pas le terrain ?

— Tout juste ! Les Craig se trompent. Seulement, si on fait un procès, il y en aura pour des années avant de le gagner. Et pendant ce temps la filature ne pourra pas marcher. Les gens d'ici vont perdre leur travail et leur paie. Je me suis donc montré généreux ; je leur ai fait une offre. Eh bien, ils ont refusé !

— Combien leur avez-vous offert ?

— Dix fois le prix de leur terrain. Cent dollars l'hectare. Quatre cents pour la totalité de la parcelle. Et tout ça pour un terrain dont il n'est pas prouvé qu'il leur appartient.

— Ni à la filature, tant que l'affaire n'aura pas été jugée.

— Aucun tribunal de ce pays ne tiendra compte de la plainte des Craig s'il y a la filature en face. J'en ai déjà parlé au juge Hanley et c'est ce qu'il m'a dit.

— Alors pourquoi vous faire du souci ?

— Je veux pas d'histoires, voilà tout. Je veux que les gens sachent que ce que je fais, c'est pour leur bien.

— Je vois toujours pas très bien en quoi je peux vous être utile.

— Les Craig te connaissent bien. Ils t'estiment. Ils t'écouteront, toi. »

Jimmy hocha la tête.

« Peut-être. » Il se leva pour aller remplir sa tasse. « Et qu'est-ce que j'aurai, moi, là-dedans ? »

Fitch le regarda.

« Tu travailleras avec moi, mon gars. Je ferai ta fortune. Et, pour commencer, tu débuteras avec un salaire de vingt-cinq dollars par semaine. »

C'était au moins cinq dollars de plus à la semaine que le salaire le plus élevé. Jimmy le savait. Et puis, ça représentait aussi dix dollars de plus que ce qu'il gagnait en moyenne — quand ses affaires marchaient bien !

« Je ne sais pas, fit-il prudemment. C'est une place que vous m'offrez là ; or, moi, j'aime bien travailler pour mon propre compte.

— Nulle part, tu ne pourras gagner autant d'argent.

— Oui, peut-être, mais je ne suis pas obligé de travailler tous les jours, si vous allez par là.

— C'était bon quand tu étais célibataire, mais à présent, tu es marié et tu dois t'installer. Tu ne vas pas tarder à avoir une petite famille. Il faut y penser dès maintenant. »

Jimmy se rassit à table.

« Je sais pas trop. »

Fitch sourit. Il sentait qu'il avait le dessus.

« Parles-en avec ta femme. » Il se leva. « Elle sera de mon avis. C'est une fille bien ; elle a les pieds sur terre. Tu me donneras ta réponse demain. »

Aussitôt qu'il fut parti, Molly Ann se précipita dans la cuisine.

« C'est merveilleux, non ? »

Il la considéra.

« Tu n'as pas compris, hein ?
— Quoi ? fit-elle, désemparée.
— Qu'il veut faire de moi un escroc comme lui. Il voudrait que j'aille rouler et voler les pauvres gens. Des gens comme ta famille, comme la famille Craig. »

Elle resta silencieuse un moment.

« Qu'est-ce que tu vas faire, alors ?
— Ce que j'ai toujours fait. Je m'occuperai de ce qui me regarde. Je continuerai à vendre mon whisky. »

Mais il devait en être autrement. Deux jours après que Jimmy eut refusé l'offre de M. Fitch, on tira un coup de fusil à travers la fenêtre ouverte de la vieille baraque en bois où s'était réfugiée la famille Craig, à une vingtaine de kilomètres de la ville. Et le grand-père fut tué.

M. Fitch manifesta la même indignation que ses concitoyens devant l'assassinat du vieil homme. Il alla même jusqu'à offrir une récompense de cinquante dollars — de sa poche — à celui qui découvrirait et arrêterait le meurtrier. En outre, bien que la mort du grand-père ait simplifié les choses — les prétentions des Craig sur le terrain étaient encore moins fondées — Fitch fit un geste et proposa d'acheter la terre cinq cents dollars afin de soulager cette famille frappée par le malheur. Il promit également d'intervenir auprès de qui de droit afin que les enfants Craig puissent retrouver leurs emplois à la filature et à la verrerie.

Il considérait que son offre était très généreuse. Elle n'avait qu'un défaut : on pouvait la refuser. Ce que firent les Craig. Quelques jours après l'enterrement, un coup de feu fut tiré depuis les bois qui bordent le terrain des Craig, tuant cette fois le contremaître chargé de la construction de la nouvelle filature, au moment où il ordonnait à ses hommes de reprendre le travail de déblaiement le long des berges.

Immédiatement, les travaux cessèrent. Comme les ouvriers n'entendaient pas servir de cibles, ils refusèrent de retourner au chantier tant qu'on ne posterait pas des gardiens armés sur tout le périmètre du terrain. Le lendemain de l'arrivée des gardes, l'un d'eux fut trouvé mort à son poste par celui qui venait le remplacer. Il avait été abattu à bout portant par un revolver Smith & Wesson de calibre 44.

Ce soir-là, quand Sam Fitch eut connaissance de ce nouveau meurtre, il eut une grimace sinistre ; toute sa bonhomie disparut. Pour la première fois de sa vie, son pouvoir se trouvait menacé. Et il répliqua inévitablement par la force. La nuit même, John, le fils aîné des Craig, fut abattu alors qu'il allait abreuver sa mule.

Et c'est ainsi que commença ce qu'on devait appeler plus tard la guerre des Craig à Fitchville. Elle allait durer plus de deux ans et ne cesserait qu'après avoir fait beaucoup d'autres victimes, y compris des femmes et des enfants. Elle a laissé le souvenir de l'une des plus sanglantes guerres de clans dans les annales de la Virginie occidentale.

11

Daniel sentit gargouiller son estomac et regarda la pendule sur le mur. Il était midi trente ; M. Smathers et ses visiteurs n'étaient pas encore sortis pour déjeuner. Ce devait être une réunion très importante, car d'habitude, lorsqu'il s'agissait de son repas, M. Smathers était extrêmement ponctuel. Peut-être y avait-il du vrai dans ce bruit qui courait depuis plusieurs mois, selon lequel la mine allait être vendue.

La porte du bureau s'ouvrit et M. Smathers parut.

« Vous êtes toujours là, Daniel ? » Il semblait surpris.

« Oui, monsieur, répondit Daniel poliment. J'attendais que vous partiez déjeuner.

— C'est bien, Daniel. Ce n'est plus la peine de rester. Vous pouvez aller déjeuner. »

Daniel referma son parapheur et se leva.

« Merci, M. Smathers. » Il se baissa pour prendre sa gamelle sous la table. M. Smathers rentra dans son bureau et Daniel se dirigea vers la porte d'entrée.

Il s'assit sur un banc non loin du bâtiment, ouvrit la boîte qui contenait son repas et eut un sourire de satisfaction. Carrie s'était montrée rudement généreuse.

En plus de la pomme habituelle, elle avait mis une banane ; la salade de pommes de terre au cervelas et le pain maison lui mettaient l'eau à la bouche.

Il s'adossa contre le mur, fermant à demi les yeux pour mieux savourer son repas. Son col commençait à le serrer. Il l'ouvrit et donna du mou à son nœud de cravate. Depuis un an qu'il travaillait comme secrétaire, beaucoup de choses avaient changé.

A présent, il était à même de se payer une chambre pour lui tout seul. Et puis, la lumière du jour ne lui faisait plus mal aux yeux. Voilà qui compensait largement l'inconvénient d'avoir à porter tous les jours un col raide et une cravate. Il dévissa le capuchon de son thermos et but une gorgée de café chaud et sucré. Quelle perle, cette

Carrie ! Elle méritait amplement les cinquante cents qu'il lui glissait chaque semaine.

Il entendit un bruit de pas et tourna la tête. Andy, son ancien contremaître, fit le tour du bâtiment et s'arrêta devant lui.

« Daniel, j'ai à te parler, fit-il sans préambule.

— Vas-y, Andy, parle. Je t'écoute. » Il se demanda ce que Andy pouvait bien avoir de si important à lui dire pour être sorti de la mine. D'habitude, il déjeunait au puits avec ses camarades.

« Non, pas ici. Y a trop de monde dans le coin. »

Daniel ne voyait personne ; néanmoins, il se mit debout.

« D'accord. Où ça ?

— Derrière le hangar, répondit Andy en s'éloignant. Je t'attends. »

Daniel hocha la tête. Il termina son repas et se dirigea tranquillement vers le hangar. Andy chiquait, le dos appuyé contre le mur. Comme Daniel s'approchait, il cracha. Avec un bruit inquiétant, le jet de salive alla s'écraser à trois mètres de là, sur un caillou.

Daniel le regarda. Andy avait l'air bizarre. Jamais il ne l'avait vu ainsi. Avant de parler, il jeta un coup d'œil à gauche et à droite.

« Quelqu'un t'a vu venir ici ?

— Non, je crois pas. Daniel était interloqué. Quelle différence ça ferait ? »

Sans prendre la peine de répondre à sa question, Andy lui demanda :

« Alors, la mine est vendue ?

— J'en sais rien. » Daniel était sincère.

« D'après ce qu'on dit, on va la vendre. Je croyais que t'étais au courant.

— C'est ce que j'ai entendu dire aussi, mais j'en sais pas plus que les autres.

— Et ces types qui sont chez Smathers ? Ils viennent de Detroit.

— J'en sais rien. Personne m'a rien dit.

— On raconte que c'est un constructeur d'autos qui va acheter la mine. Et la première chose qu'on va faire, c'est de nous payer avec des bons, comme on l'a déjà fait ailleurs.

— C'est pas à moi qu'il faut demander ça. Tu devrais poser la question à M. Smathers, pas à moi. Je suis qu'un employé.

— Je me suis dit que tu avais peut-être entendu parler de quelque chose.

— Moi ? Pourquoi ? J'écoute pas aux portes.

— J'ai pas dit ça, fit Andy précipitamment.

— Je vois pas pourquoi tu te fais tout ce mouron. Quelle différence ça nous fait que la mine appartienne à celui-ci plutôt qu'à celui-là ? Du moment qu'on est payés !

— Ça fait une grosse différence, insista Andy. Quand on te paie avec des bons, on te possède jusqu'au trognon. T'es obligé de tout acheter dans leurs magasins à eux. Et t'as pas plutôt commencé que tu te trouves embringué dans leur combine. Plus moyen de t'en sortir !

— N'importe comment, s'ils vendent la mine, on peut pas grand-chose contre. Si le boulot nous plaît pas, y a plus qu'à aller voir ailleurs.

— Ils attendent que ça ! Ils pourraient nous remplacer par d'autres qu'ils paieraient moins. Non, il y a un autre moyen. Un meilleur moyen.

— Lequel ? » fit Daniel, curieux.

Le visage d'Andy se ferma.

« Je peux pas t'en parler maintenant. Je sais pas de quel bord tu es.

— De quel bord ? répéta Daniel, éberlué.

— Avec la direction ou avec nous ?

— Avec nous ?

— Avec les mineurs. Maintenant que tu travailles plus en bas, c'est différent.

— Je vois pas la différence que ça fait. Je travaille pour gagner ma vie, comme toi. »

Andy le dévisagea un moment.

« T'es un drôle de numéro, tu sais. » Daniel resta silencieux. « Si tu entends parler de quelque chose, tu me le diras ? interrogea Andy.

— Non, fit Daniel simplement. Je fais pas de mouchardage. Pour personne.

— Même pour la bonne cause ?

— Pour ça, faudrait encore que je la connaisse, cette cause. Après, je prendrai ma décision. »

Le visage d'Andy se fendit d'un sourire et Daniel retrouva le camarade qu'il connaissait.

« Qu'est-ce que tu fais de tes soirées, mon gars ?

— Pas grand-chose.

— On m'a dit que tu étais tout le temps fourré chez Mlle Andrews, la nouvelle institutrice. » Daniel sentit le rouge lui monter au visage. Dans une petite ville minière, il n'y avait pas de secrets.

« Elle m'aide à compléter mes études.

— Tu es sûr que c'est bien tout ce qu'elle t'aide à faire ? » interrogea Andy, l'air matois.

Cette fois, le visage de Daniel s'empourpra.

« Il me reste beaucoup à apprendre.

— A qui le dis-tu ! » s'esclaffa Andy. Brusquement, il redevint sérieux. « Je viendrai peut-être te voir dans quelques jours.

— Tu sais où me trouver. Fidèle au poste ! »

Il regarda s'éloigner son ancien contremaître et revint s'asseoir sur son banc près du bâtiment de la direction. Il sortit la banane de sa boîte et se mit à la peler avec soin. Pour mieux la déguster, il la mangea lentement ; elle était mûre, sucrée, à point. Cette Carrie était un amour.

Il avala ce qui lui restait de café après avoir englouti son dernier quart de pomme. Il ferma soigneusement sa gamelle et rentra dans le bureau. La porte de M. Smathers était toujours fermée. Tout en glissant sa boîte sous la table, il jeta un coup d'œil à la pendule. Il avait encore le temps d'aller faire un tour jusqu'au hangar de criblage, histoire de voir ce qui s'y passait.

Le hangar de criblage se trouvait situé à l'autre bout de la voie ferrée qui sortait du puits. C'était là que le charbon extrait de la mine arrivait et qu'il était chargé sur un transporteur à ruban. Celui-ci le faisait dégringoler en contrebas, là où se trouvaient les cribleurs, qui devaient trier les scories à la main et entasser le charbon dans un fardier, tandis qu'on emportait les déchets pour aller les décharger de l'autre côté de la montagne.

Daniel pénétra sous l'abri bâti au-dessus du hangar, taillé à même la flanc de la paroi rocheuse, et se dirigea vers l'étroite plate-forme qui surplombait les cribleurs. Le travail reprenait après la pause du déjeuner. En réalité, il ne s'arrêtait jamais tout à fait : pendant que la moitié des garçons mangeait, l'autre moitié poursuivait la tâche. A présent, ils étaient tous à l'œuvre et le charbon dégringolait à grand fracas, soulevant des nuages de poussière noirâtre qui masquaient presque la vue qu'on avait de la plate-forme. Au bout d'un moment, ses yeux s'accoutumèrent et Daniel put apercevoir les garçons en contrebas.

Ils étaient assis en rang de chaque côté du transporteur. Serrés comme des sardines sur leurs bancs minuscules, ils s'affairaient à vider leurs boîtes ; leurs mains voletaient au-dessus du charbon qu'ils triaient davantage au toucher qu'à la vue. Des surveillants étaient chargés de contrôler la vitesse de leur travail. Ils les obligeaient à tenir le rythme en augmentant le débit. Si l'un des garçons prenait du retard, il se retrouvait les bras enfouis sous un tas de charbon.

Par-delà le fracas du minerai qui dévalait la pente, Daniel distingua les voix des surveillants postés sur des marches étroites de chaque côté du transporteur, qui hurlaient aux garçons d'accélérer l'allure et de vider leurs boîtes. Ceux-ci étaient jeunes — de neuf à treize ans — mais à voir leurs visages tirés, noircis et leurs dos constamment voûtés, on eût dit de vieux gnomes.

L'un des surveillants grimpa sur la plate-forme à côté de Daniel. Il lui jeta un coup d'œil et, après lui avoir adressé un vague signe de tête, se dirigea vers le baquet d'eau et s'en servit une louche. Une fois désaltéré, il se tourna vers Daniel :

« Quels cossards, ces petits morveux ! »

Daniel ne lui répondit pas. Le surveillant s'approcha de lui et observa les gosses en contrebas. « Je me demande si la direction se rend compte du mal qu'on a à les faire travailler, ces sales mômes. »

Daniel le regarda.

« Ils ont l'air de s'en sortir très bien.

— Tu les connais pas. La moitié du temps, ils font semblant. Ils donnent l'impression de bosser. C'est plus comme de mon temps, quand j'étais jeune. On en triait, du charbon, nous, les gosses. Pas comme maintenant ! »

Daniel haussa les épaules. « Alors, la mine est vendue ? interrogea le surveillant.

— J'en sais rien, fit Daniel sèchement.

— Tu peux me le dire à moi, insista l'autre. Ça restera entre nous.

— Je te dis que j'en sais rien, répliqua Daniel d'une voix dure.

— Bon, bon, fit précipitamment le surveillant. C'est pas parce que tu travailles au bureau qu'il faut prendre tes grands airs. Tu te crois peut-être supérieur à nous ? »

Daniel se tourna vers lui et le dévisagea froidement.

« Qu'est-ce que tu veux dire ?

— Tu crois peut-être qu'on sait pas pourquoi tu viens ici ? C'est pas pour passer le temps, sûrement pas ! »

Daniel sentit la colère l'envahir ; sa bouche se crispa. Il fit un pas vers l'autre mais un cri qui venait d'en bas l'immobilisa. C'était un hurlement de souffrance. « Arrêtez le charbon ! » brailla un surveillant.

Celui qui se trouvait sur la plate-forme à côté de Daniel se pencha pour fermer la trappe. Aussitôt la coulée de charbon cessa. « Merde ! Qu'est-ce qu'il y a encore ? » grommela-t-il en se penchant par-dessus la rambarde pour essayer de voir ce qui se passait en bas.

Ils entendaient hurler l'enfant mais durent attendre que le nuage de poussière se dissipe un peu avant de pouvoir le distinguer. Un petit garçon qui se trouvait près de la coulée de charbon s'était fait prendre la main entre le transporteur et sa boîte.

« Sale petit con ! » gronda le surveillant en se dirigeant vers l'escalier. Il dévala les marches quatre à quatre. Lorsqu'il arriva près du blessé, celui-ci était déjà entouré d'une nuée d'enfants. Le petit s'était évanoui.

« Retournez à vos boîtes ! » lança le surveillant. Un de ses collègues vint l'aider et, à eux deux, ils eurent vite fait de dégager la main du gosse. Sans trop de ménagements, le surveillant prit l'enfant dans ses bras et s'engagea dans l'escalier. Au moment où il atteignait la plate-forme avec l'enfant inconscient, il se libéra une main pour rouvrir la trappe à charbon.

Daniel regardait l'enfant. Il ne devait pas avoir plus de dix ans. Le visage blême et pincé, il laissait pendre sa main écrasée et sanguinolente, s'accrochant faiblement de l'autre au bras du surveillant.

Celui-ci surprit le regard de Daniel.

« Tu pourras dire à la direction qu'on y est pour rien. Ces gosses sont pas foutus de faire attention. » Daniel gardait le silence. « C'est pas notre faute, répéta le surveillant.

— Vaudrait peut-être mieux aller soigner sa main », intervint Daniel.

Il vit le surveillant sortir en hâte de l'abri avec le gosse. Il n'y avait pas d'infirmerie. Le vieux chargé de l'entretien de l'outillage savait quoi faire en cas d'accident. C'était chez lui qu'on amènerait l'enfant ; on lui banderait la main et on le renverrait chez lui. Bien entendu, on ne le paierait pas tant qu'il n'aurait pas repris son travail. S'il pouvait retrouver un jour son emploi de cribleur. Les cribleurs manchots, ça ne courait pas les rues.

Daniel pencha la tête pour voir ce qui se passait en bas. Le charbon dévalait régulièrement la pente. La poussière volait. Les surveillants braillaient. Les enfants triaient le charbon. Comme si de rien n'était.

Il se rendit soudain compte que ses mains agrippaient la rambarde de la plate-forme de toute leur force. Il regarda les enfants en bas. Il imagina sa propre main déchirée et sanglante. Il y avait quelque chose qui ne tournait pas rond. Deux mains, ça valait tout de même plus de trois dollars par semaine — le salaire hebdomadaire d'un cribleur.

12

Comme il n'était toujours pas là à neuf heures, Sarah Andrews se dit que, ce soir-là, il ne viendrait pas. Elle s'apprêta à se coucher. D'ordinaire, il arrivait sur le coup de sept heures et demie, juste après avoir dîné. Elle verrouilla la porte d'entrée de sa petite maison qui jouxtait l'école où elle faisait la classe et quitta la minuscule salle à manger pour passer dans sa chambre plus minuscule encore.

Lentement, elle entreprit de se déshabiller. Bizarre tout de même qu'il ne lui ait rien dit la veille. D'habitude, quand il ne pouvait pas venir, il la prévenait. Et s'il lui était arrivé quelque chose ? Elle avait entendu dire qu'aujourd'hui, il y avait eu un accident à la mine. Brusquement, la peur s'empara d'elle... Puis aussitôt, elle se rappela qu'il ne travaillait plus au fond mais dans les bureaux.

Soigneusement, elle accrocha sa robe, enleva son jupon et ôta les épingles qui tenaient ses cheveux. Ceux-ci, longs et châtain foncé lui arrivaient aux épaules. Elle aperçut son visage dans la glace, ses yeux profondément enfoncés dans leurs orbites. Elle s'immobilisa pour se contempler. Sa mère avait raison. De toute façon, sa mère avait toujours raison.

« Sarah Andrews, lui disait-elle, à force de te plonger nuit et jour dans tes livres, tu finiras vieille fille. »

Et c'est bien ce qu'elle était devenue. Elle avait trente ans. Elle n'était pas mariée. Pas de parti en vue. Vieille fille. Comme sa mère le lui avait prédit.

Elle ôta sa combinaison ; elle eut l'impression de ne plus voir que ses seins dans le miroir. Fascinée, elle les contempla. Tandis qu'elle les regardait, il lui sembla que les bouts grossissaient, que ses seins lui faisaient mal. Elle les prit dans ses paumes et les rapprocha. La douleur lui parut moins vive. Elle ferma les yeux. C'étaient ses mains à lui.

Hélas ! Non, ce n'étaient que les siennes ! Voilà cinq ans qu'ils s'étaient connus et qu'il était parti. Sa mère lui avait dit qu'il n'avait jamais eu l'intention de l'épouser. Elle pouvait bien dire ce qu'elle voulait. Ce n'était pas le genre d'homme à se marier, tout simplement. Les responsabilités l'effrayaient. Elle s'en était rendu compte trop tard.

Pourtant, elle n'avait jamais regretté de l'avoir connu et aimé. Pour la première fois, elle s'était sentie femme, elle avait retiré du plaisir de sa féminité. Sa mère l'avait traitée de débauchée, elle lui avait dit que les voisins cancanaient et que, si elle avait trois sous de dignité, elle ne resterait pas au village. A partir de ce moment, elle avait attendu l'occasion de pouvoir partir. Depuis, elle avait changé d'école et de lieu de résidence chaque année. Voilà cinq ans qu'elle n'était pas retournée chez elle.

Elle avait connu d'autres hommes. Des rencontres brèves, furtives que son désir — un besoin physique, profond, lancinant — avait provoquées. Mais, une fois ce désir satisfait, elle se sentait prise d'un violent dégoût. Chaque fois, elle se jurait que ce serait la dernière. Mais elle recommençait. Elle finissait par être obligée de partir, de quitter son école, de changer de ville parce qu'elle sentait que les voisins étaient au courant. Les hommes surtout. Cette façon qu'ils avaient de la poursuivre des yeux : on aurait dit des chiens guettant une chienne en chaleur. Dans une petite ville, tout finissait par se savoir très vite.

Voilà sept mois qu'elle était arrivée dans ce centre minier des environs de Grafton. Lorsqu'elle avait vu la petite maison contiguë à l'école, elle s'était dit que, cette fois, ce serait différent. Ici, elle serait chez elle au lieu d'être en pension, comme d'habitude, soumise aux tentations, aux odeurs de mâle qui l'entouraient. Seule, rien ne viendrait attiser son désir. Elle s'absorberait dans son travail. Cette fois, elle s'était bien jurée de ne plus se désoler d'avoir à faire la classe à des enfants qui savaient qu'ils étaient là en attendant qu'on leur trouve du travail dans les mines ou dans les verreries. Elle acceptait sans rien dire que ses élèves disparaissent dès qu'ils avaient dix ou onze ans. Les filles restaient un peu plus longtemps, mais à treize ou quatorze ans, elles finissaient par partir, elles aussi. Pourtant, ce n'était pas les enfants qui manquaient à l'école. Que l'année fût bonne ou mauvaise, c'était la seule récolte qui ne ratait jamais.

Aussi avait-elle été surprise, un jour qu'elle était installée à son bureau pendant le déjeuner d'apercevoir Daniel à l'autre bout de la classe. Tout d'abord, elle l'avait pris pour le père d'un de ses élèves venu retirer son enfant pour le mettre au travail. Il se découpait massivement sur le seuil de la porte. Il devait bien faire son mètre quatre-vingts, large d'épaules, le torse puissant. Une mèche de cheveux bruns retombait sur ses sourcils épais qui cachaient presque ses yeux profondément enfoncés, des yeux d'un bleu surprenant. Ses joues bleues de barbe accentuaient la bouche large et le menton volontaire. Lorsqu'il entra dans la classe, elle se rendit compte qu'il était beaucoup plus jeune qu'elle ne l'avait cru tout d'abord.

« Mlle Andrews ? » Il avait la voix grave mais douce.

« Oui ? »

Hésitant, il fit quelques pas dans sa direction.

« Je m'excuse de vous déranger, mademoiselle. Je m'appelle Daniel Boone Huggins. »

Il semblait avoir tellement peur d'elle, que Mlle Andrews eut envie de rire.

« Vous ne me dérangez pas, M. Huggins. Que puis-je faire pour vous ?

— Je travaille au bureau de M. Smathers », répondit-il sans oser s'avancer davantage. Elle fit un signe d'assentiment et attendit. « Ça fait un an que je travaille pour lui et je commence à me rendre compte de mon ignorance. J'ai besoin d'en savoir un peu plus. »

Très étonnée, elle le dévisagea. Depuis qu'elle enseignait, c'était la première fois que quelqu'un lui faisait cet aveu. Les livres, comme ils disaient, c'était du temps perdu.

« Qu'est-ce que vous voudriez apprendre, M. Huggins ?

— Je ne sais pas trop, répondit-il. Puis, il ajouta après un silence : Je crois que j'ai tout à apprendre. »

Elle sourit.

« Voilà un programme plutôt vaste ! »

Son visage gardait une expression réfléchie.

« Il y a tellement de choses auxquelles je ne connais rien. Depuis que je travaille au bureau, j'entends parler les gens autour de moi de politique, d'affaires, d'économie. Je ne comprends rien à tout cela ! Je sais à peu près lire, écrire et compter, mais il y a des mots dont j'ignore le sens. Et quand il s'agit de multiplier et de diviser, je m'embrouille complètement.

— Vous êtes allé à l'école ?

— Oui, mademoiselle. J'ai fait six ans à l'école du village. Mais à quatorze ans, j'ai arrêté et depuis, j'ai plus rien appris. »

Elle le regarda, l'air songeur.

« Vous n'avez jamais pensé à vous inscrire à la bibliothèque ?

— Si, mademoiselle. Mais la plus proche se trouve à Grafton ; et, comme je travaille six jours sur sept, le dimanche, c'est fermé. »

Elle acquiesça. Grafton se trouvait à près de vingt-cinq kilomètres. Il n'avait donc aucune possibilité de s'y rendre en semaine.

« Je ne sais pas ce que je peux faire pour vous.

— Tout ce que vous pourrez m'apprendre me serait très utile, mademoiselle, fit-il de son ton sérieux. Ce sera bien plus que ce que je peux faire tout seul. »

Elle réfléchit un moment. Les enfants commençaient à rentrer en classe. Ils avaient fini de déjeuner. Leurs visages habituellement inexpressifs se tournaient vers Daniel avec curiosité. Elle le considéra :

« Je ne peux pas faire grand-chose maintenant. Je dois reprendre la classe. Pouvez-vous revenir plus tard ?

— Je travaille jusqu'à six heures, mademoiselle. Je pourrais venir à la sortie.

— Eh bien ! entendu, M. Huggins.

— Merci beaucoup, mademoiselle. »

Elle le regarda fermer la porte derrière lui, puis se tourna vers ses élèves. Les yeux des enfants fixés sur la porte revinrent se poser sur elle. Elle entendit l'un des grands ricaner au fond de la classe. Elle prit sa règle et en donna un coup sec sur son bureau.

« Toi là-bas dans le fond, lança-t-elle. Tiens-toi tranquille ! Maintenant ouvrez vos livres à la page 30, leçon de géographie numéro 2. »

Ce ne fut que lorsque le dernier des enfants eut quitté la classe vers quatre heures qu'elle repensa à lui. Elle se demanda comment elle allait procéder. Le mieux, c'était sans doute de faire le point exact de ses connaissances. Du moins, on pourrait commencer par là. Elle alla prendre dans l'armoire les sujets d'examen du niveau de sixième et les posa devant elle sur le bureau.

Cela, c'était il y a six mois. Depuis, à sa grande surprise, elle avait découvert avec plaisir que ce grand garçon tranquille avait une intelligence brillante, un esprit curieux et qu'il absorbait les connaissances comme une terre fertile absorbe l'eau. Ils travaillaient ensemble trois soirs par semaine et le dimanche après-midi. Daniel dévorait les livres et lui posait des questions sans fin. Elle s'était résolue à écrire à sa mère pour lui demander de lui envoyer ses livres du lycée. Pour la première fois de sa vie, elle éprouvait du plaisir — un plaisir sans mélange — à enseigner. Elle songeait qu'il aurait toujours dû en être ainsi.

Plein de reconnaissance, il lui avait proposé de lui payer ses leçons. Elle avait refusé. Elle était heureuse de pouvoir occuper ainsi son temps libre. Pourtant, il avait insisté. Finalement ils avaient convenu qu'il la dédommagerait en lui coupant son bois de chauffage — celui dont elle avait besoin pour l'école et pour sa petite maison. Ce qu'il fit chaque dimanche.

Peu à peu, elle en était venue à attendre ce jour-là lorsque le bruit clair de la hache la réveillait, en résonnant derrière la maison. Ce bruit avait quelque chose de curieusement rassurant. Cela lui rappelait sa famille, son enfance lorsque son frère aîné exécutait la même tâche. Du coup, elle se sentait moins étrangère, moins seule.

Ce rite simple et touchant s'était poursuivi tout l'hiver jusqu'à l'approche du printemps. Puis, un beau matin ensoleillé, elle s'était levée et s'était plantée devant la fenêtre.

Il s'était mis torse nu. La sueur qui ruisselait sur sa peau avait des reflets pourpres au soleil levant. La hache s'élevait et retombait, faisant saillir ses muscles. Clouée sur place, elle ne pouvait détacher son regard des taches sombres que la sueur agrandissait sur son pantalon à la taille et à l'aine.

Une soudaine bouffée de désir l'inonda la prenant au dépourvu. Ses jambes se dérobèrent sous elle et elle dut se cramponner à la poignée de la fenêtre pour ne pas tomber sur le parquet. Furieuse, elle secoua la tête comme pour s'éclaircir les idées. Pas question de recommencer comme avant. Elle garda les yeux fermés jusqu'à ce qu'elle eût recouvré ses esprits.

Dès lors, elle se montra beaucoup plus circonspecte, prenant soin de ne pas s'asseoir trop près de lui, s'habillant plus strictement et s'adressant à lui en maintenant une certaine distance. S'il avait compris les raisons de ce nouveau comportement, il n'en laissa rien paraître. De temps en temps, quand elle surprenait son regard posé sur elle, il se mettait à rougir, ce qu'elle attribuait à sa timidité naturelle.

C'est ce qui était arrivé la veille au soir lorsque levant les yeux de la table, elle avait surpris son regard posé sur elle. Aussitôt, le rouge lui était monté au visage.

« Daniel, quel âge avez-vous ? » avait-elle demandé, sans réfléchir.

Il était devenu cramoisi et avait hésité.

« Dix-huit ans, mademoiselle. »

Il mentait. Elle resta silencieuse un instant.

« Vous paraissez plus. Moi, j'ai vingt-cinq ans. » Elle aussi mentait. Il se contenta de hocher la tête. « Vous n'avez pas d'amies ?

— Si, quelques-uns.

— Des filles, je veux dire.

— Non, mademoiselle.

— Même pas là-bas, chez vous ? Vous n'avez pas de petite amie ? » De la tête, il fit non. « Que faites-vous de votre temps libre ? Le samedi soir, vous n'allez jamais au bal ou à des réunions ?

— La danse n'a jamais été mon fort, mademoiselle.

— Ce n'est pas normal, voyons. Vous êtes jeune, bien bâti et...

— Mlle Andrews... » fit-il en l'interrompant.

Elle le dévisagea avec stupéfaction. C'était la première fois qu'il se permettait de lui couper la parole. Son visage était écarlate.

« Ce genre d'amusement, c'est pas pour moi. Les filles cherchent toujours à se faire épouser et moi, j'en ai pas les moyens. Je suis soutien de famille.

— Excusez-moi, dit-elle, reconnaissant sa maladresse. Je ne voulais pas vous offenser. »

Il repoussa sa chaise.

« Il se fait tard. Il est temps que je rentre. »

Elle se leva en même temps que lui et se pencha pour fermer le livre qu'il avait laissé sur la table.

« Nous terminerons cette leçon demain soir. »

Mais il était neuf heures maintenant et il ne s'était toujours pas montré. Lentement, elle s'apprêta à se mettre au lit. Avant d'éteindre la lumière, elle songea qu'elle l'avait perdu. Il ne reviendrait plus jamais.

13

Dans la maison d'Andy, le petit salon était plein de monde et envahi par la fumée des cigares noirâtres, ceux que fumaient la plupart des mineurs. Depuis le coin où il s'était installé, Daniel observait ce qui se passait dans la pièce. L'ambiance était tendue, on attendait quelque chose. Les mineurs s'entretenaient à mi-voix, en chuchotant presque, comme s'ils avaient peur que leurs interlocuteurs les entendent.

Andy était venu le chercher à sa pension au moment précis où il allait partir chez Mlle Andrews pour prendre sa leçon.

« Viens avec moi », lui avait dit le contremaître.

Daniel l'avait regardé :

« Pour quoi faire !

— Tu verras bien », avait répondu Andy en desserrant à peine les lèvres. Il avait déjà descendu les marches du seuil et s'était retourné vers Daniel. « Alors ? »

Daniel avait hoché la tête et descendu les marches à son tour. Il avait rejoint le contremaître. Ils firent bien une centaine de mètres avant qu'Andy n'ouvre la bouche.

« Je prends un gros risque en t'emmenant avec moi. La plupart des camarades pensent que tu es passé de l'autre côté. Ils croient que tu marches avec les patrons.

— Pourquoi te donner toute cette peine, alors ? »

Dans la lumière du réverbère, se découpait la silhouette massive du contremaître ; sa chevelure blanche luisait. Il s'était arrêté et le regardait.

« On m'a demandé de faire en sorte que tu sois là.

— Qui ça ?

— Tu verras », répondit Andy sur un ton mystérieux. Il se remit en marche. « D'ailleurs, pour moi, tu es avec nous. On a travaillé ensemble à la mine et quand on a travaillé une fois à la mine, on reste un mineur, même si on fait autre chose. »

Le reste du trajet jusqu'à sa maison s'était effectué en silence. Peu après leur arrivée, les autres avaient commencé à se pointer. Ils jetaient des coups d'œil à Daniel mais ne lui adressaient pas la parole. Petit à petit, Daniel s'était retrouvé dans son coin et là, appuyé contre le mur, il avait fumé un cigare. Ils étaient plus d'une douzaine agglutinés par petits groupes.

On entendit le bruit d'une automobile qui approchait. L'un de ceux qui se trouvaient près de la fenêtre regarda au-dehors. Il se retourna vers ses compagnons. « Les voilà ! »

Un mouvement général se fit vers la porte. Andy alla ouvrir. Daniel aperçut la Ford noire modèle T qui s'arrêtait. Tout le monde sortit sur le seuil. Daniel n'avait pas bougé.

Un instant plus tard, Andy revint dans la maison accompagné d'un homme corpulent et massif. Daniel le regarda avec curiosité. Sans être grand, il donnait une impression de force. Carré d'épaules, le torse puissant, un début de brioche, l'homme arborait une crinière noire qui retombait sur des sourcils épais. Ses yeux bleus, profondément enfoncés, lui donnaient un regard pénétrant. Il se déplaçait avec un air d'importance, la démarche assurée, parmi les hommes qui se groupaient autour de lui. Après avoir serré la main de chacun, il les regardait droit dans les yeux. Lorsqu'il ouvrait sa bouche épaisse et charnue, on apercevait des dents étrangement petites. Il s'approcha de Daniel.

« Et voilà Daniel », déclara Andy comme si cela devait tout expliquer. L'homme tendit la main. « Je te présente John L. Lewis, le vice-président de l'United Mine Workers. »

La poignée de main de M. Lewis était douce mais étonnamment vigoureuse. Il dévisagea Daniel.

« Ainsi, tu es le beau-frère de Jimmy Simpson. Jimmy m'a beaucoup parlé de toi.

— Vous connaissez Jimmy ? » interrogea Daniel sans vouloir paraître trop surpris. Lewis acquiesça.

« Et je connais également ta sœur, Molly Ann. Une fille bien. Jimmy est en train de faire du bon travail pour nous à Fitchville. Espérons qu'on pourra faire le même genre de progrès ici. »

Avant que Daniel ait pu lui répondre, il avait tourné les talons vers l'autre bout de la pièce. Il ne perdait pas de temps. Il leva la main et tous les hommes se turent.

« Je voudrais tout d'abord apporter une petite rectification à ce qu'Andy a dit tout à l'heure. Il m'a présenté, comme le font tous mes amis, en tant que vice-président du syndicat. Je le remercie de m'avoir conféré ce titre, mais jusqu'à plus ample informé, il appartient toujours à Frank Hayes. »

Plusieurs voix l'interrompirent :

« Plus pour longtemps, John. Vous êtes notre homme. »

Lewis sourit, leva la main et le silence revint.

« Ça, c'est l'avenir qui nous le dira. Je n'ai aucune ambition. Tout ce que je veux, c'est faire du bon travail pour vous, les gars. Voilà ce que je vise, en fait de récompense. Vous garantir la sécurité de l'emploi, réduire les risques du métier et faire en sorte qu'on vous paie autant que dans les autres branches de l'industrie. »

Les hommes l'acclamèrent. Lewis leva la main pour les calmer. Un instant plus tard, il reprit : « Comme vous le savez, l'U.M.W. est d'ores et déjà l'un des syndicats les plus puissants de ce pays. Depuis le début de cette année, nous avons plus de deux cent cinquante mille adhérents qui cotisent. Le président Wilson a choisi comme ministre du Travail M. William B. Wallace, l'un de nos dirigeants et fondateurs. Ceci vous prouve à quel point notre syndicat est reconnu par le gouvernement des États-Unis. »

A nouveau, il y eut des acclamations. Cette fois Lewis passa outre. « L'année dernière, Sam Gompers m'a chargé de le représenter à Washington. Cette année, je suis revenu à ma chère vieille section locale d'Indianapolis, ma section de l'U.M.W., pour me consacrer de nouveau aux camarades qui me sont chers : aux mineurs. Il y a deux mois, après mûre réflexion, je me suis dit qu'il était temps que l'U.M.W. aille s'implanter dans les derniers districts qui ne sont pas encore syndiqués. Je veux parler du secteur minier de la Virginie occidentale et du Kentucky. Je ne vais pas me lancer dans un historique des raisons pour lesquelles nous ne nous sommes pas implantés plus tôt. Nous avons essayé un certain nombre de fois, mais nous avons toujours échoué. Vous n'y étiez pour rien. Vous vouliez vous syndiquer. Mais les moyens d'intimidation et la puissance financière du patronat ont été plus forts que nous. C'est pourquoi, afin de ne pas vous faire courir de risques, nous avons battu en retraite. Je n'ai pas l'intention de discuter maintenant du bien-fondé de notre décision. Cela s'est passé il y a huit ans. Et nous avons peut-être eu raison de vouloir éviter un bain de sang. Mais depuis cette époque, les conditions ne se sont pas améliorées : au contraire, elles ont empiré. Vous, les mineurs de cette région, vous êtes moins payés pour votre travail que vous ne l'étiez alors. Vous êtes plus endettés, vous travaillez plus dur et dans de plus mauvaises conditions. Vous risquez davantage d'accidents. Et maintenant que les constructeurs d'automobiles de Detroit ont fondé un consortium qui regroupe les vingt mines les plus importantes de la région, les choses ne vont pas s'arranger. Tout va probablement aller de mal en pis. »

Les hommes restaient silencieux. Lewis jeta dans la pièce un regard circulaire.

« Aujourd'hui, il est grand temps de prendre une décision. Dans quelques mois, il sera peut-être trop tard. Quand le consortium se sera installé, ce sera fichu. A ce moment-là, vous serez bel et bien sous leur coupe. Et il est probable qu'alors nous ne pourrons pas vous aider.

« Pour faire face à cette situation nouvelle, le comité directeur de l'U.M.W. a décidé de créer une nouvelle section locale qui couvrira la région. Cette section s'appellera la section 100. Nous sommes en train de réunir cinq mille dollars pour couvrir les premiers frais d'organisation. Quant à vous, la première chose que vous avez à faire, c'est de réunir le maximum d'adhésions à notre syndicat. Si vous réussissez avant que les mines soient officiellement rachetées, nous serons en position de force pour négocier. Des camarades se sont déjà mis au travail dans toute la région. A présent, l'heure est venue pour chacun d'entre vous de manifester sa solidarité avec ses camarades. Ici, chacun doit devenir un organisateur. Notre succès — votre propre succès — dépend de nos efforts individuels. »

Cette fois, il n'y eut plus d'acclamations. Les hommes restaient silencieux. Ils s'entre-regardaient, l'air sceptique. C'était une chose d'adhérer ; c'en était une autre d'aller s'exposer au premier rang d'une bataille qui, s'ils la perdaient, leur coûterait leur emploi et compromettrait définitivement leur avenir.

« Vous êtes sûr que les mines vont être rachetées ? » demanda l'un deux. Lewis hocha la tête.

« Aussi sûr que je suis ici. Nous disposons d'informations qui nous portent à croire qu'une fois l'opération faite, les patrons se lanceront dans la plus grande campagne qu'on ait jamais vue pour neutraliser le syndicat et exploiter encore davantage les ouvriers.

— Nous, on n'a jamais eu d'ennuis dans c'te mine, déclara un autre.

— Trente-quatre morts, plus d'une centaine de blessés, d'invalides, voilà le bilan de cette mine, en l'espace de deux ans. Et vous dites que vous n'avez pas d'ennuis ? Vous détenez le record des accidents du travail, vous êtes les travailleurs les moins payés de toute l'industrie et vous trouvez que tout va bien ? Si pour vous, cela ne signifie rien, il faut croire que vous n'êtes même pas conscients de votre sort. Y en a-t-il un seul parmi vous qui possède sa maison à lui ? Y en a-t-il un seul parmi vous qui ne doive pas sa prochaine paie à l'épicier ou au boulanger ? Y en a-t-il un seul parmi vous qui, s'il avait un accident qui l'empêche de travailler, pourrait continuer à vivre dans le logement que la Compagnie lui loue à prix d'or ? A présent, ce qui est bien pire, une fois que les mines auront été rachetées, vous ne serez même plus payés en dollars américains ! Ils vont revenir aux bonnes vieilles méthodes d'autrefois et vous payer en bons émis par la Compagnie. Et alors là, croyez-moi, vous verrez comment vos nouveaux patrons vous en feront baver. Vous serez tellement exploités, tellement enchaînés que vous ne pourrez plus vous en sortir. La seule issue pour vous, ce sera la tombe. »

Lewis fit une pause avant de poursuivre.

« Vous n'avez qu'un espoir, c'est de les prendre de vitesse. Il faut vous organiser tout de suite, avant que les patrons ne comprennent ce qui se passe. Dans une semaine, il sera peut-être trop tard. Demain, chacun d'entre vous doit se prendre par la main et aller récolter un maximum d'adhésions chez les camarades avant qu'ils ne puissent revenir sur leur décision. Parce que, s'ils reculent, tout s'effondrera. Votre seule chance à tous, c'est de vous syndiquer et de vous serrer les coudes ! »

Lewis ouvrit la serviette qu'il avait apportée et en sortit un document. « Ce que je tiens dans ma main, ce sont les statuts et le règlement intérieur de la section 100, soixante-dix-septième région, tels qu'ils ont été approuvés par les membres du bureau de l'U.M.W. Andy Androjewicz en sera le secrétaire provisoire jusqu'à ce que vous ayez le nombre d'adhérents requis. Dès lors, vous élirez votre conseil et vos responsables. » Il brandit une autre liasse de papiers. « Voilà les formulaires d'adhésion. Je compte sur chacun d'entre vous ici présent pour signer son bulletin avant de partir et faire signer le maximum de bulletins aux camarades qu'il pourra contacter. Le bureau exécutif vous dispense de cotisations pendant un délai de trois mois. Vous pourrez ainsi bénéficier de notre soutien sans avoir à payer et, en tant qu'adhérents, vous ne serez pas pénalisés. Montrez-nous que vous souhaitez notre présence : dès que vous aurez réuni cent signatures, nous vous enverrons un organisateur du bureau central qui viendra vous aider. A vous de jouer ! Soutenez vos camarades de l'U.M.W., vos camarades vous soutiendront ! »

Il donna les bulletins d'adhésion à Andy qui entreprit de les distribuer. Celui-ci passa rapidement dans la pièce, suivi de son fils âgé de treize ans, un cribleur, qui prêtait de quoi écrire aux mineurs. Sans dire un mot ou presque, les hommes commencèrent à remplir et à signer leurs bulletins.

Daniel prit celui qu'Andy venait de lui donner et l'examina. Il ne fit pas de commentaires. Andy retourna à l'autre bout de la pièce à côté de M. Lewis. Il leva la main et déclara : « Si quelqu'un veut poser une question, M. Lewis y répondra. »

Daniel fut le seul à lever la main.

« Oui, Daniel ? fit M. Lewis.

— Je travaille dans le bureau du directeur de la mine. Je travaille pas au fond. Je sais pas trop si je dois signer ça. »

Lewis se tourna vers Andy qui hocha la tête. Lewis s'adressa à Daniel :

« Tu travailles pour la mine ?

— Oui, monsieur.

— Alors, je ne vois pas où est le problème. Il peut t'arriver exactement la même chose qu'à n'importe quel mineur. Toi aussi, tu as besoin de pouvoir défendre ton emploi.

— Je ne dis pas le contraire, M. Lewis. Mais j'ai accès à un certain nombre d'informations qui concernent les mineurs. Je vois pas comment je peux faire un travail honnête pour M. Smathers et adhérer à un syndicat si le travail que je fais pour mon patron est le contraire de ce que désire le syndicat. »

Lewis resta silencieux un moment.

« Tu poses un délicat problème moral. A mon avis, il faut que tu décides seul, en ton âme et conscience, ce que tu crois devoir faire. »

Daniel le regarda.

« Je suis d'accord avec ce que vous avez dit à propos du travail à la mine, mais pour moi, la seule façon d'adhérer, c'est d'abandonner mon emploi au bureau. Je peux pas servir deux maîtres à la fois et rester honnête avec chacun. Je refuse d'être un espion et un mouchard. Mon père m'a toujours dit que l'honneur, c'est la seule chose qui compte vis-à-vis de ses semblables.

— Si je comprends bien, tu es en train de me dire que tu ne signeras pas le bulletin d'adhésion ?

— C'est exact, monsieur. Honnêtement, je ne crois pas avoir le droit de signer. »

Un murmure de mécontentement parcourut l'assistance. Certains s'approchèrent de Daniel, l'air menaçant. Lewis les arrêta d'un geste de la main.

« Daniel ! lança-t-il sèchement. Je respecte ta probité. Si tu quittes cette réunion, ai-je ta parole que rien de ce qui s'y est dit ne sera communiqué à la direction ? »

Daniel affronta son regard inquisiteur.

« J'ai déjà dit que je n'étais ni un mouchard, ni un espion. S'ils apprennent quelque chose, ça ne viendra pas de moi. »

Lewis balaya la pièce du regard.

« Pour ma part, j'accepte la promesse de Daniel. J'ai connu son beau-frère, Jimmy Simpson, là-bas à Fitchville ; il représente maintenant les ouvriers de la filature et nous aide à nous organiser dans les mines. Jimmy m'a dit que Daniel était le garçon le plus intègre qu'il ait jamais rencontré. Je suis d'avis que nous autorisions Daniel à quitter cette réunion. Espérons qu'à l'avenir nous aurons l'occasion de travailler ensemble. Qui est d'accord avec moi ? »

Il y eut un moment de flottement, puis Andy s'avança.

« Je vous soutiens, M. Lewis. C'est ma faute si Daniel est ici. Quand je lui ai parlé cet après-midi, il a déjà dit exactement la même chose que ce soir. J'aurais dû le croire sur parole. Mais j'ai confiance en lui. J'ai travaillé avec Daniel au fond. Et je sais que, de tout cœur, il est avec nous. Il ne tentera rien pour nous nuire. Moi aussi, je propose qu'on le laisse partir. »

Les hommes se consultèrent pendant un moment pour finir par donner leur accord, mais à contrecœur. Daniel déposa son bulletin vierge sur une table et se dirigea lentement vers la porte. Il sentait peser sur son dos les regards de tous ses camarades. Il ferma la porte et, à travers la cloison, il entendit les conversations qui reprenaient. Il se retrouva dans la rue. Un instant, il s'étonna ; la nuit avait fraîchi. Il leva les yeux vers le ciel. La lune s'était levée. Il était neuf heures.

Après avoir hésité un instant, il se mit à marcher rapidement. Sa décision était prise. S'il y avait encore de la lumière chez Mlle Andrews, il lui expliquerait pourquoi il n'était pas venu ce soir-là.

14

Sans rien dire, Molly Ann le regarda ouvrir son revolver et vérifier soigneusement que le barillet était bien rempli. Satisfait, il referma son arme avec un claquement et l'enfonça dans sa ceinture. Il se tourna vers Molly Ann et vit le regard angoissé qu'elle lui jetait.

« T'inquiète pas, fit-il.

— C'est plus fort que moi. Les armes, c'est fait pour tuer. Et quand je pense que tous les jours, tu te promènes avec ce revolver, ça me donne des frissons !

— On m'a déjà tiré dessus deux fois. Qu'est-ce que tu voudrais que je fasse ? Attendre sans rien faire qu'on vienne me descendre ? » Elle ne répondit pas. « Ils en ont descendu plus d'une dizaine. Des gars qui n'avaient pas de quoi se défendre.

— Qu'est-ce qui va se passer aujourd'hui ?

— Tu le sais aussi bien que moi. Ils vont essayer de rouvrir les filatures. Fitch a fait venir une armée de Pinkertons — ces ordures de milice privée — pour pouvoir faire entrer les jaunes dans la filature. Si on le laisse faire, c'est fichu. Ils n'en ressortiront jamais. Il leur fera parvenir des vivres, tout ce qui leur faut jusqu'à ce qu'on crève de faim et qu'on soit battus.

— Et les mineurs ? Ils vont venir vous aider ? » De la tête, il fit non.

« Les mineurs sont tombés dans le panneau. Ils ont accepté l'augmentation de dix pour cent que les nouveaux patrons leur offraient sans même penser que, vu qu'on les payait en bons au lieu de les payer en dollars, ils étaient moins payés qu'avant ! Je serais vraiment surpris que l'U.M.W. ait gardé plus de dix adhérents dans toute la vallée.

— Je t'avais dit de pas faire confiance à ce Lewis, fit-elle d'une voix pleine d'amertume.

— Ce n'est pas sa faute. Comme dit le proverbe : " On peut mener son cheval à l'abreuvoir, mais on ne peut pas le forcer à boire. "

— Daniel a été plus malin que vous autres. Il est resté en dehors de tout ça, lui. »

Jimmy ne répondit pas mais elle savait qu'il avait été profondément blessé lorsqu'il avait su que Daniel n'avait pas suivi son exemple.

« Oh ! Jimmy, j'ai peur ! » s'écria-t-elle, se jetant dans ses bras et posant sa tête contre sa poitrine. « On était si heureux ! Et toi, tu te débrouillais tellement bien avec ton petit commerce. Pourquoi faut-il que tu te sois laissé entraîner dans cette histoire ? »

Il la tint étroitement enlacée.

« Y a un moment pour parler et un moment pour agir, dit-il d'une voix grave. Ces gens — ces paysans, ces ouvriers — sont tous mes amis. J'ai grandi avec eux. Qu'est-ce que je pouvais faire ? Me croiser les bras en attendant que Sam Fitch en fasse tous des esclaves et qu'il se remplisse les poches ? »

Elle se mit à pleurer. Doucement, il lui caressa les cheveux. « Te tourmente pas. C'est mauvais pour une femme qui attend un bébé. »

Elle le regarda droit dans les yeux.

« Tu feras attention ? S'il t'arrivait quelque chose, je sais pas ce que je ferais !

— Je serai prudent, promit-il. Je tiens pas particulièrement à avoir des ennuis. »

Il ne faisait pas tout à fait jour lorsqu'il arriva devant le magasin de la grand-rue qui leur servait de local. Plusieurs hommes s'y trouvaient déjà qui l'attendaient dans la rue. Il tira les clés de sa poche et ouvrit la porte. Ils le suivirent. A l'intérieur, il faisait humide et sombre. Ils eurent vite fait d'allumer quelques lampes à pétrole. La compagnie d'électricité avait refusé de les alimenter. La lumière dorée éclairait faiblement les pancartes et les banderoles rangées contre les murs. Il passa derrière la table bancale qui servait de bureau et s'assit.

« Bon, à toi Roscoe. Raconte : qu'est-ce qui se passe à la nouvelle filature ? »

Roscoe Craig cala sa chique dans un coin de la bouche avant de répondre.

« Ils ont amené une cinquantaine de Pinkertons et une centaine de jaunes, à peu près. »

Jimmy hocha la tête et se tourna vers un autre.

« Et à l'autre filature, en ville ? »

L'homme s'éclaircit la gorge.

« Là, ils ont une vraie armée. Plus d'une centaine de Pinkertons et peut-être bien trois cents jaunes. Ils les ont amenés par camions. Ça n'a pas arrêté de toute la nuit. »

Jimmy garda le silence un moment. C'était sans espoir, ils ne feraient pas le poids. Il pouvait compter sur soixante-dix hommes tout au plus, et encore ! Il y avait bien plusieurs centaines de femmes et de filles qui pouvaient faire les piquets de grève, mais aujourd'hui, avec ce qui risquait de se passer, il se refusait à les exposer à des mauvais coups. Et des mauvais coups, il y en aurait ! Les Pinkertons étaient armés et ils avaient reçu l'ordre de pénétrer dans la filature coûte que coûte. Il prit une profonde inspiration. Le jour qui allait se lever lui faisait peur.

« A quelle heure nos gars seront là-bas ? demanda-t-il.

— Ils vont pas tarder, répondit Roscoe. Tout le monde y sera à six heures.

— Ils sont prêts ? »

Roscoe fit signe que oui.

« Ils viennent avec des fusils et des carabines. Les Pinkertons n'entreront pas comme ça !

— Va falloir qu'on fasse un choix, dit Jimmy. On peut pas les battre sur les deux tableaux. Faut qu'on décide laquelle des deux filatures on veut défendre. »

Comme ses compagnons gardaient le silence, il poursuivit : « Je propose qu'on décide de les laisser entrer dans la nouvelle filature. Y a que dix pour cent des machines qui sont installées là-bas. Avec ça, ils produiront trois fois rien !

— Ça me plaît pas, fit Roscoe sèchement. On a déjà eu deux morts dans la famille pour les empêcher de mettre le pied sur nos terres. Alors, l'idée de les laisser rentrer comme ça...

— Ils rentreront pas si facilement, l'interrompit Jimmy. On va poster dix bons tireurs dans la forêt et dans les collines tout autour de l'entrée. Ils auront intérêt à faire rudement gaffe, les Pinkertons, quand ils se pointeront sur le chemin ! »

Il se tut un bref instant et reprit :

« Mais la deuxième filature, celle qui est ici, c'est une autre histoire. S'ils arrivent à y entrer, ils peuvent la faire tourner à plein rendement. Et là, on est foutus ! S'ils arrivent à la faire fonctionner, c'est la fin de tout ; on aura plus qu'à se lamenter ! »

Jimmy s'était posté au coin de la rue pour observer la filature, en face de l'autre côté de la chaussée. Déjà les piquets de grève, des femmes pour la plupart, défilaient par rangs de quatre devant les grilles fermées. Derrière la clôture, et tout le long du grillage qui entourait l'entreprise, les gardes observaient sans rien dire les pancartes brandies par les femmes qui scandaient : « Lincoln a affranchi les esclaves. Et nous alors, qu'est-ce qu'on attend ? » Elles fournissaient elles-mêmes la réponse à leur question : « Qu'on en fasse autant ! » et se mettaient à crier : « Liberté ! »

Un homme descendit la rue en courant vers Jimmy au moment précis où la sirène de sept heures se mettait à hurler. En même temps, la pluie commença à tomber. « Trois camions de jaunes ! hurla-t-il. Ils viennent de tourner dans la rue haute ! »

Jimmy regarda de l'autre côté de la rue. Les piquets continuaient à aller et venir. Derrière la clôture, les Pinkertons faisaient mouvement vers la grille d'entrée. On entendit un bruit de ferraille ; ils tiraient la chaîne. La grille s'ouvrit lentement.

Jimmy sentit son estomac se nouer douloureusement. Il souffrait. Il se tourna vers les hommes qui l'entouraient.

Tout reposait sur lui. Les autres le regardaient, attendant un signe de sa part. C'était lui qu'ils s'étaient choisi comme chef dans cette aventure absurde. Soudain, il se sentit vieux, très vieux. Molly Ann avait raison. Qu'est-ce qu'il faisait là ? Il n'avait rien d'un héros.

Aussi soudainement qu'il était venu, son découragement disparut. Il leva la main et s'approcha des piquets de grève. Sans un mot, les autres le suivirent. Il s'arrêta devant elles : « Dites, les femmes, il est temps de rentrer chez vous », lança-t-il d'une voix forte.

Elles le regardèrent sans bouger. Il recommença, cette fois d'une voix plus pressante : « Vous m'avez entendu, les femmes ? Il est temps de rentrer chez vous ! »

Suivit un moment de silence. Puis l'une d'elles cria : « Nous restons ici, Jimmy. C'est notre combat à nous aussi.

— Mais vous vous rendez compte qu'il risque d'y avoir des coups de feu !

— Il faudra qu'ils nous tirent dessus, alors ! lança une autre. On rentrera pas chez nous. »

Les femmes se donnèrent le bras et au bout d'un instant, elles formèrent une chaîne vivante devant les grilles ouvertes. Elles se remirent à scander : « Liberté ! Nous voulons du pain, pas des chaînes ! »

Les camions apparurent au coin de la rue et foncèrent sur la chaussée en direction de la filature. Ils n'étaient plus qu'à mi-distance et le camion de tête n'avait pas l'air de vouloir ralentir. Jimmy vint se placer devant les femmes, face aux véhicules. Brusquement le silence se fit derrière lui. Les camions continuaient à approcher.

« Ôtez-vous de là ! Vous allez tous vous faire écrabouiller ! » hurla un garde derrière la clôture.

Personne ne bougea.

Le camion de tête freina en catastrophe et vint s'arrêter à quelques mètres des piquets de grève. Aussitôt, des hommes sautèrent des camions. Des Pinkertons, des costauds, l'air vilain, menaçant. Ils se rangèrent en ligne face aux grévistes, chacun armé d'une matraque ou d'une barre de fer. Ils étaient tous coiffés d'un melon vissé sur leurs têtes de brutes. Au signal donné, ils s'avancèrent. Jimmy leva la main.

« Je vous avertis, les gars. Il y a des femmes ici, avec nous. Si vous en blessez une seule, tant pis pour vous. Vous l'aurez voulu. »

Les Pinkertons s'immobilisèrent, hésitants.

« Ça vous sert à rien de vous cacher derrière leurs jupes, lança l'un d'eux. Venez vous battre comme des hommes !

— Nous resterons ici, que ça vous plaise ou pas, espèces de sales jaunes ! » hurla l'une des femmes qui faisait le piquet.

Les autres reprirent en chœur : « Hou, les jaunes ! Les sales jaunes ! »

Une barre de fer vola. Jimmy entendit un cri de femme derrière lui. Il se retourna vivement et aperçut une forme qui tombait, la tête en sang. Il fit volte-face et apostropha les Pinkertons. « Le prochain qui recommence, je l'abats ! » Il tira son revolver de sa ceinture.

Jimmy entrevit l'homme grimpé sur le toit du camion avant même d'entendre sa balle lui siffler à l'oreille. Il y eut un autre cri. Cette fois, Jimmy ne se tourna pas pour savoir qui avait été atteint. Il fit feu. L'homme eut un sursaut grotesque, bascula sur le toit et vint s'effondrer dans la rue. Il resta étendu ; le sang giclait dans son chapeau melon qui, curieusement, était resté sur sa tête. « Descendez-le ! » brailla l'un des Pinkertons. Il sortit un revolver et tira sur Jimmy.

La balle de Jimmy l'atteignit en pleine poitrine, le projetant en arrière, au moment où un autre Pinkerton ouvrait le feu avec un fusil à double canon. Jimmy entendit un hurlement et tira de nouveau. L'homme lâcha son fusil pour porter ses mains à sa gorge. Il s'avança vers Jimmy ; le sang lui ruisselait entre les doigts ; il émettait un horrible râle noyé dans un gargouillis. Puis il s'écroula, tête la première, roula sur lui-même et s'immobilisa sur la chaussée, le visage levé. Le sang giclait par à-coups de sa carotide tranchée.

Grévistes et Pinkertons s'observaient sans dire un mot. Jimmy fit un geste de la main. Aussitôt, ses camarades s'approchèrent et vinrent se placer de chaque côté de lui, formant une longue file pour protéger les femmes. Tous étaient armés de fusils et de carabines. Ces hommes au visage rude étaient des montagnards, des paysans. Et c'étaient leurs femmes sur lesquelles on venait de tirer et qu'on avait blessées.

Lentement, Jimmy ouvrit son revolver et remplaça les trois balles qu'il avait utilisées. Il le referma d'un coup sec et se retourna vers les Pinkertons. Il parla presque à voix basse, mais ils l'entendirent clairement sous la pluie fine qui tombait. « Dites, les gars, on vous donne une prime spéciale pour vous faire trouer la peau ? »

Sans répondre, les Pinkertons se mirent à reculer tout doucement. Quelques minutes plus tard, les camions repartaient. Excepté les trois morts qui gisaient sur le pavé, la rue était déserte. On entendit la grande grille se refermer en grinçant.

Les grévistes poussèrent de grands hourras. « On les a eus ! On les a eus ! On a gagné ! On a gagné ! »

Le visage de Jimmy restait sombre. Il regarda les cadavres sur la chaussée puis les grévistes qui triomphaient bruyamment. « Non, fit-il, se sentant empli d'une étrange prémonition. On a perdu. »

Et il avait raison. Deux jours plus tard, la garde nationale entrait à Fitchville. Et tout ce qu'ils purent faire, ce fut de regarder en silence les jaunes qu'on faisait pénétrer dans la filature avec la bénédiction du gouvernement.

15

tout au fond de son magasin, le bureau de Sam Fitch paraissait bondé bien qu'il n'y eût là, outre Fitch lui-même, que trois visiteurs : M. Cahill, représentant la direction des filatures, son associé de Philadelphie et Jason Carter, le shérif du comté. Cahill, fort en colère, se tenait debout devant le bureau et toisait Fitch assis sur une petite chaise qui menaçait de céder sous son embonpoint.

« Voilà un mois que nous avons ouvert la filature, déclara Cahill. Et regardez ce qui est arrivé. La nouvelle filature Craig est fermée ; les machines rouillent sur place. Quant à la filature de la ville, elle ne fonctionne qu'à dix pour cent de sa capacité. Tout ça parce que les ouvriers ne sont pas revenus comme vous nous l'aviez assuré si l'on ouvrait les fabriques. Qui plus est, les supplétifs que nous avons fait venir nous ont quittés en masse. Il nous en reste quatre-vingt-dix au maximum, alors qu'il en faudrait quatre cents. »

Sam Fitch fit un signe d'assentiment.

« Je suis au courant », fit-il d'une voix qui se voulait conciliante mais qui restait revêche.

« Vous êtes au courant ? Pas possible ! ironisa Cahill. Je sais que vous êtes au courant, figurez-vous. Mais ce que nous voulons savoir, c'est ce que vous comptez faire.

— Le shérif et moi, nous faisons de notre mieux, répondit Fitch. Mais les gens d'ici, vous ne les connaissez pas. Il ne s'agit plus d'une grève, mais d'une véritable guerre de clans. Entre eux et la Compagnie. Je vous avais dit de ne pas faire venir ces Pinkertons, de nous laisser prendre les choses en main, le shérif et moi. On y aurait peut-être mis plus de temps, mais on les aurait fait revenir à la filature. Maintenant, ils ont reçu de l'aide de là-haut, du Nord, de ce syndicat du Textile ou je ne sais quoi. Et ils considèrent Jimmy Simpson comme Dieu le Père ou presque.

— Lui ? Cet assassin ! fit Cahill, ulcéré. Il a tué trois hommes.

— Trois Pinkertons, vous voulez dire, corrigea Fitch. Et encore, il ne les a tués qu'après que ceux-ci ont ouvert le feu sur des femmes ! Nous autres montagnards, on n'aime pas trop qu'on tire sur nos femmes.

— Voilà que vous les défendez, à présent ! s'exclama Cahill, accusateur. De quel côté êtes-vous donc ?

— Du vôtre, bien sûr, M. Cahill, répondit Fitch avec douceur. N'allez pas croire que toute cette histoire ne me fasse pas de tort. Dans mon magasin, je ne vends pratiquement plus rien.

— Si vous êtes avec nous, prouvez-le, aboya Cahill. Débrouillez-vous pour nous débarrasser de ce Simpson et pour faire en sorte que les gens retournent au travail, sinon, on peut se dire adieu. La Compagnie a perdu quarante mille dollars en un mois. On m'a donné exactement un mois pour que les filatures tournent à nouveau normalement, sans quoi on ferme tout et on va installer nos fabriques ailleurs ! »

Fitch resta silencieux un instant, puis il regarda l'associé de Cahill.

« Dans quinze jours, le tribunal va juger Jimmy pour cette histoire de meurtre. On en sera peut-être débarrassés. Le juge Harlan nous est acquis. » Cahill eut un rire de mépris.

« Peut-être, mais le jury sera composé uniquement de gens d'ici. Non seulement Simpson sortira libre du tribunal mais en outre, on l'acclamera comme un véritable héros. Je ne veux pas savoir ce que vous allez faire, mais vous avez intérêt à vous y prendre avant que Simpson ne pénètre dans ce tribunal. Parce que, le jour où il en sortira, on fermera les filatures et on commencera à déménager. »

Lorsque Cahill et son associé furent partis, Sam Fitch alluma l'un de ses cigares. Il regarda le shérif installé en face de lui dans le petit bureau. Celui-ci n'avait pas ouvert la bouche de toute la réunion.

« Qu'est-ce que vous en dites, Jason ?

— C'est un dur à cuire, ce Cahill », répondit le shérif.

Fitch approuva.

« Ces gens de la ville nous comprendront jamais.

— Jamais, opina le shérif.

— Et Jimmy ? Vos gars le surveillent ?

— On peut pas l'approcher. Il va nulle part sans se faire escorter de six ou sept hommes armés. Et puis, cet avocat juif de New York nous facilite pas la tâche. Chaque fois qu'on arrête l'un des leurs, il se pointe au tribunal avec une demande de mise en liberté avant qu'on ait pu boucler le gars en cellule. Et pour finir, l'avocat réussit à le faire sortir.

— Bon Dieu de merde, jura Fitch. J'ai toujours dit que ce Jimmy Simpson finirait par mal tourner. »

Le soleil déclinant filtrait à travers les carreaux poussiéreux du magasin, dessinant des taches de lumière dans la pénombre. En s'ouvrant, la porte déclencha la clochette qui fit entendre son petit tintement aigrelet. Jimmy leva les yeux. Tous les autres qui se trouvaient dans le magasin en firent autant et leurs mains se crispèrent instinctivement sur la crosse de leurs armes. Quand ils aperçurent le nouveau venu, ils se détendirent et reprirent leurs conversations.

La silhouette massive de Morris Bernstein se découpa dans l'entrée du magasin. Chaussant un bon 48, il dépassait allègrement le quintal et, avec son mètre quatre-vingt-dix, on aurait dit, quand il se déplaçait, qu'il écrasait tout sur son passage. Avec son nez cassé, ses joues balafrées, et ses oreilles en chou-fleur, on avait du mal à croire qu'il était avocat. Pourtant, c'était à l'université qu'il avait récolté ces stigmates en défendant les couleurs de l'établissement comme boxeur semi-professionnel. Il s'approcha immédiatement de la table derrière laquelle Jimmy était assis.

« Alors ? interrogea Jimmy.

— Ils ont dit non », répondit-il simplement.

Jimmy cacha sa déception.

« Tu leur as expliqué que c'était juste pour un mois de plus ?

— A part chanter *Au clair de la lune* j'ai fait tout ce que j'ai pu. Mais ils ont refusé.

— Ils t'ont expliqué pourquoi ? »

Morris le regarda.

« Je voudrais te parler seul à seul. »

Jimmy ne répondit pas tout de suite. Enfin, il se leva.

« On va sortir derrière, dans l'allée. » Il se dirigea vers la porte, mais l'un des hommes lui bloqua le passage.

« Attends. On va voir si y a pas de danger. »

Jimmy resta à l'intérieur tandis que deux de ses camarades sortaient par la porte de derrière.

« Vous devenez trop prudents, dit-il.

— On n'est jamais trop prudent fit celui qui lui barrait la route. Ils ont déjà essayé de t'avoir quatre fois. Je tiens pas du tout à ce que la cinquième soit la bonne. »

Les deux hommes qui étaient sortis rentrèrent dans le magasin.

« Tout va bien », dit l'un d'eux.

Celui qui se tenait devant Jimmy s'effaça pour le laisser passer. Jimmy fit un pas puis s'arrêta.

« Merci, Roscoe. »

Roscoe Craig sourit de ses lèvres minces.

« C'est comme ça qu'ils ont eu mon grand-père et mon frère. Je veux pas qu'ils en descendent un de plus ! »

Bernstein suivit Jimmy dehors, dans l'allée. Après la pénombre du magasin, le soleil paraissait aveuglant. Ils demeurèrent immobiles un instant puis Jimmy se tourna vers son compagnon.

« Bon, vas-y, raconte-moi. »

Bernstein le regarda droit dans les yeux.

« La grève est fichue. » Jimmy ne fit pas de commentaire. « On m'a demandé de laisser tomber. Ils n'enverront plus d'argent. » Il parlait d'un ton neutre. « Le bureau exécutif a déclaré qu'il n'avait pas d'argent à gâcher pour les causes perdues et qu'il préférait l'employer là où ça servait à quelque chose.

— Qu'est-ce qui leur fait dire ça ?

— Hier, à Philadelphie, ils ont appris que la Compagnie s'apprêtait à aller installer les filatures plus au sud. Ils ont dicté leurs conditions à Cahill. Si la filature ne rouvre pas dans un mois, ils déménagent. »

Jimmy restait silencieux. Morris le dévisagea.

« Je suis désolé, Jimmy.

— Alors, c'est comme ça ! On s'est cassé le cul pendant un an. On s'est fait tuer, on s'est fait jeter de chez nous,on meurt de faim, on nous chie dessus et voilà que trois charlots qui n'ont jamais mis les pieds par ici, qui sont confortablement assis à leur bureau dans une grande ville, voilà qu'ils décident qu'on est des gens foutus ! s'écria Jimmy d'une voix pleine de rancœur.

— C'est comme ça, Jimmy. On ne peut pas gagner toutes les batailles.

— Les batailles, je m'en fous ! s'emporta Jimmy. Y a que celle-là qui m'intéresse. Il s'agit de mes amis, de ma ville, des gens que je connais ! » Il regarda l'avocat. « Qu'est-ce que je vais leur dire, moi, maintenant, hein ? »

L'avocat vit le regard angoissé de Jimmy.

« Tu vas leur dire de retourner au travail. » Sa voix se fit plus douce. « Tu leur diras qu'ils auront une autre occasion. Ce n'est pas parce qu'on perd une bataille que la guerre est terminée. Un jour, le syndicat sera implanté ici. »

Jimmy le dévisagea.

« Le syndicat, les gens d'ici en ont rien à foutre ! Ils se sont mis en grève sans syndicat, ils poursuivront leur grève sans lui. » Jimmy tourna les talons et se dirigea vers le magasin.

« Ils m'ont autorisé à rester ici pour te défendre à ton procès. »

Jimmy hocha la tête d'un air las.

« Merci, Morris. » Il hésita avant d'ajouter : « Je sais que tu as fait de ton mieux. Je t'en suis reconnaissant.

— Qu'est-ce que tu vas leur dire, Jimmy ?

— J'ai pas tellement le choix, hein ? Je vais leur raconter ce que tu m'as dit. Après tout, c'est leur grève. A eux de décider de ce qu'ils veulent faire.

— Et toi, Jimmy ? interrogea l'avocat. Qu'est-ce que tu vas faire quand tout ça sera fini ? »

Jimmy sourit tristement.

« Je me débrouillais bien avec mon petit commerce de whisky avant que tout ça commence. Je peux toujours reprendre.

— Des gars comme toi, on en a besoin au syndicat. Tu pourrais venir à New York avec moi. Ils m'ont dit qu'ils te trouveraient sûrement un emploi. »

Jimmy secoua la tête.

« C'est pas pour moi, merci. Je suis né dans une petite ville. C'est là que je dois rester avec des gens comme moi. Ceci dit, ta proposition me touche beaucoup. »

Il rentra dans le magasin, suivi de l'avocat. Un instant plus tard, Roscoe Craig sortit à son tour dans l'allée. Il inspecta les toits des maisons d'en face et agita la main.

Les hommes qui s'y étaient postés en sentinelles pour protéger Jimmy lui firent signe, prirent leurs fusils d'une main et se mirent à descendre de leurs perchoirs.

Lors de l'assemblée générale qui eut lieu ce soir-là, on vota à l'unanimité la poursuite de la grève. Tant pis si cela signifiait que les filatures s'en iraient ailleurs et que tous perdraient définitivement leurs emplois.

Le jour de l'ouverture du procès, il faisait un beau soleil, le ciel était clair. La brise du mois de mai charriait dans l'air un frais parfum de printemps dont les bouffées entraient par les fenêtres de la cuisine des Simpson où ils prenaient leur petit déjeuner.

Morris Bernstein tira sa montre :

« Il est temps d'y aller. Le procès commence à dix heures.

— Je suis prêt », déclara Jimmy en se levant. Roscoe Craig et Morris l'imitèrent.

« Je t'apporte ta veste et ta cravate », dit Molly Ann. Profitant de ce qu'elle était sortie de la pièce, Jimmy demanda à Morris :

« A ton avis, ça va durer combien de temps, ce procès ?

— Quelques jours, répondit Morris. Un jour ou deux pour réunir les jurés, deux autres pour les débats et ensuite tu seras libre.

— J'espère bien, fit Molly Ann qui rentrait.

— Ça ne peut pas se passer autrement, fit Morris très sûr de lui. Nous avons une centaine de témoins qui sont prêts à jurer qu'il s'agit d'un cas de légitime défense.

— Ils auront sûrement des témoins aussi, eux, intervint Molly Ann.

— Des Pinkertons ! fit Roscoe avec mépris. Par ici, personne voudra les croire. »

Jimmy acheva son nœud de cravate et enfila sa veste. Il se dirigea vers le miroir placé dans l'entrée et s'inspecta.

« Il me va pas si mal, mon costume de confection !

— Tu es très élégant, mon chéri », s'écria Molly Ann.

Il revint dans la cuisine, ouvrit un tiroir et en sortit un revolver qu'il s'apprêta à passer dans sa ceinture.

« Non, fit Morris. Remets-ça où tu l'as pris. »

Jimmy le regarda.

« Sans mon feu, je me sens pas tranquille.

— On ne te laissera pas entrer au tribunal avec un revolver, expliqua Morris. Ça ne se fait pas. D'ailleurs, ils n'oseront rien tenter devant toute la foule qu'il va y avoir. La ville entière va assister au procès. »

Jimmy, sceptique, consulta Roscoe.
« Qu'est-ce que t'en penses ?
— Peut-être qu'il a raison, répondit celui-ci sans beaucoup de conviction.
— Mais oui, j'ai raison, appuya Morris. Tu sais que le juge peut t'inculper d'offense à magistrat si tu pénètres armé dans le tribunal ?
— Moi aussi, il faut que je laisse mon revolver ? demanda Roscoe.
— Toi, tu fais ce que bon te semble, déclara Morris. Moi, je m'occupe de mon client, un point, c'est tout.
— Bon, laisse-le ici, fit Roscoe. Moi, je serai là-bas avec les gars. Il se passera rien, va. »
Jimmy replaça l'arme dans le tiroir. Molly Ann ôta son tablier qu'elle plia soigneusement avant de le poser sur le dossier d'une chaise.
Jimmy la regarda. Elle était enceinte de six mois et cela se voyait.
« Tu crois pas que tu ferais mieux de rester à la maison ? Tu risques de t'énerver et ça fera pas du bien au bébé.
— Je t'accompagne, répliqua-t-elle fermement. La place d'une femme, c'est d'être à côté de son mari.
— Allons-y, fit Morris. On va être en retard. »

Le tribunal se trouvait exactement au centre de la ville. Quand Jimmy et Molly Ann y arrivèrent, les abords étaient déjà noirs de monde. Chacun avait mis son habit du dimanche. On aurait dit que les gens se rendaient à un grand pique-nique. Les enfants couraient dans tous les sens et se poursuivaient en criant. Les adultes causaient, très excités. Jimmy et Molly Ann durent se frayer un chemin au milieu de la foule qui les entoura jusqu'au palais de justice. Tous voulaient toucher Jimmy, lui taper dans le dos et lui souhaiter bonne chance. Chacun avait pris parti pour lui, ça ne faisait pas l'ombre d'un doute.
Sam Fitch et le shérif se tenaient sur le seuil du magasin, observant la foule de l'autre côté de la rue. Le shérif secoua la tête :
« J'sais pas trop pourquoi, fit-il, mais ça me plaît pas. »
Fitch le regarda.
« Moi non plus, ça me plaît pas, mais vous avez une meilleure idée ? »
Le shérif prit une profonde inspiration.
« Y a trop de monde. Ça pourrait tourner à l'émeute.
— On n'a pas le choix, répliqua Fitch. Vous avez entendu comme moi ce que l'autre a dit. A moins que vous préfériez devenir le shérif d'une ville fantôme ? »
Le shérif avait de nouveau les yeux fixés sur la place du tribunal.
« Quand même, ça me plaît pas. Visez-moi ça : il est entouré de

Roscoe Craig et de ses gars. Regardez le monde qui l'entoure. Je vois vraiment pas comment on pourrait l'avoir. »

Fitch suivit le regard du shérif.

« Tôt ou tard, il se retrouvera seul. Ne serait-ce qu'un instant. Il faut que vos gars soient prêts, à ce moment-là.

— Si l'occasion se présente, mes gars seront prêts », fit le shérif, mal à l'aise.

Les accolades, les poignées de main, les encouragements les retardèrent : il leur fallut près de vingt minutes pour traverser la petite place et arriver devant le palais de justice. Les portes du tribunal s'ouvrirent au moment où ils arrivaient en bas des marches. La foule qui s'était massée aux portes voulut se ruer à l'intérieur, mais fut ralentie par les quatre adjoints du shérif qui fouillaient tous ceux qui entraient dans le bâtiment pour vérifier qu'ils ne portaient pas d'armes.

De chaque côté de l'entrée, on avait disposé de grandes caisses de bois qui se remplirent peu à peu de revolvers. Les adjoints se montraient polis, mais fermes. « Pas d'armes dans l'enceinte du tribunal, expliquaient-ils. Vous pourrez les reprendre au bureau du shérif à la fin de la séance. »

Certains protestaient, mais s'ils voulaient entrer, il leur fallait déposer leur artillerie. Roscoe observait les alentours immédiats.

« Ça me plaît guère », fit-il.

Morris le regarda.

« On ne risquera rien, une fois qu'on sera à l'intérieur.

— C'est pas le tribunal qui me chiffonne, répondit Roscoe, c'est ce qui va se passer quand on en sortira.

— On attendra que vous ayez récupéré vos armes et que vous soyez revenus nous prendre, proposa Jimmy.

— Comme ça, ça va déjà mieux », fit Roscoe.

Jimmy regardait la foule qui s'écrasait devant l'entrée du palais.

« Tu ferais mieux d'y aller avec les gars sinon y aura plus de place pour vous à l'intérieur. »

Roscoe jeta un coup d'œil sur la place.

« Monte les marches avec nous, dit-il. Je me sentirai plus en sécurité quand on aura quitté la rue. »

Roscoe et ses compagnons avaient déjà franchi le barrage des adjoints lorsque l'un d'eux arrêta Jimmy.

« Non, Jimmy. Toi, tu passes pas par là, déclara-t-il. Tu dois entrer dans le tribunal en passant par le greffe, par l'entrée latérale.

— Pourquoi ça ? fit Jimmy, étonné.

— Je crois qu'il faut que t'ailles signer le reçu de ta caution. Tu voudrais pas perdre cinq cents dollars quand même ? »

Roscoe avait entendu. Il revint sur ses pas.

« Je t'accompagne.

— T'inquiète pas, fit Jimmy. Je te retrouve à l'intérieur. »

Molly Ann était entrée dans le tribunal juste avant Roscoe. Elle aussi revenait sur ses pas.

« Attends Molly Ann et suis-moi », lança Jimmy à Morris. Là-dessus, il prit la direction du greffe.

« Hé, attends un peu », cria Morris qui se tournait pour tendre la main à Molly Ann. Lorsqu'ils furent au bas des marches, Jimmy se trouvait déjà à vingt pas devant eux, presque à l'angle du bâtiment.

C'est alors que les autres tournèrent le coin en même temps que lui. Ils étaient trois : deux Pinkertons et Clinton Richfield, l'un des adjoints du shérif qui n'était pas en uniforme.

Jimmy n'eut pas le temps de les voir car tous trois ouvrirent le feu immédiatement. Sept balles le déchiquetèrent et le projetèrent — mort déjà — contre un pilier d'angle sur lequel il vint rebondir pour s'écrouler, la tête en bas, les pieds sur le parvis, le front sur les marches.

Les trois hommes tirèrent de nouveau. Sous l'impact des balles, le corps de Jimmy eut un violent soubresaut et glissa plus bas encore. Les trois hommes ne bougeaient plus comme s'ils redoutaient de le voir se relever.

« Jimmy ! » hurla Molly Ann. Elle s'arracha à l'étreinte de Morris et s'élança vers Jimmy, se jetant sur son corps. Elle le tira à elle, tachant sa robe de son sang. De ses yeux horrifiés et ruisselants de larmes, elle fixait les trois hommes. « Je vous en prie ! supplia-t-elle. Je vous en supplie, ne tirez plus sur mon Jimmy ! »

Le corps de Jimmy fut secoué d'un dernier spasme convulsif. Machinalement, les trois hommes ouvrirent de nouveau le feu. Ils transpercèrent Molly Ann qui fut arrachée à son mari et alla rouler au bas des marches blanches pour s'immobiliser dans la rue, morte. Son sang, mêlé à celui de son mari, maculait de rouge la robe blanche toute simple qu'elle avait lavée et repassée quelques heures auparavant.

« Bon Dieu ! Qu'est-ce que vous avez fait ? hurla Morris, les yeux exorbités.

— Il nous menaçait de son arme, fit Richfield.

— Quelle arme ? cria Morris. Il n'avait pas d'arme. Je l'ai obligé à la laisser chez lui ! »

Richfield empoigna son revolver qu'il pointa sur Morris.

« Dis donc, youpin, tu me traites de menteur ?

— Oui, espèce de salopard ! » s'exclama Morris. La colère et la rage qui le submergeaient lui firent oublier la peur qui lui nouait l'estomac. « Tu es un menteur et un assassin ! »

L'adjoint écrasa la détente de son calibre 38 : la balle traversa l'épaule de Morris, le projetant sur les marches de pierre. La douleur lui brouillait la vue, mais il aperçut l'adjoint qui levait de nouveau son revolver et le visait soigneusement. C'était fini. Alors, comme il n'avait plus rien à perdre, il lui lança un dernier défi : « Espèce de menteur, assassin ! »

Mais le coup de feu ne partit pas. Le shérif avait fait son apparition. Il y avait des adjoints tout autour de la place qui s'efforçaient de contenir la foule. Le shérif s'approcha et le toisa : « Écoute-moi bien, toi, sale juif, siffla-t-il. Y a un train qui part dans une heure. Vu qu'on est des bons chrétiens, on va te conduire chez le docteur pour qu'il te rafistole. Ensuite on te mettra à la gare. Tu pourras aller leur dire aux gens du Nord là-haut : ici, on veut pas d'agitateur, ni de youpin, ni d'anarchiste ! Et si y en a qui se pointent, on les descendra comme des lapins. »

Il se tourna vers l'un de ses adjoints. « Mike et toi, vous allez l'emmener chez le docteur John et puis vous le mettrez au train. »

Lorsque les adjoints l'empoignèrent sans ménagement pour le remettre sur ses pieds, Morris faillit s'évanouir, tellement la douleur fut atroce. Ils descendirent les marches sous le regard curieux de la foule qui s'effaçait pour leur livrer passage.

Il entendit derrière lui la voix du shérif qui lançait à la cantonade : « Maintenant mes amis, vous allez me dégager cette place et rentrer chez vous. Faut laisser la justice suivre son cours. »

16

Jeb venait d'atteler sa mule à la charrue, dans le champ ouest, lorsqu'il vit la charrette déboucher de la forêt, sur la route en contrebas. La mule peinait pour tirer la voiture sur laquelle deux hommes avaient pris place. Ils étaient encore trop loin pour que Jeb puisse les reconnaître. Il claqua de la langue et la mule entama son premier sillon. Il leur faudrait bien une demi-heure avant d'arriver jusqu'à lui.

Il s'était écoulé près d'une heure — Jeb avait commencé de tracer son troisième long sillon — lorsqu'ils parvinrent à sa hauteur. Il arrêta sa mule, laissa tomber les guides et descendit sur la route pour aller à leur rencontre. Au grand chapeau à larges bords qu'il portait, il reconnut l'un des deux hommes. Il s'agissait de Dan, un prédicateur itinérant qui allait porter la bonne parole dans les environs de Fitchville. Il se demanda vaguement ce que ce brave homme pouvait venir faire dans les parages. D'ordinaire, on ne le voyait que pour les mariages, les baptêmes et les enterrements.

Tandis que la charrette se rapprochait, il identifia le second passager : Roscoe Craig. Il ôta son chapeau et s'essuya le front d'un revers de main. La matinée était chaude. La voiture s'arrêta. Jeb s'avança vers eux, ébauchant un sourire.

« Bonjour, mon Révérend », commença-t-il puis il s'interrompit brusquement, son sourire disparut.

Le pasteur, un homme corpulent et de haute taille, descendit de la charrette et vint à sa rencontre.

« J'ai une mauvaise nouvelle à vous annoncer, Jeb. »

Jeb le regarda, puis se tourna vers Roscoe. Celui-ci avait le visage tiré, lugubre. Sans dire un mot, Jeb contourna la charrette et alla regarder ce qui se trouvait dedans. On y avait posé deux cercueils, côte à côte, recouverts d'une bâche.

Il entendit le pasteur s'approcher de lui à pas pesants. Sans même lever la tête, il interrogea : « C'est Molly Ann et Jimmy ? » En fait, la question était superflue. Il avait déjà compris.

Les yeux toujours fixés sur les simples cercueils de sapin, d'une voix blanche, il demanda : « Qu'est-ce qui s'est passé ? »

Le pasteur ne répondit pas. Ce fut Roscoe, resté devant la voiture, qui se tourna vers lui.

« On les a descendus devant le tribunal avant-hier. » Sa voix était pleine d'amertume. « On voulait te les amener plus tôt, mais le *coroner* a pas voulu nous laisser emmener les corps. On a pensé que tu préférerais les enterrer ici plutôt qu'en ville. »

Jeb hocha la tête.

« Vous avez bien fait. C'est gentil à vous. » Il regarda Roscoe. « Qui est-ce qui a fait ça ?

— Clinton Richfield et deux Pinkertons. Ils l'attendaient devant le greffe du tribunal. Il n'a rien pu faire. Il n'avait même pas d'arme sur lui. Molly Ann s'est précipitée pour le secourir et ils l'ont abattue, elle aussi. »

Le visage de Jeb était devenu de pierre. Il grimpa dans la charrette et souleva la bâche. Il ôta chacun des couvercles des cercueils et regarda. Il dut prendre une profonde inspiration. Il se sentait soudain la bouche sèche. Lentement, d'une main tremblante il rabattit les couvercles. A nouveau, il s'adressa à Roscoe.

« Il est en prison, celui qui a fait ça ? »

Roscoe fit non de la tête.

« Il est libre. Ils prétendent qu'il était en situation de légitime défense.

— Mais tu m'as dit que Jimmy était pas armé, objecta Jeb.

— C'est vrai. J'étais là, je l'ai vu déposer son revolver dans un tiroir de la cuisine, répliqua vivement Roscoe. Ils racontent des histoires. »

Le regard clair de Jeb était devenu froid.

« Et où ils sont maintenant ?

— Les Pinkertons sont partis. Le seul qui reste c'est Clint. »

Jeb acquiesça. Il se tourna de l'autre côté et aperçut le pasteur, planté au milieu du chemin, derrière la charrette.

« Vous allez venir avec moi pour annoncer la nouvelle à ma femme. Et puis, pendant que vous la consolerez, Roscoe et moi, on ira creuser les tombes. »

Le pasteur le regarda droit dans les yeux.

« Surtout, ne vous laissez pas aller à de mauvaises pensées, Jeb. Il y a déjà bien assez de sang versé comme ça. Rappelez-vous, “ la vengeance m'appartient ” a dit le Seigneur. »

Jeb descendit de la charrette sans rien répondre.

« Je vais chercher ma mule et nous irons tous à la maison », lança-t-il en se dirigeant vers son champ. Avant de s'y engager, il s'arrêta et leur cria : « Clouez soigneusement les cercueils. Je veux pas que ma femme voie sa Molly Ann, toute défigurée comme ça. » Sa voix se brisa. « Elle qui était si jolie fille ! » parvint-il à ajouter.

La dernière pelletée de terre combla les tombes. Lentement, Jeb ramassa les deux petites croix de bois qu'il avait fabriquées et les enfonça dans le sol devant chacun des emplacements fraîchement creusés. Il fit quelques pas en arrière et les contempla.

A l'aide d'une pince en fer chauffée à blanc, il avait gravé dans les croix en bois ces quelques mots : sur l'une, MOLLY ANN SIMPSON NOTRE FILLE. Sur l'autre, juste à côté : JIMMY SIMPSON SON ÉPOUX.

Il regarda Marylou qui se tenait devant les tombes, entourée de ses enfants, le visage ravagé par le chagrin. Machinalement, elle avait ouvert les bras, comme pour rassembler autour d'elle les enfants qui lui restaient. Elle leva les yeux et croisa le regard de son mari.

« Je vais préparer quelque chose pour M. Craig et pour le pasteur, qu'ils puissent reprendre des forces avant de repartir. » Jeb approuva. « Venez, mes enfants. » Ceux-ci la suivirent. Durant toute la cérémonie, ils étaient restés très calmes. Jeb s'était demandé s'ils comprenaient ce qui était arrivé. Maintenant, ils se mettaient tous à bavarder presque en même temps.

Une seule question le frappa. C'était Alice, la plus jeune des filles, âgée de huit ans, qui l'avait posée.

« Alors, ça veut dire que Molly Ann est au Ciel et qu'elle pourra plus venir nous voir ? »

Richard lui avait répondu avec la supériorité que lui conféraient ses onze ans :

« Quand on est mort, on revient plus, sauf si on est devenu un fantôme.

— Est-ce qu'elle sera un gentil fantôme, ou un méchant ? » avait demandé Alice qui voulait toujours tout savoir.

Rachel, l'aînée des filles à présent, avait répliqué, agacée : « Les fantômes, ça n'existe pas ! D'ailleurs, maintenant, Molly Ann est un ange ; elle est à côté du Bon Dieu, au paradis. Et lui la laissera sûrement pas revenir ici. »

A présent, Marylou et les enfants avaient descendu la colline ; on ne les entendait plus. Alors, Jeb se tourna vers ses deux compagnons.

« Je crois que ça nous ferait du bien de boire un coup.

— C'est pas de refus. J'ai la gorge comme du carton, approuva le pasteur.

— Suivez-moi jusqu'à la distillerie, fit Jeb. Je vais vous montrer le chemin. »

Après le déjeuner, Jeb et Roscoe sortirent tandis que le pasteur restait dans la cuisine pour s'entretenir avec Marylou. Les deux hommes s'assirent sur le seuil et allumèrent leurs petits cigares noirâtres.

« J'comprends pas », commença Jeb.

Roscoe regardait par terre, fixement.

« Pour eux, c'était la seule façon de briser la grève. Tout le monde comptait sur Jimmy. Maintenant qu'il est plus là, il y a plus personne. Certains sont déjà retournés travailler à la filature.

— La grève, j'y comprends rien, fit Jeb. Ce que je sais, c'est qu'avec les Richfield, on s'est toujours bien entendus. Comment Clint a pu faire une chose pareille ?

— Son grand-père est contremaître. Et toute la famille a marché avec les jaunes pendant la grève.

— C'est pas une raison pour tuer. On leur a jamais rien fait. »

Roscoe jeta un coup d'œil à Jeb. Dans sa simplicité, ce montagnard ne faisait pas la différence entre les ouvriers et les patrons. Pour Jeb, tout se ramenait à des problèmes individuels. Les guerres entre clans, il connaissait : depuis sa plus tendre enfance, il en avait entendu parler. La grève, c'était différent. Jamais il n'arriverait à comprendre. Pourtant, Roscoe ne lui en faisait pas reproche. Lui-même n'y avait rien compris tout d'abord. Il avait fallu que son père et son frère aîné soient tués. Lui aussi avait commencé par mener une vengeance personnelle. Puis il avait fini par comprendre ce dont il s'agissait vraiment. A présent pour lui, c'était évident : les gens qui avaient le pouvoir et l'argent exploitaient les ouvriers à seule fin d'augmenter leur pouvoir et leur richesse.

« Je sais ce que c'est, Jeb, fit-il, maladroitement. J'ai perdu mon père et mon aîné dans les mêmes conditions. »

Jeb le regarda.

« Et qu'est-ce que t'as fait ?

— Tu sais bien ce que j'ai fait. Je me suis vengé. Mais maintenant, je sais plus trop.

— Qu'est-ce que tu sais plus ?

— Ma femme et moi, on en a discuté. Pour nous, ici, y a plus aucun avenir. Peut-être qu'on va monter à Detroit. Paraît qu'il y a de l'embauche dans l'automobile. »

Jeb restait silencieux. Au bout d'un moment, il se décida à parler :

« J'sais pas si vous seriez tellement heureux, là-haut. Vous êtes des paysans, vous autres. Pas des gens de la ville.

— Est-ce qu'on a le choix ? interrogea Roscoe. Ou bien on va travailler ailleurs, ou bien on crève de faim ici. Ma femme a reçu des lettres de sa famille. Il paraît que ça gagne bien. Jusqu'à trois dollars par jour, des fois plus. »

Ils se turent un long moment. Finalement, ce fut Jeb qui parla :

« Je vais descendre en ville. »

Roscoe l'observa. Le visage de Jeb restait impassible.

« Quand ça ?

— Demain matin. » Jeb regarda Roscoe. « Je peux compter sur

toi ? » Roscoe ne répondit pas tout de suite. Il finit par hocher la tête lentement.

« Tu sais bien que oui. »

Marylou l'entendit s'agiter au cours de la nuit. Elle devina qu'il se levait. Il quitta la pièce sans faire de bruit. Elle resta allongée, les yeux ouverts jusqu'à ce qu'elle n'y tienne plus. Elle sortit du lit et passa dans la cuisine. Personne.

Elle ouvrit la porte et regarda dans la cour. Il n'y était pas non plus. Elle sortit dans la nuit glacée et leva les yeux sur le petit cimetière en haut de la colline. C'était là-haut qu'il se trouvait, éclairé par la lune blafarde, en train de regarder les tombes. Le froid la transperça.

Elle se hâta de rentrer dans la maison, s'enveloppa dans un châle de laine et gravit la colline pour aller le rejoindre. Il l'avait entendue venir mais il ne se retourna pas. Les petites croix de bois couvertes de rosée avaient des reflets argentés.

Au bout d'un moment, il se décida à parler :

« Clint Richfield avait aucune raison de la tuer. C'était une femme : elle avait rien à voir avec leurs histoires.

— Cesse de te tourmenter, fit-elle. Fais comme moi ; essaie d'oublier.

— On s'est toujours bien entendus avec les Richfield. A quoi ça rime ?

— Telle est la volonté du Seigneur. Mieux vaut compter ses bénédictions. Il nous reste nos enfants : et, avec Daniel, on a de quoi être fiers. Rendons-en grâces à Dieu. »

Il se tourna vers elle.

« On croirait entendre le pasteur. »

A son tour, elle le regarda.

« Il a raison. C'est l'avenir qu'il faut regarder, pas le passé, comme il dit.

— Facile à dire pour lui, répliqua Jeb sans élever la voix. C'est pas sa fille qu'est enterrée là. »

Brusquement, il tourna les talons et redescendit vers la maison.

Elle le suivit des yeux un instant puis jeta un dernier regard aux tombes avant de prendre le même chemin que lui. Lorsqu'elle entra dans la cuisine, il était déjà assis à table. Il tenait sa Winchester d'une main et, de l'autre, glissait des cartouches dans le chargeur. Elle éprouva comme un grand froid ; un sentiment d'horreur l'envahit.

« Non, Jeb ! Fais pas ça ! » Il la regarda avec l'air indifférent d'un étranger, sans répondre. « Assez de tueries, Jeb. C'est pas ça qui la ressuscitera !

— Tu comprends pas. C'est une question d'honneur. De quoi ça aurait-il l'air si Clint s'en tirait comme ça, sans que je m'en mêle ?

— Je me fiche de quoi ça aurait l'air !, s'écria-t-elle passionnément. Tu ne résoudras rien en déclarant la guerre aux Richfield. Ils s'en prendront à nous aussitôt. Ensuite, faudra nous venger d'eux jusqu'à ce que plus personne sache comment les choses ont commencé.

— C'est pas moi qui ai tué le premier, en tout cas, répliqua Jeb, têtu.

— Peu importe qui a commencé. Ce qu'il faut surtout pas, c'est continuer. Nous avons d'autres enfants à élever. Je tiens pas à ce qu'ils soient privés de père.

— Ils m'auront pas comme ça !

— Comment peux-tu en être si sûr ? », s'écria-t-elle.

Il resta un moment sans rien dire. Puis il se leva.

« Je préfère être mort et enterré, là-haut à côté de ma fille, plutôt que de me faire traiter de lâche ! »

Elle vint se presser contre lui, empoignant sa chemise à deux mains.

« On peut avoir un autre bébé, Jeb, murmura-t-elle. Une autre Molly Ann. »

Il respira un grand coup et détacha lentement les mains de Marylou qui retombèrent le long de ses hanches.

« Non, Marylou, fit-il tendrement. C'est pas la solution non plus, tu le sais très bien. »

Les yeux brouillés par les larmes, elle le vit se diriger vers la porte. Il s'arrêta et se retourna. « Je serai de retour demain, à la tombée de la nuit. »

Elle parvint tout de même à lui répondre :

« Mieux vaut t'habiller chaudement. Les nuits sont fraîches. » Il hocha la tête.

« Je prends ma veste en peau de mouton. »

Là-dessus, il partit et elle s'effondra sans forces sur une chaise. Quelques instants plus tard, elle l'entendit qui activait doucement sa mule ; puis elle perçut le grincement de la charrette qui sortait de la cour et s'engageait sur la route dans la nuit obscure.

17

Le shérif Jason Carter arpentait furieusement son bureau situé juste derrière le tribunal. Par la porte ouverte, au fond de la pièce, il entendait un de ses adjoints distribuer du café aux occupants du petit bloc. Ce matin-là, il n'y avait que quatre cellules d'occupées : le contingent habituel d'ivrognes et de bagarreurs. Rien de très grave. Pour la première fois depuis plus d'un an, la ville était vraiment tranquille. Les grévistes n'avaient pas manifesté. Déjà certains d'entre eux étaient retournés travailler. Il n'avait donc aucune raison de s'en faire. Pourtant, le pressentiment du danger le rendait nerveux et inquiet comme une mule devant un obstacle.

Son adjoint sortit du bloc et le rejoignit.

« Voilà, ils ont tous eu à bouffer, Jason. Qu'est-ce que tu veux en faire ? »

Carter le regarda sans aménité.

« Ils ont de l'argent sur eux ? » L'adjoint haussa les épaules. « Si oui, tu leur flanques une amende de un dollar chacun et tu les fous dehors.

— Et s'ils sont raides ? demanda l'adjoint.

— Flanque-les dehors quand même. On va pas les nourrir à l'œil. »

Tandis que l'adjoint sortait de la pièce, il alla prendre une liasse de papiers dans un placard. Puis tout en jurant à mi-voix, il revint à son bureau, s'assit et étala les papiers devant lui. Il prit un stylo et se mit à gribouiller péniblement sur les feuilles. C'était la plaie de ce métier : sans arrêt des paperasses à remplir. Foutu gouvernement qui voulait toujours fourrer son nez partout ! Est-ce que ça les regardait ce qui se passait dans son comté ?

Il était tellement absorbé dans son travail qu'il faillit sauter en l'air lorsque la porte qui donnait sur la rue s'ouvrit brusquement, livrant passage à Clint Richfield. Clint était pâle et suait à grosses gouttes.

« Je crois que Jeb Huggins est en ville ! » Le shérif donna libre cours à sa colère :

« Espèce d'abruti ! rugit-il. Pourquoi t'as pas quitté Fitchville comme je te l'avais dit ?

— Y avait pas de raison que je me débine. J'ai accompli mon devoir, c'est tout !

— Assassiner cette pauvre fille, ça faisait peut-être aussi partie de ton devoir ? lança le shérif, sarcastique.

— Il essayait de dégainer, je te l'ai déjà dit ! » Le shérif le regarda, les yeux ronds.

« T'as déjà vu des macchabées qui dégainent ?

— Comment je pouvais savoir qu'il était mort ?

— Nom de Dieu ! » jura le shérif. Il baissa la tête sur ses papiers. On avait tellement bien fait la leçon à Clint qu'il avait fini par s'en convaincre lui-même. Carter ramassa les formulaires, les empila sur son bureau et leva les yeux. « Comment tu sais que Jeb est en ville ? » Lourdement, il se mit debout. « Quelqu'un l'a vu ?

— Mon petit frère a vu un drôle d'attelage devant la maison des Craig quand il est parti à l'école, ce matin. Il est revenu me prévenir.

— C'est pas forcément lui », fit le shérif. En réalité, il savait très bien ce qu'il en était. Il poussa un profond soupir, décrocha son ceinturon du mur derrière lui et l'ajusta à sa taille. Il sortit sa grosse montre à chaîne qu'il consulta. « Le train de huit heures quinze sera en gare d'ici une demi-heure à peu près. On va tâcher de t'y faire monter. »

Clint le regarda, effaré :

« Faut que je rentre chez moi prendre des affaires.

— On te les enverra. J'ai déjà assez d'ennuis comme ça. J'ai pas besoin de me retrouver avec une nouvelle vendetta sur les bras. »

Son autre adjoint revenait du bloc.

« Ça y est, ils sont partis. » Il plaça sur le bureau trois coupures de un dollar, toutes froissées. « Ils ont tous payé, sauf Tut. Il n'avait pas d'argent.

— Tut n'a jamais un rond, répondit le shérif en empochant les trois billets. Les cellules sont propres ? »

L'adjoint acquiesça :

« Je les ai fait balayer avant de les lâcher.

— Bien, approuva le shérif. A présent, tu vas me remplacer ici. Clint et moi on va faire un petit tour.

— On sort comme ça, sans personne d'autre ? » interrogea Clint, nerveux. Le shérif secoua la tête.

« J'ai pas envie d'attirer l'attention. Jeb Huggins, je le connais. Quand on était mômes, on jouait ensemble. Si c'est après toi qu'il en a, on pourrait bien être une armée que ça le découragerait pas. Voilà ce que je compte faire : on va filer peinards, bien tranquillement par derrière, et on ira à la gare en faisant le grand détour par l'autre bout de la ville. »

Clint avait le visage luisant de sueur.

« Et s'il nous trouve ?

— Alors t'as intérêt à prier pour que j'arrive à parlementer avec lui, fit le shérif sans trop y croire. Jeb a gagné tous les concours de tir sans exception depuis vingt ans. » Il se tut un instant, puis voyant que Clint crevait de peur, il ajouta : « Mais t'inquiète pas, il nous trouvera pas. »

Clint acquiesça, déglutissant avec peine. Le shérif attrapa son chapeau.

« Bon, allons-y. »

Clint se dirigea vers la porte. Le shérif l'arrêta. « Pas par là, fit-il. On va sortir par derrière, par la porte de la prison. »

Ils débouchèrent derrière le signal, au bord de la voie ferrée, à l'autre bout de la gare. Au loin, assourdi par la distance, on entendit le train siffler.

« Attends-moi ici, fit le shérif. Pendant ce temps j'irai à la gare, histoire de jeter un coup d'œil. Surtout, te montre pas avant que je t'aie fait signe.

— Entendu, Jason.

— Reste bien planqué, recommanda le shérif. Qu'on te repère pas, surtout !

— Compte sur moi, Jason », répondit Clint qui alla s'abriter derrière la petite maison de l'aiguilleur.

Après l'avoir regardé une dernière fois, le shérif traversa la voie ferrée et se dirigea vers la gare. Pour autant qu'il pouvait voir, il n'y avait là que les employés habituels. Pokey, le chef de gare, se donnait des airs importants, bien qu'il n'eût strictement rien à faire. Outre George, le porteur, quelques vieillards attendaient le train.

Ce fut Pokey qui l'aperçut le premier lorsqu'il grimpa sur le quai en planches qui longeait la gare.

« Comment va, shérif ? lança-t-il de sa voix chantante. Qu'est-ce qui vous amène de si bon matin ? Vous nous faussez compagnie ? » Il fut le seul à rire de sa plaisanterie. Le shérif, lui, n'avait pas le cœur à rire.

« Pas vraiment.

— Alors, qu'est-ce qui t'amène ici, tu peux me le dire, Jason ? » fit une voix qui venait de la porte de la gare, derrière lui.

Le shérif pivota sur ses talons. Jeb se tenait sur le seuil, le canon de sa Winchester 30-30 reposait négligemment dans le creux de son bras.

« Comment va, Jeb ? » lança le shérif.

Jeb ne prit pas la peine de répondre.

« Tu m'as pas répondu, Jason », coupa-t-il froidement.

Le shérif ne le quittait pas des yeux.

« Je profite de la matinée pour faire un tour. Il se trouve que je passais par là.

— Et t'aurais pas rencontré Clint Richfield par hasard, pendant que tu te baladais ?

— Écoute, Jeb, tu vas pas te mêler de ça. Cette grève, c'est pas tes oignons.

— Et Molly Ann, qu'est-ce qu'elle avait à y voir ? N'empêche qu'il l'a tuée.

— C'est un accident, fit le shérif. Ils ont cru que Jimmy cherchait à dégainer.

— Jimmy avait pas d'arme », répliqua Roscoe qui venait d'apparaître sur le seuil, derrière Jeb. « D'ailleurs, tout le monde a pu voir qu'il était déjà mort.

— Non, impossible », fit le shérif. Il se tourna vers Jeb. « Crois-moi, Jeb. Personne voulait lui faire de mal à ta Molly Ann. D'ailleurs, on a trouvé un revolver sur les marches, pas très loin de Jimmy.

— On l'a posé après. Jimmy était mort depuis longtemps, coupa Roscoe.

— En tout cas, moi j'en ai jamais rien su, répliqua vivement le shérif. On se connaît depuis qu'on est mômes, Jeb. Tu sais bien que je me serais jamais laissé entraîner dans une histoire pareille ! »

Jeb sortit sur le quai, scrutant les alentours. Le shérif le surveillait de près. A nouveau le train siffla. Il était tout proche, à présent. Pokey et ses employés ne disaient rien, les yeux fixés sur eux. Le shérif pria pour que Clint reste caché derrière la cabane de l'aiguilleur et qu'il ne commette pas d'imprudence. Il y avait peu d'espoir qu'il ait l'idée de se cacher derrière le train lorsque celui-ci rentrerait en gare et qu'il y grimpe de l'autre côté.

De nouveau, le train siffla, plus fort cette fois. Jeb s'approcha du bord du quai et observa la voie du côté où le train allait apparaître, au-delà de l'aiguillage. Il se mit à faire passer sa carabine d'une main dans l'autre et, instinctivement, le shérif opéra un mouvement de repli. Il n'avait pas envie de se trouver dans la ligne de tir. Il se doutait qu'en voyant Jeb manier son arme, Clint allait penser qu'il était repéré.

Le shérif avait raison. Mais il ne fut pas assez rapide. La balle de Clint lui traversa la jambe et il s'écroula sur le quai.

Le shérif n'avait pas encore heurté les planches du quai, que Jeb avait déjà franchi la voie et s'élançait vers l'aiguillage. Roscoe enjamba le corps du shérif et courut derrière Jeb.

« Il est derrière la maison de l'aiguilleur ! » cria-t-il à Jeb.

Le shérif se tourna et s'appuya sur les mains pour se redresser.

« Nom de Dieu, Jeb, fais pas ça ! hurla-t-il. Tu vas déclencher une nouvelle vendetta ! Après, ce sera ton tour, et puis celui de Daniel... » Le reste de ses paroles se perdit dans le vacarme du train qui entrait en gare et qui empêcha le shérif de voir ce que faisaient Jeb et Roscoe.

En se retournant, il vit le chef de gare et Georges qui le regardaient. Ce dernier, un Noir, fut le premier à réagir.

« Vous êtes blessé, shérif ?

— Ce crétin m'a farci la jambe ! brailla-t-il. Bien sûr que je suis blessé !

— Attendez, je vais vous aider, shérif, fit George qui s'approcha.

— Pokey va s'en occuper ! cria le shérif. Toi, tu vas te magner le cul : fonce au bureau et ramène-moi tous les adjoints que tu trouveras ! »

George hésita un instant, puis sauta du quai et se mit à remonter la rue en courant au moment où le train s'arrêtait. Comme d'habitude, on jeta deux sacs de courrier sur le quai, mais aucun passager ne monta ni ne descendit. « Pokey, arrive ici ! Viens m'aider ! » hurla le shérif au chef de gare.

Celui-ci jeta les yeux sur lui, puis sur le train et de nouveau sur le shérif.

« Faut que je fasse partir le train, fit-il de sa petite voix aigrelette.

— Rien à foutre du train !, jeta le shérif. Je saigne comme un cochon ! » On entendit des coups de feu qui provenaient de l'aiguillage. Puis ce fut le silence. « Bon Dieu ! » s'exclama le shérif. Il se souleva et prit appui sur une des planches du bâtiment pour se hisser sur ses pieds. D'une main, il défit la ceinture de son pantalon et s'efforça de la serrer autour de sa cuisse pour arrêter l'hémorragie.

Doucement, le train repartait, quittant la gare. De l'autre côté de la voie, on entendit un cri : « Shérif ! »

Il leva la tête. C'était Clint, debout, la chemise maculée de sang.

« Ça va, Clint ? » cria-t-il, oubliant un instant sa propre blessure.

Clint demeura sur place un moment comme s'il hésitait à répondre.

« Ils m'ont eu, shérif », hurla-t-il. Et il s'écroula, la tête en travers des rails.

« Bon Dieu ! Allez-y doucement, toubib », gémit le shérif qui se débattait, allongé sur la table, dans le cabinet du docteur John.

« Cessez de gigoter comme un bébé, répondit le docteur. Sinon, comment voulez-vous que je puisse extraire la balle ?

— Ça fait mal, toubib. » Terrifié, Carter regardait les pinces que le docteur tenait dans ses mains.

« Ça ne fait pas du bien, c'est sûr, déclara le docteur John qui se voulait compatissant. Mais vous avez de la chance, la balle est entrée dans la partie charnue de la cuisse. Elle aurait pu vous fracasser l'os. » Il se tourna pour prendre une bouteille de whisky qui se trouvait derrière lui sur une petite table. « Tenez, buvez-en une bonne gorgée. »

Le shérif se servit goulûment.

« Maintenant, cramponnez-vous bien au bord de la table », ajouta le docteur.

Le shérif obéit. Le docteur opéra trop vite pour que le shérif eût le temps de se rendre compte de ce qu'il faisait. Une pointe de feu lui parcourut la cuisse. Malgré lui, il se mit à hurler. « Cessez de brailler maintenant, déclara le docteur. C'est fini. » Il leva son instrument pour montrer au shérif la balle qu'il tenait entre les pinces. « Voilà la petite saloperie qui vous a fait bobo. »

Le shérif se recoucha sur la table, le visage livide, suant à grosses gouttes. « Oh ! là là ! » gémit-il. Le docteur reposa ses pinces. « Maintenant on va vous bander et d'ici quelques jours, il n'y paraîtra plus. » Il prit une bande et se mit au travail.

Sam Fitch et Mike Richfield, le père de Clint, s'approchèrent de la table et se penchèrent vers Carter. Ils avaient attendu à l'autre bout de la pièce que le docteur ait terminé.

« Il paraît que vous avez juré d'avoir la peau de ceux qui ont tué mon garçon, shérif ? » demanda Richfield. Le shérif leva les yeux vers lui.

« Sûrement pas. »

Richfield le regarda, stupéfait.

« Mais ils m'ont tué mon fils !

— Clint a fait l'imbécile, déclara froidement le shérif. Je lui avais dit de pas bouger ; il a fallu qu'il se mette à tirer. Aucun tribunal au monde ne pourra les condamner. C'est un cas de légitime défense et la balle que j'ai reçue dans la cuisse est là pour le prouver.

— Pourtant, c'était après Clint qu'ils en avaient.

— Ils savaient même pas où il se trouvait. Mais non, il a fallu qu'il tire le premier ! Il avait qu'à grimper en douce dans le train et tout se serait bien passé.

— Vous devez les arrêter, shérif, intervint Sam Fitch. C'est votre devoir. »

Le shérif regarda Fitch dans les yeux.

« Mon devoir s'arrête où s'arrête ce comté. La maison des Huggins se trouve à quinze kilomètres au-delà.

— Ça fait rien, répliqua Fitch. Si vous les laissez tranquillement rentrer chez eux, on va les prendre pour des héros. Les autres vont se remettre en grève aussitôt.

— Ça, c'est pas mon problème. J'ai déjà bien assez de choses à me reprocher comme ça. Chez les Huggins, y a toute une ribambelle d'enfants. Je tiens pas du tout à être responsable d'un nouveau massacre.

— Le sang de mon fils crie vengeance », s'écria Richfield. Le shérif le toisa.

« Au moins, maintenant, tu comprends ce que Jeb a ressenti en découvrant le cadavre de sa fille », siffla-t-il. Il se souleva sur son coude et ajouta : « Un bon conseil : laisse-le tranquille.

— Qu'est-ce que vous comptez faire, alors ? interrogea Fitch.

— Je vais transmettre à la police fédérale. Comme ça, elle fera peut-être autre chose que de me renvoyer les procès-verbaux que je leur expédie sous prétexte qu'ils sont mal remplis.

— Tu sais très bien qu'ils ne bougeront pas le petit doigt », affirma Fitch.

Le shérif ne répondit pas.

« Voilà, c'est fini, déclara le docteur. Vous pouvez poser vos pieds par terre maintenant. » Il aida le shérif à s'asseoir puis à se mettre debout. « Comment vous sentez-vous ?

— Ça fait mal, gémit le shérif.

— Ça va vous faire souffrir un certain temps, reconnut le médecin. Essayez de ne pas trop vous appuyer sur votre jambe.

— On ne va pas les laisser se remettre en grève sans rien faire » reprit Fitch.

Le shérif continuait à l'ignorer.

L'un de ses adjoints qui était resté, appuyé le dos au mur, s'approcha pour l'aider. Le shérif se dirigea en boitillant vers la porte.

« Vous allez m'obliger à faire de nouveau appel aux Pinkertons, insista Fitch. Vous êtes en train de gâcher tous nos efforts, Jason. Vous commettez une grave erreur. »

Le shérif s'arrêta sur le seuil. Il s'appuya de tout son poids sur l'épaule de son adjoint.

« Ce n'est pas moi qui commets une erreur, Sam, répliqua-t-il tranquillement. Si vous rappelez les Pinkertons, c'est vous qui ferez la plus grosse bourde de votre vie. »

En silence, ils le regardèrent sortir du cabinet en sautillant. Ils l'entendirent jurer lorsqu'il dut descendre les marches de l'escalier.

Sam Fitch se tourna vers Richfield.

« Je peux faire venir les Pinkertons par le train de midi. » Richfield gardait le silence. « Il a suffi d'une balle pour que le shérif se dégonfle. Viens me voir au magasin à une heure. » Richfield évita de regarder Fitch en face.

« Non, M. Fitch, je ne viendrai pas. Le shérif a raison. Assez de sang versé comme ça. On va pas déclencher une nouvelle vendetta. Ça rimerait à quoi ?

— Vous êtes tous des pétochards, siffla Fitch, plein de mépris. Je me débrouillerai bien sans vous, allez ! Mais ne venez pas me lécher le cul après, quand j'aurai tout réglé. Car je ne lèverai pas le petit doigt pour vous ! » Furieux, il décampa à grandes enjambées.

Durant un instant, la pièce resta silencieuse. Puis Richfield se tourna vers le docteur :

« Vous vous occuperez de mon garçon ? »

Le docteur qui faisait également office de *coroner* et d'entrepreneur de pompes funèbres répondit.

« Comptez sur moi, ce sera bien fait.

— Merci, docteur John. »

18

Sarah Andrews ouvrit les yeux en le sentant se glisser hors du lit. Il faisait à peine jour. Elle vit luire vaguement la peau blanche de son corps tandis qu'il se dirigeait pieds nus à l'autre bout de la pièce vers la chaise où son pantalon était soigneusement plié. Sous la peau claire, elle vit jouer ses muscles tandis qu'il ramassait ses vêtements. Elle en fut toute émue. Elle retint sa respiration. Jamais elle n'avait rien éprouvé de semblable. Et cela durait depuis le premier soir, celui où M. Lewis était venu pour essayer de mettre sur pied un syndicat de mineurs, trois mois auparavant.

Quand elle avait entendu frapper à la porte, elle était déjà à moitié endormie. Rapidement, elle était sortie du lit, avait passé une robe de chambre et s'était approchée de la porte.

« Qui est-ce ? » avait-elle demandé sans ouvrir.

La voix de Daniel lui était parvenue, curieusement adoucie par l'épaisse cloison de bois.

« C'est moi, Mlle Andrews.

— Mais vous m'avez fait sortir du lit !

— Je suis désolé, Mlle Andrews. Je voulais pas vous déranger. J'étais seulement venu pour vous expliquer mon retard. » Un moment de silence avait suivi. Puis elle avait entendu sa voix à travers la porte. « Je viendrai vous voir demain matin. »

Toute surprise, elle se rappela qu'on était samedi et que le lendemain, il venait couper son bois. Comme le dimanche il n'y avait pas classe, elle pouvait se permettre de veiller un peu plus tard.

« Attendez un instant, fit-elle vivement. Maintenant, je suis tout à fait réveillée. Ça ne fait rien, vous pouvez entrer. Il me reste encore un peu de café. »

Elle tira le verrou et ouvrit la porte. Il ne bougeait pas, indécis.

« Vous êtes sûre que je ne vous dérange pas à cette heure ?

— Non, non, entrez. » Il pénétra dans la maison et elle referma la porte derrière lui. « Attendez-moi ici, je vais allumer une lampe. »

Sur la table, la douce lumière éclaira peu à peu la pièce. Elle se tourna vers lui. « Je me demandais ce qui vous était arrivé.

— Il a fallu que j'aille à une réunion.

— Une réunion ? A quel sujet ? »

Il hésita.

« Je ne sais pas si je peux vous le dire. J'ai promis d'en parler à personne.

— Rien de malhonnête, au moins ? interrogea-t-elle, d'une voix soudain anxieuse.

— Non, mademoiselle, pas du tout.

— Alors, vous n'avez pas besoin de me dire quoi que ce soit. Asseyez-vous. Je vais faire chauffer le café. »

Quand elle revint dans la pièce, il était toujours debout. Elle posa la cafetière et les tasses sur la table. « Pourquoi ne vous asseyez-vous pas ?

— Je viens de voir l'heure à la pendule. Il est dix heures passées. Je m'étais pas rendu compte qu'il était si tard. Je ferais mieux de me retirer.

— Ne dites pas de bêtises. » Elle remplit une tasse et la lui tendit. Son geste brusque fit s'entrouvrir sa robe de chambre. Elle le vit rougir tout à coup et détourner les yeux en prenant sa tasse. Il lui fallut un moment pour comprendre ce qui s'était passé. Elle s'inspecta. Sa fine chemise de nuit en coton était presque transparente. Soudain, elle ressentit une bouffée de chaleur ; ses seins durcis pointèrent sous le léger tissu ; ses jambes se dérobèrent ; elle dut s'appuyer de la main sur la table pour se soutenir. Pourtant, elle ne fit rien pour fermer sa robe de chambre.

« Daniel. »

Lorsqu'elle parla, il évitait toujours de la regarder. Il avait les yeux fixés sur sa tasse de café.

« Oui, Mlle Andrews ? »

Elle sentit son cœur battre la chamade.

« Pourquoi ne me regardez-vous pas ? »

Il ne répondit pas tout de suite.

« Votre robe... commença-t-il.

— Je veux que vous me regardiez », s'entendit-elle dire d'une voix qui lui parut étrange.

Lentement, il leva les yeux. Son pantalon serré se tendit brusquement au niveau de la braguette. Elle vit que sa tasse de café tremblait dans sa main.

Elle s'approcha de lui, lui prit sa tasse qu'elle posa sur la table. « Vous n'avez jamais couché avec une fille ? » Il baissa de nouveau les yeux.

« Non, mademoiselle, murmura-t-il.

— Alors qu'est-ce que vous faites quand vous êtes excité ? »

Il ne répondit pas. « Il faut pourtant bien faire quelque chose, reprit-elle. Vous ne pouvez pas rester comme ça.

— Je me branle, avoua-t-il, toujours sans la regarder.

— Souvent ? »

Il hocha la tête, le visage cramoisi.

« Le matin et la nuit. Quelquefois à l'heure du déjeuner quand ça devient trop pressant. »

Elle sentit son propre sexe devenir humide.

« A quoi pensez-vous quand vous faites ça ? »

Il leva les yeux et la regarda bien en face.

« A vous.

— Je veux vous voir faire », dit-elle.

Il ne bougea pas. Elle posa une main sur sa braguette. A travers le tissu, elle sentit son sexe durci et palpitant. Sans plus attendre, elle le déboutonna ; le phallus raidi, libre de toute entrave, lui jaillit, poisseux, dans la main. Elle lui décalota doucement le gland et regarda. La verge gonflée paraissait sur le point d'éclater. Tandis qu'elle se penchait l'orgasme le secoua tout entier ; un flot de sperme se mit à gicler.

« Mon Dieu ! » murmura-t-elle, les jambes coupées par l'émotion. Elle tomba à genoux devant lui, vaincue elle-même par l'orgasme qui la terrassait. D'un geste frénétique, elle écarta sa robe de sa main restée libre, dénudant ses seins où le sperme alla s'écraser. « Oh ! Mon Dieu ! »

Une demi-heure plus tard, ils étaient allongés sur son lit et lui était toujours en elle. Elle s'abandonnait à son bien-être en évoquant des souvenirs. Jamais elle n'avait connu ça. Auparavant d'une façon ou d'une autre, elle avait toujours senti qu'on se servait d'elle. A présent, elle avait l'impression de se donner. Voilà qu'il recommençait à lui faire l'amour : une sorte de tremblement annonçait la venue d'un nouvel orgasme. Aussitôt, elle glissa sa main entre eux deux, empoignant ses testicules rondes, dures comme de la pierre. De sa main restée libre, elle approcha le visage de Daniel, le posant sur ses seins. « Pas tout de suite, Daniel, murmura-t-elle. Doucement. Tout doucement. »

Il se tint immobile un long moment. Puis, lorsqu'il recommença, c'étaient ces longs mouvements doux qu'elle aimait.

« C'est mieux comme ça » murmura-t-elle, s'accordant à son rythme.

Elle sentit ses lèvres remuer contre son sein.

« Dites-moi ce que je dois faire, Mlle Andrews, chuchota-t-il. J'apprendrai. »

Daniel s'était révélé un amant infatigable. Érotiquement très doué, il était vigoureux et une fois libéré, il ne souffrait d'aucune inhibition. Il semblait ne jamais se lasser. Au cours d'une nuit d'amour, il éprouvait quatre, cinq orgasmes, parfois davantage sans paraître faire le moindre effort. Plus d'une fois, elle avait été surprise de le trouver disponible. Un jour, elle l'avait touché, par hasard ; il avait une érection. Elle s'était mise à rire.

« Ma parole, Daniel, vous êtes comme ça vingt-quatre heures sur vingt-quatre ! »

Il n'avait toujours pas perdu l'habitude de rougir. Le visage congestionné, il avait eu un sourire gêné :

« C'est l'effet que ça me fait, Mlle Andrews. »

Elle n'avait pas réussi à lui faire perdre l'habitude de l'appeler Mlle Andrews. Même dans leurs moments d'intimité, lorsqu'il rugissait comme un tigre et qu'elle hurlait de toute la force de ses poumons au paroxysme de la jouissance, elle n'avait pas réussi à se faire appeler Sarah. Au bout d'un certain temps, elle y renonça.

Quelque part dans sa tête, elle resterait toujours son professeur.

En dehors de la chambre à coucher, il continuait à garder ses distances. Il lisait, il étudiait les livres et les leçons qu'elle lui donnait. Ses stupéfiantes aptitudes et sa compréhension toujours plus vive l'avaient surprise presque autant que sa façon de faire l'amour. La vitesse avec laquelle il absorbait toutes les notions l'amenait à se demander jusqu'à quel point elle était encore qualifiée pour former un esprit comme le sien. Déjà, ils avaient commencé à travailler sur ses livres de seconde. Bientôt ils auraient atteint les limites de ce qu'elle pouvait lui apprendre.

Mais depuis qu'ils faisaient l'amour, les mois filaient comme des jours et elle avait cessé de se poser des questions sur son enseignement. On arrivait à la fin mai : d'ici peu, l'école fermerait. Elle rentrerait chez elle. Peut-être ne reviendrait-elle jamais dans cette école. Peut-être ne le verrait-elle plus. A cela aussi, elle refusait de penser.

Elle ferma les yeux lorsqu'il enfila son pantalon pour sortir. Quelques minutes plus tard, elle entendit le bruit clair de la hache et elle se laissa sombrer dans un doux sommeil.

Ce ne fut pas le soleil qui la réveilla dont les rayons passaient pourtant par la fenêtre ouverte ; non, ce fut le silence. Elle resta un instant immobile avant de se rendre compte qu'elle n'entendait plus le bruit de la hache. Elle jeta un coup d'œil à la pendule près du lit. Il était à peine plus de sept heures. D'habitude, il n'avait guère fini avant dix heures.

Elle quitta le lit et regarda par la fenêtre. Daniel, la hache toujours en main, parlait avec un homme qu'elle ne connaissait pas. Celui-ci lui tournait le dos, si bien qu'elle ne pouvait voir de quoi il avait l'air, mais ses vêtements étaient déchirés et couverts de poussière. Tandis qu'elle les observait, Daniel reposa la hache et se dirigea vers la maison. L'autre le suivit. Vite, elle enfila une robe et passa dans l'autre pièce pour aller les accueillir.

La porte s'ouvrit juste au moment où elle entrait. Daniel pénétra dans la pièce, suivi de son compagnon. Daniel croisa son regard un instant ; il avait les yeux étrangement voiles et la peau d'une pâleur crayeuse. On aurait dit qu'il ne l'avait pas vue.

« Daniel ! » lança-t-elle, soudain prise d'un horrible pressentiment. Il battit plusieurs fois des paupières.

« Mlle Andrews... » Sa voix semblait privée de vie. « Mlle Andrews, je vous présente Roscoe Craig, un ami. »

Elle regarda son compagnon. Il était presque aussi grand que Daniel mais beaucoup plus mince. Il avait une barbe de deux ou trois jours qui lui mangeait la figure et deux cernes noirs sous les yeux. Sa chemise et son pantalon étaient sales, déchirés et ses chaussures couvertes de boue. Il ôta son chapeau de montagnard taché de sueur, découvrant des cheveux sombres et un crâne quelque peu dégarni.

« Bonjour, mademoiselle.

— Bonjour, M. Craig. » Elle se tourna vers Daniel : « Il y a quelque chose qui ne va pas ? »

Il ne répondit pas à sa question.

« M. Craig a passé trois jours et deux nuits sur la route. Est-ce qu'on pourrait lui préparer quelque chose à manger ?

— Bien sûr, fit-elle, vivement. Je m'en occupe.

— Merci, Mlle Andrews », répondit-il de sa même voix vide. Puis, brusquement, il disparut par la porte ouverte.

« Daniel ! » cria-t-elle, faisant mine de le suivre.

L'homme étendit le bras et l'arrêta.

« Laissez-le, mademoiselle, déclara-t-il sur un ton calme. Il va revenir. »

Elle le considéra, stupéfaite.

« Qu'est-ce qui se passe ?

— Toute sa famille est morte, mademoiselle, répondit Roscoe de son ton tranquille. Assassinée ! »

Il était minuit passé lorsque Roscoe, qui couchait dans la grange, avait entendu des voix. Doucement, il avait levé la tête pour écouter. Il perçut les rudes accents d'individus plus habitués à hurler qu'à parler. Il remit ses chaussures et se leva. Machinalement, de la main, il chercha son ceinturon. Il se traita de tous les noms lorsqu'il se rappela l'avoir laissé chez les Huggins, sur la table de la cuisine.

A présent, les voix se rapprochaient. Frénétiquement, il chercha un endroit où se cacher. Le seul abri qu'il put trouver fut un tas de foin derrière la mule attachée à son râtelier. Vivement, il se glissa dedans. Furieuse, la mule soulevait le foin avec son museau.

« Foutue mule ! » jura-t-il, s'enfonçant à l'aveuglette plus profondément dans le foin. Il entendit des pas. On entrait dans la grange. Écartant les brindilles, il aperçut un certain nombre de pieds. Il retint sa respiration.

Les hommes restèrent là un moment. Puis il vit une paire de croquenots s'avancer vers lui. Son sang se glaça. L'homme s'arrêta juste devant la mule et se retourna vers les autres. Il l'entendit chuchoter d'une voix rauque : « Y a rien ici que cette mule. — Va prévenir Fitch fit une autre voix. On va grimper sur la petite colline derrière la maison, comme il nous a dit. »

Les hommes quittèrent la grange. Roscoe respira enfin et entreprit de ramper pour sortir du foin. Il continua de ramper sur le sol en terre battue jusqu'à ce qu'il puisse voir ce qui se passait à l'extérieur de la grange.

Il y avait là deux hommes : deux Pinkertons, reconnaissables à leurs chapeaux ronds en cuir dur, enfoncés droit sur la tête. Chacun d'eux armé d'une carabine. Roscoe jeta un coup d'œil derrière eux en direction de la maison.

Là-bas, il y avait toute une troupe : il en compta au moins neuf et il y en avait peut-être d'autres derrière la maison. Tandis qu'il les observait, les hommes semblaient se mettre en position. Quelques minutes plus tard, l'un d'eux leva la main pour donner le signal.

Sam Fitch sortit de l'ombre, se déplaçant sans bruit, malgré sa corpulence « Tous les hommes sont à leur poste. » Bien qu'étouffée, sa voix rauque portait jusqu'à la grange.

L'un des Pinkertons, celui qui avait donné le signal, acquiesça.

« Amenez les torches près du seuil et allumez-les », ordonna Fitch.

Deux hommes coururent sans bruit jusqu'à la maison et enfoncèrent les torches de bois dans le sol à côté des marches. Alors, Fitch frotta une allumette et enflamma les chiffons imbibés d'essence qui garnissaient le bout des torches. Il se recula quand les flammes jaunes se mirent à grésiller.

Sam Fitch se tourna vers la maison et hurla :

« Jeb ! Roscoe et toi vous avez une minute pour sortir de la maison, les mains en l'air, sinon on viendra vous chercher ! »

Il y eut un moment de silence. Puis la porte s'entrouvrit prudemment.

« Roscoe n'est pas ici, cria Jeb. Je vais sortir, mais surtout tirez pas ! Ma femme et mes enfants sont dans la maison.

— Sors de là tout doucement, les mains en l'air, et on ne tirera pas », lança Fitch.

Lentement, la porte s'ouvrit, découvrant Jeb, qui n'avait sur lui que son pantalon : sa peau blanche luisait doucement à la lueur vacillante des torches. Il avait les mains en l'air. Il cligna des yeux, essayant de distinguer au-delà des torches qui se trouvaient devant lui. Lentement, il s'avança sur le seuil pour descendre les marches.

Roscoe vit Sam Fitch abaisser son bras pour donner le signal : « Allez-y !

— Rentre, Jeb ! » voulut-il hurler. Mais sa voix se perdit dans le vacarme des détonations.

Jeb pirouetta, criblé de balles, et s'écroula du haut du seuil sur l'une des torches qu'il renversa sous les marches. Un instant plus tard, le bois sec flambait, les flammes venaient lécher les murs de la maison.

Le feu se rua par la porte ouverte et se propagea dans la maison, dressant un véritable écran incandescent.

La mule, terrorisée par l'odeur de la fumée, brisa son licol, enjamba Roscoe et détala dans la cour. Elle galopa droit sur les Pinkertons qui s'écartèrent puis s'enfuit au galop sur la route, comme une folle.

Les Pinkertons s'étaient regroupés :

« Faut essayer de les sortir de là ! déclara l'un d'eux.

— Fais pas l'imbécile ! répliqua un autre. Ils sont déjà tous morts là-dedans !

— Alors qu'est-ce qu'on fait ? demanda le premier.

— On se tire d'ici, déclara le second. J'ai pas envie d'être là quand on va découvrir ce qui s'est passé. » Il s'approcha de Sam Fitch qui semblait fasciné par l'incendie. « M. Fitch ?

— Oui ? » Fitch parlait d'une voix morne. Il ne quittait pas les flammes des yeux.

« J'crois qu'il vaudrait mieux y aller, M. Fitch », déclara le Pinkerton. Fitch se tourna vers lui.

« C'est un accident. Vous avez tous vu que c'était un accident.

— Personne ne croira ça quand on découvrira le cadavre de cet homme truffé de plombs », répliqua le Pinkerton.

Soudain Fitch parut avoir retrouvé son énergie.

« On va arranger ça. Aidez-moi, vous autres. On va balancer son corps dans le feu. »

Les Pinkertons ne bougeaient pas. Fitch les regarda. « Vous êtes tous aussi coupables que moi. Vous voulez laisser des preuves qui risquent de vous mener à la potence ? »

En silence, plusieurs d'entre eux le suivirent. Ils attrapèrent le corps de Jeb par les bras et par les pieds et le jetèrent au beau milieu de la maison qui n'était plus qu'un brasier.

Fitch contempla l'incendie un moment, puis s'éloigna.

« Mainteant, décampons ! »

Quelques minutes plus tard, ils avaient disparu et Roscoe se mit péniblement sur pieds. Il s'approcha des ruines qui brûlaient encore, de ce qui restait de la maison des Huggins. L'instant d'après, il tomba à genoux et, les joues ruisselantes de larmes, se mit à prier. « Oh, mon Dieu, sanglota-t-il, pourquoi avoir laissé périr tous ces beaux petits enfants ? »

19

« Dès qu'il a fait jour, je suis descendu dans la vallée chez les Callendar, raconta Roscoe. Le vieux Callendar et son fils m'ont ramené là-haut en charrette et on les a enterrés comme des chrétiens. Callendar avait apporté sa Bible ; il en a lu des passages, il a dit toutes les prières d'usage. »

Le visage de Daniel restait impassible : « Je vous suis bien reconnaissant à tous les deux d'avoir pensé à le faire. »

Sarah le regarda. Il s'était absenté presque cinq heures durant. Et pendant ce laps de temps, il semblait avoir vieilli de dix ans. Les rides qui creusaient son visage paraissaient avoir effacé brusquement tout ce qu'il avait d'enfantin. A présent, c'était un adulte. Mais il y avait autre chose. Il se dégageait de Daniel quelque chose d'étrange et d'implacable. On sentait en lui une grande force mais aussi une sorte de détachement, comme si une part de son être avait à jamais disparu.

« J'ai fait tout ce que j'ai pu, reprit Roscoe. Il m'a fallu près de trois jours pour arriver jusqu'ici. Pendant la journée, j'ai dû éviter les grandes routes et j'ai fait un détour pour pas traverser Fitchville. J'avais pas envie que Sam Fitch me mette le grappin dessus.

— Et qu'allez-vous faire maintenant, M. Craig ? interrogea Daniel.

— Ma femme et moi, on a dans l'idée d'aller à Detroit. Paraît qu'y a du travail là-bas. Je crois que je vais me mettre en route. Là-haut, j'ai des parents qui pourront me loger. Dès que j'aurai un emploi, je ferai venir ma famille. » Daniel garda le silence. « Je vois pas bien ce que je pourrais faire si je restais par ici, ajouta Roscoe. Tout est fichu maintenant que le tribunal nous a donné tort ; il a attribué nos terres aux filatures.

— Loin de moi l'idée de vous faire des reproches, M. Craig, répondit Daniel. Vous avez agi pour le mieux. Seul contre tous, vous pouviez pas faire plus. Simplement, je me disais que Detroit, c'est pas la porte à côté.

— J'y arriverai.

— Vous avez de l'argent ?

— J'ai ce qu'il faut, je me débrouillerai.

— Combien avez-vous ? insista Daniel.

— Un dollar et demi, à peu près, répondit Roscoe sans regarder Daniel.

— Il vous faudra bien plus que ça. J'ai vingt dollars dont j'ai pas besoin. J'avais l'intention de les envoyer chez moi. Mon père aurait été content que je vous les prête, j'en suis sûr.

— Je peux pas accepter », protesta vivement Roscoe.

Sarah ne disait rien. L'orgueil de ces montagnards passait quelquefois son entendement. Ils ne voulaient rien accepter, pour peu qu'on eût l'air de leur faire la charité.

« Vous me rembourserez quand vous aurez trouvé du travail », insista Daniel.

Après avoir réfléchi un moment, Roscoe finit par hocher la tête.

« Vu sous cet angle-là, je vois vraiment pas comment je pourrais refuser, Daniel.

— Vous avez l'intention de partir quand, M. Craig ? » demanda Sarah.

Il se tourna vers elle.

« Faudrait que je reprenne la route à la nuit tombée, mademoiselle.

— Alors, je vais vous préparer un bain chaud, dit-elle aussitôt. Ensuite, vous vous reposerez un peu ; pendant ce temps je pourrai brosser et nettoyer vos vêtements.

— C'est bien aimable à vous, mademoiselle. »

Il la suivit des yeux tandis qu'elle quittait la pièce et se retourna vers Daniel.

« Une chic fille, hein ? On dirait jamais une maîtresse d'école. Elle est pas fière. »

Daniel hocha la tête. Ses pensées étaient ailleurs. Il s'efforça de revenir à la réalité.

« Il y a un train de charbon qui part de la mine à minuit. Il va à Detroit ; je connais bien le mécanicien. Il vous laissera peut-être monter à l'arrière, dans le wagon réservé au personnel.

— Ce serait pas de refus, je dois dire.

— On ira là-bas vers onze heures au moment où ils forment le convoi. »

Roscoe se tourna vers Daniel :

« Et toi... qu'est-ce que tu vas faire ? »

Daniel le regarda tranquillement dans les yeux.

« Je sais pas, M. Craig, dit-il lentement. Faut d'abord que je rentre chez nous pour m'occuper des tombes et me recueillir devant les miens. Après ça... Vraiment, j'sais pas... »

Mais en croisant le regard de Daniel, Roscoe n'eut aucun doute. Il avait exactement la même expression que celle de Jeb, quelques jours auparavant.

Daniel passa le reste de l'après-midi à couper du bois ; on entendait sonner la hache qui s'élevait et retombait régulièrement. Au bout d'un moment, il se mit à empiler les bûches le long de l'école. Lorsqu'il eut fini, le mur du bâtiment disparaissait presque entièrement derrière le bois. La nuit allait tomber lorsqu'il rentra.

« Tu as faim ? » demanda-t-elle. De la tête, il fit non. « Il faut manger quelque chose. Déjà que tu n'as pas déjeuné !

— Je n'ai pas d'appétit, dit-il puis il ajouta, voyant son expression : je suis navré, Mlle Andrews, je ne voulais pas vous contrarier.

— Ça ne fait rien. Tu prendras bien une tasse de café avec moi ? »

Il accepta.

Elle revint dans la pièce avec le café. Il mit trois cuillerées de sucre dans sa tasse qu'il se mit à tourner lentement.

« Il dort encore. »

Avant de répondre, Daniel avala une gorgée de café.

« Il a fait plus de cent kilomètres à pied pour venir jusqu'ici.

— Tu le connais depuis longtemps ?

— Depuis que je suis tout petit. Mon père et lui s'entendaient bien quand ils étaient gosses, mais on se voyait plus beaucoup. Ils avaient une ferme près de la rivière, à la sortie de Fitchville. Nous, on vivait dans les collines. Avant que les filatures soient installées, tout le monde se connaissait. Ou presque. Et puis, les choses ont changé. Les paysans s'en sortaient plus, la terre donnait pas et les filatures sont arrivées. Alors, les gens ont commencé à partir, comme lui, comme il a l'intention de faire.

— Et sa ferme, qu'est-elle devenue ?

— On lui a saisi ses biens et on a construit une filature sur sa terre. Le long de la rivière, il y avait trois hectares qui appartenaient à son grand-père. Alors, la filature leur a fait un procès à propos de ce terrain.

— Qu'est-ce qui s'est passé ensuite ? »

Lorsqu'il la regarda, elle vit combien son regard était devenu froid.

« Ils ont tué le grand-père et le fils aîné et ils les ont expropriés. Maintenant, il a plus nulle part où aller. Leur seul espoir, c'est Detroit.

— Toi, tu as de la chance, tu sais où aller.

— Moi ?

— Oui. Tu as un bon métier ici. Tu as de l'avenir. Tu es capable de te débrouiller.

— Un bon métier ? A quarante dollars par mois ! Vous appelez ça un bon métier ? fit-il d'une voix blanche.

— Il y en a beaucoup qui ne gagnent pas autant que ça.

— C'est vrai. Tout le problème c'est de savoir ce qu'on peut supporter ; à partir de quel moment on crève de faim. Les mineurs, les paysans, les ouvriers des filatures sont tous logés à la même enseigne. Le seul choix qu'ils ont, c'est dans la manière, mais n'importe comment, ils crèvent de faim. »

Sarah restait silencieuse. Il la regarda dans les yeux. « C'est ça que j'arrive pas à comprendre, voyez-vous, Mlle Andrews. J'ai vu mon père suer sang et eau parce que M. Fitch ne voulait pas lui payer son whisky à un prix décent. J'ai vu des mineurs crever dans les puits pour un dollar et demi par jour. On m'a raconté que dans les filatures, les filles risquent de se faire arracher le bras par la machine pour cinquante cents de l'heure et les cribleurs se font couper les mains pour le même salaire de misère. Ce que j'comprends pas, c'est pourquoi les gens qui les paient refusent de leur accorder un peu plus, qu'ils puissent s'en sortir avec leur travail. »

C'était le plus long discours qu'elle l'avait jamais entendu faire. Pour la première fois, il lui faisait part de ses réflexions. Que pouvait-elle lui répondre ? Pour la première fois, elle se sentait dépassée.

« Il en a toujours été ainsi, finit-elle par dire.

— C'est pas une raison pour que ça continue, répliqua-t-il tranquillement. Et, un jour, ça changera. » Elle ne trouva rien à répondre. « J'y ai beaucoup réfléchi. Il y a sûrement une explication à tout ça. A ce qui est arrivé aux miens. Jimmy avait compris, *lui*. Moi pas. En fait, il y a deux catégories de gens ici-bas. Ceux qui possèdent et ceux qui travaillent. Maintenant, je sais à quelle catégorie j'appartiens. »

Elle le dévisagea.

« Dis-moi, Daniel, tu n'as jamais songé à poursuivre vos études ? A passer des examens, à devenir quelqu'un ?

— Quand je me suis rendu compte que j'savais rien, j'y ai bien pensé. Mais faut de l'argent pour ça.

— Peut-être pas autant que tu le crois, s'empressa-telle d'ajouter. J'ai des amis à l'université. Je suis sûre que tu pourrais suivre une partie des cours.

— Ça n'empêche qu'il me faudrait de l'argent.

— Tu pourrais peut-être vendre la propriété de ton père ? suggéra-t-elle.

— Personne voudra l'acheter, fit-il, désabusé. La terre est épuisée, elle vaut rien. Si mon père arrivait à se débrouiller, c'était uniquement parce que Molly Ann et moi, on travaillait et qu'on lui envoyait notre argent. Sans nous, ils auraient tous crevé de faim. »

Elle étendit la main pour toucher la sienne par-dessus la table.

« Daniel, dit-elle doucement, je sais ce que tu dois ressentir en ce moment. Et ça me fait de la peine pour toi. »

Il regarda sa main puis leva les yeux sur elle.

« Votre compassion me touche beaucoup, Mlle Andrews. »

Il se leva. « Je vais chez ma logeuse chercher l'argent pour M. Craig. J'en ai pas pour longtemps. »

Roscoe sortit de la chambre vers huit heures ; il se frottait les yeux pour essayer de se réveiller. Il portait la robe de chambre délavée que Daniel mettait lorsqu'il restait chez Sarah.

« Il fait déjà noir, constata-t-il, légèrement surpris. Où est Daniel ?

— Il est allé chez sa logeuse chercher deux, trois choses. Il ne devrait pas tarder. »

Elle se rendit dans la cuisine et revint avec ses vêtements. « J'ai fait du mieux que j'ai pu, M. Craig » dit-elle en les lui donnant.

— Ça ira très bien, mademoiselle. » Il remarqua la chemise et le pantalon parfaitement repassés, les bottes bien cirées.

« Pendant que vous vous habillez, je vais préparer le dîner. Et puis je vous ferai quelques sandwiches pour le voyage.

— Vous donnez pas tant de peine, mademoiselle.

— Ça ne me dérange pas du tout, M. Craig. » Avant de passer dans la cuisine, elle se retourna vers lui. « M. Craig, que va devenir Daniel, maintenant ? »

Il la regarda, l'air pensif.

« Je sais pas trop au juste, répondit-il. Le voilà seul au monde ; c'est lui qui décidera. »

Daniel revint pendant qu'elle préparait le dîner. Un Daniel qu'elle n'avait encore jamais vu ainsi. La chemise blanche et la cravate, le costume bien repassé, les chaussures noires vernies avaient disparu. Il portait une vieille salopette en toile délavée sur une chemise de coton beu, le tout très propre mais usé et il avait chaussé de grosses bottes de paysan. Il s'était coiffé d'un vieux chapeau à larges bords qui avait dû être noir et qu'il avait bien enfoncé sur sa tête, à la façon des montagnards. Brusquement, ce n'était plus un adolescent mais un homme. Un homme que la vie avait usé, blessé, empli d'amertume. Elle en fut profondément peinée. A cet instant elle se résigna à accepter ce qu'elle savait très bien depuis le matin : il allait partir.

Ils mangèrent en silence. Le repas fini, elle débarrassa les assiettes et alla les poser dans l'évier de la cuisine. Elle revint sans les avoir lavées. Elle aurait le temps de faire la vaisselle, plus tard.

Lorsqu'elle rentra dans la salle à manger, Daniel se leva de table.

« Bientôt dix heures. Va falloir y aller. »

Elle l'observa un moment.

« Je vous ai préparé des sandwiches. »

Elle repartit dans la cuisine et en revint avec un grand sac de papier qu'elle donna à Roscoe.

« C'est trop aimable à vous, mademoiselle », s'écria celui-ci avec reconnaissance. Mais ce n'était pas lui qu'elle regardait. Ses yeux ne quittaient pas Daniel. « Je t'attends dehors, Daniel », fit Roscoe, compréhensif, en se dirigeant vers la porte.

Ils restèrent un long moment sans rien dire, à se regarder les yeux dans les yeux. Finalement, elle poussa un profond soupir.

« Tu vas avec lui à Detroit ?

— Non, je rentre chez moi. Le train me déposera au col Turner. Je serai qu'à douze kilomètres de chez nous.

— Et après ça ?

— J'sais pas.

— Tu reviendras ? » Son cœur lui faisait mal.

Il la regarda dans les yeux.

« J'crois pas, Mlle Andrews. »

Ses yeux se remplirent de larmes.

« Pour une fois, Daniel, rien que pour cette fois, je t'en prie, appelle-moi Sarah. »

Après un moment d'hésitation, il accepta :

« Oui... Sarah. »

Elle se jeta dans ses bras et posa sa tête contre sa poitrine.

« Est-ce que je te reverrai un jour ? » murmura-t-elle. Il la serrait tendrement sans répondre. Elle releva la tête pour voir son visage. « Daniel, est-ce que tu m'aimes ? Rien qu'un peu ? » Il plongea ses yeux dans les siens.

« Oui, répondit-il. Les mots me manquent pour dire comment. Vous êtes la première femme que j'aie jamais aimée.

— Ne m'oublie pas, Daniel, ne m'oublie pas, répéta-t-elle en pleurant.

— Comment pourrai-je ? Je vous oublierai jamais. Je vous dois tant ! »

Elle le tenait étroitement enlacé. Plus tard, lorsqu'il fut parti, qu'elle se retrouva seule dans son lit et qu'elle entendit siffler le train vers minuit, elle s'enfonça la tête dans l'oreiller. Elle sentait encore ses bras qui l'étreignaient. « Je t'aime, Daniel, sanglota-t-elle, prononçant les mots qu'elle n'avait jamais osé prononcer devant lui, mon Dieu, tu ne sauras jamais combien je t'ai aimé ! »

20

Il était un peu plus de huit heures du matin lorsque la locomotive tirant ses vingt-deux wagons de charbon se mit à gravir péniblement les premières pentes du col Turner. Quand Daniel et Roscoe étaient montés dans le train, il ne comportait encore que huit wagons, mais en cours de route, on s'était arrêté dans trois autres mines. Le petit wagon réservé au personnel se balançait doucement en queue du convoi.

Le conducteur du train passa la tête par la portière et la rentra aussitôt.

« On grimpe le col Turner, Daniel. »

Celui-ci bondit sur ses pieds.

« Merci pour le voyage, M. Small.

— A ta disposition, Daniel », répondit le conducteur avec un sourire.

Daniel se tourna vers Roscoe.

« Bonne chance, M. Craig. J'espère que tout ira bien. »

Roscoe lui tendit la main.

« C'est à toi qu'il faut souhaiter bonne chance, Daniel. »

Ce dernier hocha la tête. Il se dirigea vers la porte arrière du wagon. Roscoe le rappela. Daniel fit demi-tour.

Maladroitement, Roscoe voulut le mettre en garde. « Tu es le seul survivant, Daniel. Ton père aurait sûrement pas aimé qu'il t'arrive quelque chose. » Daniel le regardait sans rien dire. « Ce que je veux dire, ajouta Roscoe, c'est que s'il t'arrivait quoi que ce soit, ton père aurait vécu pour rien. »

Daniel opina.

« J'y penserai, M. Craig.

— Ça y est, on ralentit, fit le conducteur. Vaudrait mieux que tu y ailles maintenant, Daniel. »

Daniel sortit sur la petite plate-forme et attendit sur la marche la plus basse que le train, ralenti par la pente, n'avance plus qu'au pas. Roscoe et le conducteur vinrent se poster sur la plate-forme. Daniel sauta, courut durant quelques mètres, se laissa glisser le long du remblai qui bordait la voie, reprit son équilibre, se redressa et agita la main pour leur montrer que tout allait bien. Eux aussi lui firent signe et le train, presque aussitôt, reprit de la vitesse. Quelques minutes plus tard, il disparaissait au bout de la courbe ; Daniel, lui, se mit en route à travers les collines, vers ce qui restait de sa maison.

Il retrouva sans peine les sentiers familiers ; il lui semblait n'avoir jamais quitté son pays. C'était là qu'il avait grandi ; il connaissait les lieux comme sa poche. Il se rappela le jour où son père l'avait emmené chasser pour la première fois — il était alors tout petit. Comme il avait été fier de ramener un lapin qu'on avait mangé en civet !

Il était tellement perdu dans ses souvenirs que les deux heures de marche pour arriver chez lui parurent très brèves. Aussi, ne s'attendait-il pas au choc qu'il reçut en débouchant sur la route au bord de laquelle sa maison se dressait autrefois.

Son sang se figea. Il n'y avait plus qu'une carcasse calcinée ; seuls des pans de murs subsistaient et la cheminée était intacte. Au soleil matinal, l'air semblait vibrer au-dessus des ruines. Derrière on voyait la grange qui n'avait pas été touchée, mais que toute vie avait abandonnée. Il prit une profonde inspiration et se força à pénétrer dans ce qui avait été la cour.

Il entendit un grand bruit derrière lui. Il se retourna aussitôt : c'était la mule qui émergeait des buissons de l'autre côté de la route. Elle interrogeait Daniel de ses gros yeux ronds.

Ce fut elle qui fit le premier pas. Elle traversa la route et vint se frotter le museau contre lui. Daniel s'écarta ; la mule franchit la cour et entra dans la grange.

Daniel la suivit et la vit s'enfoncer la tête dans le foin. Il regarda l'abreuvoir : il était vide. Il sortit dans la cour et s'approcha du puits. Le grand seau d'eau était toujours à sa place, accroché au bec de la pompe. Il se mit à en actionner le bras. L'eau ne monta pas tout de suite ; elle finit par sortir en giclant. Lorsqu'il eut rempli le seau, Daniel le porta près de l'abreuvoir.

La mule leva la tête et l'observa. Lentement, Daniel versa l'eau dans l'abreuvoir. Sans cesser de mâchonner du foin, la mule s'approcha de l'abreuvoir. Elle le contempla un moment, puis leva les yeux sur Daniel. Celui-ci hocha la tête. « Hé oui, tête de mule, c'est comme ça qu'on tire de l'eau. Allez, bois ! »

Il lui sembla que la mule lui adressait une espèce de sourire tout en se débarrassant les dents des brindilles de foin. Ensuite, elle plongea prudemment son museau dans l'eau et se mit à boire. Daniel s'éloigna.

Sans plus regarder la maison, il se dirigea vers la petite colline qui menait au cimetière. Il regarda les tombes ; la terre fraîchement remuée faisait encore une tache sombre. Il ôta son chapeau et demeura tête nue au soleil. Comme il n'avait jamais été à un enterrement, il ne savait pas quelle prière il fallait dire. La seule dont il put se souvenir, c'était celle que sa mère lui avait apprise lorsqu'il était tout petit. Très doucement, ses lèvres se mirent à remuer :

A présent que je vais m'endormir,
Je prie le Seigneur d'avoir soin de mon âme.
Et si je mourais avant de m'éveiller,
Je prie le Seigneur qu'il m'emporte chez lui.
Que Dieu bénisse maman, que Dieu bénisse papa.
Que Dieu bénisse mes frères et mes sœurs...

Sa voix se cassa ; pour la première fois, les larmes lui montèrent aux yeux et bientôt, il ne vit plus les tombes qu'à travers un brouillard. Il resta là sans bouger, laissant les larmes ruisseler sur ses joues. Au bout d'un moment elles se tarirent mais il n'avait pas bougé : les tombes surmontées de leurs petites croix de bois se gravaient dans son esprit. Son âme n'était plus que deuil, souffrance et solitude. Puis tout à coup, il ne sentit plus rien. La souffrance avait disparu. Il ferma les yeux un long moment. Il savait ce qui lui restait à faire.

Sans un regard en arrière, il quitta le petit cimetière et s'engagea dans le sentier qui menait au sommet de la colline. Le chemin faisait un léger coude. Il sut qu'elle était là, que rien n'avait changé : la distillerie de son père avec son petit abri, l'alambic et les cruches en terre cuite. C'était comme si rien ne s'était passé.

Il ouvrit la porte de l'abri et entra. Il faisait sombre : le jour ne filtrait qu'à travers la porte. Il passa la main sur l'étagère du haut et trouva ce qu'il était venu chercher. Il tâtonna encore du bout des doigts et finit par toucher la petite boîte qui devait y être aussi. Il empoigna le fusil à double canon protégé par une toile de bâche et la boîte de cartouches pour aller les examiner à la lumière. Rapidement, il ôta la toile. Le fusil était soigneusement entretenu, il luisait. Il releva les deux percuteurs et appuya sur les gâchettes. La détente lui sembla précise, les percuteurs claquèrent avec un bruit net sur l'aiguille. Son père lui avait toujours recommandé de nettoyer ses armes et de vérifier leur fonctionnement. Il ouvrit la boîte de cartouches. Elle était presque pleine.

Il les étala sur un banc de bois et rentra dans l'abri d'où il ressortit cette fois avec une scie à métaux et une lime. Il cala avec soin le fusil dans l'étau de l'établi et se mit à scier les canons tout doucement pour les raccourcir à peu près des trois quarts. Quand il eut terminé, il en lima soigneusement la section qu'il essuya avec un chiffon légèrement imbibé d'huile. A l'aide d'un autre chiffon, il ôta l'excès d'huile et sortit le fusil de l'étau. Il le prit pour l'examiner de près. L'arme tout entière, y compris la crosse en bois, ne mesurait pas plus de soixante centimètres.

Il posa l'arme sur l'établi, prit deux cruches qu'il alla installer sur la clôture, au soleil. Il répéta ce manège jusqu'à ce qu'il y ait dix cruches, disposées à soixante centimètres l'une de l'autre, sur la clôture. Il ramassa son fusil et plaça une cartouche dans chaque culasse.

Il se retourna et évalua à vue d'œil la distance qui le séparait de la clôture. Un mètre soixante, à peu près. Exactement ce qu'il fallait. Tenant son fusil à la hauteur de la taille, il le cala sur sa hanche et appuya sur les deux gâchettes.

Le recul le fit presque pivoter sur lui-même et la détonation lui déchira les tympans. Il se retourna pour examiner l'état des cibles. Il les avait toutes manquées. La cruche qu'il avait visée était toujours intacte.

Il passa derrière la clôture, cherchant sur le tronc d'arbre des traces de plomb. Il les trouva. Il avait mis trop haut et trop à gauche ; les impacts n'étaient pas assez groupés. Comme l'arbre se trouvait à un mètre environ de sa cible, cela signifiait qu'il devait se rapprocher d'elle davantage pour que son tir soit efficace. Et c'est ce qu'il fit tranquillement. Rien ne pressait. Il avait tout l'après-midi devant lui.

Quand il fut content du résultat, il avait utilisé presque toutes les cartouches ; il n'en restait que quatre. Il en glissa deux dans son fusil et fourra les deux autres dans sa poche.

Le soleil commençait à décliner vers l'ouest lorsqu'il redescendit le sentier. Il longea le cimetière sans s'arrêter et pénétra dans la grange. La mule, rassasiée, se reposait dans sa stalle.

Il prit une bride et des rênes pendus à un crochet au mur de la grange et s'approcha de la mule. L'animal le regarda faire d'un air méfiant. « Allez, vieille mule, il est temps que tu mérites ta pitance. »

Ce matin-là, Jackson se mit à balayer les planches du seuil devant le magasin de M. Fitch à sept heures. Il ne prêta pas la moindre attention à l'homme qui s'était assis sur le banc du square, de l'autre côté de la rue. Il ne se distinguait pas des autres paysans qui venaient piquer un petit roupillon au même endroit, le chapeau rabattu sur les yeux pour se protéger de la lumière matinale. Quant à la vieille mule attachée à un arbre voisin, elle n'attirait pas davantage l'attention.

Quelques instants plus tard, Harry, l'employé de confiance, toujours très affairé arriva au magasin et se mit à disposer les marchandises vendues dehors, à l'étal. Il venait juste de terminer sa tâche lorsque M. Fitch arriva. Harry loucha vers la grosse horloge. Elle marquait huit heures. Il était à l'heure. Pile.

M. Fitch était de bonne humeur.

« Tout va bien, Harry ? »

L'employé opina vigoureusement.

« Oui, M. Fitch, tout va très bien. » M. Fitch eut un petit rire satisfait, passa devant lui et s'enfonça dans le magasin. Harry le suivit. « Nous avons reçu nos haricots en boîte, M. Fitch. Est-ce que vous voulez que nous les mettions en vente ? »

Fitch s'arrêta un instant et acquiesça.

« A combien, M. Fitch ?

— Dix cents les trois, Harry. C'est pas cher et ça nous laisse encore un joli bénéfice. Elles nous reviennent à deux cents pièce.

— Je m'en occupe tout de suite, M. Fitch. »

Fitch se dirigea vers son bureau, au fond du magasin tandis que Harry criait à Jackson de monter les boîtes de haricots qui se trouvaient à la cave.

De l'autre côté de la rue, l'homme se leva de son banc. Il regarda à droite et à gauche un instant. Il n'y avait pas beaucoup de gens dehors. Sans se presser, il traversa la rue et s'approcha du magasin, les bras serrés comme pour fermer les pans de sa veste, le chapeau toujours rabattu sur les yeux. Il entra dans la boutique.

Harry surgit comme un diable de sa boîte, derrière le comptoir.

« Puis-je vous être utile, monsieur ? »

Sans le regarder, l'homme demanda :

« M. Fitch est là ?

— Il est dans son bureau, au fond.

— Merci », répondit l'homme, poliment. Il avait à peine fini de parler qu'il avait déjà disparu derrière une pile de cageots, près de la porte du bureau.

Sam Fitch, assis derrière son bureau, leva les yeux lorsque l'homme entra.

« Bonjour, mon brave, fit-il sur le ton qu'il employait avec ses clients. Puis-je vous renseigner ? »

L'homme s'arrêta devant le bureau. Il repoussa son chapeau, découvrant son visage.

« Sûr que vous pouvez, fit-il d'une voix qui ne laissait paraître aucune émotion.

— Daniel ! » Sam Fitch blêmit. Daniel garda le silence. « Je ne t'avais pas reconnu, mon garçon. Tu as tellement grandi ! » ajouta Fitch.

Daniel le fixait sans ciller.

« Pourquoi avez-vous fait ça, M. Fitch ?

— Qu'est-ce que j'ai fait ? » Fitch jouait l'étonné. « Je ne vois pas de quoi tu parles. »

Daniel le toisa froidement.

« Je suis sûr que si, M. Fitch. Qu'est-ce qu'ils avaient bien pu vous faire pour que vous les ayez tous massacrés ?

— Je ne vois toujours pas de quoi tu parles ! répéta Fitch.

— Roscoe Craig était là-bas, sur place. Il s'était caché dans la grange. Il a tout vu. Il m'a tout raconté. » La voix de Daniel ne trahissait toujours pas la moindre émotion. Fitch le dévisagea. Ne pouvant plus nier, il s'entêta dans des mensonges.

« C'est un accident, Daniel. Il faut que tu me croies. On n'a jamais eu l'intention de mettre le feu à ta maison.

— Vous avez jamais eu l'intention de tuer mon père, non plus ?

Seulement, vous avez donné le signal de l'abattre quand il est sorti de la maison.

— Non, j'essayais de les arrêter. Je leur ai fait signe. Je voulais les arrêter. » Fitch écarquilla les yeux en voyant Daniel ouvrir sa veste, découvrant le fusil à canon scié. Tout en continuant à protester, il ouvrit doucement un tiroir de son bureau et glissa subrepticement la main vers le revolver qui s'y trouvait. « J'ai voulu les en empêcher. Mais ils n'écoutaient pas. Ils étaient enragés.

— Vous mentez, M. Fitch » fit Daniel impassible et résolu.

Fitch venait de mettre la main sur son arme. D'un mouvement rapide pour un homme de sa corpulence, il s'empara de son revolver et fit un saut de côté qui le plaça devant la cloison vitrée qui séparait son bureau du magasin. Mais il ne fut pas assez rapide.

La double détonation claqua comme un coup de tonnerre dans le minuscule bureau. Le corps de Fitch fut comme cisaillé en deux au niveau de l'estomac et l'impact le projeta en arrière faisant éclater la cloison de verre. Son sang et ses entrailles éclaboussèrent les cageots qui s'écroulèrent sur lui.

Lentement, Daniel s'approcha et regarda le corps déchiqueté de Sam Fitch. Daniel n'avait pas bougé d'un pouce lorsque le shérif suivi d'un adjoint, fit irruption dans le magasin.

Après avoir jeté un rapide coup d'œil sur le corps de Fitch, le shérif dévisagea Daniel. Il remit son revolver dans son étui et tendit la main vers Daniel.

« Je crois que tu ferais mieux de me donner ce fusil, Daniel. »

Daniel détacha enfin son regard du cadavre de Sam Fitch.

« Shérif, il a tué toute ma famille.

— Donne-moi ce fusil, Daniel, répéta doucement le shérif.

— Tenez », fit Daniel en hochant la tête. Le shérif prit l'arme qu'il passa à son adjoint.

« Viens, Daniel. »

Celui-ci sortit du bureau et s'arrêta une fois encore pour contempler ce qui restait de Sam Fitch. Lorsqu'il leva les yeux vers le shérif, son regard exprimait une souffrance indicible.

« Shérif, interrogea-t-il d'une voix désespérée, il n'y a donc eu personne dans cette ville pour l'empêcher de faire ça ? »

Le juge qui siégeait se pencha et regarda devant lui. Il vit Daniel, debout et silencieux dans le tribunal presque vide. « Daniel Boone Huggins, déclara solennellement le magistrat, étant donné les circonstances atténuantes, la mort de toute votre famille, prenant en considération votre extrême jeunesse, et dans l'espoir de mettre un terme à la violence qui dévaste notre comté depuis plus d'un an, le tribunal a décidé de vous envoyer en maison de correction pendant deux ans jusqu'à l'âge de dix-huit ans révolus, ce qui ne tardera guère. Le tribunal espère en outre que vous vous efforcerez d'apprendre un métier et que vous profiterez des nombreuses occasions qui vous seront offertes dans cet établissement pour devenir un citoyen utile à la société. »

Il frappa deux fois de sa règle sur sa table et se mit debout. « L'audience est levée ». Il descendit de l'estrade tandis que le shérif s'approchait de Daniel. Jason sortit de sa poche une paire de menottes. « Désolé, Daniel, mais la loi nous oblige à passer les menottes aux condamnés. »

Daniel leva les yeux sur lui et tendit ses mains sans rien dire. Les menottes se refermèrent avec un cliquetis autour de ses poignets. Le shérif le regarda.

« Alors, Daniel, toujours en colère ? » Daniel fit non de la tête.

« Non, shérif. Pourquoi cette question ? Tout est fini. Peut-être que maintenant, j'arriverai à oublier. »

Mais il n'oublia jamais.

AUJOURD'HUI

L'énorme semi-remorque s'est rangé sur le bas-côté de l'autoroute en faisant siffler ses freins à air comprimé. La portière s'est ouverte brusquement. Le chauffeur nous observait l'air intrigué, tandis que je descendais du camion. J'ai tendu la main pour aider Anne à sauter.

« Vous êtes dingues, les mômes, de vous arrêter comme ça n'importe où, en pleine cambrousse ! On est encore à cinquante-deux kilomètres de Fitchville et derrière nous, la ville la plus proche est à soixante-quinze bornes ! Entre les deux, y a rien, à part un ou deux péquenots, et encore ! »

Anne m'avait rejoint. J'ai attrapé nos sacs.

« Merci de nous avoir pris », lui ai-je dit. Il ne me quittait pas des yeux.

« De rien. Mais faites gaffe. Les gens d'ici aiment pas trop les étrangers. Ils posent pas de questions, ils tirent.

— On se débrouillera. »

Après avoir hoché la tête, il a fermé la portière. On l'a regardé prendre de la vitesse et au bout d'un moment, le poids lourd avait disparu dans le flot de la circulation. Je me suis tourné vers Anne qui n'avait rien dit depuis un moment.

« Tu sais où on va ? » J'ai fait signe que oui. « Ça te ferait rien de me le dire ? » a-t-elle ajouté, sarcastique.

Après avoir scruté les environs, j'ai pointé mon doigt en direction d'une petite colline qui se dressait au-dessus d'une ligne d'arbres à un peu plus d'un kilomètre de l'autoroute :

« Là-bas. »

Elle a regardé la colline puis m'a regardé, moi.

« Pourquoi ?

— Je le saurai quand on y sera. » J'ai dégringolé le remblai qui borde l'autoroute et quand je me suis retourné, elle était toujours au même endroit, les yeux fixés sur moi. « Tu viens ? »

Elle s'est décidée à me suivre. A mi-pente, elle a glissé. Je l'ai rattrapée et elle s'est arrêtée, la tête contre ma poitrine. Elle tremblait. Au bout d'un moment, elle a levé la tête :

« J'ai peur. »

Je l'ai regardée dans les yeux.

« Mais non. Tu es avec moi. »

Il nous a fallu presque deux heures pour atteindre le sommet de cette colline, et une demi-heure de plus pour arriver jusqu'au tertre situé sur l'autre versant, à peu près aux trois quarts de la pente. J'ai laissé tomber mon barda et je me suis assis par terre. Après avoir soufflé un bon coup, je me suis mis à genoux pour explorer le sol sous les hautes herbes sauvages.

« Qu'est-ce que tu fabriques ?

— Je cherche quelque chose. » Au moment où je lui répondais, j'ai senti une pierre sous ma main. Tout doucement, j'ai tâté. Elle avait une forme rectangulaire et sa face supérieure était légèrement inclinée vers moi. Rapidement, j'ai arraché les herbes et les plantes qui la recouvraient. Il s'agissait d'un bloc de pierre d'environ soixante-dix centimètres de long sur trente de large. J'ai ôté la terre et les débris qui y adhéraient encore, jusqu'à ce que les lettres gravées dans la pierre apparaissent nettement : HUGGINS.

« Qu'est-ce que tu as trouvé ? » fit-elle à voix basse, derrière moi.

Avant de lui répondre, j'ai regardé la pierre encore une fois.

« La tombe de mon grand-père.

— Tu savais où elle était ?

— Non, pas du tout.

— Alors, comment tu as fait ?

— J'en sais rien. »

« Dis-lui que c'est moi qui te l'ai indiquée.

— Tu es mort. Tu ne m'as rien appris, pas même quand tu vivais !

— Je t'ai appris tout ce qu'il fallait. Mais tu n'écoutais pas.

— Qu'est-ce qui te fait croire que j'écoute maintenant ? »

Il est parti de son gros rire épais, celui que je lui ai toujours connu.

« Maintenant, tu n'as plus le choix. Je suis là, dans ta tête.

— Casse-toi, p'pa. Tu es mort. Laisse-moi vivre ma vie.

— Tu es jeune encore. Tu as tout le temps. Faut d'abord que tu t'occupes de la mienne. Ensuite, tu seras capable de vivre ta vie comme tu l'entends.

— Merde !

— Comme tu dis. » A nouveau, il est parti de son gros rire. « Avant de vouloir courir, il faut bien apprendre à marcher.

— Et c'est toi qui vas m'apprendre ?

— T'as tout compris.

— *Je serais curieux de savoir comment tu vas faire avec deux mètres de terre sur la tête, là-bas du fond de ton trou !*

— *Je te l'ai déjà dit. Je suis présent dans chaque cellule de ton corps. Je suis ce que tu es et tu es ce que je suis. Aussi longtemps que tu vivras, je serai là.*

— *Mais je mourrai bien, un jour, moi aussi. Et alors, où seras-tu ?*

— *Avec toi. Dans chaque cellule de ton enfant.* »

« Tournez-vous lentement et surtout pas de gestes brusques » a lancé une voix d'homme derrière nous.

Je me suis mis debout, Anne m'a pris la main et tout doucement, nous nous sommes retournés. L'homme était grand et mince, vêtu d'un vieux bleu délavé et d'une chemise à carreaux. A force de cligner les yeux au soleil, il avait des rides profondes. Il portait un chapeau de paille à larges bords et pointait sur nous un fusil à double canon qui reposait au creux de son bras. « Vous avez pas vu les écriteaux DÉFENSE D'ENTRER sur le sentier ?

— On n'est pas venus par là. On a gravi la colline depuis l'autoroute.

— Alors, demi-tour. Repartez comme vous êtes venus. J'sais pas ce que vous cherchez, mais c'est pas ici que vous le trouverez.

— J'ai déjà trouvé ce que je cherchais », ai-je répondu en montrant la pierre sur le sol.

Il a fait un pas en avant et s'est penché pour regarder.

« Huggins » a-t-il murmuré, prononçant les deux *g* comme un *j*. « En quoi ça vous regarde-t-il ?

— C'est mon grand-père. »

Il a gardé le silence un moment. Il me dévisageait avec attention.

« Comment vous vous appelez ?

— Jonathan Huggins.

— Vous êtes le fils à Big Dan ? » J'ai fait signe que oui. Il a laissé retomber le canon de son fusil vers le sol.

« Bon, suivez-moi à la maison, les jeunes, a-t-il fait d'une voix radoucie. Ma femme a mis de la limonade à rafraîchir dans le puits. »

On l'a suivi sur un sentier qui descendait à travers un petit bois sur l'autre versant de la colline. On a débouché sur un petit tertre juste au-dessus d'un champ de maïs. La maison se trouvait derrière ce champ. Quand je dis maison, c'est une façon de parler. C'était plutôt une cabane faite d'un assemblage de planches hétéroclites qu'on avait clouées tant bien que mal en bouchant les interstices avec du goudron et de l'isolant. Quant au toit, il était aussi en planches clouées sur une bâche de plastique. Devant la maison, stationnait une vieille camionnette déglinguée, toute poussiéreuse, et d'une couleur indéfinissable tellement la peinture en était écaillée. Après nous avoir fait traverser le champ, et longer son véhicule, il nous a conduits jusqu'à la porte qu'il a ouverte.

« Betty May, on a de la visite », a-t-il lancé.

Quelques instants plus tard, une fille est apparue sur le seuil. Elle ne devait pas avoir plus de seize ans. Elle avait le visage rond, les yeux bleus et de longs cheveux blonds. Elle était enceinte. Elle nous observait avec attention, l'air un peu craintif.

« Rassure-toi, va. C'est des gens de là-haut. Des gens du Nord.

— Bonjour. » Elle avait une voix enfantine.

« Salut », ai-je fait.

Il s'est tourné vers moi, la main tendue :

« Je m'appelle Jeb Stuart Randall. Ma femme Betty May.

— Très heureux de vous connaître, Jeb Stuart. » Je lui ai serré la main. « Je vous présente Anne.» Il esquissa une courbette démodée.

« Enchanté, madame.

— Non, mademoiselle.

— Je vous demande pardon, mademoiselle.

— Ravie de vous rencontrer, M. et Mme Randall, a dit Anne en souriant.

— Sors la limonade du puits, Betty May. Avec le soleil qu'il fait cet après-midi, nos visiteurs ont sûrement soif ! »

Betty May a disparu comme par enchantement tandis que nous suivions Jeb à l'intérieur. Après la chaleur éblouissante du dehors, il y faisait sombre et frais. Nous nous sommes assis autour d'une petite table dans l'unique pièce. Appuyé contre l'une des cloisons, il y avait un antique fourneau à charbon et un évier surmonté d'un placard. En face, on distinguait une vieille armoire en bois, une commode et un lit recouvert d'un dessus en patchwork. Une petite lampe à pétrole était posée au centre de la table.

Jeb Stuart a pris dans sa poche une cigarette à demi consumée qu'il a plantée entre ses lèvres sans l'allumer. Betty May est revenue avec une cruche de limonade. Sans rien dire, elle a rempli trois verres qu'elle a placés devant chacun de nous. Elle-même n'a rien pris et ne s'est pas assise à table à côté de nous. Elle est allée se placer près du fourneau où elle s'est contentée de nous regarder.

J'ai goûté la limonade. C'était fade, flotteux et très sucré. Mais c'était frais.

« Elle est très bonne, madame.

— Merci », a-t-elle répondu de sa voix enfantine.

Ça lui faisait plaisir.

« J'ai appris le décès de votre papa. Mes condoléances », m'a dit Jeb. J'ai hoché la tête sans rien dire. « Je l'ai vu une fois, votre papa. C'était quelqu'un et pour ce qui est de parler, on peut dire qu'il se posait un peu là ! J'me souviens qu'en l'écoutant, j'me suis dit : “ Le Bon Dieu lui-même s'arrêterait pour l'entendre ”. »

Je n'ai pu m'empêcher de rire.

« C'est ce qui doit se passer en ce moment, à moins qu'il soit en train de convaincre le diable d'accorder la semaine de trente-cinq heures aux damnés de la terre ! »

Visiblement, il ne savait pas s'il fallait rire ou non.

« Votre papa était un bon chrétien, il est sûrement au paradis ! » J'ai opiné car, de toute évidence, nous ne parlions pas le même langage. « Il était comme nous autres. Il est né ici. Il s'est fait un nom tout seul et le pays tout entier le respectait. » Il a fouillé dans sa poche et en a ressorti le petit macaron du syndicat, le célèbre trèfle à quatre feuilles bleues sur lesquelles se détachent en blanc les lettres C.U.T.I. « Quand il a fondé la Confédération, nous avons été l'un des premiers syndicats à fusionner.

— A quel syndicat apparteniez-vous ?

— A la F.E.A.S. »

Tout s'expliquait. La Fédération des Exploitants agricoles du Sud ! Le plus bouseux des syndicats de péquenots ! Ni la C.I.O. ni l'A.F.L. ne s'étaient jamais souciées de leur réclamer des cotisations. De fait, ces paysans n'étaient pas riches. Mais mon père savait ce qu'il faisait. Il lui fallait bien commencer quelque part. Ce qu'il cherchait avant tout, c'étaient des adhérents, pas des fonds, et le Sud ne demandait qu'à se laisser cueillir. C'est pour cela qu'il avait choisi de s'intituler Confédération et non Internationale. Il avait raison. En l'espace d'un an, tous les syndicats du Sud avaient opté pour sa Confédération. Il s'en était servi comme d'une plate-forme pour s'étendre dans le Nord, l'Est et l'Ouest. Trois ans plus tard, sept cents organisations syndicales s'étaient affiliées à sa Confédération, ce qui représentait plus de vingt millions de travailleurs adhérents.

Jeb Stuart a fait signe à sa femme, et sans un mot, elle a rempli son verre.

« Je me rappelle encore son discours mot pour mot : " Je suis des vôtres. Je suis né dans ces montagnes. J'ai aidé mon père à labourer et à distiller. Quand j'ai eu quatorze ans, j'ai commencé par travailler à la mine. Ensuite, j'ai gardé du bétail au Texas, j'ai travaillé dans les puits de pétrole dans l'Oklahoma, j'ai chargé des péniches à Natchez, conduit une benne à ordures en Georgie et récolté les oranges en Floride. Des boulots, je peux dire que j'en ai fait ! J'en ai fait tellement que vous n'en avez même pas idée. Eh bien, à chaque fois, on m'a viré. "

« Il a jeté un regard circulaire dans la salle par-dessous ses gros sourcils broussailleux. Nous, on se marrait. Il nous avait mis dans sa poche. Et il le savait aussi bien que nous. Seulement, lui, il souriait même pas. Il était tout à son affaire :

« " Je vous demande pas de lâcher la C.I.O. pour venir chez nous. La C.I.O. fait ce qu'elle peut pour vous. Même si la direction est un peu crounie, un peu dépassée dans ses méthodes, même si les jeunes loups qui prennent la relève, là-haut à Detroit, manquent un peu de bouteille. Elle fait du bon boulot : je dis pas le contraire. Mais elle peut pas s'occuper de tout le monde. Même si la C.I.O. réintègre l'A.F.L. — et, croyez-moi, elles finiront par fusionner — à elles deux, elles pourront pas s'occuper de tout un chacun.

« " Ce que je vous demande, c'est pas de vous saigner encore plus, de payer des cotisations supplémentaires. Dieu sait que vous en payez déjà bien assez comme ça. Ce que je vous demande, moi, les gars, c'est de faire partie d'une confédération. Ici, aujourd'hui, dans le Sud, une confédération, tout le monde sait ce que c'est. On l'a tous appris à l'école dans nos livres d'histoire. C'est un certain nombre de gens qui — de leur plein gré — décident de se regrouper pour protéger leurs droits en tant qu'individus. Exactement comme vos arrière-grands-pères l'ont fait jadis, pendant la guerre de Sécession.

« " A quoi sert la C.U.T.I. la Confédération unie des Travailleurs indépendants ? A aider chaque syndicat à conserver son statut autonome, à veiller à ce que ses adhérents obtiennent gain de cause dans les meilleures conditions. Et pour ça, la Confédération vous offre ses services : conseil juridique, comptabilité, gestion. Ainsi, vous serez à même de décider en connaissance de cause, de choisir la meilleure solution. Vous serez sur un pied d'égalité avec les gros syndicats et les entreprises qui font appel à des spécialistes pour régler leurs problèmes. Vous n'aurez rien à payer. Tant que vous ne ferez pas appel à nous, vous ne verserez pas un centime. Et quand vous aurez besoin de nous, vous ne nous paierez que le temps de solutionner votre problème. Quand on l'aura réglé, vous cesserez de payer. " »

Jeb prit son verre et but une gorgée de limonade. « Je comprenais rien à ce qu'il racontait et je crois que dans la salle, y en avait pas un qui pigeait plus que moi. Quelle importance ? Il nous avait tous entortillés. »

Moi, ça me faisait bien rigoler. Ce discours, je le connaissais par cœur. Je l'avais entendu dix mille fois ! Mon père s'était arrangé pour lui donner un petit air sécessioniste : le Sud, tel le phénix, allait renaître de ses cendres ! Lorsqu'un syndicat décidait d'adhérer, il n'était pas sorti de l'auberge : la C.U.T.I. se mettait à le bombarder d'offres de services.

Je crois qu'aucun syndicat ne s'était jamais douté qu'il avait à ce point besoin d'une aide extérieure. Quand il faisait appel à la C.U.T.I. pour un problème bien précis, celle-ci s'empressait de lui prouver qu'il n'en avait pas un, mais dix. Alors, il était coincé, plus moyen de faire marche arrière. Et le plus beau, c'est que ni l'A.F.L. ni la C.I.O. ne pouvaient intervenir pour la bonne raison que la C.U.T.I. servait également leur intérêts !

« Et alors, qu'est-ce qui s'est passé ?

— Eh bien, cet été-là, on parlait beaucoup de se mettre en grève parce que la récolte s'annonçait fantastique. La C.U.T.I. nous a prouvé qu'on y perdrait plus de plumes que les gros exploitants étant donné que, pour la première fois depuis trois ans, il était probable que tout le monde trouverait à s'employer. Donc, si on loupait cette récolte du siècle, on en aurait pour six ans à s'en remettre — et encore à condition d'être augmentés ! D'après les prévisions, l'année suivante devait pas être trop fameuse. Par conséquent, c'était cette année-là qu'il faudrait choisir pour coincer les propriétaires ; vu que la moitié d'entre nous se trouveraient sans emploi, de toute façon, on risquerait moins gros. Les propriétaires, eux, ils voulaient la faire, la récolte, bonne ou mauvaise. Alors on s'est mis en grève et ça a marché ! Au bout de deux semaines, tous les gros exploitants ont cédé : ils pouvaient pas se permettre de tout perdre.

— Et à partir de ce moment-là, il y a toujours eu chez vous, au local syndical, quelqu'un de la C.U.T.I. qui travaillait sur un projet important ! »

Jeb m'a regardé, stupéfait.

« Comment le savez-vous ?

— J'ai entendu parler de ça pendant toute mon enfance. Je connais mon père.

— C'était un type formidable, a ajouté Jeb, plein d'admiration.

— Vous n'avez pas changé d'avis maintenant que vous travaillez à votre compte ? »

Il a pris l'air étonné. « J'comprends pas.

— J'ai vu un champ de maïs à côté, tout à l'heure.

— Oh ! ça, c'est rien. A peine plus d'un hectare. J'en viens à bout tout seul.

— Et si le syndicat venait mettre son nez ici et vous obligeait à prendre deux ouvriers ?

— Ils viendront jamais jusqu'ici. Personne n'y vient. Depuis une éternité. Y en a pas un seul qui sait que je fais de la culture par ici. Tout autour, la terre vaut rien. »

Alors je me suis souvenu du début du discours de mon père, celui qu'il avait cité tout à l'heure. « J'ai aidé mon père à labourer et à distiller. » Et brusquement, j'ai compris !

« La distillerie de mon grand-père ! » Jeb a soudain pâli sous son hâle.

« Qu'est-ce que vous dites ?

— La distillerie de mon grand-père, ai-je répété. Vous l'avez trouvée ? »

Après avoir hésité un instant, il a hoché la tête. A présent, tout se tenait. Plus d'un hectare de maïs converti en alcool, ça représentait une petite fortune. « Je voudrais la visiter.

— Maintenant ?

— Oui. »

Sans un mot, il s'est levé, s'est emparé son fusil et dirigé vers la porte. Je l'ai suivi.

« Non, Jeb Stuart, non. Fais pas ça. » Brusquement, la voix de Betty May avait perdu son intonation enfantine. J'ai regardé Jeb et je me suis tourné vers elle.

« Rassurez-vous, madame, tout ira bien. » Jeb Stuart est sorti. J'ai dit à Anne : « Reste ici jusqu'à ce que je revienne. » Elle a compris.

« Quand vous reviendrez, le souper sera prêt », a ajouté Betty May. Je l'ai remerciée et j'ai rejoint Jeb Stuart.

Il s'est mis à marcher rapidement sans regarder une seule fois derrière lui. Il n'a pas prononcé une parole tandis que nous nous frayions un chemin dans le petit bois sur le versant de la colline. Les herbes envahissaient presque entièrement le sentier. Soudain, il s'est arrêté.

« C'est là. »

J'ai levé les yeux : devant moi, s'élevait une sorte de rempart végétal impénétrable.

« Oui.

— Comment le savez-vous ?

— C'est vous qui me l'avez dit.

— J'comprends pas.

— Ça ne fait rien. »

Il a fait quelques pas en avant, il a repoussé un amas de broussailles et a disparu. Je l'ai suivi et, derrière nous, les buissons se sont remis en place. La distillerie se trouvait située dans une petite clairière à moitié creusée dans le flanc de la colline ; la partie découverte était abritée par un toit de rondins recouverts de branchages. Le grand chaudron en fonte noire avait l'air propre et ne semblait pas avoir souffert du temps. L'alambic brillait comme s'il était neuf. Trois gros fûts en chêne de cent cinquante litres étaient alignés contre la distillerie et, de l'autre côté, on avait soigneusement entassé des bûches bien calibrées. J'ai entendu le léger clapotis d'un torrent et je suis passé derrière les appareils. C'était là qu'il coulait, luisant dans la pénombre, courant par-dessus des galets et des rochers. J'ai plongé mes mains dans l'eau et les ai portées à mes lèvres. Elle était douce et fraîche.

« C'est la même eau qui alimente notre puits, en bas.

— Comment l'avez-vous découverte ?

— En chassant. Il y a deux ans. Mon chien avait débusqué un raton laveur. J'ai pris le raton et j'ai remonté le torrent jusqu'à l'emplacement de l'ancienne maison. J'ai tout de suite compris ce qui me restait à faire. En trois ans, je pouvais faire fortune. Fini de me crever le cul pour rien. Je pourrais enfin vivre décemment. »

Je suis revenu à la distillerie. Il m'a suivi. J'examinais les tubes en cuivre de l'alambic.

« Ils sont neufs ?

— J'ai dû tout remettre en état. Betty May et moi, on y a travaillé une année entière. On a retourné le champ pour planter le maïs et on a construit la baraque. Avec le matériel et les outils, toutes nos économies y sont passées. Plus de six cents dollars ! C'est qu'au printemps dernier, quand le maïs a commencé à donner, qu'on s'est mis à y croire. Tout avait l'air de bien se présenter. Personne savait qu'on était là. On va jamais rien acheter à Fitchville. Une fois la semaine, on descend sur Grafton à près de cent kilomètres d'ici par l'autoroute pour acheter ce qu'il nous faut. Tout marchait bien et puis... il a fallu que vous arriviez ! »

Je le regardais sans rien dire.

Il a reposé son fusil par terre. Son regard est devenu songeur tandis qu'il fouillait la poche de sa chemise à la recherche d'une cigarette. Elle était toute biscornue et tirebouchonnée : elle devait s'y trouver depuis longtemps. Il l'a redressée soigneusement avant de l'allumer. Lentement, il a soufflé la fumée qui s'est enroulée autour de son visage lorsqu'il s'est tourné vers moi. « Dans le fond, Betty May et moi, on devait savoir que c'était trop beau pour être vrai, qu'on n'y arriverait jamais. » Il s'est interrompu. Il avait la voix un peu cassée. « On n'a pas grand-chose comme bagages. On peut être partis demain matin.

— Qu'est-ce qui vous faire croire que je veux vous faire partir ?

— C'est votre propriété, pas vrai ? » Il m'a regardé droit dans les yeux. « Quand j'ai voulu savoir à qui ça appartenait, je suis allé voir au cadastre. Et j'ai vu votre nom écrit, gros comme une maison. Votre père vous l'a léguée, ça fait trois ans de ça. Mais là-bas, au bureau du cadastre, on m'a dit que personne était venu par ici depuis plus de trente ans, sauf le notaire qui a dû se déplacer pour enregistrer la donation. »

Je lui ai tourné le dos. Je ne voulais pas qu'il voie les larmes que je m'efforçais péniblement de retenir. Encore une chose que mon père ne m'avait jamais dite. Une parmi tant d'autres.

« Rentrez à la maison. Allez dire à Betty May que je n'ai pas la moindre intention de vous déloger. Je vous rejoindrai dans un petit moment. »

Je l'ai entendu qui se levait derrière moi.

« Vous êtes sûr de retrouver le chemin ?

— Tout à fait sûr. »

Un bruit de branches froissées. Et quand je me suis retourné, il avait disparu. J'entendais encore ses pas qui faisaient craquer les brindilles sur le sentier. Puis ce bruit s'est éteint aussi ; bientôt, il n'est plus resté que le silence et le doux bruit du vent dans les arbres. Je me suis assis par terre. Le sol était frais et humide sous mes doigts. J'y ai plongé la main et j'ai ramené une poignée de terre que j'ai examinée. Elle était noire et mouillée. Je l'ai pressée sur mon visage et j'ai laissé couler mes larmes dessus. Pour la première fois depuis la mort de mon père, je me suis mis à pleurer.

Il faisait encore jour quand le repas s'est achevé. Du lard fumé, des lentilles, du chou trempant dans une sauce aqueuse, le tout accompagné de gros pain de ménage et de tasses de café brûlant.

Du coin de l'œil, j'ai vu que Betty May guettait ma réaction.

« C'est rudement bon, ai-je-dit, en sauçant le jus avec mon pain.

— C'est pas grand-chose mais c'est de la cuisine maison, a-t-elle répondu en souriant, satisfaite.

— C'est ce qu'il y a de meilleur, Betty May.

— Je lui dis toujours, s'est empressé d'ajouter Jeb Stuart. Betty est sans arrêt plongée dans des recettes compliquées qu'elle découpe dans des magazines ; mais pour moi, c'est pas de la vraie cuisine, c'est juste bon à en mettre plein la vue, voilà tout. »

Anne s'est mise à rire.

« Betty May n'a pas de soucis à se faire. A mon avis, elle est capable de cuisiner tout ce qu'elle veut, du moment qu'elle s'y met.

— C'est gentil, Anne », a répondu Betty May en rougissant légèrement.

Jeb Stuart a repoussé son assiette sur la table.

« Comme vous voyez, on a pas beaucoup de place ici, mais vous pouvez prendre notre lit. Betty May et moi, on ira dormir dans la camionnette.

— Ce n'est pas la peine, ai-je répondu aussitôt. Anne et moi, on a nos sacs de couchage. D'ailleurs, on adore coucher à la belle étoile.

— Dans ce cas-là, installez-vous près du champ de maïs. Là, vous n'aurez pas de moustiques. J'ai traité le champ à fond. » Il s'est levé de table. « Venez, je vais vous trouver un endroit où vous serez bien, à l'abri du vent, cette nuit. »

Je me suis levé pour le suivre. Anne m'a imité.

« Je vais vous aider à faire la vaisselle. »

Betty May a refusé.

« Ce sera vite fait. Restez assise et reposez-vous. »

L'obscurité est tombée très vite ; dix minutes plus tard, quand nous sommes revenus, Jeb et moi, du champ de maïs, une vieille lampe à pétrole brûlait protégée par son verre, faisant danser des lueurs jaunes sur les murs.

J'ai jeté un coup d'œil à ma montre. Il était presque huit heures.

« Vous avez la radio ? » ai-je demandé.

Jeb Stuart a secoué la tête.

« Si on l'avait, on n'aurait guère le temps de l'écouter. En général, on se couche aussitôt après souper.

— J'aurais voulu entendre les informations. En principe, mon frère devait être nommé président de la C.U.T.I. cet après-midi.

— Dommage.

— Ça ne fait rien » Je me suis tourné vers Anne. « Viens, je vais te montrer où j'ai installé nos sacs. » On s'est dirigés vers la porte. « Merci pour le dîner, Betty May. A demain matin. »

Sans rien dire, on est arrivés à l'endroit que j'avais choisi. Quand on a trouvé nos sacs, il faisait complètement nuit et, le temps de s'enfiler dedans, la dernière petite lueur avait disparu au couchant.

« Ils n'ont pas l'électricité, m'a dit Anne.

— C'est qu'il n'en veulent pas.

— Elle aimerait avoir la télé, elle me l'a dit. » Je n'ai rien répondu. « Tu comptes leur permettre de rester ici, Jonathan ?

— Oui.

— Tant mieux. Elle avait peur que tu les obliges à partir.

— C'est ce qu'elle t'a dit ?

— Oui. Ils ont vu ton nom sur le cadastre. Tu savais que ton père t'avait légué cette terre ?

— Non.

— Alors pourquoi tu es venu ici ?

— J'en sais rien. Cesse de me poser des questions. Je ne sais plus rien. Ni pourquoi nous sommes ici aujourd'hui, ni où on sera demain. »

Elle a pris ma main et me l'a serrée fort. Je me suis tourné de son côté. La lune venait de se lever et je distinguais son visage.

« C'est bizarre, Jonathan. A chaque minute qui passe, tu ressembles davantage à ton père. Jusqu'à la voix qui est la même.

— Merde. » Nous avons gardé le silence un instant. « Tu sais, je commence à regretter d'avoir balancé toute cette herbe. Je m'en fumerais bien une bonne bien tassée. »

Elle s'est mise à rire.

« Tu parles sérieusement ?

— Tout à fait. »

Elle s'est extirpée de son sac de couchage et s'est assise. Un instant plus tard, elle tenait entre ses mains une petite blague et du papier à cigarettes.

« Ma réserve de secours. Je ne m'en sépare jamais. »

Je n'ai rien dit. Je l'ai regardée rouler habilement son joint et le refermer d'un rapide petit coup de langue. Elle a cherché des allumettes.

« Attends, laisse-moi faire. Qu'on ne mette pas le feu partout. » J'ai frotté l'allumette et j'ai aspiré un grand coup. Je lui ai tendu le joint et j'ai enterré l'allumette dans le sol. Après avoir tété deux fois, elle s'est allongée sur le coude en poussant un soupir de satisfaction. J'y suis revenu moi aussi, je le lui ai repassé, puis d'une chiquenaude, j'ai fait sauter la braise ; j'ai pincé la cigarette et je l'ai glissée dans la poche de ma chemise.

« Tu as déjà vu autant d'étoiles ? »

J'ai levé la tête vers le ciel.

« Non. » Je l'ai devinée plutôt que je ne l'ai sentie faire un mouvement dans son sac de couchage et je me suis tourné vers elle.

Son visage avait cet air pénétré, cette expression particulière que je connaissais bien. Soudain, elle a poussé un très long soupir en pinçant les lèvres.

« Mon Dieu ! » a-t-elle murmuré. Elle s'est rendue compte que je l'observais. « C'est plus fort que moi, tout d'un coup, je me sens toute chose. »

Elle a tendu les bras, croisé ses mains derrière ma nuque pour rapprocher mon visage du sien. Je sentais ses lèvres qui cherchaient à m'embrasser.

« Daniel ! » a-t-elle chuchoté.

Furieux, je l'ai repoussée.

« Ce n'est pas moi qui suis bizarre, c'est toi. Tu veux baiser avec un fantôme ! »

Aussitôt, elle s'est mise à pleurer.

« Excuse-moi, Jonathan. »

Je m'en voulais.

« Ne t'excuse pas. » Je lui ai appuyé la tête contre mon épaule. « Ce n'est pas de ta faute. »

Elle a levé la tête vers moi.

« Tu parles avec lui, hein, Jonathan ?

— C'est pas aussi simple que ça. C'est dans ma tête que ça se passe.

— Mais tu lui parles. Je le sens. Ce genre de trucs, ça me connaît.

— Pas moi. »

Elle s'est mise à rire, et m'a frôlé les lèvres avec sa bouche. C'était un baiser doux et léger.

« Jonathan Huggins.

— Présent !

— Un jour, tu comprendras.

— Je comprendrai quoi ?

— Que tu es exactement comme ton père.

— Non. Je suis moi-même. »

Elle m'a regardé dans les yeux.

« Jonathan Huggins... » Elle a tendu sa bouche vers la mienne. « J'ai envie que tu me fasses l'amour. Je t'en prie.

— Avec qui vas-tu faire l'amour ? Avec moi ou avec mon père ?

— Avec toi, Jonathan. » Elle ne m'avait pas quitté des yeux. « Impossible de faire l'amour avec un fantôme ! »

J'étais dans la cabine de téléphone au bord du parking, j'attendais qu'on transmette mon avis d'appel à la maison. Au-dessus du supermarché, tout au bout du parking, il y a un grand écriteau. D'immenses lettres rouges sur un cercle blanc : FITCH, et au-dessous : MAISON FONDÉE EN 1868.

Il y a eu un déclic dans le téléphone et j'ai entendu la voix de ma mère au bout du fil. J'ai commencé à parler, mais l'opératrice m'a coupé. Je l'ai entendue qui disait : « J'ai un appel en P.C.V. pour Mme Huggins, de la part de son fils Jonathan. » Je n'ai pas pu entendre la réponse de ma mère. L'opératrice m'a dit : « Vous pouvez parler, à présent.

— Bonjour, m'man.

— Jonathan ! Où es-tu ? » Elle avait l'air inquiète.

« En Virginie, dans une petite bourgade qui s'appelle Fitchville. Ça te dit quelque chose ?

— Rien du tout. Je devenais folle. Ça fait quatre jours que tu es parti ! » Sa voix était toujours angoissée.

« Je vais très bien.

— Tu aurais pu appeler. Les parents d'Anne sont furieux. Elle n'a même pas dit où elle allait. On en a déduit qu'elle était partie avec toi.

— Vous ne vous êtes pas trompés.

— Sa mère voudrait bien avoir de ses nouvelles.

— Je vais le lui dire.

— J'espère que vous ne faites pas de bêtises, tous les deux. »

Ça m'a fait rire.

« T'inquiète pas, m'man. Elle prend la pilule.

— Ce n'est pas de ça que je parle. » Elle avait l'air vraiment contrariée.

« Tu peux leur dire qu'elle ne se drogue plus. Je lui ai fait jeter toute son herbe. » J'ai voulu changer de sujet. « Dis donc, je n'ai pas entendu les informations. Comment ça s'est passé pour Dan ?

— Ils l'ont nommé président. Ça a marché exactement comme ton père l'avait prévu.

— Tant mieux. Félicite-le de ma part quand tu le verras. »

Elle ne disait plus rien.

« M'man ? »

Silence, toujours rien.

« M'man, qu'est-ce qu'il y a ?

— La maison est vide. Pas un bruit. Plus personne ne vient, s'est-elle écriée d'une voix brisée.

— Le roi est mort, que veux-tu ! » Elle s'est mise à pleurer.

« Jonathan, rentre, je t'en prie. Je me sens trop seule.

— Même si j'étais près de toi, ça ne changerait rien, m'man.

— Avant, il y avait tout le temps des gens à la maison. Il se passait toujours quelque chose. Maintenant, Mamie et moi on est là, à se regarder dans le blanc des yeux toute la journée. Il nous reste que la télé.

— Et Jack, où est-il ? »

Elle a hésité avant de répondre. Elle n'était pas encore habituée à ce que je sois au courant. « Il ne pourra pas venir avant le week-end prochain. Dan a besoin de lui à Washington.

— Pourquoi tu n'y vas pas ? On a toujours l'appartement.

— Non, il ne nous appartient plus. C'est l'appartement du président de la Confédération.

— Je suis sûr que Dan ne dirait rien.

— Ça ferait mauvais effet. On jaserait.

— Alors, épouse-le ; si c'est ça qui te tracasse.

— Je n'en ai pas l'intention. » Elle s'est interrompue. « J'ai épousé ton père. Je ne peux pas épouser n'importe qui !

— Je te comprends, m'man. Mais il faut bien que tu te décides à refaire ta vie. Il est mort. Tu ne vas pas porter le deuil jusqu'à la fin de tes jours ?

— Jonathan, tu es vraiment mon fils ? Ou seulement le sien ? Tu es en train de dire exactement ce qu'il aurait dit, s'est-elle exclamée, d'une voix soudain émue.

— Je suis ton fils et le sien. Écoute, m'man. Il faut bien qu'on grandisse tous un jour. Quand il était là, rien ne nous y obligeait. C'est lui qui prenait toutes les décisions à notre place. A présent, il faut qu'on se débrouille tout seuls.

— C'est ça que tu es en train de faire, Jonathan ?

— Oui, m'man, j'essaie. Et j'y arriverai, s'il me laisse faire.

— Il n'a jamais facilité les choses.

— Je sais !

— Et moi donc ! » Elle s'interrompit un instant. « Où es-tu exactement ? Est-ce que je peux te joindre ?

— Non, m'man. Je me déplace sans arrêt. Je ne sais pas vraiment où je vais.

— Tu me rappelleras ? Bientôt ?

— Dans le courant de la semaine prochaine.

— Tu as besoin d'argent ?

— Ça va. Mais si j'en manque, je sais à qui m'adresser.

— Fais bien attention à toi, Jonathan. Je t'aime.

— Moi aussi, m'man. » Là-dessus, j'ai raccroché.

J'ai entendu la pièce qui dégringolait dans l'appareil, je l'ai ramassée et je suis sorti de la cabine.

Anne m'attendait devant le supermarché.

Elle a entrouvert un sac en papier.

« Ça ira ces graines, tu crois ? »

J'ai regardé les étiquettes sur les sachets : des violettes, des pensées et des roses.

« Ça me paraît bien mais, les fleurs, j'y connais rien.

— Moi non plus, mais je me suis dit que ça ferait joli près des tombes. Le vendeur m'a dit que ça poussait pratiquement tout seul.

— Dans ce cas, c'est parfait.

— Jeb m'a dit qu'il nous attendrait juste après la station-service, à l'entrée de la ville.

— Très bien. Dis donc, ta mère veut que tu l'appelles. »

Elle s'est tournée vers moi. « Tu as donné de mes nouvelles ? »

J'ai fait signe que oui. « Bon, alors, ça suffit.

— Si c'est comme ça, allons-y.

— Minute. J'ai laissé deux gros sacs d'épicerie dans le caddy, juste derrière la porte. J'ai cru comprendre que les lentilles et le chou, t'en raffolais pas. »

Ça m'a fait rire.

« Alors, tu as acheté tout ça pour moi ? » Elle a souri.

« Ça fera pas de mal non plus au bébé que Betty May attend. Ça le changera. »

« Il y a douze tombes ici », m'a dit Jeb Stuart.

Moi j'avais les yeux sur la terre fraîchement retournée. Elle était grasse et noire.

« Non, il n'y en a que onze.

— Comment le savez-vous ? Il n'y a ni pierres, ni inscriptions.

— Je le sais, voilà tout. Il y a un emplacement prévu pour mon père. Mais il est quelque part, ailleurs. » A l'aide d'une pioche, j'ai tracé sur le sol un rectangle dans l'un des coins du cimetière. « C'est là qu'il devrait être. »

Jeb Stuart a levé la tête.

« Il se fait tard. On pourra finir demain.

— D'accord. »

Il a posé son rateau contre un arbre.

« Je vais prévenir Betty May qu'on va rentrer. »

J'ai hoché la tête et me suis tourné vers Anne qui était assise, le dos contre un tronc.

« Tu as une cigarette ? »

Elle m'en a allumé une et me l'a tendue. On a attendu que Jeb Stuart soit parti pour parler.

« J'ai peur, m'a dit Anne.

— De quoi donc ?

— De la mort. »

Je n'ai rien répondu. Je me contentais de tirer sur ma cigarette.

« La mort est partout présente ici. Tous ceux qui vivent ici sont condamnés à mourir.

— Tout le monde finit par mourir !

— Tu sais très bien ce que je veux dire. » Elle s'est levée et s'est approchée de moi. « Partons, Jonathan. Tout de suite. Ce soir même.

— Non. Demain. Quand j'aurai terminé ça.

— Promis ?

— Je te le promets.

— Bon, je descends voir si Betty May a besoin d'un coup de main.

— Tâche de ne pas la laisser brûler les steaks.

— Je m'en occupe. » Elle s'est engagée dans le sentier en riant.

Je suis retourné aux tombes et, avec le coin de ma pioche, j'ai inscrit le nom de mon père sur l'emplacement de la tombe où il ne reposait pas encore.

« Merci, mon fils.

— Comment s'appelaient-ils, p'pa ?

— Ça n'a plus d'importance. C'étaient tes oncles et tes tantes, mes frères et sœurs. Mais ils ont disparu, ils n'existent plus.

— Mais toi, tu existes ?

— Oui. Parce que je t'ai. Eux n'ont personne.

— Ça n'a aucun sens.

— Pourquoi faudrait-il que c'en ait un ? Ça ne se commande pas. Tiens, c'est comme ton amie.

— *Mon amie ? Qu'est-ce que tu veux dire ?*

— *Elle est enceinte. » Il est parti de son rire silencieux. « La nuit dernière, elle s'est offerte à toi. Elle a reçu ta semence et l'a gardée.*

— *Merde !*

— *Ça ne durera qu'un temps. Elle va la rejeter. Le temps n'est pas encore venu. Ni pour toi, ni pour elle.*

— *Tu en sais des choses pour un mort !*

— *Seuls les morts connaissent la vérité. »*

Quand je suis descendu du cimetière, j'ai entendu une musique qui provenait de la maison. Jeb Stuart était assis devant le tableau de bord de sa camionnette.

« Je ne savais pas que vous aviez la radio.

— Je croyais que vous étiez au courant. C'est Anne qui l'a achetée. Betty May est folle de joie.

— J'aurai besoin d'aide pour planter les graines. J'y connais vraiment rien.

— Betty May s'en occupera. Elle adore les fleurs, et elle a les pouces verts.

— Je lui en serai très reconnaissant. »

Il regardait le champ de maïs derrière moi. « Encore cinq ou six semaines et on commencera la moisson.

— Vous aurez besoin d'aide.

— On se débrouillera.

— Et Betty May ? Quand va-t-elle accoucher ?

— Dans deux mois, d'après nos calculs. Ce sera l'époque où on commencera à distiller.

— Vous allez vendre l'alcool aussitôt ?

— Non. Il serait trop vert. Je le laisserai vieillir en fût pendant l'hiver. Ça le bonifiera. J'en tirerai un maximum. Le whisky trop jeune, ça vaut rien. »

La porte de la baraque s'est ouverte. Anne est sortie. « Le dîner est prêt. »

Jeb Stuart s'est levé. « On arrive. »

Les steaks n'étaient pas mauvais mais Anne a été déçue. Betty May et Jeb n'avaient pas l'air d'apprécier beaucoup. Ils regardaient notre viande saignante d'un air dégoûté. Ils ont remis les leurs à cuire jusqu'à ce qu'ils soient calcinés, deux vrais morceaux de charbon. Alors seulement, ils ont eu l'air de trouver ça à leur goût. On était en train de prendre le café quand on a entendu un ronronnement régulier qui se rapprochait. Betty May s'est immobilisée, la tasse en l'air.

« Qu'est-ce que c'est que ça ?

— Un hélico », ai-je dit sans lever les yeux. Je connais bien. Mon père en a eu un dont il se servait pour se déplacer plus rapidement. Je me suis rendu compte à l'expression de Jeb qu'il n'avait pas compris ce que j'avais dit. « C'est un hélicoptère », ai-je précisé.

Le bruit se rapprochait nettement. « Il nous survole en rase-mottes.

— Je ferais peut-être mieux d'aller jeter un œil. » Jeb s'est levé ; il a pris son fusil accroché au mur et a ouvert la porte.

Nous l'avons tous suivi. L'hélicoptère a débouché très bas au-dessus du champ de maïs ; il se dirigeait vers un endroit dégagé, pas très loin de la baraque. Comme il s'immobilisait un instant en l'air, on a pu lire les lettres noires peintes qui se détachaient sur le fuselage blanc : POLICE. Immédiatement il s'est posé.

L'une des portes s'est ouverte et deux hommes en uniforme kaki, coiffés d'un chapeau de brousse, en sont sortis. Le pilote est resté aux commandes dans sa cabine. Lui aussi portait un uniforme, mais pas de chapeau. Quand ils se sont tournés vers nous, le soleil déclinant a fait briller les étoiles argentées épinglées à leurs chemises.

« Comment va, shérif ? a lancé Jeb.

— C'est toi, Jeb Stuart ? » s'est écrié le plus grand des deux hommes. Il avait l'air très surpris.

« Qui veux-tu que ce soit ? »

Le shérif s'est avancé en souriant vers Jeb, la main tendue. L'autre policier est resté près de l'appareil.

« Content de te voir, Jeb. »

Jeb a opiné en serrant la main du shérif.

« On vient juste de finir de dîner. Tu arrives pile pour le café.

— Merci. Je dis pas non. » Il s'est tourné vers son adjoint derrière lui : « Tout va bien. Je reviens dans un moment. »

Il nous a suivis dans la baraque. Cette fois Betty May ne s'est pas assise à table avec nous. Elle s'est empressée de servir une tasse de café brûlant au shérif.

Celui-ci en a bu une gorgée.

« Très bon, ton café, Betty May. » Elle a souri sans répondre. « Je suis soulagé de vous trouver par ici. Voilà plus d'un an qu'on nous a signalé la présence de squatters dans les parages. Mais on a reçu notre nouvel hélico que la semaine dernière. Avant, on n'a pas eu le temps de vérifier. On s'attendait tous à trouver des Nègres et à leur faire vider les lieux. »

Jeb a hoché la tête sans rien ajouter.

« On se demandait où t'avais bien pu disparaître. Ça fait plus d'un an et demi qu'on t'a pas vu en ville.

— Je travaillais par ici.

— C'est ce que j'ai vu. T'as plus d'un hectare de maïs là-bas. » Il lorgna Jeb d'un œil matois. « Bien entendu, tu as un bail en règle ? »

Jeb hésitait. Il m'a regardé. J'ai acquiescé.

« Oui, dit-il.

— Délivré par les propriétaires en titre ? »

Cette fois, je suis intervenu. « C'est exact. »

Le shérif a regardé Jeb d'un air interrogateur.

« C'est Jonathan Huggins. Le fils à Big Dan. Jonathan, je vous présente le shérif Clay du comté de Fitch. » On s'est serré la main.

« Votre père était du pays. Nous avons tous le plus grand respect pour lui. Mes condoléances.

— Merci, shérif.

— Vous êtes le propriétaire en titre ?

— Oui. Vous devriez le savoir. » Tout à coup, j'ai compris. Il ne pouvait pas être au courant. « Les papiers sont déposés au cadastre. »

Il a paru gêné.

« Bien sûr.

— A Sentryville. Cette propriété dépend du comté de Sentry. »

Le shérif a acquiescé. J'ai ajouté : « Sentryville est à cent kilomètres d'ici. Si je comprends bien, vous donnez un coup de main au shérif de là-bas parce qu'on est plus près de chez vous ? C'est ça ?

— C'est ça » s'est empressé d'ajouter le shérif. Sans bouger de ma chaise, j'ai tendu le bras pour attraper le fusil que Jeb avait posé contre le mur ; je l'ai braqué en travers de la table, le canon tout contre le ventre du shérif et j'ai ôté le cran de sécurité.

« Vous outrepassez vos prérogatives. Vous êtes en infraction, shérif. Si j'appuie sur la gâchette et que je vous coupe en deux, aucun tribunal de ce pays ne contestera mon bon droit. Vous n'avez rien à faire ici, vous n'avez aucune autorité sur nous. »

Il gardait les yeux fixés sur l'arme ; son visage était devenu blême. Quant aux autres, ils étaient figés sur leurs sièges. Jeb a fait mine de se lever.

« Ne bougez pas, Jeb. » J'ai regardé le shérif. « Bon, maintenant, si vous nous disiez ce que vous êtes venu faire ici.

— La femme de Jeb nous a chargés de procéder à un constat d'adultère, a déclaré le shérif après avoir dégluti péniblement.

— Vous n'allez pas me faire croire que vous auriez franchi les limites du comté pour si peu ! J'attends. » Le shérif restait silencieux. « Est-ce que ce serait cet hectare de maïs ? Cette tache verte au milieu de ces terres en friche ? Ça vous a tiré l'œil quand vous avez survolé l'autoroute ? C'est ça ? »

Le shérif gardait toujours le silence.

« Et vous auriez pu en profiter pour malmener quelques Noirs par la même occasion. Plus d'un hectare de maïs, ça représente beaucoup d'argent. Vous êtes shérif. Vous connaissez des gens que ça pourrait intéresser, non ? »

Le shérif m'a regardé avec un certain respect mêlé d'envie.

« Vous avez raison. Ce qui se passe par ici, ça me regarde pas. »

J'ai ôté le fusil de la table et je l'ai remis contre le mur.

« Vous vous trompez. Jeb et vous, vous avez des affaires importantes à régler. » Je me suis levé. « Anne et moi on va aller dehors ; vous pourrez causer tranquillement. »

Le shérif m'a dévisagé attentivement.

« D'après ce que j'ai entendu dire de votre père, vous êtes son portrait tout craché.

— Je ne lui ressemble pas du tout. » Là-dessus, je suis sorti.

Anne m'a suivi. Je me suis adossé à la camionnette pour allumer une cigarette que je lui ai passée. J'en ai allumé une autre.

« On part demain. Quand on aura planté les graines des fleurs.

— Où est-ce qu'on ira ? »

J'ai fermé les yeux pour essayer de me projeter dans le temps.

« Plus au sud. »

Elle a gardé le silence un long moment.

« Tu comptes revenir ici ?

— Oui. Je m'y arrêterai sur le chemin du retour.

— Moi, je rentre demain », a-t-elle annoncé.

Du temps s'est écoulé. J'ai ouvert les yeux et j'ai vu l'hélicoptère. Le pilote était sorti et parlait avec l'adjoint. Ils nous regardaient. Je me suis tourné vers Anne qui m'a dit : « J'aimerais revenir ici, avec toi, un jour. Je pourrai ? » Il y avait des larmes dans ses yeux.

« Bien sûr que oui. »

Elle m'a pris la main et l'a serrée très fort.

« Il a raison, le shérif. On dirait vraiment ton père.

— Ce n'est pas ce que le shérif a dit.

— C'est ce que je dis, moi. » Je ne lui ai pas avoué que c'est aussi ce que mon père m'avait affirmé. « Depuis qu'on est ici, je ne vois plus que lui. C'est pour ça que je veux rentrer à la maison. Je ne tiens pas à en apprendre davantage. J'ai peur. J'ai la trouille de devenir complètement dingue. » Je lui ai pris la main et l'ai portée à mes lèvres. « Tu ne m'en veux pas ?

— Non. Pas du tout. »

Derrière nous, la porte s'est ouverte ; Jeb et le shérif sont sortis. Ils ont contourné la camionnette pour venir nous retrouver. Jeb souriait.

« Le shérif et moi, on est tombés d'accord.

— Tant mieux.

— Y aura plus aucun problème, maintenant. »

Je me suis tourné vers le shérif qui s'est mis à expliquer très vite : « Jeb pouvait pas y arriver tout seul. Les Nègres et les Ritals l'ont déjà à l'œil. Ils attendent simplement qu'il ait fait tout le boulot avant de se pointer. » J'ai acquiescé sans rien dire. « Vous comptez rester dans le coin, jeune homme ? m'a demandé le shérif.

— Je pars demain. »

Il a regardé le ciel en clignant des yeux. Le soleil commençait à disparaître à l'ouest.

« Je crois qu'on ferait bien de rentrer. J'ai pas trop confiance en ces engins, la nuit. » Il s'est tourné vers Jeb. « Tu n'as qu'à venir en ville, samedi prochain. Je m'arrangerai pour écraser cette histoire de constat.

— Merci, shérif. »

De nouveau, le shérif s'est tourné vers moi.

« Quel âge avez-vous, jeune homme ?

— Dix-sept ans.

— C'est ce que je me suis dit tout à l'heure, quand vous m'avez braqué le fusil sur le ventre. Dix-sept ans ! Et puis vous me regardiez d'un drôle d'air. J'ai pensé que votre père devait avoir cet air-là quand il a bousillé le vieux Fitch au fond de son épicerie, il y a près de soixante ans ! Lui aussi avait dix-sept ans, à l'époque. On l'a envoyé en maison de correction jusqu'à l'âge de dix-huit ans. Mais il n'y est pas resté. A ce moment-là, il y avait la guerre. Il s'est engagé ; il est parti en Europe. Il n'est revenu à Fitchville que vingt ans après la guerre. Un beau jour, il s'est pointé à la gare dans un fauteuil roulant. Il était drôlement amoché. Il pouvait pas marcher. Une femme l'accompagnait. C'était pas sa légitime. On a su qu'il avait eu un fils qui se trouvait quelque part en Californie. La femme qui était avec lui, elle a acheté une grosse voiture cash au garage Dodge et ils sont montés par ici dans les collines. Après quoi, personne l'a plus vu. On apercevait seulement la femme de temps en temps quand elle venait faire des courses en ville. Ensuite, environ six mois plus tard, on l'a revu à la gare. Il a fait ses adieux à cette femme, et il a pris le train pour New York. Personne l'a plus jamais revu par ici depuis.

— Et la femme ? Qu'est-elle devenue ?

— Elle a attendu que le train ait quitté la gare. Ensuite, elle est montée en voiture et on l'a plus jamais revue non plus.

— Et mon père, vous l'avez rencontré ?

— Non. Mais mon père m'a appris comment ça s'est passé. En 1917, il était shérif-adjoint. Il est devenu shérif en 1937. Cette histoire, j'ai bien dû l'entendre des centaines de fois parce que, quand le nom de votre père venait dans la conversation, mon vieux me la racontait en long et en large. Il était très fier de votre père. C'était un enfant du pays qui était devenu quelqu'un, l'un des personnages les plus importants des États-Unis. » Après avoir de nouveau observé le ciel, il m'a tendu la main. « Si vous voulez avoir des renseignements là-dessus, la bibliothèque municipale possède tous les numéros de *La Gazette de Fitchville* depuis la guerre de Sécession. » On s'est serré la main. « Si vous avez besoin de quelque chose, faites-moi signe.

— Merci, shérif. »

On a regardé l'hélicoptère décoller et filer vers le couchant. Le bruit du moteur se répercutait dans les collines. Quand on a cessé de l'entendre, on est rentrés dans la baraque.

J'ai pris mon sac de couchage et celui d'Anne.

« La journée a été longue. Je crois qu'on va vous laisser dormir. »

Le ciel était encore tout doré quand nous nous sommes assis dans le champ de maïs.

« J'ignorais qu'ils n'étaient pas mariés, m'a dit Anne.

— Moi aussi. »

Sans rien ajouter, elle a roulé un joint qu'elle m'a tendu. Après avoir tiré deux fois dessus, je me suis allongé. Je me sentais envahi peu à peu par un grand calme. Je lui ai rendu son joint.

« Jonathan », m'a-t-elle dit. Ses narines laissaient échapper des volutes de fumée.

« Oui ?

— Rentre avec moi. »

Je me suis tourné vers elle.

« Non, je ne peux pas. Pas encore.

— Mais pourquoi ?

— Si tu me poses toujours les mêmes questions, je te ferai toujours les mêmes réponses : je ne sais pas pourquoi. »

Elle m'a repassé le joint. Après avoir tiré dessus, je me suis recouché pour regarder l'obscurité qui envahissait le ciel comme une chape. Quand elle est arrivée au bout du pétard, elle l'a éteint soigneusement et enterré. Elle s'est rapprochée de moi et a posé sa tête sur mon épaule.

« Tu vas me manquer. »

Je n'ai rien répondu.

« Tu sais où me trouver. Je serai assise derrière la maison, sur la terrasse, le regard tourné vers chez toi.

— Je sais.

— Alors, ne tarde pas trop. J'aimerais qu'on se revoie, tant qu'on est encore jeunes. On vieillit tellement vite ! »

Debout, devant la baraque, j'ai regardé la camionnette s'engager sur la route poussiéreuse. J'ai aperçu le visage d'Anne dans la lunette arrière ; elle s'était tournée pour me voir. Elle a levé la main pour me dire adieu. Je lui ai répondu. Quand ils ont disparu, j'ai pris mon sac et je l'ai glissé sur mes épaules. Il ne devait pas être loin de onze heures et le soleil était déjà très chaud. L'autocar de douze heures trente la mettrait à New York à cinq heures. Si elle pouvait prendre le train de cinq heures cinquante à Grand Central, elle serait chez elle à sept.

J'ai gravi la colline. Le sentier qui mène à l'autoroute longe le cimetière. Je me suis arrêté un moment pour regarder la terre fraîchement remuée et les sillons réguliers qu'on avait tracés autour des tombes pour y semer les graines.

« Ne vous faites pas de bile, Jonathan, m'avait assuré Betty May. Je les surveillerai et je les arroserai tous les jours. Tout ça sera en fleurs en un rien de temps. »

Après un dernier regard à la baraque, je me suis demandé si je reviendrais pour de bon. Peut-être que je serais occupé ailleurs.

« Ne t'inquiète pas, mon fils. Tu reviendras.

— Tu en es sûr, p'pa ? Tu n'es jamais revenu, toi.

— Si, une fois, Jonathan. D'ailleurs le shérif t'en a parlé.

— Mais tu n'es pas resté.

— Toi non plus, tu ne resteras pas.

— Alors, à quoi bon ? Je pourrais aussi bien ne pas revenir.

— Tu y seras obligé. Pour la même raison qui m'a fait revenir. Pour te retrouver, tout entier.

— Je ne comprends pas.

— Ça viendra, Jonathan. Quand ce sera le moment. Tu reviendras pour chercher ton enfant.

— Mon enfant ?

— Oui, mon fils. L'enfant que tu n'as jamais fait. »

Livre II

AUTREFOIS

1

Il était deux heures du matin ; la tiédeur du jour avait fait fondre la dernière neige de printemps que la nuit glaciale avait transformée en une couche de verglas qui recouvrait la route. Des nuages échevelés vinrent masquer la lune toute ronde, plongeant le bord de la chaussée dans l'obscurité. Pas même une lumière pour l'empêcher de glisser et de déraper dans sa pénible progression. Il pesta à voix basse, serrant autour de lui le tissu mince de sa veste, tout en continuant à marcher.

Il se trouvait à seize kilomètres à l'ouest de Saint Louis sur la Route 66. « C'est loin, la Californie ? Tais-toi et marche ! » Il eut un rictus amer : il finirait bien par arriver. Si toutefois il ne crevait pas de froid en route ! Il tenta de percer l'obscurité qui s'étendait devant lui. Voilà près d'une heure qu'il marchait. Il devait y avoir un routier quelque part. C'est du moins ce qu'ils lui avaient dit quand ils l'avaient balancé de la voiture. Ils avaient parlé d'un routier à trois kilomètres en continuant dans cette direction.

Tout d'un coup, il s'arrêta. Et si c'était un mensonge, s'il n'y avait pas le moindre routier dans le coin ? Il commençait à être complètement gelé. Encore cinq heures comme ça et il n'aurait plus de questions à se poser. Il serait mort, raide comme un bout de bois dans le fossé, sur le bord de la route. Ça arrangerait bien tout le monde : John L. de l'U.M.W., Big Bill, du syndicat des charpentiers, Murray et Green à l'état-major de l'A.F.L. Même Hillman et Dubinsky qui ne pouvaient pas se sentir se réconcilieraient en apprenant sa disparition !

« Tu vas aller à Kansas City, c'est ce qu'ils lui avaient dit. Si quelqu'un est capable d'organiser les bouchers, c'est bien toi. »

Autant l'envoyer en Sibérie ! Des quatre derniers organisateurs qu'on avait expédiés là-bas, aux dernières nouvelles, il était le seul à être encore en vie. Pour combien de temps, ça, c'était à voir ! Pas plus de routier que de beurre en broche ! Ils auraient tout aussi bien pu le pendre à un crochet de boucher ou l'enfermer dans une chambre froide comme c'était arrivé à ce pauvre Sam Masters.

Trois jours en voiture avec ces Ritals ! Trois salauds armés jusqu'aux dents de revolvers et de crans d'arrêt qui baragouinaient avec un accent à faire peur. Trois jours à bouffer des sandwiches au salami ! Ça puait tellement là-dedans qu'on aurait cru que la voiture carburait à l'ail et non à l'essence ! Trois jours pendant lesquels il avait fallu chier au bord de la route, se geler le cul dans le vent glacial. Trois jours à se demander s'ils n'allaient pas venir par derrière pour vous flanquer une balle dans le citron ou dans l'arrière-train. Trois jours à poireauter devant les cabines pendant qu'ils téléphonaient pour demander des instructions. Enfin, la veille au soir, quand ils étaient rentrés dans la voiture, il avait compris que c'en était fini d'attendre. Brusquement, ils avaient cessé de parler. Même entre eux. L'auto avait pris la 66 et s'était dirigée plein ouest. A minuit, ils avaient traversé Saint Louis. Vingt minutes plus tard, ils arrêtaient le véhicule sur le bas-côté dans un endroit désert.

La portière s'ouvrit. Il reçut un coup de pied dans les côtes qui le catapulta sur la route gelée. Il atterrit sur le dos, à plat sur le sol, les bras en croix. Il vit l'homme se pencher au-dessus de lui par la portière et braquer sur lui un revolver qui lui parut aussi gros qu'un canon. Instinctivement il s'était roulé en boule comme pour offrir la plus petite cible possible. Les détonations lui déchirèrent le tympan : l'autre vidait son automatique. Il eut l'impression de sentir les balles qui le transperçaient. L'arme se tut. Il n'avait rien. Il n'arrivait pas à le croire. Il se retourna, et dévisagea le tueur. L'Italien avait un large sourire.

« Tu chies dans ton froc. Je le sens d'ici.

— Ouais.

— T'as du pot, fit l'autre. Ne remets pas les pieds à Kansas City sinon, la prochaine fois, t'auras même pas le temps de sentir ta merde. Tu seras mort avant ! »

La portière claqua, le moteur rugit. Un demi-tour serré et la voiture repartait à toute vitesse en direction de Kansas City. Brusquement, elle s'arrêta, fit hurler sa marche arrière et revint sur lui. Entretemps, il s'était remis debout.

Le chauffeur s'arrêta à sa hauteur. Il se pencha et pointa la main dans la direction opposée à celle d'où il venait.

« Va par là. Y a un routier à trois kilomètres. » Là-dessus, la voiture s'était arrachée : il avait vu ses feux arrière disparaître au bout de la route.

Il était sorti du fossé et s'était nettoyé tant bien que mal avec de la neige qu'il avait fait fondre dans ses mains. Il s'était séché avec des bouts de papier journal tout chiffonnés et givrés que le vent avait amenés au bord de la route. Ensuite, il s'était mis en marche. Ça faisait deux heures. Enfin, il avait aperçu des lumières. Il avait bien fallu une demi-heure tantôt marchant, tantôt courant, pour parvenir jusque là.

Les ampoules rouges et blanches brillaient comme doit briller l'entrée du paradis. ROUTIER. CARBURANT. REPAS. LITS. BAINS-DOUCHES. Six gros poids lourds étaient parqués là, près de la station-service, comme enveloppés d'un linceul grisâtre par leurs bâches soigneusement arrimées, pour se protéger des éléments. Il prit la précaution d'aller les inspecter avant d'entrer dans l'établissement. Il ne vit aucune voiture. Il ne voulait pas prendre de risques : les Ritals avaient pu changer d'avis et décider de l'attendre ici pour lui tomber dessus. Tout de même, ça pouvait être un piège. Quelqu'un le guettait peut-être à l'intérieur.

Tout doucement, il s'approcha d'une fenêtre et scruta la salle. Le restaurant était vide ; il n'y avait qu'une serveuse, occupée à préparer les tables pour le petit déjeuner et le caissier, son gros ventre appuyé contre la caisse enregistreuse, en train de lire le journal. Après avoir jeté un dernier coup d'œil alentour pour se rassurer, il se dirigea vers la porte et l'ouvrit. Il n'entra pas. Il resta sur le seuil. Le vent s'engouffra dans le restaurant et les deux employés levèrent les yeux.

« La lourde, merde ! gueula le caissier. On se les gèle !

— Entrez, dit la serveuse.

— Faut d'abord que je prenne un bain. » Malgré lui, il se mit à claquer des dents. La serveuse le regarda.

« Vous avez surtout besoin de boire quelque chose de chaud. Je vais vous servir une tasse de café.

— Où sont les bains-douches ? Vous m'apporterez le café là-bas. » Il s'adressa au caissier : « Vous auriez pas un pantalon à me vendre ? »

Le caissier le regarda, les yeux écarquillés.

« Vous vous sentez bien ?

— Je me suis fait tabasser par des Macaronis qui m'ont déposé comme un tas au bord de la route. Je me suis chié dessus et je me trimbale des stalactites dans le falzar. »

Avant de répondre, le caissier réfléchit un moment.

« J'ai un bleu de travail qui devrait vous aller. Seulement ça vous coûtera deux dollars. Il est pratiquement neuf. »

Il plongea la main dans la poche de sa veste et en tira un billet qu'il tendit à la serveuse.

« Voilà cinq dollars. Apportez-moi le café et le pantalon aux douches. Et puis un rasoir aussi, si c'est possible. »

La serveuse prit le billet qu'il lui tendait.

« Les douches sont dans le bâtiment à votre gauche, à côté des dortoirs.

— Merci, madame », fit-il poliment.

La porte se referma derrière lui et ils le virent passer devant les fenêtres pour se diriger vers l'autre bâtiment.

La serveuse prit la coupure de cinq dollars et la tendit au caissier.

« Ce pantalon ne vaut pas plus d'un dollar, tu le sais très bien ! fit-elle sur un ton de reproche.

— Pour toi, peut-être. Et pour moi aussi. Mais pour lui, ça vaut bien deux dollars. » Le caissier tapa vingt-cinq cents à la caisse, prit la monnaie, empocha deux dollars et lui rendit le reste. « J'ai compté le bain et le rasoir.

D'accord.

— Le pantalon est pendu dans le placard derrière la porte.

— Je sais où il est », répliqua-t-elle, passant devant lui pour se rendre à la cuisine. Il en profita pour lui peloter la croupe, qu'elle avait rebondie.

« Si t'étais maline, fit-il en riant, tu t'arrangerais pour rien avoir à lui rendre. »

Elle lui lança un regard méprisant.

« C'est pas comme pour toi, imbécile, fit-elle sarcastique. Pour lui, ce serait gratuit. »

Il trempait dans son bain chaud quand elle entra dans le bâtiment des douches. Il s'était allongé, les yeux fermés, la tête contre le rebord de la baignoire. La première chose qu'elle remarqua, ce furent les bleus et les contusions sur son corps. Puis elle vit l'œil au beurre noir enflé, la pommette et la mâchoire tuméfiées.

« Ils vous ont vraiment bien arrangé », fit-elle à voix basse. Il ouvrit les yeux.

« Je m'estime heureux qu'ils m'aient pas tué », déclara-t-il sans passion. Il montra le plancher, près de la baignoire, où il avait posé son pantalon tout chiffonné. En revanche sa veste et sa chemise étaient soigneusement suspendus sur le dos d'une chaise près du radiateur, en train de sécher. « Jetez ce pantalon à la poubelle. J'ai déjà lavé ma chemise.

— Entendu, fit-elle en se baissant pour le prendre.

— Vous feriez bien de l'attraper avec du papier journal. Ce n'était pas une plaisanterie ce que j'ai dit tout à l'heure. »

Elle passa dans la pièce à côté, et revint avec un journal. Elle prit bien garde de ne pas toucher le pantalon en le ramassant et l'enveloppa de papier. Elle posa le rasoir et le vêtement de rechange sur la chaise où il avait suspendu sa veste.

« Je vais aller jeter ça. Ensuite, je reviendrai vous aider.

— Merci. Mais je crois que je peux me débrouiller.

— Dites pas de bêtises, fit-elle d'un ton sans réplique. J'ai eu cinq frères et j'ai été mariée deux fois. Je sais quand un homme a besoin d'aide ou pas. »

Il tourna la tête pour la regarder. Malgré son œil et sa joue enflée, elle sentit qu'elle avait affaire à quelqu'un d'énergique.

« Et à votre avis, j'ai besoin d'aide ?

— J'en suis persuadée. »

Il hocha la tête.

« Eh bien dans ce cas, je vous remercie. J'accepte volontiers votre aide. »

Quand elle revint, elle tira une chaise près de la baignoire, plongea une petite serviette dans l'eau qu'elle savonna et entreprit de le laver doucement. Il avait le corps tout couvert d'ecchymoses et, dès qu'elle le touchait, il ne pouvait s'empêcher de grimacer. Après avoir changé deux fois l'eau du bain, elle termina en lui lavant le visage et les cheveux. Ensuite, elle le rasa avec grand soin. Le sang s'était remis à couler d'une coupure au-dessus de l'arcade sourcilière.

« C'est pas joli, ça. Il vaudrait mieux faire venir le docteur demain matin pour qu'il vous mette des points de suture. Sinon, vous aurez une vilaine cicatrice. » Elle déchira une bande de tissu propre qu'elle appliqua sur la coupure. « Tenez-moi ça pendant que je vais chercher du sparadrap pour le faire tenir. »

Un instant plus tard, elle revenait avec une bande adhésive. Adroitement, elle confectionna un pansement en croix au-dessus de l'œil. « Voilà, vous pouvez sortir et vous sécher. »

En grimaçant, il se mit sur ses pieds, prit la serviette qu'elle lui tendait et s'enveloppa dedans. Elle lui donna la main pour l'aider à garder l'équilibre tandis qu'il enjambait la baignoire.

« Ça va ? »

Il fit signe que oui. « Vous feriez peut-être bien de vous allonger un peu. Je pourrais vous apporter à manger.

— Ça ira, répondit-il en s'essuyant. Vous avez le téléphone au restaurant ? »

Elle acquiesça.

« Il faut d'abord que je donne un coup de fil. » Il se caressa la joue, se regarda dans la glace et se tourna vers elle. « Vous savez, déclara-t-il presque timidement, c'est la première fois que je me fais raser par une femme.

— Ça vous covient ? »

Il lui sourit et soudain parut plus jeune.

« Très bien. Vous savez, on finirait par prendre de mauvaises habitudes avec vous ! »

Elle se mit à rire.

« Bon, je vais aller préparer votre petit déjeuner. Crêpes, saucisses et œufs au plat, ça vous va ?

— Ce sera parfait. Dans dix minutes, je suis à vous. »

2

Le pantalon du caissier était beaucoup trop large pour lui et comme il avait dû le serrer à la taille avec sa ceinture, il faisait des plis. Après être venu à bout d'une seconde pile de crêpes, d'une deuxième fournée d'œufs au plat-saucisses et entamé une deuxième cafetière pleine, il se laissa aller contre le dossier de sa chaise avec un soupir de satisfaction.

« Ça fait du bien. »

La serveuse lui sourit.

« Pour un peu, j'ai cru que vous alliez finir par remplir votre pantalon. »

Il eut un sourire triste.

« Je m'étais pas rendu compte que j'avais si faim. Vous avez des cigares ?

— Bien sûr. Des *Tampas Spécial.* Des vrais havanes à dix cents pièce.

— Exactement ce qu'il me faut. Un bon petit cigare ! Donnez m'en deux, tenez. »

Elle passa derrière le comptoir et revint avec une boîte. Il prit deux cigares et s'en ficha un au coin de la bouche. Elle frotta une allumette et la lui tint pendant qu'il aspirait à pleins poumons. Il lui jeta un coup d'œil par-dessous ses épais sourcils, à travers un nuage de fumée.

« Merci. Bon, maintenant, où est le téléphone ? »

Elle lui indiqua l'appareil automatique accroché au mur d'en face. Il but encore une gorgée de café et traversa la salle. Après avoir débarrassé sa table, la serveuse passa derrière le comptoir où le caissier était toujours appuyé contre son tiroir-caisse. Elle plaça les assiettes dans le bac à vaisselle. Le plongeur allait arriver dans une demi-heure. A lui de les laver.

Elle s'approcha du caissier.

« Je suis fourbue. Je crois que je vais rentrer sans tarder.

— Je comprends pas pourquoi, répliqua-t-il. T'as rien fait. On n'a pas eu de clients cette nuit.

— C'est bien ce qu'il y a de pire. Au moins, quand il y a du boulot on voit pas le temps passer.

— Une demi-heure encore, c'est pas le diable ! »

Ils entendirent la pièce qui tombait dans la fente de l'appareil et levèrent les yeux. Il avait beau parler bas, sa voix portait : « Appel longue distance, mademoiselle, en P.C.V. pour Washington D.C. Numéro : Capitol 2437. »

La pièce retomba dans l'appareil. Il la récupéra et resta là à attendre en tirant sur son cigare. Au bout de quelque temps, il parla de nouveau : « Laissez sonner, mademoiselle. Il y a quelqu'un. On va répondre. »

Patiemment, il tétait son cigare. On entendit à nouveau la voix de l'opératrice. « Je vous dis de laisser sonner, mademoiselle. Le téléphone est au rez-de-chaussée dans l'entrée et ils dorment à l'étage. Laissez sonner assez longtemps, ils finiront par entendre. » Sa voix s'était soudain faite autoritaire.

Effectivement, un instant plus tard, quelqu'un répondit. Il baissa la voix. « Moses, c'est Daniel B... Non, j'suis pas mort. Pas encore. En enfer, que je sache, ils ont pas le téléphone !... Ouais ils ont pas perdu leur temps à Kansas City, j'en sais quelque chose. Tu pourras dire à John L. et à Phil qu'on s'est pointés là-bas comme des amateurs. Les bouchers avaient tout prévu. Y avait du flic et de la Mafia. On n'avait pas la moindre chance. J'ai passé les trois derniers jours à me faire trimbaler en bagnole par un gang de bouffeurs d'ail. Dès qu'ils m'ont lâché, j'ai su que la grève était finie. Si elle avait continué, je serais sûrement pas en vie, à l'heure qu'il est. Ils m'ont déposé sur la 66, un peu après Saint Louis. Je t'appelle d'un routier. Tu pourras leur dire au bureau, qu'ils me doivent un costume neuf. »

Tandis qu'on entendait la voix de son interlocuteur parler à l'autre bout de la ligne, lui restait silencieux, tirant sur son cigare. Quand il reprit la parole, sa voix avait quelque chose de rauque : « Ça va. Je suis juste un peu sonné. J'ai vu pire... Non, je ne rentre pas tout de suite. Voilà quatre ans que j'ai pas pris de vacances, pas même un jour de repos. C'est le moment ou jamais. Je crois que je vais en profiter pour réfléchir un peu. J'en ai marre de faire toutes les corvées pour les autres ! »

A nouveau, il écouta la voix de son interlocuteur. Quand il répondit, ce fut d'un ton sans appel. « Je marche plus !... Je me fous complètement de ce qu'ils m'ont préparé. Sans doute une nouvelle mission-suicide !... En Californie, je crois. Je suis déjà à mi-parcours. Je pourrai peut-être aller cueillir des oranges et les manger toutes fraîches, mûries au soleil... Ouais, je te tiendrai au courant. ... Non, j'ai de l'argent. Pas question de moisir ici à attendre que John L. me rappelle. Après tout, les bouffeurs d'ail pourraient bien changer d'avis. Je me tire pendant qu'il est encore temps. Ouais, je la connais ! Ça va s'arranger ! Et alors ? Ça nous fera une belle jambe ! John L. fait campagne pour Landon : Roosevelt n'est pas près de l'oublier... Je te parie tout ce que tu veux que Roosevelt va décrocher un second mandat !... D'accord, je t'appellerai quand je serai en Californie. »

Il raccrocha, retourna s'asseoir et leva la main : la serveuse lui apporta une autre tasse de café.

« Y a un hôtel par ici où je pourrais louer une chambre ?

— Le plus proche est à Saint Louis. »

Il secoua la tête, dégoûté.

« C'est pas la bonne direction. Je marche plein ouest. » Il but une gorgée de café. « Vous croyez qu'un des camions qui sont là me prendrait pour aller là-bas ?

— Demandez toujours aux chauffeurs. Ils vont pas tarder à se lever.

— C'est ce que je ferai, merci. »

Elle repartit vers le comptoir. A mi-chemin, elle se retourna et revint vers lui.

« C'est vrai ce que vous dites, vous allez en Californie ? » Il acquiesça. « J'y suis jamais allée, moi. A ce qu'on dit, c'est un beau pays, le soleil brille tout le temps et il fait jamais froid. » Il la regardait sans rien dire. « J'ai une voiture. Rien d'extraordinaire. Une vieille Jewett. Mais elle marche. On pourrait se relayer au volant et partager les frais. »

Il tira sur son cigare un moment.

« Et votre travail ?

— Je peux retrouver le même n'importe où. Je touche pas de fixe, je marche au pourboire.

— Vous avez de la famille ?

— Non. Mon dernier mari s'est évanoui dans la nature quand il a découvert que c'était à lui de payer les factures. On a divorcé l'année dernière.

— Et ces frères dont vous m'avez parlé ?

— Y en a pas un qui soit resté par ici. Ils sont tous éparpillés. Y a pas beaucoup de travail dans le coin. »

Il opina, songeur.

« Vous avez de l'argent ?

— Deux cents dollars, environ. Je connais un type qui veut m'acheter ma maison. Il m'en donne quatre cents dollars cash si je lui laisse les meubles. »

A nouveau, il gardait le silence et la dévisageait attentivement.

« Quel âge avez-vous ?

— Vingt-six ans.

— Vous imaginez surtout pas que vous allez faire une carrière dans le cinéma ! »

Elle sourit.

« C'est pas ce que je vise. Ce que je veux, moi, c'est me trouver un endroit où je pourrais vivre décemment. »

Il s'appuya au dossier de sa chaise.

« Quand est-ce que vous pouvez partir ?

— Aujourd'hui. Le temps de faire mes bagages, de voir mon assureur, de me faire payer ; on peut prendre la route tantôt. »

Brusquement il sourit et tout son visage s'éclaira. Il lui tendit la main.

« Parfait. En route pour la Californie ! »

Elle lui sourit. Puis, comme ils se tenaient toujours la main, ce contact la fit brusquement rougir :

« En route pour la Californie » reprit-elle.

Sans lui lâcher la main, il la regarda dans les yeux.

« Je sais même pas comment tu t'appelles.

— Tess Rollins.

— Ravi de faire ta connaissance, Tess. Moi, je m'appelle Daniel. Daniel B. Huggins. »

Le docteur se redressa et coupa le fil de suture.

« C'est de la haute couture ! Ma femme a jamais fait mieux sur sa Singer. Regardez-vous. »

Daniel s'examina dans le miroir que le docteur lui tendait. De la plaie béante, il ne restait qu'une fine ligne avec de petits points noirs de part et d'autre de la blessure. Il n'y avait qu'une chose qui paraissait avoir changé : le sourcil était légèrement remonté. Il le palpa.

« Ça va rester comme ça ?

— Ça redescendra un peu quand on enlèvera les fils. Mais, d'ici un an il sera redevenu pareil à l'autre. »

Daniel se leva de sa chaise.

« Un instant, fit le docteur. Il faut que je mette un pansement par-dessus. » Ce fut vite fait. « Gardez-moi ça bien propre. Changez le pansement tous les jours. Revenez me voir dans six jours et on enlèvera les fils.

— Je serai plus ici. »

Le docteur acheva son pansement et l'attacha soigneusement à l'aide de fines bandes de sparadrap.

« Vous pouvez vous les faire enlever dans n'importe quel hôpital ou clinique. L'important, c'est que ça reste très propre jusque-là. »

Daniel plongea sa main dans sa poche.

« Combien je vous dois, docteur ?

— Deux dollars, ce serait trop ? demanda le docteur, hésitant.

— Deux dollars, c'est parfait. » Daniel tira une liasse de billets de sa poche et compta deux billets. « Merci, docteur. » Il vit que le médecin regardait les coupures, l'air perplexe. « Y a quelque chose qui va pas ? » Le docteur sourit et protesta.

« Non, non. Je me disais simplement que vous étiez le premier client qui me paie cash depuis deux mois. »

Daniel se mit à rire.

« C'est pas avec moi que vous ferez fortune !

— Tant pis. Je devrais les encadrer ces deux-là. Ça fait tellement longtemps que j'en n'ai pas vu la couleur ! »

Il accompagna Daniel dans la salle d'attente où Tess s'était assise. Elle se leva.

« C'est grave, docteur ? »

Le docteur la rassura.

« J'ai vu pire. Veillez à ce que la plaie reste propre.

— Comptez sur moi. »

Daniel se dirigea vers la voiture. C'était une Jewett, un petit cabriolet auquel on pouvait ajuster, l'hiver, une capote et des vitres en celluloïd. Il monta en voiture. Elle contourna l'auto et ouvrit la portière.

« Où allons-nous maintenant ? demanda-t-il lorsqu'elle eut pris le volant.

— A la banque. Il faut que je signe les papiers et que je transfère le prêt. Ensuite, on ira à la maison pour donner les clés au nouveau propriétaire. »

Il prit un cigare.

« Tu es bien sûre que tu veux la vendre ? Tu peux encore changer d'avis. Quand tu auras signé les papiers, t'auras plus le choix.

— Ma décision est prise. »

A la banque, le directeur lui conseilla de laisser l'argent en dépôt et de le faire virer en Californie quand elle y serait. Elle se tourna vers Daniel.

« Bonne idée. Qui sait ce qui peut arriver sur la route ? Inutile de voyager avec tant d'argent sur soi.

— Tu crois que j'aurai besoin de combien en liquide ?

— Cent dollars, peut-être. Sans doute moins que ça. Mais ça devrait suffire. D'ailleurs, si on a des ennuis, j'ai de l'argent. On pourra s'arranger après. »

Elle fit savoir au directeur qu'elle était d'accord.

Ils partirent après déjeuner et conduisirent tout l'après-midi jusque tard le soir. Quand ils s'arrêtèrent au bord de la route pour trouver une chambre où passer la nuit, ils étaient à cinq cents kilomètres de Saint Louis. Ils stoppèrent devant une vieille maison portant un écriteau CHAMBRES A LOUER, éclairé par une seule ampoule électrique. Ils descendirent de voiture, frappèrent et entrèrent.

Un vieil homme, qui fumait la pipe, les dévisagea.

« Bonsoir, m'sieurs-dames. Vous désirez ?

— Une chambre pour la nuit.

— Avec petit déjeuner ? »

Daniel hocha la tête.

« J'ai exactement ce qu'il vous faut. Un grand lit double. Un dollar cinquante, petit déjeuner compris, déclara l'hôte qui se hâta d'ajouter, payable d'avance.

— Ça me va, fit Daniel, plongeant la main dans sa poche. Vous connaissez un endroit où on pourrait dîner ?

— Si vous vous contentez d'un repas sans chichi, ma femme peut vous préparer quelque chose. Ça vous coûtera cinquante cents de plus chacun. »

Daniel lui paya la somme convenue. Le vieil homme se leva. « Vous avez besoin qu'on vous aide pour les bagages ?

— Je me débrouillerai seul. »

Le vieux prit une clé dans un tiroir de son bureau et la lui donna.

« C'est la première chambre en haut de l'escalier. Moi, je vais dire à ma femme de préparer le dîner. Le temps de vous laver les mains et de descendre, ce sera prêt. »

Le repas fut simple mais copieux : poulet frit accompagné de pommes de terre, de haricots verts et de maïs. Il y avait des toasts et du café. « On sert le petit déjeuner, à sept heures précises » leur annonça le vieux lorsqu'ils se levèrent pour monter se coucher.

Ils entrèrent dans la chambre. Après avoir jeté un coup d'œil dans la pièce, Daniel ôta sa veste qu'il suspendit au dossier d'une chaise.

« A la prochaine étape, il faut que je m'achète des chemises, des chaussettes, des sous-vêtements, un costume et une autre paire de chaussures.

— Entendu. »

Il s'était mis à déboutonner sa chemise : il s'arrêta et la regarda.

« Tu te déshabilles pas ?

— Je préfère attendre que tu aies fini d'utiliser la salle de bains. J'irai après. Ça me prend plus longtemps. Faut que je me démaquille et tout ça, tu comprends ?

— Très bien. » Il sortit de la chambre ; son pantalon trop large laissait apercevoir ses sous-vêtements blancs. Il longea le couloir jusqu'à la salle de bains. Moins de dix minutes plus tard, il était de retour.

Elle s'était déshabillée et avait passé un peignoir de bain blanc.

« Tu devrais t'allonger et te reposer un peu. Je tâcherai de pas être trop longue. »

Il obéit, ôta son pantalon et s'étendit en sous-vêtements sur le lit. Il se mit à fixer le plafond. Décidément, la vie vous jouait de drôles de tours. Il y a huit jours à Kansas City, il était logé dans une suite du meilleur hôtel de la ville. Il n'avait qu'à prendre le téléphone pour avoir tout ce qu'il voulait : le meilleur whisky, les plus belles nanas. Et on lui servait son déjeuner à l'heure où ça lui chantait.

Tess revint dans la chambre vingt minutes plus tard.

« Je pensais pas en avoir pour si longtemps. » Il ne répondit pas. Elle s'aperçut alors qu'il était profondément endormi. « Daniel ! » chuchota-t-elle.

Il ne bougea pas.

Sans faire de bruit, elle ôta son peignoir qu'elle posa au pied du lit. « Zut alors ! » pensa-t-elle. Elle avait mis sa chemise de nuit la plus sexy.

Elle appuya sur le commutateur et l'obscurité se fit dans la chambre. Elle contourna le lit et se glissa entre les draps. Elle fit une dernière tentative et tendit le bras pour le caresser.

Toujours pas de réaction.

Elle retira sa main et se mit à l'étudier dans la pénombre. Son visage était détendu. Quand il dormait, il paraissait beaucoup plus jeune. Beaucoup plus vulnérable.

Soudain, elle eut envie de rire. Au routier, tous les gars lui tournaient autour et voilà que le premier pour qui elle se décidait, depuis que son mari l'avait quittée, s'endormait comme une masse la première nuit qu'ils passaient ensemble !

Impulsivement, elle s'étendit en travers du lit et l'embrassa sur la joue. « Eh bien, j'espère qu'on mettra longtemps pour arriver en Californie », murmura-t-elle. Elle reprit sa place dans le lit et ferma les yeux.

Elle sombra dans le sommeil sans même s'en rendre compte.

3

Ils arrivèrent à Tulsa vers une heure de l'après-midi le lendemain, au beau milieu d'une tempête de neige. Les essuie-glaces ne parvenaient plus à nettoyer le pare-brise qui était tout givré et la capote laissait s'engouffrer des courants d'air glacés à l'intérieur de la voiture. Une fois de plus, il se pencha en avant pour essayer de déblayer le pare-brise avec la commande manuelle. Cela ne servait à rien, les balais dérapaient sur la croûte de givre.

« On ferait mieux de s'arrêter ici, dit-il. Inutile d'aller plus loin avec cette tempête ! »

Elle était de cet avis : elle claquait des dents malgré le gros pullover qu'elle portait sous son manteau. « Ouvre l'œil, essaie de nous trouver un hôtel convenable. »

Ils traversèrent lentement une sorte de faubourg et débouchèrent dans le quartier commerçant de la ville. Les rues étaient presque vides : le mauvais temps avait fait fuir la plupart des piétons. Quant aux magasins, en dépit de leurs vitrines allumées en plein jour, ils avaient un air étrangement abandonné.

« Je vois une enseigne, là. *Hôtel touristique Brown* lut-elle. Devant nous. »

Une flèche indiquait l'entrée du parking, juste à côté. Il s'y engagea et gara la voiture aussi près de l'entrée que possible. Il coupa le contact.

« Ça n'a pas l'air mal.

— Allons voir, je suis gelée. »

Ils sortirent de la voiture et se précipitèrent dans le hall. L'entrée était petite, la décoration simple, mais l'établissement semblait propre et bien tenu. En les voyant venir, le concierge s'était levé derrière son bureau. Dans son dos, sur le tableau où étaient accrochées les clés, on pouvait lire : LES NÈGRES ET LES INDIENS NE SONT PAS ADMIS.

« Monsieur désire ? demanda le concierge.

— Vous avez une chambre pour deux ? » Le concierge consulta son registre.

« Vous avez réservé, monsieur ? »

Daniel se contenta de le regarder fixement. L'homme perdit contenance.

« Mais... certainement, monsieur. Que préférez-vous ? Une chambre tout confort avec baignoire pour un dollar ou une chambre plus simple avec salle de bains à l'étage pour soixante cents ?

— La chambre avec bain.

— Parfait, monsieur, déclara l'employé qui lui présenta le registre. Veuillez signer, je vous prie. » Il sonna le groom. « Ça vous fait donc un dollar, payable d'avance. »

Daniel jeta un coup d'œil à Tess et inscrivit sur le registre : M. et Mme D.B. Huggins, Washington, D.C. Sur ces entrefaites, le groom arriva et le concierge lui donna la clé : « Chambre 405, monsieur », fit-il poliment. Après avoir jeté un œil sur le registre, il ajouta : « Je suis sûr qu'elle vous plaira, M. Huggins. C'est une chambre d'angle. Le groom va aller chercher vos bagages. »

Daniel se tourna vers celui-ci.

« Montrez-nous d'abord la chambre ; vous irez chercher nos valises ensuite dans la voiture. C'est la Jewett qui est juste à côté de l'entrée. »

Ils suivirent le groom dans l'ascenseur et entrèrent dans la chambre. Le concierge avait dit vrai. Tess se précipita dans la salle de bains sans plus attendre. Daniel se tourna vers le groom.

« Quand vous aurez monté nos bagages, vous pourriez nous dégotter du café et une bouteille de whisky ?

— L'alcool est une denrée rare par ici, monsieur », fit le groom, impassible.

Daniel sortit un dollar de sa poche. Il agita le billet dans sa main.

« Vraiment rare ?

— Oui, monsieur », fit le groom en hochant la tête.

Daniel sortit un autre billet.

« Toujours aussi rare ? »

Le groom prit les deux dollars avec un sourire.

« Je vais voir ce que je peux faire. Je reviens tout de suite. Merci, monsieur. »

La porte se referma sur lui au moment où Tess sortait de la salle de bains.

« Bon sang, fit-elle. Il était temps, j'ai cru que j'allais faire dans ma culotte ! »

Il éclata de rire.

« A qui le dis-tu ! Je prends la suite. »

Moins de dix minutes plus tard, le groom revenait les bras chargés. Il posa la valise, la cafetière, une bouteille de whisky, des verres, de l'eau fraîche, des tasses et des soucoupes.

« Vous désirez autre chose, monsieur ?

— Il y a un bon restaurant dans le coin ?

— Juste à côté d'ici. Ils servent un repas complet pour trente-cinq cents jusqu'à deux heures et demie. »

Daniel lui glissa vingt-cinq cents. Il prit la bouteille de whisky, en fit sauter la capsule métallique et ôta le bouchon avec ses dents. Il regarda Tess.

« Ça va nous réchauffer les boyaux.

— Juste une goutte. Ça me tourne tout de suite la tête. »

Il lui versa un petit fond de verre et s'en servit une bonne rasade. « Cul sec ! » lança-t-il. Il avala son verre d'un trait et s'en envoya un autre tandis qu'elle finissait tout juste le sien. Il reposa son verre et servit le café qu'ils burent à petites gorgées.

« Tu te sens mieux, maintenant ? »

Elle acquiesça. Il inspecta la chambre.

« Pas mal, hein ?

— C'est très joli. » Elle le regarda. « Tu sais, je suis jamais descendue dans un hôtel aussi chic. »

Il rit et se leva.

« Viens, on va manger. Après, j'ai des achats à faire. »

Il était planté devant le miroir et s'étudiait. Le costume lui allait bien : il était gris foncé avec de fines rayures. Il se tourna vers Tess: « Qu'est-ce que tu en dis ? »

Avant qu'elle puisse répondre, le vendeur s'empressa : « C'est la dernière mode de New York, monsieur. Voyez les revers au bas du pantalon. Pure laine vierge doublée de soie. Et ça ne coûte que quatorze dollars quatre-vingt-quinze avec le pantalon. Dix-sept dollars cinquante avec deux.

— C'est rudement élégant, fit Tess.

— Je le prends. Avec deux pantalons. Combien de temps faut-il pour faire l'ourlet ?

— Dix minutes, ça ira, monsieur ?

— Parfait. En attendant, je voudrais trois chemises Arrow, deux blanches et une bleue, trois paires de chaussettes noires, trois slips et trois maillots de corps, une paire de chaussures noires et une cravate avec de fines rayures rouges ou grises. »

Le visage du vendeur s'épanouit.

« Certainement, monsieur. La maison sera heureuse de vous offrir la cravate. Nous avons l'habitude de soigner nos bons clients. »

Un quart d'heure plus tard, Daniel nouait sa cravate devant la glace. L'employé l'aida à enfiler sa veste.

« Puis-je me permettre une suggestion, monsieur ? risqua le vendeur.

— Oui ?

— Il ne vous manque qu'une chose. Un chapeau. C'est Adams, le chapelier de New York qui nous fournit directement. Nous avons un modèle en feutre mou à un prix très intéressant : un dollar quatre-vingt-quinze. »

Daniel quitta le magasin coiffé d'un superbe galurin. Tous deux rasaient prudemment les murs. Il ne voulait pas mouiller son chapeau la première fois qu'il le portait. Tess était fière de lui donner le bras. Il avait vraiment belle allure.

Un peu plus loin, ils passèrent devant un armurier. Daniel s'arrêta brusquement et regarda la vitrine, remplie de carabines et de revolvers.

« Entrons, veux-tu. »

Elle le suivit dans le magasin. Il se dirigea au fond vers l'homme qui se trouvait derrière le comptoir.

« Bonjour. Vous désirez ?

— Je voudrais un revolver. Quelque chose de pas trop gros.

— Un calibre 22, 38 ou 45 ?

— Je préférerais un 38, mais ça dépend de la taille. »

L'homme prit un trousseau de clés dans sa poche et ouvrit un tiroir au-dessous du comptoir. Il plaça un colt à canon long devant Daniel.

« Qu'est-ce que vous en pensez ? »

Daniel secoua la tête : « Trop gros. »

L'homme lui proposa alors un Smith & Wesson, l'arme de la police. Il regarda Daniel. Celui-ci refusa de nouveau :

« Que diriez-vous d'un colt automatique ?

— Je les aime pas trop. Je m'en suis servi quand j'étais à l'armée. Ils manquent de précision. D'ailleurs, la détente est trop dure.

— Alors, il n'en reste qu'un dans les calibres 38. Si celui-là ne vous convient pas, il vaudra mieux chercher dans les calibres 22.

— Montrez-le-moi. »

Cette fois, l'homme sortit un petit étui en cuir qu'il ouvrit avec précaution. Le canon était en acier bleuté, brillant, la crosse tout en nacre.

« Smith & Wesson 38 Terrier à canon court, déclara-t-il solennellement. Nous le vendons complet avec un holster en cuir véritable. Seulement, il est cher. »

Daniel examina l'arme.

« Combien ?

— Trente-neuf dollars cinquante.

— Effectivement, c'est pas donné ! » Il prit l'arme et la soupesa. « Ça n'a pas l'air bien méchant.

— Détrompez-vous. Il a les mêmes performances que le canon long. Je dirais même qu'il est meilleur. »

Daniel ouvrit l'arme et fit tourner le barillet avec le pouce. Il le referma d'un coup sec et le tint à bout de bras.

« Faites-moi un prix. »

L'homme hésita un instant.

« Trente-cinq.

— Faites un petit effort !

— Trente-deux cinquante. Je ne peux pas faire mieux.

— Je peux l'essayer ?

— En bas, dans la cave. » Il appuya sur un bouton, sous le comptoir. Un jeune homme vêtu d'une blouse tachée de graisse apparut au fond du magasin. L'homme lui donna l'arme avec une poignée de cartouches. « Emmenez monsieur en bas. Il désire essayer ce revolver. »

Ils suivirent le jeune homme, et descendirent un escalier au fond de la boutique. Arrivé en bas des marches, l'employé fit de la lumière. Devant eux, ils aperçurent un stand de tir brillamment éclairé avec une cible circulaire en papier blanc fixée sur des sacs de sable. Le jeune homme donna le revolver et six cartouches à Daniel.

Sans perdre de temps, Daniel chargea son arme. Il fit tourner le barillet, essaya la détente puis arma le revolver. Après s'être assuré que tous les mécanismes répondaient parfaitement, il tint le revolver à deux mains, bras tendus et visa la cible.

« Baissez-le un peu, intervint le jeune homme. Il a tendance à tirer trop haut : trente centimètres tous les six mètres. La cible est à neuf mètres.

— Pas terrible, alors !

— Ça, c'est le canon court. Si vous voulez une petite arme, il faut bien faire un sacrifice. Mais ça ira. Vous verrez, on s'habitue très vite. »

Daniel abaissa un peu le canon et appuya sur la détente. L'arme eut un léger recul. Il regarda la cible : il l'avait loupée complètement.

« Tirez plus bas, conseilla l'employé. Visez avec le percuteur, pas avec la mire. »

Daniel tira de nouveau. Cette fois, il toucha le bord de la cible. Il hocha la tête et tira quatre coups à la suite. Il en avait mis trois en plein dans le mille, une légèrement à côté. Il rendit le revolver à l'employé.

« Ça va. »

Il se tourna vers Tess. Elle le regardait avec de grands yeux, le visage blême. Il s'approcha d'elle et lui prit le bras. Elle tremblait.

« Tu te sens bien ? »

Elle dut respirer un grand coup.

« Oui, oui. »

Il la tint par le bras pour remonter dans le magasin.

« Je le prends si vous me faites cadeau d'une boîte de cartouches, déclara Daniel au commerçant, toujours derrière son comptoir.

— Non, je ne peux pas. Mais je vous fais cadeau du nécessaire d'entretien : chiffon, baguette et burette d'huile.

— Marché conclu. Et vous me mettrez une boîte de cartouches.

— Entendu. » L'homme sortit un formulaire.

« Le règlement, c'est le règlement, fit-il en guise d'excuse. Il faut que vous me remplissiez ça : inscrivez votre nom, votre adresse et présentez-moi une pièce d'identité.

— Rien de plus facile. » Daniel sortit son portefeuille, en tira son permis de conduire qu'il posa sur le comptoir. « Ça ira ? »

L'homme acquiesça. « J'en ai pour une minute à le remplir et puis je vous nettoierai le revolver. »

En attendant que l'homme ait fini, Daniel ôta sa veste et enfila le holster ; il ajusta la courroie à sa taille. Le temps d'y parvenir, l'armurier avait rempli son formulaire et nettoyé le revolver.

« Avec une boîte de cinquante cartouches, ça vous fera trente-sept dollars cinquante. »

Daniel compta la somme demandée et prit l'arme que lui tendait le vendeur. Après l'avoir chargée rapidement, il la glissa dans le holster et remit sa veste. Il passa la main sur le tissu. La veste tombait parfaitement : jamais on n'aurait cru qu'il était armé.

Ils sortirent dans la rue. Il consulta sa montre.

« Il est encore tôt. Tu veux aller au cinéma avant de rentrer à l'hôtel ?

— Non, fit-elle d'une voix contrariée. Rentrons tout de suite.

— Tu es sûre que tu te sens bien ? fit-il, l'air surpris.

— Je me sens très bien, imbécile ! répliqua-t-elle, agacée. Tu crois que les femmes aiment lambiner, comme ça, pendant des jours et des jours ? »

4

La première chose qu'elle ressentit en s'éveillant tout doucement, ce fut une délicieuse courbature dans les cuisses, une impression de plénitude et de contentement. C'était bon. Elle ouvrit les yeux.

Il était debout devant la fenêtre, nu. Il lui tournait le dos et regardait à travers les rideaux, un cigare dans une main, un verre de whisky dans l'autre. Le torse, aussi carré que les épaules, ne s'amincissait qu'aux hanches étayées par des jambes solides et vigoureuses. Il était costaud. Elle en avait eu la preuve. Sa force, elle la sentait encore. Elle-même n'était pas particulièrement petite et pesait soixante-quinze kilos. Pourtant, il l'avait soulevée et portée comme une poupée de chiffon si tant est que les poupées de chiffon puissent jamais éprouver ce qu'elle avait éprouvé.

« Quelle heure est-il ? demanda-t-elle. Je me suis endormie.

— Pas loin de six heures. » Il se tourna pour la regarder. « La pluie vient de s'arrêter.

— Tant mieux. » Elle s'assit et ramena le drap sur sa poitrine pleine. Elle sentit quelque chose de tiède lui couler le long des cuisses. « Voilà que ça retombe encore », fit-elle, vaguement surprise.

Il ne répondit rien.

« Il vaudrait mieux que tu ailles me chercher une serviette dans la salle de bains.

— Pourquoi ?

— Il va y en avoir plein les draps. Ça fera moche.

— Ils ont l'habitude dans les hôtels. Même les gens mariés baisent plus à l'hôtel que chez eux.

— On dirait que tu parles en connaissance de cause. Tu as déjà été marié ?

— Non, jamais.

— Comment ça se fait ?

— Je suis jamais resté suffisamment longtemps au même endroit pour ça, j'imagine.

— T'as jamais eu envie de te marier ?

— J'y ai pensé. Je me marierai peut-être un jour.

— Moi, j'ai été mariée deux fois.

— Je sais. Tu me l'as dit. »

Elle sentit le bout de ses seins se durcir, une bouffée lui monta au visage en repensant à ce qu'ils avaient fait.

« Avec aucun de mes deux maris, je n'ai fait ce que j'ai fait avec toi.

— Qu'est-ce que vous fabriquiez, alors ?

— On baisait, c'est tout. Tu vois ce que je veux dire ? A la papa, quoi. Des fois par devant, des fois par derrière... Rien d'autre. J'avais jamais sucé un homme. »

Il se mit à rire.

« C'était pas si désagréable que ça ? »

Elle aussi se mit à rire.

« Non. » Elle le regarda dans les yeux. « J'ais pas été trop maladroite ? demanda-t-elle timidement.

— Pas du tout, c'était très bon. Si tu l'avais pas dit, j'aurais pensé que tu avais fait ça toute ta vie.

— C'est ce que j'ai fait, répondit-elle tout à coup. Dans ma tête. Avec mes deux maris, j'osais pas. Ils m'auraient prise pour une putain.

— Tu as eu tort de t'en priver. Tu serais peut-être encore mariée.

— Je suis contente de pas l'avoir fait. Ni l'un ni l'autre savaient faire l'amour comme toi. Ils se contentaient de tirer leur coup. »

Il but une gorgée de whisky.

« Tu veux quelque chose ?

— Non, merci. »

Elle ramassa son peignoir tombé par terre et l'enfila après être sortie du lit. Elle passa à côté de lui pour se diriger vers la salle de bains.

« Je vais prendre un bain. »

Il lui saisit le bras et l'arrêta.

« Ne te lave pas. J'aime sentir sur toi l'odeur de ta chatte.

— C'est pas vrai ! » Elle lut son désir dans ses yeux.

« Voilà que tu me rends toute chose à nouveau. »

Il rit et lui prit la main.

« Regarde ce que tu me fais, à moi. »

Sa main se referma sur son membre en érection. Tess sentit ses jambes se dérober sous elle ; elle n'eut même pas besoin de ses mains qui lui appuyaient sur les épaules pour s'agenouiller devant lui sur la moquette. Il la tenait par la nuque :

« Prends-moi les couilles et serre-les. »

Elle les sentit devenir dures et lourdes et se contracter soudain. Son sperme lui gicla dans la bouche et dans la gorge. Elle étouffa et faillit avoir un haut-le-cœur en essayant de l'avaler. Puis, au moment où elle n'en pouvait plus, il s'arrêta.

Hors d'haleine, les commissures et le menton couverts de sperme, elle leva les yeux sur lui.

« Des comme toi, j'en ai jamais connu ! »

Il la regarda sans répondre. Il attrapa son verre qu'il vida d'un trait puis l'aida à se remettre sur pieds. « Non. Frappe-moi, d'abord. Donne-moi une gifle.

— Pourquoi ?

— Parce que je veux que tu me traites comme une putain. Si, avec toi, j'ai pas l'impression d'être une putain, je vais tomber amoureuse de toi. »

Sa main s'abattit sur sa joue et elle tomba sur le côté, un sein sorti de son peignoir entrouvert, et resta effondrée par terre, essayant de reprendre son souffle. Lentement, elle posa ses doigts sur sa joue, là où il l'avait frappée. Sa main y avait laissé une empreinte blanche qui virait tout doucement au rouge. Elle le considéra d'un air presque menaçant. « A chaque fois », lança-t-elle.

Il ne répondit pas.

« Chaque fois qu'on couchera ensemble, tu me feras la même chose. Comme ça, j'oublierai pas ce que je suis en train de faire. »

Il resta un moment sans bouger puis il s'approcha et l'aida à se mettre debout.

« Va t'habiller, fit-il doucement. On ferait bien d'aller dîner maintenant si on veut partir tôt demain. »

Il avait juste fini d'ajuster son holster lorsqu'elle sortit de la salle de bains. Elle s'immobilisa et le regarda faire jouer le barillet et remettre l'arme dans son étui. Il jeta un coup d'œil dans la glace accrochée au-dessus de la commode devant lui et l'aperçut. Il lui fit un signe de tête approbateur.

« Très jolie, la robe que tu as mise.

— Merci », fit-elle, contente qu'il l'ait remarquée. C'était sa robe préférée. Beige et noire, elle la faisait paraître plus mince, moins forte de poitrine et de hanches. Il termina son nœud de cravate. « T'es pas trop mal, toi non plus. »

Il toucha son pansement sur le front.

« S'il n'y avait pas ça !

— C'est l'affaire de quelques jours. On va trouver une clinique et on n'en parlera plus. » Elle traversa la pièce pour aller prendre son manteau pendant qu'il enfilait sa veste.

« Daniel.

— Oui ? fit-il en se tournant.

— Peut-être que ça me regarde pas, mais qu'est-ce que tu fuis comme ça ? » Elle s'efforçait de ne pas trop trahir l'anxiété qu'elle éprouvait.

« Je ne fuis rien.

— Pourtant tu as acheté un revolver. » Il lui tourna le dos sans répondre, boutonna sa veste et attrapa son chapeau. Elle s'approcha de lui. « Te crois pas obligé de me répondre si tu veux pas. Mais si tu as des ennuis, je peux peut-être t'aider. »

Il lui prit la main et la serra doucement.

« Je n'ai pas d'ennuis. Ni avec la police ni avec qui que ce soit. Je ne crains rien ; je ne me sauve pas. Ce que je veux, c'est m'accorder un peu de temps pour réfléchir.

— Et un revolver, ça t'aide à réfléchir ?

— Non, fit-il en riant. Mais je suis dans une mauvaise passe. Il y a quelques jours, en sortant du bureau, on m'a forcé à monter en voiture. Les gars m'ont baladé pendant trois jours avant de décider ce qu'ils allaient faire de moi. A tout instant, ils auraient pu me tuer et je n'aurais rien pu faire pour les en empêcher. Finalement, ils m'ont sorti à coups de pied de la voiture et ils ont vidé un chargeur par terre tout autour de moi. J'ai cru qu'ils allaient me tuer. J'ai eu tellement la trouille que je me suis chié dessus. Ça ne m'était jamais arrivé, même pas pendant la guerre. Et pourtant, j'étais en France dans un bataillon qui a dérouillé : des morts, je peux dire que j'en ai vu. Voilà pourquoi j'ai décidé que, dorénavant, on pourrait plus m'embarquer comme ça, sans que je me défende.

— Je comprends pas. Quel genre de métier fais-tu donc pour que les gens veuillent te faire des choses pareilles ? Y a qu'aux gangsters qu'il arrive des trucs comme ça.

— Je suis chargé d'organiser les syndicats.

— Je comprends pas ce que ça veut dire.

— L'U.M.W. et la C.I.O. m'ont chargé d'implanter de nouvelles sections syndicales dans différents secteurs de l'industrie.

— Alors, tu fais partie de ces cocos dont on parle dans les journaux ? »

Il se mit à rire en secouant la tête.

« J'ai rien à voir avec eux. La plupart des gens pour lesquels je travaille sont républicains, même si moi, je penche plutôt pour les démocrates.

— J'ai jamais entendu parler de ces machins-là.

— Viens, fit-il lui prenant le bras et la conduisant vers la porte. Je vais essayer de t'expliquer ça pendant le dîner. »

5

Si Tess était sûre d'une chose lorsqu'ils finirent par arriver à Los Angeles, c'est qu'elle était amoureuse. Jamais elle n'avait connu un homme comme lui auparavant. Une fois sur deux, elle ne comprenait pas ce qu'il racontait. La plupart du temps, elle ne savait pas ce qu'il pensait. Il venait d'un monde dont elle ignorait jusqu'à l'existence. Les syndicats, la politique lui étaient tout à fait étrangers. Pour elle, on avait un emploi, on allait travailler et on se faisait payer. Plus ou moins selon les cas, mais bien payé ou pas, il fallait faire avec et se montrer reconnaissant.

Quand ils arrivèrent sur Hollywood boulevard, l'après-midi finissait et il pleuvait à verse. Les cinémas et les magasins avaient déjà allumé leurs lumières qui lançaient leurs reflets mouvants sur les trottoirs humides.

« T'as déjà vu autant de lumières ? demanda-t-elle, impressionnée, tandis qu'ils longeaient le théâtre chinois.

— Y en a plus à New York, grommela-t-il.

— T'as pas l'air de bonne humeur.

— Je suis vanné. On ferait mieux de trouver un endroit où passer la nuit.

— Tiens, voilà un hôtel qui a l'air bien, fit-elle, montrant le *Hollywood Roosevelt*.

— Trop cher pour nous. On a intérêt à s'écarter des grandes artères. »

Ils découvrirent un petit hôtel au-delà de La Brea dans Fountain. Ça coûtait un dollar la nuit avec bains. C'était un nouveau style d'hôtel. Ils appelaient ça un « motel ». On pouvait garer sa voiture juste devant la chambre. La première chose qu'ils remarquèrent en entrant dans la pièce, ce fut un petit coin-cuisine comprenant réchaud, évier, réfrigérateur et vaisselle.

« Que dirais-tu de manger un bon steak maison, ce soir ? »

Il ouvrit sa valise et en sortit la bouteille de whisky. Il ôta le bouchon avec ses dents et en but une longue rasade. Il reposa la bouteille sans rien dire. « Toi aussi, tu dois en avoir par-dessus la tête de manger au restaurant, s'empressa-t-elle d'ajouter. D'ailleurs, je fais bien la cuisine et puis j'ai envie de te faire à dîner. »

Il reprit la bouteille et but un coup, sans rien répondre. « J'ai vu un marché tout à côté. Je peux y faire un saut et acheter ce qu'il faut. Toi, prends un bain en attendant et repose-toi après toute cette route.

— T'as vraiment envie de faire la cuisine ? »

Elle acquiesça.

Il fouilla dans sa poche et lui tendit un billet de dix dollars avec les clés de la voiture.

« Tant que tu y es, rapporte-moi une autre bouteille de whisky et des cigares. »

Elle lui rendit le billet.

« C'est moi qui paie. Tu as déjà assez dépensé comme ça. »

Elle sortit aussitôt. Il demeura sur place un moment à écouter le bruit du moteur qui démarrait et l'auto qui s'en allait. Il but encore un coup et entreprit de se déshabiller avec des gestes las. Il lança ses vêtements sur une chaise et se dirigea, nu, dans la salle de bains. Il ouvrit le robinet de la baignoire, retourna dans la chambre, prit un cigare dans sa poche et l'alluma. Songeur, il se mit à se frotter la joue. Il avait besoin de se raser. Il prit son rasoir et son savon à barbe dans sa valise. Il aperçut la valise de Tess près de la fenêtre. Il la déposa sur une table basse puis regarda par la fenêtre. La pluie tombait pour de bon. On se serait cru la nuit. Après avoir observé le paysage un moment, il saisit sa bouteille de whisky et entra dans la salle de bains.

La baignoire était presque pleine. Il plaça une chaise à côté, posa un cendrier et la bouteille de whisky dessus et entra dans l'eau. Cette bonne chaleur le réconforta. Il but une nouvelle gorgée et, le cigare aux lèvres, se laissa aller à la renverse, la tête contre le rebord de la baignoire, les yeux au plafond.

En Californie ! Fallait-il qu'il soit givré ! Qu'est-ce qu'il fichait là ? Strictement rien ! Tout se passait sur la côte est. Il avait lu dans le journal, la veille, que Lewis et Murray étaient en train de mettre en place un syndicat de la sidérurgie. C'est là qu'il aurait dû se trouver : au cœur de l'action.

Il tendit le bras, but encore un bon coup, reposa la bouteille sur la chaise et s'allongea avec un soupir. Décidément, il ne tournait plus rond. Cette idée de retourner là-bas ! On lui refilerait sans doute tous les boulots merdeux et, comme d'habitude, il finirait par se faire jeter. Ça faisait vingt ans que ça durait : il en avait sa claque. Ça remontait à 1919, quand il avait fait la connaissance de Phil Murray et de Bill Foster.

Il venait de se faire démobiliser et il avait trouvé un emploi de gardien à l'U.S. Steel, la grande aciérie de Pittsburgh. On lui avait collé un uniforme paramilitaire, un revolver et une matraque qu'il portait pendue au ceinturon. Sa section comprenait vingt hommes placés sous le commandement d'un ancien sergent de l'armée qui les faisait marcher à la trique, comme s'ils étaient encore sous les drapeaux.

Les deux premiers mois s'étaient passés sans problèmes. Il n'avait rien à faire sinon rester planté huit heures par jour devant la grille à surveiller les ouvriers qui entraient et sortaient, au gré des changements d'équipes.

Il s'agissait pour la plupart de Hongrois et de Polonais qui parlaient peu ou pas du tout l'anglais. Ils ne se faisaient pas remarquer : ils s'occupaient de leurs affaires, ne causant jamais de barouf même s'ils n'étaient pas très souriants. Puis, insensiblement, l'atmosphère parut changer.

A présent, les ouvriers ne souriaient plus jamais et lorsqu'ils le regardaient, c'était avec une expression de haine farouche. Même au bar où il avait pris l'habitude d'aller après son tour de garde, les hommes se taisaient à son approche et s'éloignaient sans rien dire si bien qu'il se retrouvait tout seul, à l'écart dans la petite salle.

Un jour, le patron du bar le fit venir derrière le comptoir. C'était un Italien de petite taille qui parlait avec un accent à couper au couteau.

« Toi, Danny t'es un bon petit gars. Je le sais. Mais fais-moi plaisir : ne remets plus les pieds dans mon bar.

— Pourquoi ça, Tony ? fit-il, stupéfait.

— Il va y avoir du grabuge à l'usine. Alors, les autres, ils deviennent nerveux. Ils croient que tu viens les espionner.

— Foutaises ! Comment je pourrais les espionner alors que je comprends même pas ce qu'ils disent ?

— Sois gentil, Danny. Reviens plus ici. »

Là-dessus, le petit homme s'éloigna.

Cette nuit-là, le sergent convoqua toute l'escouade pour leur tenir un petit discours : « Bon, les gars, jusqu'ici vous vous l'êtes coulée douce. Mais va bientôt falloir songer à mériter votre paie. D'un jour à l'autre, les rouges et l'I.W.W. vont pousser les Hongrois à se mettre en grève. Ils veulent obliger les usines à fermer. Et notre boulot à nous, ça consiste à les en empêcher.

— Comment qu'on va faire, sergent ? demanda l'un des gardes. On y connaît rien, nous autres, à la fonderie.

— Dis pas de conneries, fit le sergent, sarcastique. S'ils se mettent en grève, y en aura d'autres pour les remplacer. Et ceux-là, les grévistes les empêcheront d'entrer. A nous de nous débrouiller pour faire entrer ceux qui veulent travailler.

— Si je comprends bien, ça veut dire qu'on va aider les briseurs de grève », lança Daniel.

Le sergent lui lança un regard noir.

« Ça veut dire qu'on va faire notre boulot. Pourquoi tu crois qu'on te paie quinze dollars par semaine, nourri et logé ? Les Hongrois, eux, ils travaillent douze heures par jour à la fonderie pour moins de dix dollars par semaine. Ils se sont mis dans la tête qu'ils devaient gagner autant que toi et même plus, alors que la plupart d'entre eux savent pas lire, écrire ni parler l'anglais. »

Daniel soutint son regard.

« Comment qu'on fera rentrer les briseurs de grève si on est derrière les grilles et qu'il y a des piquets de grève devant ?

— On vous aidera. Vous aurez des renforts. Le shérif a recruté plus de deux cents hommes qui seront devant les grilles et qui dégageront l'entrée.

— Et si ça suffit pas ? »

Le sergent sourit.

« Dans ce cas-là, on sortira et on ira les aider. » Il tira sa matraque de sa ceinture et la brandit. « C'est très persuasif, ce petit engin, vous avez pas idée ! »

Daniel se taisait.

Le sergent avait toujours le regard fixé sur lui. « D'autres questions? »

Daniel secoua la tête.

« Non, sergent. Mais...

— Mais quoi ?

— Ça me plaît pas trop. Je sais comment ça se passe, une grève. Chez nous, il y a eu du grabuge. Dans les filatures et dans les mines. Il y a eu des tas de blessés. Et même parfois, des gens qui avaient rien à voir avec la grève.

— Quand on s'occupe de ses oignons, on risque pas de récolter un mauvais coup. »

Daniel songea à sa sœur, à Jimmy. Il prit une profonde inspiration :

« Ça me plaît pas. On m'a embauché comme gardien pour protéger l'usine. Pas pour matraquer les gens. Pas pour briser les grèves.

— Si ça te plaît pas, fous-moi le camp d'ici ! » explosa le sergent.

Daniel demeura sur place un instant, sans rien dire. Puis, il hocha la tête. Il fit demi-tour et, toujours sans rien dire, quitta la pièce. La voix du sergent le fit se retourner. « Laisse ton revolver et ta matraque ici ! »

Sans rien dire, Daniel défit son ceinturon, posa son arme et sa matraque sur une table. Puis il fit demi-tour et se dirigea vers la porte. La voix du sergent le poursuivit : « T'as un quart d'heure pour vider les lieux. Si je te trouve là-bas quand j'y serai, je te jure qu'on te flanquera une dérouillée dont tu te souviendras ! »

Daniel ouvrit la porte et sortit. Avant de la refermer, il entendit le sergent qui s'adressait aux autres : « Ce salaud-là, j'ai jamais eu confiance en lui. On nous a prévenus que c'était un agent des rouges. Maintenant, s'il y a d'autres cocos et d'autres froussards parmi vous, ils ont intérêt à le dire tout de suite et à mettre les bouts pendant qu'il est temps. »

Daniel longea le couloir jusqu'à la chambrée qu'il partageait avec cinq autres gardiens. En vitesse, il se débarrassa de son uniforme, le plia soigneusement et le posa sur son lit. Dans son placard, il prit son vieux pantalon, sa veste de l'armée et les enfila. Rapidement, il rassembla le peu d'affaires personnelles qu'il avait, les entassa dans un sac de toile, le chargea sur son épaule et sortit.

Il parcourut le couloir en sens inverse et sortit du bâtiment. Sans faire de bruit, il se dirigea vers la grille. Les hommes qui étaient de garde le laissèrent passer sans rien dire. On les avait déjà prévenus.

Il équilibra bien son sac sur ses épaules, traversa la rue et tourna au premier carrefour. C'est alors qu'ils sortirent d'un immeuble devant lequel il venait de passer. Il entendit leurs pas, voulut se retourner, mais c'était déjà trop tard. Il reçut un coup de matraque sur la tempe et s'écroula sur les genoux.

Désespérément, il essaya de se remettre debout ; il entendait la voix du sergent hurler : « Donnez-lui une bonne leçon à ce salaud ! »

Il lança son poing dans la direction de la voix sans atteindre autre chose que le vide. Sous la pluie de coups qui s'abattait sur lui, coups de matraque et coups de poing, son corps n'était plus que souffrance.

A nouveau, il tomba sur les genoux, se roulant en boule pour se protéger autant que possible. De grosses bottes se mirent à lui fouailler les côtes et il roula dans le caniveau. Il tenta de bouger : rien à faire. Tout son corps lui faisait mal. Il n'avait plus de forces, pas même pour se défendre.

Enfin, les coups cessèrent. Il gisait là, à moitié inconscient, la tête lui tournait. A nouveau, comme si elle lui parvenait de très loin, il entendit la voix du sergent : « Ça lui apprendra, à ce salaud de communiste ! Il ne viendra plus nous jouer ses tours de con ! »

Il entendit une autre voix dire d'un ton effrayé : « Sergent, je crois qu'il est mort. »

Il sentit la botte du sergent le retourner sur le côté et le faire rouler sur le dos. Il cligna des yeux, tâchant d'apercevoir au-dessus de lui. Il sentit l'haleine du sergent sur son visage sans pouvoir le distinguer clairement. « Il est pas mort, déclara celui-ci. Mais si jamais il remet les pieds par ici, il regrettera de pas avoir canné cette fois-ci. »

Il reçut un coup violent qui lui vrilla le crâne. Le sergent venait de lui décocher un dernier coup de pied. Tout devint noir. Il resta immobile un long moment.

Lentement, il revint à lui. Peu à peu son corps se mit à lui envoyer de partout des signaux de douleur. Au bout d'un moment, il essaya de bouger. Un gémissement lui échappa. Il s'efforça de s'éclaircir les idées. Il parvint à se mettre à genoux puis, en se cramponnant à un réverbère, il réussit à se hisser sur ses pieds. Il profita de la lumière pour s'inspecter. Sa chemise était déchirée, couverte de sang et son pantalon à moitié arraché. Avec précaution, il remua la tête. Ses affaires se trouvaient éparpillées sur toute la rue ; quant au sac, on l'avait ouvert et vidé de son contenu.

Après avoir inspiré profondément, il entreprit d'avancer ; chaque pas, chaque mouvement déclenchait dans tout son corps une souffrance atroce. Néanmoins il se mit à rassembler ses affaires et à les empiler dans son sac. Ensuite, il s'arrêta pour reprendre haleine.

Il leva les yeux vers le ciel. La lune était déjà levée. Il devait bien être minuit. Quand il était sorti de l'usine, huit heures sonnaient. Toutes les fenêtres étaient noires. Il s'avança lentement jusqu'au coin de la rue et regarda les grilles.

Les gardes se trouvaient toujours dans leur petite guérite. A travers la vitre ouverte, il les voyait parler. Ils savaient que le sergent l'attendait dehors lorsqu'ils l'avaient vu sortir mais ils s'étaient tus. Un instant, il songea à retourner sur ses pas pour aller leur montrer. Mais bien vite, il abandonna cette idée. Il n'était pas en état de leur montrer quoi que ce soit. Il aurait de la chance s'il parvenait à trouver un endroit où il pourrait se faire soigner. Il tenta de soulever son sac et de le porter à l'épaule. Mais c'était au-dessus de ses forces. Il dut se contenter de le traîner derrière lui.

Dans les rues sombres, il se dirigea vers le bar de Tony. La vitrine n'était plus allumée et on avait fermé la porte, mais en s'approchant, il aperçut l'Italien qui balayait derrière son bar. Il frappa à la porte. Sans même lever les yeux, Tony fit signe qu'il avait fermé pour toute la nuit. Daniel frappa de nouveau, plus fort cette fois. Tony leva les yeux. Il n'arrivait pas à voir qui c'était. Il sortit de derrière son bar et vint coller son visage contre la vitre de la porte.

« C'est fermé », commença-t-il par dire. Puis, surpris, il se tut. Rapidement, il ôta la chaîne et ouvrit la porte. « Danny ! Qu'est-ce qu'il t'arrive ? »

En passant la porte, Daniel trébucha. D'une main, Tony le rattrapa. Daniel tira son sac derrière lui et s'écroula sur une chaise. Il se laissa aller en avant sur la table, la tête dans les bras.

En toute hâte, Tony passa derrière le bar et revint avec une bouteille de whisky et un verre qu'il remplit.

« Bois. Ça te fera du bien. »

Daniel dut tenir son verre à deux mains. Il sentit le whisky lui brûler la gorge et la chaleur l'envahir peu à peu.

Tony remplit à nouveau son verre ; Daniel le vida. Il sentait les forces lui revenir.

« Je t'avais prévenu que ces Hongrois te tomberaient dessus.

— C'est pas eux, marmonna Daniel. C'est le sergent. Quand j'ai compris qu'il voulait faire de nous des briseurs de grève, j'ai donné ma démission. Mais ils m'ont attendu au coin de la rue devant l'usine. »

Tony garda le silence.

« Tu sais où je pourrais me nettoyer ?

— Il faut voir un docteur.

— Pas besoin de docteur, fit Daniel. Faut que je me nettoie.

Après, j'ai des choses à faire. » Il montra la bouteille de whisky. « J'ai pas besoin d'autre chose comme médicament.

— Viens avec moi. » Tony le conduisit au fond, dans les toilettes. C'étaient les toilettes du patron, pas celles des clients du bar. Il alluma la lumière. « Je vais chercher des serviettes propres. »

Pendant qu'il était parti, Daniel se regarda dans le miroir. Son nez avait l'air cassé et écrasé. Il avait les pommettes fendues et des plaies aux tempes. Ses yeux viraient au bleu-noir, sa mâchoire était déjà enflée et tout le visage était couvert d'une croûte de sang séché. « Bon Dieu ! » s'exclama Daniel à mi-voix.

Tony était revenu. Il hocha la tête.

« Ça, on peut dire qu'ils t'ont arrangé ! »

Daniel ouvrit le robinet du lavabo.

« Ils me le paieront », fit-il tranquillement. Ensuite, il ôta sa chemise et se mit à se laver. Lorsqu'il se redressa, il vit que ses côtes et ses flancs étaient bleus de coups.

Rapidement, il se savonna la moitié du corps et se rinça avec une serviette humide. Ensuite, il se mit la tête sous le robinet d'eau froide jusqu'à ce qu'il ait retrouvé tous ses esprits. Puis il se sécha. « Il doit y avoir une chemise et un pantalon de rechange dans mon sac.

— J'y vais. »

Tony repartit vers le bar. Daniel ôta son pantalon.

« Apporte-moi aussi des sous-vêtements propres », lança-t-il à travers la porte restée ouverte. Il avait d'autres ecchymoses sur les hanches et sur les cuisses, mais par bonheur, il n'avait pas reçu de coups dans les parties. Ça tenait sans doute à la façon dont il était tombé ; il ne se rappelait pas avoir tenté quoi que ce soit pour se protéger.

A nouveau il se rinça avec une serviette humide et se sécha. Lorsque Tony revint avec ses vêtements, il était en train de boire le whisky au goulot.

« Ton sac est sens dessus dessous. »

Daniel opina.

« Il y en avait sur toute la rue. Tout ce que j'ai pu faire, ça a été de ramasser ce qui traînait et de l'empiler.

— Qu'est-ce que je vais faire de ça ? interrogea Tony, montrant d'un geste le tas de vêtements déchirés.

— Jette-les », répondit Daniel. Que pouvait-on en faire d'autre ? Impossible de les rafistoler. Il s'habilla rapidement. Tony l'observait.

« Tu ferais mieux d'aller voir un docteur. Tu as le nez cassé et tu as des plaies qu'il faudrait recoudre. »

Daniel se tourna pour se regarder dans la glace.

« C'est pas si grave que ça. Pour le nez, on pourra rien faire ; les coupures, elles guériront toutes seules. J'en ai vu d'autres quand j'étais gosse. »

Il but une autre gorgée de whisky et emporta la bouteille dans le bar. Sans un mot, il se mit à ranger ses affaires dans son sac. Quand il eut fini, il regarda Tony.

« Les bureaux du syndicat, c'est où ?

— A l'angle de la rue du Maine et de la rue Nationale. Pourquoi ?

— J'ai l'intention d'y aller.

— T'es fou ! Il est une heure du matin. Ce sera fermé. Y aura personne.

— Au moins, j'y serai quand quelqu'un viendra demain matin.

— Pourquoi tu veux te mêler de ça ? T'es un bon gars. Tu devrais pas aller te fourrer dans ces histoires. »

Daniel le regarda.

« J'y suis jusqu'au cou ! » Il s'interrompit un instant, songeant à Jimmy, à sa sœur, à toute sa famille, à ce qui s'était passé à la mine. « J'y ai peut-être toujours été mêlé sans le savoir. »

6

Il était deux heures du matin quand Daniel parvint à l'angle de la rue du Maine et de la rue Nationale. Au-dessus de la porte du magasin qui leur servait de local, il y avait un écriteau : ASSOCIATION GÉNÉRALE DES TRAVAILLEURS DE LA MÉTALLURGIE. Mais le magasin avait l'air sombre et vide. Lorsqu'il colla son visage à la vitre, il ne vit rien, pas même une chaise ou un bureau. Le plancher était couvert de tracts éparpillés. Il longea la vitrine jusqu'à la porte. On y avait accroché une petite note dactylographiée : « Les bureaux de l'Association sont transférés au 303, Magee Building. »

Il poussa un soupir de découragement. Magee Building se trouvait à l'autre bout de la ville, à trois kilomètres de là. Il jeta un coup d'œil dans la rue. Toutes les fenêtres étaient noires. Il ne trouverait pas de chambre, pas le moindre lit où dormir dans ces parages, même en cherchant bien. Il ouvrit son sac pour y prendre la bouteille de whisky que Tony lui avait donnée. Après en avoir bu une bonne rasade, il fourra la bouteille dans le sac qu'il balança sur son épaule et se remit en marche.

Quand il fut rendu, il était près de trois heures du matin. L'immeuble était plongé dans l'obscurité ; les portes d'entrée étaient fermées. Il se recula dans la rue pour inspecter la façade. Au troisième étage, il y avait quelques fenêtres éclairées. Il revint à l'entrée et trouva une sonnette pour appeler le portier de nuit. Il appuya jusqu'à ce qu'un Noir tout endormi se traîne jusqu'à la porte au bout de dix minutes.

« Voyez pas que c'est fermé ?

— Faut que je monte au syndicat. »

Le Noir lui ouvrit la porte de mauvaise grâce.

« Vous êtes complètement toqués, les gars d'aller et venir comme ça à toutes les heures du jour et de la nuit ! On peut même plus se reposer quand on en a besoin ! »

Daniel le regarda sans rien dire.

« L'escalier à gauche, s'empressa d'ajouter le Noir. Troisième étage. Porte 303. »

Daniel monta les escaliers. Il ne s'était pas trompé. Les lumières qu'il avait vues depuis la rue étaient bien celles du bureau du syndicat. Il posa la main sur la poignée de la porte et appuya. Elle s'ouvrit. Il n'y avait personne à la réception. Il passa une autre porte et se trouva dans un couloir. Il entendit des voix et se dirigea vers l'endroit d'où elles provenaient. Il aboutit devant une porte fermée au bout du couloir.

Il s'arrêta, posa son sac par terre, frappa une fois et ouvrit la porte. Quatre hommes étaient assis à un bureau dans une pièce enfumée. Ils le regardèrent interloqués.

L'un d'eux bondit sur ses pieds, et s'avança, menaçant, vers Daniel, les poings serrés, prêt à cogner.

Daniel le vit venir.

« Faites pas ça ! On m'a déjà sonné cette nuit. Le premier qui me touche, je le tue ! »

L'autre s'arrêta net.

« Qu'est-ce que vous foutez là ? Qu'est-ce que c'est que ces manières de s'introduire ?

— La porte était ouverte. » Daniel regarda les trois autres toujours assis au bureau.

« Je voudrais voir le patron de votre syndicat. J'ai des renseignements importants à lui communiquer. »

Cette fois, l'homme qui siégeait au bureau prit la parole. Il avait une voix mélodieuse.

« C'est moi. Bill Foster, secrétaire général du syndicat.

— C'est vous le patron ? »

Foster jeta un coup d'œil aux deux autres. Il hocha la tête avec un demi-sourire.

« Si ça vous fait plaisir, vous pouvez me considérer comme tel. Pourquoi voulez-vous me voir ? »

Daniel s'approcha du bureau.

« Je m'appelle Daniel B. Huggins. Jusqu'à ce soir, j'étais gardien aux aciéries, atelier numéro 5. »

L'un des deux autres voulut l'interrompre. Foster le fit taire d'un geste.

« Et alors ? fit-il de sa voix douce.

— Ce soir, on nous a dit qu'on s'attendait à une grève et qu'on devrait aider les jaunes à traverser les piquets et que pour ça, il allait falloir se servir de nos matraques et de nos revolvers. On nous a dit qu'on serait pas tout seuls, que le shérif avait déjà recruté tout plein de gars qu'on allait nous envoyer en renfort.

— Ça, on le sait déjà. Qu'est-ce que tu peux nous dire d'autre ? »interrogea Foster de sa voix toujours égale.

Daniel secoua la tête.

« J'sais pas. Rien d'autre, je crois. Excusez-moi de vous avoir dérangés. »

Il tourna les talons et se dirigea vers la porte.

« Un instant ! »

L'homme avait l'habitude de commander, cela s'entendait à sa voix. Daniel fit volte-face. Il avait un visage étroit, le nez et la bouche finement dessinés, les yeux profondément enfoncés. « Qu'est-ce qui vous a poussé à venir ici ?

— J'ai donné ma démission ; on m'a dit de prendre mon barda et de déguerpir. Peut-être que je serais jamais venu ici. Après tout, vos histoires, ça me regarde pas. Seulement, ils m'ont attendu à la sortie de l'usine. Alors, maintenant, ça me concerne aussi. »

Les quatre hommes restèrent silencieux un instant, fixant son visage tuméfié. Pour finir, ce fut l'homme au visage étroit qui reprit la parole.

« On dirait qu'ils ne vous ont pas loupé.

— Ça, c'est rien, à côté de ce qui attend le sergent quand j'aurai réussi à mettre la main sur lui. Chez nous, on a l'habitude de rendre la monnaie de sa pièce.

— De quel coin êtes-vous donc ?

— De Fitchville, monsieur.

— Fitchville ? » fit l'homme d'une voix songeuse. Il lui lança un regard aigu. « Vous avez dit que vous vous appeliez comment ?

— Huggins, monsieur. Daniel Boone. »

L'homme hocha la tête.

« C'est vous qui étiez employé aux mines de Grafton et qui...

— Oui, monsieur, c'est moi », coupa Daniel.

L'autre resta silencieux un instant.

« Ça ne vous ferait rien de passer à côté quelques instants. J'aimerais m'entretenir avec mes amis. »

Daniel retourna dans le couloir et referma la porte derrière lui. Il entendit le brouhaha des conversations à travers la cloison. Il ne chercha même pas à écouter ce qu'ils pouvaient dire. Il sortit la bouteille de son sac et but une gorgée. Ce n'était pas suffisant. Ses forces l'abandonnaient. Il en but une autre.

La porte s'ouvrit et l'homme qui l'avait fraîchement accueilli le fit entrer.

Quand il pénétra dans la pièce, il avait toujours sa bouteille de whisky à la main. Ils le regardèrent avec un drôle d'air.

« Y a qu'avec ça que je peux tenir debout, sinon, je m'écroule. »

L'homme au visage étroit prit la parole.

« Je m'appelle Philip Murray. Je travaille pour l'A.F.L. J'ai parlé de vous à mon ami Foster et, si vous êtes d'accord, je crois qu'il a un emploi à vous proposer.

— Merci, M. Murray, fit Daniel se tournant du côté de Foster.

— Vous ne gagnerez pas des mille et des cents, moins qu'à l'usine, déclara aussitôt ce dernier. Nous ne sommes pas assez riches pour payer de tels salaires. Huit dollars par semaine, nourri et logé, on ne peut pas faire mieux.

— Ça me va très bien. Qu'est-ce que je suis censé faire au juste, pour gagner cet argent ?

— Vous connaissez les gardiens ; vous connaissez leurs méthodes, leur façon de travailler. Quand la grève éclatera, vous viendrez avec nous faire le piquet ; vous nous direz ce qu'il faut faire pour nous débarrasser des gardiens.

— Je sais pas si j'en serai capable, M. Foster ; je peux toujours essayer. Mais il me semble que vos gars feraient bien de se grouiller, parce que, d'ici que la grève démarre, vous allez avoir toute l'armée américaine sur le dos ! »

Foster le dévisagea.

« Nous le savons aussi bien que vous, figurez-vous. La grève doit commencer demain », répliqua-t-il, agacé.

Daniel le regarda sans répondre.

« Vous feriez mieux de rentrer chez vous et de vous reposer, s'empressa d'ajouter Murray.

— J'sais pas où aller. A l'usine j'étais logé dans des baraquements. » Il sentit qu'il perdait l'équilibre et dut s'appuyer des deux mains sur le bureau pour se soutenir. Foster se leva aussitôt et fit signe à l'homme qui l'avait introduit.

« Il y a un lit de camp dans le bureau à côté. Conduis-le là-bas et arrange-toi pour faire venir le docteur le plus tôt possible.

— Merci », dit Daniel. La pièce s'était mise à tourner autour de lui. « Merci. » Il sentit qu'on lui prenait le bras. Il parvint à marcher jusqu'au lit dans la pièce voisine avant de s'évanouir. On était le 22 septembre 1919.

Une semaine plus tard, plus de trois cent mille ouvriers s'étaient mis en grève dans plus de huit États. Mais le centre névralgique du mouvement se trouvait à Pittsburgh, dans la plus importante des aciéries du pays, l'U.S. Steel.

Le lendemain du premier jour de grève, Albert Gary, directeur de l'U.S. Steel rédigea une déclaration que tous les journaux reproduisirent à Pittsburgh comme ailleurs.

> Les rouges, les anarchistes et les agitateurs ont réussi à convaincre une petite partie des travailleurs américains de cesser le travail afin de désorganiser l'industrie métallurgique et de miner la stabilité politique des États-Unis.
>
> Heureusement pour l'Amérique, la plupart de nos concitoyens restent fidèles à leurs idéaux patriotiques. Ils entendent bien défendre notre pays menacé par les agissements de ces vipères. Voilà pourquoi je lance un appel à tous les travailleurs qui ont été entraînés malgré eux dans cette grève injustifiée : je leur demande de reprendre le travail. Je leur en donne ma parole, en tant que directeur de l'U.S. Steel : on ne prendra contre eux aucune mesure de rétorsion et on admettra toutes les bonnes volontés sans discrimination. Les aciéries ne cèderont jamais à la dictature des anarchistes communistes venus de l'étranger. Cette

grève est un échec, c'est une cause perdue d'avance. Retournez au travail, montrez votre patriotisme et votre foi dans notre glorieux pays.

Deux jours plus tard, dans tous les journaux et sur tous les murs de la ville, s'étalaient des proclamations qui disaient à peu près la même chose. Sous un dessin représentant l'Oncle Sam brandissant le poing au bout d'un bras tendu et musculeux, biceps saillant, on avait imprimé, « Reprenez le travail », non seulement en anglais mais en sept autres langues, de sorte que tous les ouvriers pouvaient comprendre.

Tous les jours, Daniel descendait dans la rue devant les aciéries, là où les ouvriers faisaient le piquet. Au début, tout était très calme. Les gardiens restaient derrière les grilles. La police surveillait les piquets qui allaient et venaient en silence. A chaque instant, les grévistes levaient la tête pour voir si la fumée sortait toujours des cheminées des hauts fourneaux. On la voyait s'élever, grise et mince, ce qui voulait dire que les feux étaient encore éteints. Quand l'aciérie fonctionnait, les cheminées vomissaient une épaisse fumée noire de suie qui retombait sur les alentours.

Il s'était écoulé près d'une semaine lorsqu'un des piquets s'approcha de Daniel, posté au coin de la rue, le cigare entre les dents.

« Je crois que cette fois, on va gagner, fit l'homme. Les hauts fourneaux sont en panne depuis une semaine. »

Daniel traversa la rue pour pouvoir observer l'entrée de l'usine. Il y avait plus de gardiens que d'habitude. Le piquet l'avait suivi.

« Qu'est-ce que t'en penses, Danny ?

— J'sais pas, répondit Daniel, songeur. Il va se passer quelque chose. Ils ont suffisamment attendu de voir si on reviendrait. Maintenant, ils vont être obligés de faire redémarrer le boulot.

— Ils peuvent pas. Sans nous, les hauts fourneaux ne marcheront pas. »

Daniel ne répondit rien. Il n'aurait su quoi dire. Simplement, il sentait qu'on était arrivé à un point de non-retour. Il allait se passer quelque chose sous peu. Ce soir-là, rentré au syndicat, il resta assis en silence, écoutant les autres s'agiter autour de lui. Par téléphone, on avait des nouvelles de ce qui se passait dans d'autres usines en grève, dans les autres États. Toutes disaient la même chose : calme plat.

Soudain un coup de téléphone bouleversa la situation. On apprit que quatre cents Noirs de Caroline du Sud avaient été chargés dans un train en direction de Pittsburgh. Ils devaient arriver le lendemain à huit heures.

7

A six heures du matin, les piquets de grève qui avaient monté la garde toute la nuit devant l'atelier n° 5 reçurent des renforts. Des camarades vinrent se joindre à la trentaine d'hommes qui s'y trouvaient et envahirent peu à peu les rues qui conduisaient à l'usine. Les hommes étaient épuisés par leur longue nuit mais l'atmosphère tendue n'incitait pas l'équipe de nuit à aller prendre du repos. A huit heures, on comptait quatre cents piquets de grève qui allaient et venaient dans les rues devant les portes des aciéries. A neuf heures, ils étaient plus de sept cents. Il n'y avait plus assez de place pour se mettre en file : les piquets formaient un véritable rempart depuis le bout de la rue jusqu'aux grilles de l'usine. La foule faisait du sur place ; il n'y avait plus d'espace pour reculer ou avancer.

Daniel se trouvait au coin de la rue, côté nord, en face des grilles d'entrée. Derrière lui, perchés sur les marches d'un petit bâtiment se tenaient Bill Foster et ses adjoints. Daniel grimpa les marches à côté d'eux, de façon à dominer les têtes des ouvriers. Derrière la grille, le sergent avait aligné ses hommes comme à la parade. Il y avait dix escouades de huit hommes chacune, tous en uniforme de gardiens, tous avec matraque et revolver.

Daniel se pencha vers Foster :

« Ils ont fait rentrer quarante hommes de plus. On n'était pas plus de quarante en tout quand j'y travaillais. »

Foster opina sèchement, les lèvres crispées sur son cigare éteint.

« Le sergent va s'en servir comme de coins quand les portes seront ouvertes ; ils laisseront le passage libre aux briseurs de grève.

— C'est ce je que me disais, déclara Foster froidement.

— Si on fait avancer les piquets contre les grilles, les gardiens ne pourront pas les ouvrir. Les grilles ouvrent sur la rue. »

Foster le regarda, surpris.

« Vous êtes sûr ? Personne ne m'en a rien dit.

— J'en suis certain. »

Foster se tourna pour chuchoter à deux de ses adjoints :

« Passez la consigne : rapprochez-vous des grilles. »

Quelques minutes plus tard, le petit trottoir qui bordait les grilles et l'enceinte était occupé par les piquets qui s'y entassaient comme dans la rue. Daniel vit le sergent observer la manœuvre. Celui-ci se tourna vers ses hommes et, un instant plus tard, chacun d'eux tenait sa matraque à la main.

Un homme qui arborait l'insigne du syndicat au revers de sa veste tourna le coin de la rue et se fraya un chemin jusqu'à Foster. Il avait une voix gutturale et un accent d'Europe centrale.

« Ils ont entassé les jaunes dans huit camions. Devant eux, ils ont placé quarante gardes mobiles à cheval et deux cents adjoints du shérif. Le shérif, il est en tête, dans une voiture avec un type en uniforme militaire. Ils vont déboucher dans la rue d'un instant à l'autre. »

A peine avait-il prononcé ces mots qu'une rumeur se propagea dans la rue. « Ils arrivent ! Les voilà ! »

La plupart des grévistes quittèrent les grilles pour se jeter dans la rue. « Dites-leur de pas bouger ! » cria Daniel.

Foster se dressa, agitant les bras.

« Restez à vos postes, les gars, hurla-t-il. Bougez pas des grilles ! »

Mais c'était trop tard. Les grévistes dévorés de curiosité avaient déjà abandonné leurs postes et s'avançaient dans la rue. Le premier détachement de police montée tourna le coin de la rue : six de front, tenant chacun une matraque à la main. Les ouvriers et la police s'arrêtèrent face à face et s'observèrent en silence. Derrière le détachement, on apercevait une voiture découverte.

Le shérif et l'homme en uniforme en descendirent et franchirent le cordon de police pour s'avancer vers les ouvriers. Le shérif sortit un papier de sa poche, le déplia et se mit à lire d'une voix forte qui portait dans toute la rue, jusqu'à l'endroit où Foster et les autres se tenaient. « Par décision du tribunal de Pennsylvanie, signée par le juge Carter Glass, j'ai l'ordre de disperser les grévistes et de m'assurer que les ouvriers qui veulent travailler peuvent pénétrer dans l'usine. »

Il y eut un moment de silence. Puis une sorte de grondement rauque s'éleva de la foule. Il était difficile d'en distinguer le sens, car on parlait plusieurs langues en même temps. Mais leur décision était prise. Pas question de laisser passer les jaunes. Les grévistes, menaçants, se rapprochèrent du shérif.

Celui-ci tint bon un moment. « Le général Standish qui commande la garde nationale de Pennsylvanie est à mes côtés. Il a reçu du gouverneur l'ordre de faire donner la garde nationale si vous vous opposez à la reprise du travail par la violence.

— Y aura pas de violence si vous n'en provoquez pas, shérif, hurla une voix dans les rangs des ouvriers. Faites faire demi-tour à vos camions et renvoyez ces Nègres d'où ils viennent ! »

Les grévistes comprirent le mot et se mirent à scander : « Renvoyez les jaunes chez eux ! Les jaunes chez eux ! »

« C'est mon dernier avertissement ! glapit le shérif. Dispersez-vous tranquillement et personne ne risquera rien ! »

En guise de réponse, les premiers rangs des grévistes, face au shérif formèrent une chaîne et se mirent à scander « Restons solidaires ! Restons solidaires ! » en avançant régulièrement du même pas.

Le shérif voulut crier plus fort qu'eux, mais leurs voix couvrirent la sienne. Il resta sur place à les dévisager. Daniel se tourna vers Foster. Le dirigeant était pâle, les lèvres crispées.

« Vous feriez bien de dire aux hommes de reculer, M. Foster. La police montée va charger !

— Ils n'oseront pas ! répliqua Foster, tendu. Cela montrerait au monde entier ce qu'ils sont réellement : les instruments du capitalisme !

— Ça fera une belle jambe aux grévistes qui vont se faire assommer !

— Ça finira peut-être par réveiller le pays. Il prendra conscience de ce qui se passe sous son nez », repartit Foster. Il se tourna vers les grévistes et hurla : « Tenez bon, les gars ! Restons solidaires ! » Il brandit son poing fermé, le bras replié.

« Restons solidaires ! » hurla la foule des grévistes.

Le shérif tourna les talons et se dirigea vers sa voiture, suivi du militaire. Les ouvriers se mirent à rire et à l'insulter, persuadés de l'avoir forcé à reculer. Un instant plus tard, les rires se figèrent. Une peur panique s'empara de la foule.

Sans le moindre signal, la police montée chargea le premier rang des grévistes, faisant voler les matraques et pleuvoir une grêle de coups, cognant comme des sourds sur les ouvriers. En moins d'une minute, on vit quatorze hommes allongés par terre évanouis, baignant dans leur sang. Comme si de rien n'était, la police chargea le second rang de grévistes, enjambant les blessés. Derrière les gardes à cheval, on apercevait des centaines de policiers en uniforme qui balançaient leurs matraques. Dans la rue, les ouvriers tombaient de plus en plus nombreux ; des hurlements de souffrance et de peur jaillirent du brouhaha. Soudain, les grévistes cédèrent et se mirent à courir dans les rues latérales. La police se lança à leur poursuite. A présent le passage était libre jusqu'aux portes de l'usine.

Daniel vit le sergent donner un ordre et les grilles s'ouvrirent. Un instant plus tard, les gardiens, matraque à la main, s'approchèrent de la clôture où quelques ouvriers étaient restés.

Daniel se tourna vers Foster. Le dirigeant syndical semblait paralysé, incapable de bouger. « On ferait bien de se tirer d'ici ! » fit Daniel. Foster ne remuait toujours pas. Daniel s'adressa à ses deux adjoints : « Emmenez-le, en vitesse ! »

Les deux hommes empoignèrent Foster par les bras et descendirent les marches en le tirant jusqu'au coin de la rue. Il se laissa faire sans résistance, il avait l'air complètement ahuri.

Daniel vit le premier camion franchir les grilles de l'usine. Les Noirs étaient debout, cinquante par véhicule, entassés comme du bétail, le visage gris de peur. Le sergent sortit devant le portail et se mit à faire signe aux autres camions de rentrer. Daniel descendit les marches, fendit le groupe des grévistes aux prises avec les gardiens et jaillit de la foule juste derrière le sergent.

Celui-ci agitait sa matraque pour faire manœuvrer les camions. Daniel se dressa sur la pointe des pieds et s'empara du bâton. Stupéfait, le sergent se retourna.

« Qu'est-ce que ça veut dire ?

— Comment va, sergent ? » fit Daniel avec un sourire. Puis, avant que le sergent ait pu réagir, Daniel lui assena sa matraque en pleine figure. La bouche, le nez et le menton explosèrent littéralement, faisant gicler du sang et des os brisés. Il chancela. Tandis qu'il tombait, Daniel lui décocha un coup de pied et le sergent s'effondra à la renverse sous les roues du camion qui franchissait la grille. Il y eut comme un bruit de ballon qui crève lorsque les roues passèrent sur la poitrine du sergent, écrasant les côtes, fracassant la colonne vertébrale. Quand le camion s'éloigna, Daniel était sûr que le sergent était mort. Gardant la matraque à la main, il fit demi-tour et marcha sans se presser vers l'autre côté de la rue.

Un des adjoints du shérif se mit à lui courir après. Il vit la matraque que Daniel avait à la main et le prit pour l'un de ses collègues.

« Qu'est-ce qui s'est passé là-bas ? »

Daniel le regarda.

« Je crois qu'un des camions vient d'écraser un gars.

— Nom de Dieu ! T'as déjà vu un truc pareil, toi ?

— Non », dit Daniel qui continua à marcher sans se presser. Une fois qu'il eut tourné le coin de la rue, il jeta la matraque dans le caniveau, franchit plusieurs carrefours et s'arrêta dans le premier bar qu'il trouva. Là, il commanda une bouteille de whisky pour lui tout seul. Il avala trois verres coup sur coup. Le serveur s'approcha de lui.

« Alors, comment ça se passe la grève, là-bas, à l'usine ? »

Daniel se servit un autre verre de whisky.

« La grève ? Quelle grève ? Je suis pas d'ici, je suis de passage. »

8

Plus tard, cet après-midi là, Daniel revint au syndicat. Il s'attendait à les voir tous désespérés après l'échec humiliant qu'ils avaient subi le matin. Il n'en était rien.

Au contraire, ils avaient tous l'air excité, presque joyeux : Foster et ses adjoints passaient d'un téléphone à l'autre, s'informant brièvement de la façon dont les choses se déroulaient dans les autres usines en grève. Daniel resta sur le seuil, écoutant ce que Foster racontait au téléphone.

« Le pays tout entier va être informé de ce qui s'est passé. Demain, c'est le monde qui sera au courant. Nous avons déjà reçu des offres de soutien de New York, de Chicago et même de San Francisco. Nous avons prévu une grande manifestation devant l'usine après-demain. Sidney Hillman viendra de New York, Lewis et Murray de Washington, Hutchinson de la Fédération du Bâtiment sera là. Mother Jones a dit qu'elle y serait aussi, en compagnie de Jim Maurer, secrétaire de l'A.F.L. pour la Pennsylvanie. Les aciéries vont bientôt comprendre qu'on ne peut pas nous faire peur et le pays saura que nous avons le soutien du mouvement ouvrier. Et ce n'est pas fini : demain, nous attendons quarante militants qui viennent de New York nous aider dans notre lutte et s'assurer que la presse fait état du combat que nous menons. » Il s'interrompit un instant. « Très bien. Vos cinq cents dollars nous seront d'un grand secours. Je savais que je pouvais compter sur vous. Merci. »

Il reposa le téléphone, leva les yeux et aperçut Daniel sur le seuil.

« Où est-ce que vous étiez passé ? interrogea-t-il, furieux. J'ai envoyé des gars dans tous les hôpitaux, voir ce qui avait bien pu vous arriver.

— Je suis là, en chair et en os.

— Vous auriez dû vous assurer que nous étions mieux préparés, compte tenu de ce qui s'est passé. C'était votre boulot.

— J'ai fait du mieux que j'ai pu. Pas moyen de se faire obéir. Il n'y a aucune discipline.

— Aucune discipline ? répéta Foster d'un ton méprisant. Ce sont des ouvriers, pas des soldats. Qu'est-ce que vous attendez d'eux ?

— Rien, se contenta de dire Daniel, mais ils ont besoin d'être mieux encadrés. J'ai eu l'impression qu'on les menait tout droit à l'abattoir. »

Foster se dressa, hors de lui.

« Vous m'accusez d'avoir délibérément sacrifié ces hommes ?

— Je ne vous accuse de rien, répondit Daniel d'une voix calme. Je vous fais part de mes impressions, c'est tout. »

Foster le regarda dans les yeux.

« Où étiez-vous quand le chef des gardiens de l'usine est passé sous les roues du camion ? »

Daniel soutint son regard.

« Pourquoi cette question ?

— Certains disent qu'ils vous ont vu près du sergent juste avant que ça n'arrive.

— Qui ?

— Plusieurs camarades. Foster restait délibérément vague.

— Ils disent n'importe quoi. J'ai essayé de vous cavaler après dans les rues mais j'ai pas pu vous rattraper. Vous courez trop vite pour moi.

— La police vous cherche ; elle va débarquer d'un moment à l'autre.

— Dites aux flics qu'ils feraient mieux de s'occuper de ceux qui ont envoyé tous ces pauvres diables à l'hôpital, répliqua Daniel. En ce moment, les flics sillonnent à cheval les rues des quartiers ouvriers et assomment tous ceux qui ont le malheur de se trouver dans la rue ou qui commettent le crime de parler à leurs voisins. D'ici qu'il fasse nuit, plus personne n'osera sortir de chez soi.

— Comment le savez-vous ?

— J'en viens, à l'instant.

— Comment se fait-il que je ne sois pas au courant ?

— Tous vos adjoints sont trop occupés à jouer les personnages importants. Ils feraient mieux de sortir et d'aller voir ce qui se passe.

— A vous entendre, on dirait que vous êtes capable de faire beaucoup mieux que nous, siffla Foster, sarcastique. Vous vous croyez très malin, hein ?

— Peut-être pas si malin que ça puisque je ne sais pas ce qu'il faut faire dans ce genre de situation. »

Foster se détendit et s'adossa dans son fauteuil.

« Eh bien, vous pouvez me croire. On se débrouille très bien. Cette grève est un succès. Elle touche plus de huit États. Et ce n'est pas un petit incident survenu dans une malheureuse usine de Pittsburgh qui va nous faire perdre. Croyez-moi, dès que la presse sera informée de ce qui se passe, nous serons plus forts que jamais. »

Daniel le regarda sans rien dire. « Je vais vous faire accompagner par deux ou trois hommes. Vous allez descendre dans la rue et vous me ferez un rapport écrit sur les agissements de la police avec le nom des intéressés, l'endroit et l'heure à laquelle ça s'est passé. Je veux pouvoir être en mesure de communiquer ces informations ce soir, à la radio. »

Daniel acquiesça.

« Bien, monsieur. »

Il ne put jamais rédiger son rapport. Ce soir-là, il se retrouva en prison en compagnie de trois cents autres grévistes et il y passa la nuit. Les deux autres syndicalistes que Foster avait envoyés avec lui trouvèrent de bonnes raisons de rentrer au syndicat dès qu'ils aperçurent la police montée envahir les trottoirs et embarquer trois clients installés dans leurs fauteuils chez un coiffeur hongrois.

« On va chercher des renforts », avaient-ils dit en guise d'excuse.

Plein de mépris, Daniel les avait regardés s'enfuir dans la rue. Puis il avait tourné les talons et était entré dans la boutique du coiffeur. L'un des policiers bousculait un ouvrier hongrois qui avait encore le visage plein de savon à barbe ; il arrêta Daniel sur le seuil.

« Où tu vas comme ça ? aboya-t-il.

— Me faire raser et couper les cheveux, répondit Daniel. Qu'est-ce que j'irais faire d'autre chez un coiffeur ?

— Forte tête, hein ? » gronda le policier.

L'un de ses collègues s'approcha.

« Attends un peu, Sam. Ce gars-là a l'air d'être Américain, c'est pas un Hongrois. »

Il se tourna vers Daniel.

« Écoute, mon gars. Trouve-toi plutôt un coiffeur dans le centre ville. Quand on est Américain, vaut mieux pas trop traîner par ici. C'est un endroit malsain.

— Et eux, c'est pas des Américains ?

— C'est de la vermine de communistes hongrois ! C'est à cause d'eux qu'il y a eu des émeutes devant les aciéries. »

Daniel regarda le Hongrois qui se tenait devant lui et dont le visage savonné dégoulinait.

« C'est vrai ce qu'il raconte ? »

Le Hongrois le regarda sans avoir l'air de comprendre.

« Tu vois, fit le policier. Cette espèce de salopard comprend même pas l'anglais.

— Pour moi, on dirait pas un émeutier. Il me ferait plutôt l'effet d'un brave gars qui est venu se faire faire la barbe et une bonne coupe de douille.

— Dis donc, tu nous cherches ou quoi ? Tu veux semer la merde, c'est ça ?

— Oh non, m'sieur, fit Daniel, l'air innocent. J'essaie simplement de rétablir les faits, pour information, comme qui dirait.

— " Information " ? demanda le policier. T'es journaliste, tu travailles pour ce canard ? »

Daniel le regarda.

« En quelque sorte. Je suis venu ici pour tâcher de savoir ce qui se passait.

— Bon, eh bien, tu vas faire demi-tour et aller dire au patron de ton torchon qu'il ferait mieux de s'occuper de ses oignons !

— Voyons, monsieur l'agent, vous n'avez jamais entendu parler de la liberté de la presse ? » demanda Daniel, sarcastique.

Pour toute réponse, le policier agita sa matraque sous son nez.

« Tu vas te tirer d'ici vite fait, sinon je te promets que je t'en ferai passer le goût de ta foutue liberté ! »

Daniel le regarda un instant, faisant exprès de fixer l'uniforme du policier, et prenant le temps de relever son numéro de matricule.

« Très bien, fit-il, s'approchant à reculons de la porte. Je retourne à mon journal pour leur dire ce que j'ai vu.

— T'as rien vu, martela le policier.

— C'est exact, répéta Daniel qui progressait toujours à reculons. J'ai rien vu. C'est exactement ce que je vais aller leur dire, à la rédaction. »

Il vit le clin d'œil qu'échangeaient les deux policiers. Il s'esquiva rapidement, mais il avait oublié le troisième comparse qui se trouvait dans la rue. Une matraque s'abattit sur son crâne et lorsqu'il revint à lui, il était allongé dans une cellule en compagnie d'une soixantaine de Hongrois.

Celui qu'il avait vu chez le coiffeur était assis à côté de lui. Daniel tourna la tête et tenta de s'asseoir. Un gémissement lui échappa.

Le Hongrois se pencha, passa un bras autour de ses épaules pour l'aider à se redresser en s'appuyant le dos au mur.

« Ça va ? interrogea l'homme.

— Ça va. » Il se passa la main sur le crâne.

Il avait une bosse de la taille d'un œuf de pigeon. « Ça fait longtemps que j'étais dans les pommes ? »

Le Hongrois le regarda, interloqué. Alors Daniel se rappela : il ne comprenait pas l'anglais. Il remua la tête avec précaution pour regarder autour de lui. La plupart de ses compagnons semblaient dormir ou du moins, essayer. Personne ne parlait.

« Quelle heure est-il ? » interrogea Daniel, indiquant son poignet du geste. Le Hongrois fit signe qu'il avait compris et leva deux doigts. Deux heures du matin ! Son compagnon plongea la main dans sa poche et en tira un paquet de cigarettes. Il en prit une qu'il partagea soigneusement en deux, en offrant la moitié à Daniel. Celui-ci la prit et le Hongrois gratta une allumette pour lui donner du feu. Daniel aspira une bouffée : la fumée âcre l'aida à retrouver ses esprits.

« Ils vont nous relâcher demain matin. »

Son compagnon ne répondit pas, il se contenta de hocher la tête.

« Où sont les chiottes ? »

Ça, le Hongrois comprenait. Il indiqua du doigt l'autre bout de la cellule puis se pinça le nez avec deux doigts en branlant la tête. Daniel regarda dans la direction indiquée. Il n'y avait qu'une tinette dans un coin de la cellule alors qu'ils étaient plus de cinquante entassés là-dedans. Daniel comprit ce que le Hongrois avait voulu dire ; il ne fit même pas l'effort de se lever. Il attendrait. Il termina son clope, se cala la tête contre le mur et somnola.

Quand il rouvrit les yeux, la lumière du jour filtrait par la petite lucarne ; deux policiers s'étaient plantés devant la porte de la cellule qu'ils avaient ouverte et criaient : « Allez, tas de bons à rien, foutez-moi le camp d'ici ! »

Sans mot dire, ils passèrent devant les policiers et quittèrent la prison par une petite porte latérale qui donnait sur une ruelle. Un instant, les hommes hésitèrent, se regardant les uns les autres. Puis, sans se donner le mot, ils se dispersèrent, retournant chacun chez eux.

Daniel s'avança la main tendue vers son compagnon : « Merci », fit-il.

Le Hongrois lui serra la main en souriant. Il déclara quelque chose dans sa langue à lui, en secouant vigoureusement la main de Daniel.

Sans comprendre ce qu'il disait, Daniel se sentit réconforté par la chaleur de la poignée de main et le sourire de son voisin.

« Bonne chance ! » lança-t-il en souriant à son tour. Le Hongrois hocha la tête et s'engouffra dans la rue tandis que Daniel prenait le chemin du syndicat. Il passa près d'une petite gargote et se rendit brusquement compte qu'il était affamé. Il pénétra dans l'établissement, s'assit au comptoir et commanda un déjeuner copieux.

La serveuse le regarda en souriant.

« Si vous voulez aller faire un brin de toilette, j'attendrai pour faire cuire vos œufs.

— D'accord. » Il se rendit aux W.-C., et, en se regardant dans la glace, comprit pourquoi elle lui avait suggéré d'aller se rafraîchir. Il avait du sang coagulé sur la joue, dans les cheveux, sur la nuque et jusque dans le cou. Il se lava rapidement et se sécha avec la serviette accrochée au rouleau. Quand il revint, son déjeuner était prêt.

La serveuse lui sourit :

« Ça a dû être terrible cette bataille, hein ? »

Il secoua la tête, piteux.

« Je sais même pas comment j'ai pris ça. »

Elle posa une tasse de café fumant devant lui.

« Ça, c'est bien vrai. Les mauvais coups, on sait jamais d'où ça vient ! »

9

Les bureaux du syndicat étaient remplis de gens que Daniel n'avait jamais vus auparavant. Ils s'étaient installés dans les différentes pièces ; il y avait là des hommes et des femmes à l'accent distingué qui rédigeaient des rapports et prenaient des notes. On voyait bien qu'ils n'avaient jamais rien fait de leurs dix doigts.

Daniel avisa l'un des permanents qu'il connaissait.

« Qui c'est ceux-là ? » interrogea-t-il.

L'autre eut un sourire narquois.

« C'est le comité de soutien. Dès qu'il se passe quelque chose qu'on raconte dans les journaux, ils rappliquent.

— Ils ressemblent pas tellement à des syndicalistes.

— Rien à voir avec nous. Mais ça fait bien de montrer qu'on est libéral. Et puis ça prouve qu'ils ont beau être riches, ils sont quand même pour la justice sociale. »

Daniel perçut le sarcasme dans la réponse de son interlocuteur.

« Il sert à quelque chose, ce comité de soutien ? »

L'autre haussa les épaules.

« J'en sais trop rien. Mais Foster pense que leur présence a un grand poids. Et puis, ils ne viennent pas les mains vides ; ils sont tous pleins aux as : ils amènent des fonds. » Il prit une cigarette dans sa poche, l'alluma et lorgna l'une des jeunes filles, vêtue à la dernière mode qui passait devant lui avec une liasse de papiers. « Y a pas à se plaindre. C'est de la femme de luxe, c'est bien propre et ça se fait pas prier quand c'est pour la bonne cause. Une façon comme une autre de manifester leur solidarité avec les travailleurs ! »

Daniel sourit en regardant la fille.

« Je vois ce que tu veux dire. Foster est dans son bureau ?

— Il devrait y être. Il s'apprêtait à rejoindre les piquets de grève devant l'usine pour poser devant les photographes. Mother Jones et Maurer sont déjà là-bas, sur place. »

Daniel enfila le couloir jusqu'au bureau de Foster et ouvrit la porte. Foster et Phil Murray s'y trouvaient tous deux. Foster leva les yeux et prit l'air contrarié.

« Excusez-moi, fit Daniel en reculant sur le seuil de la porte. Je croyais que vous étiez seul.

— Entrez donc, lança Phil Murray. Justement, nous étions en train de parler de vous. »

Daniel ferma la porte derrière lui et attendit.

« La police est venue ici, hier soir et elle est revenue ce matin. On vous cherche », lança Foster.

Daniel eut un sourire désabusé.

« Ils auraient dû me chercher à la prison de la cinquième rue. Ils m'ont fourré au bloc toute la nuit.

— Vous étiez seul ?

— Non. Ils ont coffré une cinquantaine de gars en même temps que moi. La police montée les a embarqués dans les rues hier soir. Moi, ils m'ont pris parce que j'avais suivi deux policiers dans un salon de coiffure où ils houspillaient deux Hongrois tranquillement assis dans leurs fauteuils.

— Les deux hommes que j'avais envoyés avec vous sont rentrés ; ils m'ont dit que vous aviez disparu. Ils m'ont affirmé qu'ils ne savaient pas où vous étiez passé.

— Tu parles, fit Daniel sarcastique. Ils ont pris la poudre d'escampette dès qu'ils ont vu la police montée charger sur les trottoirs. Ils m'ont crié qu'ils allaient chercher du renfort.

— Moi, ils m'ont dit que vous les aviez laissés tomber et que vous étiez parti de votre côté. »

Daniel ne répondit même pas. « Les policiers veulent s'entretenir avec vous à propos de ce gardien qui a trouvé la mort. Les journaux en font toute une histoire. » Il poussa quelques quotidiens qui se trouvaient sur le bureau devant Daniel.

Celui-ci baissa les yeux et regarda les titres. Il s'agissait du *Times*, du *Herald Tribune* de New York, du *Star* de Washington et du *Bulletin* de Philadelphie. Tous reprenaient à peu près les mêmes titres et les mêmes articles : « Un gardien assassiné par les grévistes aux aciéries de Pittsburgh. » Ils racontaient l'affaire en long et en large et s'arrangeaient pour expédier en bas de page le fait qu'en outre, trente grévistes se trouvaient à l'hôpital. Aucun des journaux ne disait que c'étaient la police et ses sbires qui avaient déclenché les hostilités.

« A les croire, on dirait que c'est l'affaire du gardien qui a tout déclenché, déclara Daniel.

— C'est exactement ce qu'attendaient les patrons déclara Foster. Ils ont sauté sur l'occasion.

— A mon avis, ils étaient mieux préparés que nous. Ils avaient pensé à tout. »

Foster comprit ce qu'il sous-entendait.

« Plus maintenant, s'empressa-t-il de répliquer. On a reçu de l'aide, on va pouvoir donner notre version des événements.

— Il va falloir faire vite pour lutter contre celle-ci. Le temps que vous la mettiez au point, l'histoire du gardien se sera répandue comme une traînée de poudre. »

Foster lui jeta un coup d'œil furieux. Il tira sa montre pour la consulter.

« On va être en retard. Les photographes doivent déjà tous être sur place. On ferait bien d'y aller si on veut pas louper la photo. »

Murray se leva et Foster se retourna vers Daniel. « Tâchez de trouver un journaliste dehors et racontez-lui qu'on vous a fait passer la nuit en prison. Je vous verrai tout à l'heure. »

Daniel le dévisagea.

« J'serai plus là. »

Foster lui lança un regard aigu.

« Et où serez-vous ?

— Je pars. Ça me dit pas trop de me faire encore embarquer par les flics. J'ai l'impression que les gars qui sont ici me soutiendront pas franchement.

— Si vous prenez la fuite, c'est que vous admettez votre culpabilité.

— J'admets rien du tout. Mais j'suis pas chaud pour jouer les martyrs à votre place. »

Foster garda le silence un instant.

« Bon, allez chez le trésorier et faites-vous payer ce qu'on vous doit sur la semaine.

— Merci. » Daniel fit demi-tour, s'apprêtant à quitter le bureau. La voix de Murray le retint. Il brandissait une clé dans sa main.

« C'est la clé de ma chambre à l'hôtel *Penn State*. Quand vous aurez rangé vos affaires, venez m'y retrouver. Je rentre en voiture à Washington, cet après-midi. Vous pourrez venir avec moi.

— Merci. »

Il prit la clé que Murray lui tendait. « Je vous attendrai. »

Il était quatre heures de l'après-midi lorsque la grosse Buick noire sortit de Pittsburgh pour s'engager sur la nationale 5. Daniel était assis à côté de Murray qui conduisait. Celui-ci attendit une bonne demi-heure après qu'ils eurent quitté la ville pour parler.

« C'est vous qui avez tué le gardien ? interrogea-t-il sans tourner la tête, les yeux fixés sur la route.

— Oui, répondit Daniel, sans hésiter.

— C'est pas très malin. Si la police peut en établir la preuve, ça nous fera beaucoup de tort. Ça risque même de compromettre le succès de la grève.

— La grève est déjà fichue. Je le sais depuis le moment où j'ai vu Foster incapable de diriger ses troupes. Il était pétrifié ; il a rien pu faire de propre. Un moment, je me suis dit que pour lui, la grève n'avait aucun sens. J'ai pensé qu'il poursuivait un autre but.

— Lequel ?

— J'sais pas. J'm'y connais pas suffisamment en politique ou en syndicalisme pour donner mon avis là-dessus. Mais s'il y a une chose qui est sûre, c'est que je sens quand ça tourne pas rond, quand on veut nous faire prendre des vessies pour des lanternes.

— D'après vous, on aurait pu éviter cette échauffourée ?

— Non, mais c'était pas la peine d'envoyer tous ces pauvres gars se faire casser la gueule. A sa place, je serais descendu des marches où il se trouvait et j'aurais parlementé avec le shérif, histoire de calmer les esprits. Après tout, le shérif avait pas l'air d'avoir tellement envie de déclencher la bagarre. Il aurait saisi n'importe quelle occasion de battre en retraite et d'arranger les choses. Mais on lui a pas laissé le choix.

— Vous croyez vraiment que la grève est fichue ?

— J'en suis sûr, fit Daniel d'un ton convaincu. Les aciéries ont pensé à tout. La direction a tout prévu. D'après ce que j'ai pu savoir, elle a recruté plus de huit mille hommes dans le pays pour venir à bout des grévistes. Les flics sont en train d'écumer tout le quartier hongrois. Ils tabassent, ils arrêtent ; c'est pas près de finir, tant que la grève durera. J'arrive pas à croire que Foster s'en rende pas compte. Mais il a quelque chose d'autre derrière la tête. Voilà pourquoi il continue comme si de rien n'était. »

Murray lui jeta un coup d'œil.

« Qu'est-ce que vous allez faire à présent ?

— Je sais pas trop. Je vais me mettre au vert. Faut que je me trouve un boulot.

— Ça vous dirait de travailler pour l'U.M.W. ?

— Qu'est-ce que je ferais ?

— Il faudrait que vous suiviez d'abord deux années de formation. Que vous appreniez un certain nombre de choses qui vous aideront à comprendre les problèmes qui se posent aux travailleurs : comment il convient de les aborder d'une façon plus réfléchie.

— Faudrait que j'aille à l'école ?

— Au nouvel institut de sociologie, à New York. Vous pourriez même obtenir un diplôme. Nous nous chargeons de tous les frais.

— En échange de quoi ?

— De rien du tout. Quand vous sortez de l'institut, on vous offre un emploi. Si ça ne vous plaît pas, vous êtes libre d'aller voir ailleurs. »

Daniel réfléchit un instant.

« Vous savez, j'ai pas été beaucoup à l'école. Vous croyez que je pourrais vraiment suivre tous ces cours ?

— Oui, je le crois. Mais il y a une chose qu'il faut que vous sachiez avant de commencer.

— Laquelle ?

— Dans ce que nous essayons de faire, l'important c'est que nos efforts soient utiles aux travailleurs qui nous font confiance pour les représenter. On ne peut pas se permettre le luxe de se venger personnellement de gens qui nous ont offensés ou qui ont eu vis-à-vis de nous une attitude hostile. Les gens que nous avons la charge de représenter ne méritent pas ça. »

Daniel resta silencieux un moment.

« Vous voulez dire... vous faites allusion à ce que j'ai fait ?

— Oui, répondit franchement Murray. Ça ne doit plus se reproduire.

— Pourtant, malgré ça, vous êtes prêt à me donner ma chance. Pourquoi ? »

Murray lui lança un regard en coulisse puis fixa à nouveau son attention sur la route.

« Parce que quelque chose me dit que ça marchera. Qui plus est, je crois que vous avez l'instinct pour ça. Sans bien comprendre le pourquoi des choses, vous avez mis dans le mille partout. J'ai l'intuition qu'un jour vous serez l'un des grands dirigeants du mouvement syndical. D'une certaine façon, vous me rappelez John L., la première fois que je l'ai rencontré. De l'intuition et un culot phénoménal.

— C'est un type très fort, fit Daniel, plein de respect. Ça m'étonnerait que j'arrive à l'égaler.

— Qui sait ? D'ailleurs, vous n'êtes pas obligé de lui ressembler. Peut-être qu'en étant tout simplement vous-même, vous deviendrez le plus grand de nous tous.

— J'ai même pas vingt ans.

— Je sais. Quand vous sortirez de l'institut, vous en aurez vingt-deux. C'est l'âge idéal pour démarrer.

— Vous parlez sérieusement ?

— Si je n'étais pas sérieux, je ne vous aurais pas fait cette proposition.

— Entendu, je marche, dit Daniel, la main tendue. J'espère que je vous décevrai pas. »

Murray lui serra la main, gardant l'autre sur le volant.

« Sûrement pas.

— Merci.

— Ne me remerciez pas, déclara Murray. Faites de votre mieux. » Il retira sa main qu'il reposa sur le volant. « Merde ! Voilà qu'il se met à pleuvoir ! »

Cela, c'était il y a longtemps. Ça s'était passé dix-sept ans auparavant. A présent, Daniel était assis dans sa baignoire dans un motel californien. Il fumait un cigare, sirotait son whisky, reposant de temps à autre la bouteille sur la chaise, à côté de la baignoire. Il attendait le retour de Tess, partie chercher ses deux steaks au marché. Là-bas, sur la côte est, tout redémarrait. Une nouvelle grève dans les aciéries. Mais cette fois, c'était différent. Lewis avait signé un accord avec Big Steel l'année d'avant. A présent, Phil Murray cherchait à obtenir un accord équivalent avec Little Steel. Ce qui chagrinait Daniel, c'est qu'il avait le pressentiment que Murray s'engageait dans la même voie catastrophique que celle suivie par Foster, dix-sept ans plus tôt.

10

« Voilà plus de trois mois qu'on est ici, fit-elle en débarrassant le dernier plat. Je crois qu'il serait temps qu'on se trouve un appartement. »

Daniel reposa le journal du soir.

« Pourquoi ? On est parfaitement heureux, ici.

— Pour l'argent qu'on paie dans cet hôtel, on pourrait avoir un joli petit appartement à nous. »

Il reprit son journal et se remit à lire sans répondre.

Elle s'assit en face de lui et alluma la radio. On donnait un feuilleton. Elle écouta durant quelques minutes puis se mit à tourner le bouton impatiemment. Il n'y avait rien d'intéressant. Dégoûtée, elle ferma le poste.

« Daniel ! »

Il baissa un peu son journal et la regarda par dessus. « Tu ne vas pas chercher un travail ?

— J'en ai déjà un.

— Non, je veux dire un travail régulier. » Tess savait que, chaque semaine, on lui envoyait un chèque de la côte est.

« Je m'en occupe. Cette semaine, j'ai eu trois rendez-vous avec différents syndicats.

— C'est pas ce que j'appelle travailler. »

Il replia son journal et le posa sur la table à côté de la chaise, sans répondre.

« Les autres, ils partent au boulot tous les matins et ils rentrent chez eux le soir. Toi, non. C'est le contraire : c'est moi qui pars bosser tous les matins et qui rentre le soir à la maison. Et tous les jours, c'est la même chose. Quand je m'en vais, tu es assis dans ton fauteuil à lire le journal du matin ; quand je rentre le soir, je te retrouve dans le même fauteuil en train de lire le journal du soir. C'est pas normal. »

Il attrapa la bouteille de whisky et se servit un verre. Il le vida et s'en servit un autre.

« Et puis tu bois une bouteille de whisky par jour.

— Tu m'as déjà vu saoul ?

— Ça n'a rien à voir. Ça n'empêche que tout ce whisky, ça te fait pas de bien à l'estomac.

— Je me sens en forme.

— Un jour, tu t'en repentiras. Crois-moi, j'en ai vu d'autres à qui c'est arrivé. »

Il avala son deuxième verre, et, après l'avoir regardée fixement, se décida à lui répondre.

« Bon, d'accord, accouche : qu'est-ce qui ne va pas ? » Elle se mit à pleurer. Elle tenta plusieurs fois de parler, mais chaque fois elle sanglotait plus fort ; les larmes ruisselaient sur ses joues. Il se pencha, la souleva littéralement du fauteuil et l'assit sur ses genoux.

Il lui posa le visage contre son épaule et se mit à lui caresser doucement les cheveux. « Calme-toi, ma chérie, murmura-t-il. Ça peut pas être si grave que ça.

— Tu crois ? » Elle leva sur lui ses yeux brouillés de larmes. « C'est grave : je suis enceinte.

— Depuis combien de temps ? fit-il d'une voix calme, sans même paraître surpris.

— D'après le docteur, ça remonte à dix ou douze semaines, répondit-elle. Il peut pas être plus précis tant qu'il y a pas d'autre examen. »

Daniel garda le silence un moment ; il continuait à lui caresser la tête d'un air absent.

« Si le docteur s'est pas trompé, c'est trop tard pour te faire avorter ? » C'était plus une constatation qu'une question.

« C'est la première chose que je lui ai demandée. Il m'a dit qu'il voulait pas prendre de risques. Il a ajouté qu'à Tijuana, je pourrais trouver des médecins qui marcheraient. Mais, lui, il me le conseille pas. »

Daniel la regarda.

« Comment se fait-il que tu t'en sois pas aperçue plus tôt ? »

Elle leva les yeux sur lui.

« J'ai jamais eu un cycle très régulier. Ça m'est déjà arrivé d'avoir deux mois de retard. Surtout quand je fais beaucoup l'amour.

— Ça, on peut pas dire qu'on s'en soit privés ! »

Elle se leva pour aller chercher un verre dans la cuisine et le lui tendit.

« Je crois qu'il faut que je boive quelque chose. »

Daniel la dévisagea.

« J'ai lu quelque part qu'il fallait pas boire d'alcool quand on attend un bébé.

— Juste un peu, ça me fera pas de mal. »

Il lui versa un fond de whisky dans son verre et remplit le sien qu'il leva pour trinquer avec elle.

« A la santé de Daniel Boone Huggins Junior ! »

Elle avait déjà porté son verre à ses lèvres lorsqu'elle comprit l'importance de ce qu'il venait de dire. Son geste se figea.

« Tu parles sérieusement ? »

Il hocha la tête.

« Te crois pas obligé. Je te fais pas de reproches. C'est ma faute, après tout.

— C'est la faute de personne. J'y avais déjà pensé avant même que tu me le dises.

— C'est vrai ?

— Absolument. Tu es une femme douce. Je m'entends bien avec toi. On devrait fonctionner, tu verras. »

Elle tomba à genoux devant lui et posa sa tête sur ses cuisses. Elle avait de nouveau les larmes aux yeux.

« J'avais peur que tu réagisses mal, Daniel. Je t'aime tant ! »

Il lui prit le visage et l'obligea à le regarder.

« Il n'y avait pas de quoi avoir peur. Moi aussi, je t'aime », ajouta-t-il en l'embrassant.

Ils se marièrent le lendemain matin devant un juge de Santa Monica.

C'était une petite maison située dans une rue à l'écart un peu au-delà de San Vicente, dans la partie nord du boulevard Santa Monica à Hollywood. Deux chambres reliées par une salle de bains, un salon et une grande cuisine avec un coin repas. Une petite allée, qui menait à un garage sur le côté de la maison, faisait la séparation avec les voisins. Les deux cours qui se trouvaient devant et derrière la maison devaient faire à peu près la même dimension : dix mètres de large sur huit de long.

L'employé de l'agence s'était discrètement retiré pour les laisser discuter dans le salon.

« Qu'est-ce que tu en penses ? demanda Daniel.

— Ça me plaît. Surtout la chambre qui est de l'autre côté de la salle de bains. On pourrait l'arranger pour le bébé. Je retapisserai les meubles et en donnant un petit coup de peinture, ce sera très bien. La seule chose, c'est le prix. Quatorze cents dollars, c'est beaucoup.

— Oui, mais ils laissent tout : meubles, appareil ménagers, cuisinière, réfrigérateur.

— On pourrait louer la même maison pour vingt-cinq dollars par mois.

— Mais tu paierais trois cents dollars par an et au bout du compte, tu n'aurais toujours rien. Comme ça au moins, on a une sécurité. C'est comme une assurance sur la vie.

— Combien la banque va nous prêter ?

— Aucune banque me prêtera jamais rien. Les banquiers n'aiment pas particulièrement les syndicalistes. »

Elle se tourna vers lui.

« J'ai l'argent de la maison que j'ai vendue là-bas. Ça fait quatre cents dollars, ça devrait pouvoir aider.

— J'ai pas besoin de ton argent, fit-il en souriant. Je peux me débrouiller tout seul. Enfin, si la maison te plaît.

— Oui, je la trouve agréable.

— Bon, alors je vais lui faire une offre. »

Il rappela l'employé de l'agence qui les avait laissés dans le séjour.

Le marché fut conclu à mille deux cent soixante-quinze dollars et ils emménagèrent à la fin du mois. Il leur fallut un peu plus d'un mois pour mener à bien tous les travaux qu'ils voulaient faire dans leur maison. Daniel repeignit murs et meubles ; Tess confectionna des rideaux neufs ainsi que des tentures à l'aide d'une vieille machine à coudre que l'un des anciens propriétaires avait laissée dans le grenier.

Il était assis dans le salon en train de lire le journal du soir, comme d'habitude lorsqu'elle rentrait du travail. Il posa le quotidien et l'observa. Elle en était à son cinquième mois de grossesse et s'était déjà considérablement arrondie. Elle avait le visage fatigué, les traits tirés.

« J'ai été retardée. On avait du travail et le patron a pas voulu me laisser partir. Je m'occupe du dîner.

— Pas la peine. Va prendre un bon bain et repose-toi un peu. Je t'emmène au restaurant. On ira manger dans un chinois.

— On peut très bien s'arranger. Ça me fait rien de préparer le dîner. »

Pourtant, il sentait que l'idée du restaurant lui plaisait.

« Mais non, voyons, faisons comme j'ai dit. »

Ce soir-là, pendant le dîner, tandis qu'ils dégustaient tranquillement leur poulet *chop suey,* il déclara nonchalamment :

« Je crois qu'il serait temps que tu arrêtes de travailler. C'est pas bon pour le bébé que tu passes toute ta journée debout.

— Oui, mais ce que je gagne nous arrange bien. Douze à quatorze dollars par semaine, ça couvre le plus gros de nos dépenses.

— J'en claque plus, rien qu'en whisky et en cigares. »

Tess ne fit aucun commentaire. « D'ailleurs, j'ai l'intention de me remettre au travail. Et si ça marche, je gagnerai beaucoup plus que ça. »

Elle le regarda fixement.

« Qu'est-ce que tu vas faire, comme travail ?

— Ce que j'ai toujours fait. Je vais reprendre mon boulot d'organisateur.

— Je savais pas qu'on en avait besoin par ici.

— Je travaillerai pas par ici. J'irai sur la côte est. Phil Murray en personne m'a appelé. Il veut que j'aie la haute main sur le comité d'organisation des métallos à Chicago. Je serai payé cinquante-cinq dollars par semaine, plus les frais.

— Ça veut dire qu'il va falloir déménager alors qu'on vient juste de s'installer ? s'écria-t-elle, déçue.

— Mais non. Il ne s'agit pas d'un travail permanent. Ce boulot ne devrait me prendre que quelques mois, tout au plus. Ensuite, je reviendrai.

— Alors, je vais me retrouver toute seule ? Et si tu es retenu là-bas quand je serai sur le point d'accoucher ? »

Il se mit à rire.

« Je serai rentré bien avant, déclara-t-il, confiant.

— Tu pourrais pas trouver un travail par ici ?

— Tu sais bien que les boulots sont mal payés. Je ne trouverai même pas la moitié de ce qu'on m'offre ! Et comme on va avoir un enfant, plus on gagne maintenant, mieux c'est pour plus tard. Comme je serai intégralement défrayé, on pourra mettre tout mon salaire de côté. »

Elle le regarda dans les yeux.

« C'est ce que tu as décidé de toute façon ?

— Oui », se contenta-t-il de répondre.

Elle poussa un profond soupir.

« Bon. Mais tu vas me manquer. »

Il sourit et tendit la main au-dessus de la table pour lui caresser la joue.

« Toi aussi, tu vas me manquer. Mais je serai de retour en un rien de temps. »

Elle se redressa, pressant sa main contre sa joue. Elle aurait voulu le croire, mais au fond de son cœur, elle savait qu'il resterait plus longtemps qu'il ne le disait.

« C'est dangereux, ce travail ? »

Il haussa les épaules.

« Pas plus que n'importe quel boulot.

— Je voudrais pas qu'il t'arrive quelque chose. »

Il tapota sa veste à hauteur de l'aisselle, là où son revolver était dissimulé.

« T'inquiète pas pour ça. Ce qui est arrivé ne se reproduira plus jamais. J'ai là un ami fidèle. »

Elle le regarda bien en face.

« C'est vrai. Mais n'oublie pas que tu as une femme aussi. »

11

Deux jours plus tard, il se trouvait sur le quai, prêt à monter dans le train qui partait vers la côte est. Il se tourna vers Tess.

« Prends bien soin de toi. Fais ce que le docteur t'a dit et suis sérieusement ton régime. Je serai de retour dans six semaines. »

Elle lui passa les bras autour du cou.

« Sois prudent. Je ne veux pas qu'il t'arrive la même chose que la dernière fois, quand on s'est connus.

— Ça ne se reproduira sûrement pas. » Il l'embrassa. « Prends bien soin de toi.

— Je t'aime.

— Moi aussi, je t'aime. » Il grimpa sur le marchepied et y resta pour lui faire signe quand le train s'ébranla. Elle lui envoya un baiser au moment où le convoi s'éloignait, juste avant qu'il ne disparaisse complètement. Il monta les marches et prit sa valise au moment où un porteur surgissait du wagon voisin.

« Je vais vous aider, m'sieur », fit le Noir avec un sourire étincelant. Il prit la valise des mains de Daniel. « Votre billet, m'sieur. » Daniel le lui tendit. Le porteur l'examina et hocha la tête. « Suivez-moi, m'sieur. »

Daniel le suivit le long du couloir en tanguant légèrement ; le train prenait de la vitesse. Le porteur consulta de nouveau le billet et s'arrêta devant une place au milieu du wagon. Il désigna la place et rangea soigneusement la valise dans le filet. « Vous pourrez disposer des deux sièges, m'sieur. On n'est pas très plein et je m'arrangerai pour que personne ne vienne s'installer à côté de vous. Comme ça, cette nuit, vous pourrez vous allonger.

— Merci, fit Daniel en lui donnant un demi-dollar de pourboire.

— A votre service, m'sieur, s'écria le porteur, ravi de l'aubaine. Si vous avez besoin de quoi que ce soit, n'hésitez pas. Je m'appelle George. »

Daniel le regarda.

« Le bar est ouvert ?

— Oui, m'sieur. Le fumoir est trois wagons plus loin, juste après les wagons-lits. » Avant de partir, il ajouta : « Je vous souhaite un bon voyage, m'sieur. »

Il aperçut la fille alors qu'il traversait le second wagon-lit. Un employé sortait de l'un des compartiments fermés. Machinalement, il jeta un coup d'œil par la porte entrouverte. Elle était là, la main posée sur le bouton du haut de son corsage. Elle leva les yeux. Leurs regards se croisèrent un instant ; elle esquissa un sourire et repoussa la porte avec sa main libre. Il entra dans le bar.

Le wagon était déjà plein. Il restait une petite table de deux contre la fenêtre. Il s'y assit. Le serveur s'approcha.

« Monsieur désire ?

— Combien coûte une bouteille de bourbon ?

— Un dollar cinquante la demi-bouteille, deux dollars soixante la bouteille, monsieur.

— Je prendrai une bouteille.

— Bien, monsieur. Avec de la glace et du soda ?

— De l'eau simplement, merci. »

Il entamait son deuxième verre quand elle entra dans le wagon. Des yeux, elle chercha une table libre. Il n'y en avait pas. Elle parut hésiter un moment, comme si elle s'était résolue à faire demi-tour. Puis elle aperçut la chaise vide à la table de Daniel et s'approcha de lui.

« Puis-je disposer de cette chaise ? » Elle avait une voix douce et s'exprimait avec aisance.

Il se leva.

« Tout le plaisir sera pour moi, madame. »

Elle s'assit au moment où le serveur s'approchait.

« Qu'est-ce que vous buvez ?

— Du bourbon à l'eau. Puis-je vous en offrir un verre ? »

De la tête elle fit non.

« Un martini bien tassé », dit-elle au serveur.

Elle se tourna vers Daniel. « Ça ne me disait rien de boire toute seule dans mon compartiment. »

Daniel sourit. Elle lui tendit la main.

« Je m'appelle Christina Girdler. »

Le garçon lui apporta son martini. Elle leva son verre.

« A notre voyage ! »

Il vida d'un trait le bourbon qui restait dans son verre.

« A notre voyage, Mme Girdler.

— Chris, pour les amis.

— Moi, c'est Daniel.

— Je vais à Chicago. Je suis allée voir des amis en Californie.

— Je change de train à Chicago ; je vais à Pittsburgh, mais je serai de retour à Chicago dans deux ou trois semaines.

— Vous travaillez dans quelle branche, Daniel ?

— J'organise les sections syndicales. Je suis en mission spéciale pour mettre sur pied le comité d'organisation des métallos de la C.I.O.

— Celui des sidérurgistes ?

— Vous êtes au courant ? » fit-il surpris. En général, dans son milieu, on ne connaissait rien aux syndicats.

Elle se mit à rire.

« Mon oncle Tom aurait une attaque s'il savait avec qui je suis en train de parler. Parlez-lui de syndicat et il devient enragé ! »

Girdler. Tout d'un coup le nom lui dit quelque chose. C'était le président-directeur général de Republic Steel. A la pointe du combat contre les syndicalistes de Little Steel.

« Vous êtes la nièce de ce Girdler-là ? »

A nouveau, elle se mit à rire.

« De ce Girdler-là, comme vous dites ! Vous voulez que je quitte votre table immédiatement ? »

Daniel se mit à glousser.

« Pas du tout.

— Même si je vous dis que je travaille dans le secteur relations publiques de sa firme et que mon travail consiste à contrecarrer tous les projets syndicaux ?

— Aucune importance. Pour le moment, nous ne travaillons ni l'un ni l'autre.

— Vous n'arriverez à rien. Vous le savez, n'est-ce pas ?

— Je refuse de répondre ; je ne suis pas de service.

— De quoi voulez-vous parler alors ?

— De vous.

— De moi ? Pourquoi ?

— Je n'arrête pas de bander depuis que vous êtes assise en face de moi. Je n'ai qu'une envie, c'est de vous sauter. »

Elle eut le souffle coupé. De fines gouttes de sueur perlèrent sur son visage. Elle rougit légèrement tout en continuant à le fixer.

« Vous vous sentez bien ? »

Elle se passa la langue sur ses lèvres sèches.

« Je viens juste de jouir. »

Daniel se mit à rire.

« Avantage aux dames ! Un à zéro. »

Elle éclata de rire à son tour.

« Puis-je avoir un autre martini, s'il vous plaît ? »

Il fit signe au serveur. Quand celui-ci eut apporté son verre, Daniel déclara :

« On va commencer par dîner. Ensuite, on ira dans votre compartiment.

— Pourquoi pas dans le vôtre ? »

Il s'esclaffa.

« Je n'en ai pas. Les syndicalistes voyagent en seconde. »

Le train mettait près de quarante heures pour aller de Los Angeles à Chicago. Ils ne quittèrent son compartiment que pour aller prendre leur repas. A Chicago, alors qu'il allait prendre son train pour Pittsburgh, elle ne voulait plus le lâcher et lui fit promettre qu'il l'appellerait dès son retour.

Il ne sut jamais comment elle s'y était prise mais lorsque deux semaines plus tard, il débarqua du train à Chicago, Chris l'attendait et elle demeura avec lui jusqu'à ce qu'il retourne en Californie.

Un jour, alors qu'ils rentraient en voiture à Chicago, revenant de Gary dans l'Indiana où il était allé se rendre compte sur place de la situation, elle posa sa main sur son bras.

« Je t'aime. Je veux t'épouser. »

Il lui jeta un coup d'œil.

« Tu es folle.

— Je parle sérieusement.

— Tu sais très bien que je suis marié et que Tess va accoucher dans moins d'un mois.

— J'attendrai que tu divorces.

— Tu oublies ce que je gagne. Je ne peux pas me permettre d'entretenir Tess, un enfant et d'avoir un second ménage.

— J'ai de l'argent, moi.

— Je ne veux pas de ton argent.

— Tu n'es pas obligé de rester au syndicat. Oncle Tom et toi vous vous entendriez très bien. Je suis sûre qu'il te trouverait un boulot immédiatement et que tu gagnerais beaucoup plus que maintenant. »

A nouveau, il la regarda.

« Écoute, on est heureux comme ça. Pourquoi aller tout gâcher ?

— Je t'aime, répéta-t-elle. Je n'ai jamais connu personne comme toi. Aucun homme ne m'a fait éprouver ce que je ressens avec toi.

— Tu confonds l'amour et le sexe. C'est pas parce qu'on s'entend bien au lit qu'on doit tomber amoureux l'un de l'autre.

— Mais je t'aime quand même, insista-t-elle comme une enfant.

— Parfait. Aime-moi autant que tu veux mais ne tombe pas amoureuse de moi.

— Et toi, tu m'aimes ?

— Oui, répondit-il. Mais je ne suis pas amoureux de toi.

— Je ne comprends pas la différence. Tu es amoureux de ta femme ?

— Non, mais je l'aime.

— Alors, je ne vois vraiment pas la différence.

— Patiente un peu. Tu finiras par comprendre. »

Elle se tut un instant, puis demanda :

« Pourquoi restes-tu avec elle puisque tu n'en es pas amoureux ?

— Nous sommes du même monde, elle et moi. Même origine, mêmes idées. Pas de problèmes. Je ne serai jamais à l'aise dans ton milieu et toi, tu ne t'adapteras jamais au mien. Comme on ne peut pas passer toute notre vie au lit, ça ne marchera pas.

— Tu te trompes, dit-elle. Tu t'adapterais très bien n'importe où. Mon oncle Tom n'est pas si différent de toi. Il est parti de rien mais il a fait son chemin. Il s'est adapté, lui.

— Nous avons des points de vue totalement opposés. Ma famille a été exterminée à cause d'un homme du même bord que ton oncle Tom. J'ai vu trop d'hommes souffrir et crever de faim à cause de ce qu'on appelle la libre entreprise. Jamais je ne pourrai m'associer à ça.

— Peut-être que, de l'intérieur, tu pourrais changer les choses. »

Daniel éclata de rire.

« Tu es vraiment naïve. Tu le sais d'ailleurs : ce n'est pas ton oncle Tom ni aucun autre qui fait la loi. C'est les banques, c'est Wall Street qui la dictent. Tu as déjà entendu parler des actionnaires en bourse ? Ils t'obligent à suivre leurs directives et tu n'as plus le choix : ou bien tu marches, ou bien ils trouvent quelqu'un d'autre. Si ton oncle changeait de politique — en admettant qu'il en ait l'intention — il ne resterait pas une semaine à son poste. Il n'est pas plus libre d'agir à sa guise qu'un homme qui voudrait décrocher la lune.

— Ça ne fait rien. Je veux quand même t'épouser. »

Il ôta une main du volant et la posa sur les siennes.

« C'est très bien comme c'est, répondit-il tranquillement. Faisons tout pour que ça dure.

— J'ai envie de baiser, fit-elle d'une voix brusquement tendue. J'ai vu une pancarte qui indiquait un hôtel à quinze kilomètres. Arrêtons-nous pour y passer la nuit.

— Mais il faut que je sois à Chicago demain matin !

— Je m'en fiche, fit-elle d'une voix rauque. J'ai envie de te sentir en moi. »

Il la regarda et finit par hocher la tête. Ils quittèrent la route principale et il n'arriva à Chicago que tard dans l'après-midi du lendemain.

12

Cinq mois plus tard, sa valise à la main, Daniel pénétrait dans le bureau de Philip Murray, secrétaire général de l'United Steelworkers affiliée à la C.I.O. Il y avait plusieurs personnes dans la pièce mais Murray eut vite fait de les congédier et se tourna vers Daniel.

« Alors, quels sont les résultats de ton enquête ? » interrogea-t-il sans préambule.

Daniel posa sa valise par terre.

« Ce que je vais te dire ne te fera pas plaisir », répondit-il sans plus de façons. Il se tut et demanda : « Tu as une bouteille de whisky ? »

Sans mot dire, Murray se pencha pour ouvrir le dernier tiroir de son bureau et posa entre eux deux une bouteille de bourbon et un verre. Il attendit que Daniel ait bu et se soit resservi.

« Raconte-moi ça, fit-il tranquillement.

— Voilà six semaines que je suis sur les routes. Je me suis rendu dans quatorze villes de huit États différents et ce que j'y ai vu ne me plaît guère. On est en train de nous tendre un piège. ils sont tous fin prêts et ils nous attendent au tournant. Ce salaud de Girdler de Republic Steel a recruté une véritable armée et, dans les centres où il n'a pas sa propre milice, il est en cheville avec la police qui se chargera du sale boulot à sa place. Il a fait tout ce qu'il a pu pour provoquer les ouvriers et persécuter les délégués : maintenant, il a atteint le point limite. Il attend qu'on lance un mot d'ordre de grève pour nous donner une bonne leçon.

— C'en est à ce point-là ? »

Daniel hocha la tête et vida son verre.

« C'est probablement pire.

— Comment as-tu fait pour savoir ce qu'il préparait ?

— Je l'ai appris par quelqu'un de sa famille.

— Une femme ? »

Daniel acquiesça.

« Elle travaille dans ses bureaux.

— Et... elle sait qui tu es ?

— Oui.

— Pourquoi t'a-t-elle prévenu ? »

Daniel se versa à boire sans rien dire. Murray l'observa un long moment.

« Elle peut très bien te raconter des histoires.

— Je ne crois pas. Elle veut m'épouser.

— Elle sait que tu es déjà marié ? »

Daniel fit signe que oui.

« Ça ne la gêne pas pour autant. Pour elle, rien n'est plus facile que de divorcer.

— Et toi, qu'est-ce que tu en penses ?

— Je suis marié. D'ici une semaine à peu près, ma femme aura un enfant. Je le lui ai dit. Elle m'a répondu qu'elle attendrait que je me sois décidé. »

Murray ne fit pas de commentaires.

« Tu m'as dit que je pourrais rentrer à temps pour la naissance de mon enfant, poursuivit Daniel. J'ai prévu de partir demain.

— Je ne sais pas si je peux tellement me passer de toi en ce moment.

— Tu m'as donné ta parole.

— C'est vrai, admit Murray.

— Dans ce cas, je m'en vais demain. »

De nouveau, Murray n'ajouta rien. Il avait le visage livide et tiré. Il se mit à tambouriner avec son crayon sur son bureau.

« Tout le monde me tanne pour qu'on déclenche cette grève.

— Surtout pas, répliqua Daniel. Rappelle-toi ce que tu m'as dit, il y a déjà un bon bout de temps à propos de Bill Foster. On ne doit jamais se lancer dans une grève sans être sûr de la gagner. Et voilà que tu t'apprêtes à faire la même chose. Or celle-ci, tu n'es pas en mesure de la gagner.

— Tu en es convaincu ? »

Daniel se contenta de hocher la tête en silence.

« Merde ! » Murray brisa le crayon entre ses doigts. « Ils sont tous en train de me pousser au cul. Lewis est arrivé à un compromis avec Big Steel il y a presque un an et on me reproche de laisser traîner les choses ici avec Little Steel. Même le dynamisme des militants semble perdre de sa force. Les gars veulent de l'action.

— S'ils veulent de l'action, ils seront servis. Mais c'est pas pour ça qu'ils gagneront ! Ils vont tous se retrouver en prison ou à l'hôpital.

— Reuther a signé un accord avec General Motors qui n'est pas précisément une petite entreprise. Alors, maintenant, les gars sont persuadés qu'on peut y arriver.

— Ford n'a toujours pas conclu d'accord avec les syndicats. Reuther, lui, il est loin d'ici. Et Girdler est aussi bien organisé que Ford. »

Murray le regardait fixement.

« Que faire ?

— Qu'est-ce qu'il en dit, Lewis ?

— Il ne dit rien. Exprès. Il se contente d'attendre ; il est là, à l'affût comme un gros chat, à épier mes moindres gestes. Si on gagne, il prendra le train en marche.

— Et si on perd ? »

Murray haussa les épaules.

« Il pourra toujours dire qu'on s'est lancés sans le consulter.

— Alors pourquoi ne pas lui demander franchement ?

— J'ai essayé. Mais tu sais comment il est. S'il a décidé de ne rien dire, il n'y a pas moyen d'en tirer quoi que ce soit. »

A présent, la bouteille était à moitié vide ce qui n'empêcha pas Daniel de se remplir un autre verre.

« Fais traîner les choses.

— Je ne peux pas attendre plus longtemps.

— Deux semaines seulement. A ce moment-là, j'aurai quitté la Californie. Je veux me trouver à Chicago quand ça bardera. Si je peux essayer de calmer les choses, ça ne sera peut-être pas trop grave.

— Comment peux-tu être sûr que tu seras rentré ? Les bébés naissent parfois avec trois semaines de retard.

— Pas le mien. S'il a du retard, je dirai au docteur de pratiquer une césarienne. Je serai de retour ici à la mi-mars. »

Murray le regarda attentivement.

« Tu dis deux semaines ? »

Daniel acquiesça.

« D'accord. Mais je ne pourrai pas les tenir plus longtemps. Les communistes sont déjà en train d'essayer de me virer de mon poste.

— Il doit y avoir du Lewis là-dessous.

— Bien entendu, fit Murray, furieux. Mais tu connais sa méthode : bas les pattes. Il recruterait n'importe qui, du moment que le nombre de ses adhérents augmente. C'est pour cela qu'il les a laissés entrer, alors que Green, lui, ne voulait pas les admettre à l'A.F.L.

— Et dans le textile, il se débrouille ?

Murray hocha la tête.

— Hillman leur envoie toutes sortes de renforts depuis New York. Là-bas, dans le Sud ils finiront par se casser le nez mais ça n'arrivera pas avant un an. Pour le moment, ils ont le vent en poupe. »

Daniel se leva.

« Je serai là dans quinze jours. Merci pour le whisky, patron. »

Murray se dressa derrière son bureau.

« Alors, vraiment, tu penses qu'on a aucune chance de gagner ?

— Pas l'ombre d'une chance ! »

Murray lui tendit la main.

« J'espère que chez toi, tout se passera bien.

— Merci, répondit Daniel en la lui serrant. Je t'appellerai dès que l'enfant sera né. »

Quand il sortit de l'immeuble, la valise à la main, il neigeait. Il scruta la rue à la recherche d'un taxi. Une grosse limousine, une Chrysler noire, stationnait devant le trottoir. La porte s'ouvrit et il s'entendit appeler par une voix de femme : « Daniel ! » Il la regarda un instant, puis s'approcha. Stupéfait, les pieds dans la neige, il la dévisageait.

« Qu'est-ce que tu fabriques ici ?

— Monte dans la voiture. C'est ridicule de rester à te mouiller les pieds dans cette gadoue ! »

Il lança sa valise dans l'auto et monta. La portière se referma et la voiture démarra. Il se tourna vers elle.

« Je croyais que tu étais à Chicago.

— Je commençais à m'ennuyer là-bas. » Elle se pencha vers lui et l'embrassa. « Tu es surpris ?

— Comment es-tu arrivée ici ? Je ne t'ai pas vue dans le train !

— J'ai pris l'avion. Maintenant, il y a un service régulier entre Chicago et Philadelphie.

— Conduis-moi au *Chelsea*. J'ai besoin de dormir.

— J'ai une suite au *Mayfair*. Viens chez moi.

— Je t'ai dit que j'avais besoin de dormir.

— Demain tu pars en Californie : deux jours de train. Tu auras tout le temps de rattraper ton manque de sommeil !

— Tu es folle ! J'espère que tu t'en rends compte ?

— Je suis amoureuse de toi ! J'espère que tu t'en rends compte ?

— Écoute, Chris. On a vécu quelque chose de formidable. Mais on ne va pas se courir après. On vit dans deux mondes différents. Deux mondes qui n'ont aucun point commun.

— Je peux vivre la même vie que toi. Je n'ai pas besoin de la fortune de ma famille. »

Il la dévisagea.

« Et cette voiture alors ? Et le *Mayfair* ?

— La voiture, on peut la renvoyer, prendre un taxi et aller au *Chelsea*. Ça m'est égal, du moment que je suis avec toi. »

Il eut un geste las.

« Tu n'aurais pas dû venir. Si ton oncle l'apprend, ça va faire du grabuge.

— Je me fiche de ce qu'il peut penser, mon oncle. Ce n'est pas lui qui va me dicter ma conduite. Qu'il s'occupe de ses aciéries ! »

L'auto s'arrêta devant l'hôtel. Un portier vint leur ouvrir. Il prit la valise de Daniel et attendit qu'il soit sorti de la voiture.

« Montez la valise de monsieur dans mon appartement.

— Oui, Mlle Girdler », répondit le portier.

Daniel la suivit dans l'hôtel. L'ascenseur les déposa au quinzième étage. Elle appuya sur la sonnette. Un majordome ouvrit. Il s'inclina en disant : « Bonjour, Mlle Girdler.

— J'ai fait monter une valise. Vous la mettrez dans la chambre d'hôte.

— Bien, Mlle Girdler.

— Et vous m'apporterez un martini sec. » Elle se tourna vers Daniel : « Comme d'habitude ? »

Il acquiesça. « Et une bouteille de bourbon pour M. Huggins.

— Oui, Mlle Girdler, fit le majordome en saluant de nouveau.

— Merci, Quincy », dit-elle en pénétrant dans le salon. Elle invita Daniel à s'asseoir sur un canapé. « Mets-toi à l'aise, on va dîner dans un moment. » Daniel regarda autour de lui. Des hôtels, il en avait vus, mais celui-là était d'un luxe à couper le souffle. On aurait dit une maison particulière au beau milieu de l'hôtel.

« Pas mal, fit-il.

— C'est la suite d'oncle Tom. Il loue cet appartement à l'année.

— Ben voyons ! C'est la seule façon de se loger convenablement.

— D'après lui, ça lui revient moins cher que d'avoir à réserver une suite de luxe chaque fois qu'il vient ici.

— Et en plus, c'est économique ! Je n'aurais jamais cru que ça faisait partie de ses préoccupations.

— Je te trouve bien sarcastique. »

Il feignit l'innocence.

« Moi ? Pas du tout ! Ça va bien avec le personnage. Après tout, chez lui, l'ouvrier moyen gagne moins de cinq cent soixante dollars par an pour soixante-quatre heures de travail par semaine. Cette suite ne doit pas coûter beaucoup plus. Par jour !

— Voilà que tu es désagréable à présent ! »

Le majordome apporta les apéritifs sur un plateau d'argent et les posa sur une table basse, devant le canapé.

« Puis-je vous servir, monsieur ?

— Je m'en chargerai.

— Merci, monsieur. » Le majordome quitta la pièce. Daniel remplit son verre et le leva en se tournant vers Chris.

« Toutes mes excuses. Je n'ai pas le droit de parler de ton oncle de cette façon alors que je suis en train de boire son whisky.

— Et tu oublies quelque chose, fit-elle avec un sourire ingénu.

— Quoi donc ?

— En plus, tu vas te farcir sa petite nièce chérie. »

Daniel se mit à rire et vida son verre d'un trait.

« Un point pour toi. »

Elle vida son verre de martini d'un coup, d'un seul. Il vit son visage se colorer tandis que l'alcool lui réchauffait le corps. Il voulut se servir un autre verre. Elle avança la main pour l'en empêcher.

« Je n'en peux plus. Que dirais-tu d'aller au lit avant de déjeuner ?

— Ça ne te fait rien si je prends d'abord une douche ? Après cette nuit passée dans le train, je ne me sens pas très frais.

— Surtout pas ! J'aime l'odeur de sueur qui imprègne tes couilles. »

13

Assis près de la fenêtre du wagon, il regardait le paysage. Le train roulait lentement : on venait de quitter la gare de Pasadena. Dans quarante minutes, on serait à Los Angeles. Autour de lui, les passagers s'affairaient déjà à rassembler leurs bagages dans un grand remue-ménage de valises et se tenaient prêts à descendre du train. Un employé traversa le wagon en annonçant : « Los Angeles, prochain arrêt. Los Angeles ! »

Ce soleil éclatant lui blessait les yeux ; il les ferma et s'allongea sur son siège. Voilà deux mois qu'il n'était pas rentré chez lui, deux mois qu'il n'avait pas vu Tess.

La dernière fois, elle en était à son sixième mois de grossesse : elle était devenue énorme, le ventre proéminent, les seins comme des pamplemousses géants et trop mûrs. Déjà naturellement bien en chair, son corps s'était alourdi. Elle avait un visage empâté et lunaire.

Il avait alors passé cinq jours avec elle et lorsqu'il lui avait fait remarquer qu'elle devrait peut-être consulter un médecin parce qu'elle avait trop grossi, elle avait répondu que ça n'avait pas d'importance. Dès qu'elle pourrait recommencer à se déplacer, elle reperdrait ses kilos en trop. Si elle avait pris du poids, c'est qu'elle n'avait rien d'autre à faire que de manger et d'aller au cinéma. Et puis, elle était toujours toute seule. Elle ne pouvait pas même aller voir les quelques amies qu'elle s'était fait quand elle travaillait : elle était trop grosse pour se glisser derrière le volant de la voiture.

Ce soir-là, quand ils se mirent au lit, elle s'approcha de lui. Il n'avait pas la moindre érection.

« Qu'est-ce que tu as ? D'habitude, tu es raide comme une trique ! » demanda-t-elle au bout d'un moment.

Il n'osa pas lui dire qu'elle ne l'excitait guère.

« Je suis crevé. Voilà cinq semaines que je travaille nuit et jour. Mon voyage en train ne m'a pas reposé. J'ai été obligé de voyager en seconde depuis Chicago.

— Il y a autre chose. Dans l'état où je suis, je ne t'excite plus.

— Non, c'est pas ça. D'ailleurs j'ai peur de te faire mal. Ça pourrait être mauvais pour le bébé, non ?

— Le docteur m'a dit qu'on pouvait continuer jusqu'au dernier mois », répondit-elle sans cesser de le caresser.

Il s'efforça de se concentrer sur les sensations qu'elle faisait naître. Elle savait y faire, il devait le reconnaître. C'était une masseuse experte. Elle avait une façon particulièrement sensuelle de lui caresser la queue et de lui manier les testicules. Il sentit venir l'érection.

Au bout d'un moment, il tenta de la pénétrer. Mais vu la taille de son ventre, l'exercice lui parut périlleux. Finalement, elle roula sur le flanc et il la prit par derrière. Elle commença à gémir et jouit presque aussitôt, mais lui ne sentait rien. Il avait l'impression de s'être introduit dans un gigantesque réceptacle rempli d'un lubrifiant tiède. Il n'arrivait pas à jouir mais continua à aller et venir jusqu'à ce qu'épuisée par ses orgasmes, hors d'haleine, enfiévrée, elle demande grâce.

Elle se retourna pour le regarder et l'embrassa.

« Tu peux pas savoir comme j'en avais besoin. Personne ne sait y faire comme toi. »

Daniel ne disait rien.

« Et pour toi, c'était bon ? demanda-t-elle, anxieuse. Je ne t'ai pas senti jouir.

— Ça m'étonne pas. Tu jouissais tellement toi-même que si la maison s'était écroulée sur nos têtes, tu l'aurais même pas senti !

— Je t'aime », fit-elle. A peine eut-elle prononcé ces mots qu'elle s'endormit.

Le lendemain, il l'accompagna chez le médecin. Pendant qu'elle se rhabillait, le docteur sortit du cabinet de consultation.

« M. Huggins ? »

Daniel se leva.

« Oui ?

— Surtout, ne vous inquiétez pas de ce que je vais vous dire, déclara le médecin, mais il est fort possible que l'enfant se présente mal. »

Daniel le regarda sans comprendre.

« Que voulez-vous dire exactement, docteur ?

— Si cela se confirme, il est fort possible que nous soyons obligés de pratiquer une césarienne. Mais ça n'a rien d'alarmant. Des opérations comme celle-ci, nous en faisons tous les jours.

— S'il n'y a pas de quoi s'inquiéter, pourquoi tous ces efforts pour me rassurer ? »

Le docteur sourit.

« Par expérience, nous savons que les futurs pères ont besoin d'être sécurisés.

— Je ne m'en fais pas. Vous dites que cette opération n'est pas sûre encore. Quand prendrez-vous votre décision ? »

Le médecin prit un air pontifiant.

« Le problème, c'est que votre femme est handicapée par sa surcharge pondérale. Je lui ai prescrit un régime très strict. A partir de maintenant et jusqu'à la naissance du bébé, elle doit perdre du poids ou, du moins, ne pas prendre un gramme. Il faudra vous assurer qu'elle suit son régime à la lettre. »

Daniel ne répondit pas. Comment aurait-il pu la surveiller quand il se trouvait à l'autre bout du pays ? Il acquiesça.

« Autre chose, poursuivit le docteur. Encore une fois, je vous répète qu'il n'y a pas de quoi s'inquiéter ; j'ai remarqué que Mme Huggins fait un peu de fibrillation coronaire. Autrement dit, un souffle au cœur. Il est très possible que ce soit la conséquence de sa surcharge pondérale. Je pense que tout rentrera dans l'ordre si elle accepte de perdre du poids comme je le lui ai conseillé.

— Elle en a encore pour deux mois ?

— A peu près. Je dirais six ou sept semaines. A ce moment, on verra exactement comment l'enfant se présente et on prendra toutes les mesures nécessaires. Si la position de l'enfant est trop malcommode, j'aimerais mieux intervenir avant que le travail n'ait commencé.

— Donc, dans six semaines ? »

Le docteur hocha la tête.

« Ce serait préférable mais, je vous en prie, rassurez-vous. Vous n'avez pas de souci à vous faire. L'enfant se porte bien et l'état général de votre femme est satisfaisant. Quelle que soit la solution que nous adopterons, il ne devrait pas y avoir de problème. »

Daniel le regarda et acquiesça.

« Merci, docteur. »

Le docteur rentra dans son cabinet d'où Tess ressortit quelques minutes plus tard.

« Qu'est-ce qu'il a dit ? demanda-t-elle.

— Qu'il n'y a pas de quoi s'inquiéter. Tu es en pleine forme. Simplement, il faut que tu perdes du poids. »

Cela s'était passé deux mois auparavant. A présent, son train entrait en gare de Los Angeles. Il se leva au moment où l'employé entrait dans le wagon. « Los Angeles. Terminus. Tout le monde descend ! »

Il prit sa valise dans le filet et sauta sur le quai avant même que le train ne soit complètement arrêté. Il avait dit à Tess de l'attendre à la maison. Il voulait lui éviter la cohue de la gare. Il traversa rapidement le hall et se dirigea vers la station de taxis. Une fois en voiture, après avoir donné l'adresse au chauffeur, épuisé, il se laissa aller à la renverse, la tête appuyée contre le dossier.

« Vous venez de la côte est ? interrogea le chauffeur.

— Oui.

— New York ?

— Non, Pittsburgh.

— Y a beaucoup de neige, là-bas ?

— Un peu.

— Rien ne vaut le climat d'ici, hein ? Toujours du soleil. Le plus beau pays du monde, c'est ce que je dis toujours ! »

Daniel ne répondit pas. Il ferma les yeux. Brusquement, il se sentait très las. Pas question d'arriver chez lui dans cet état. Il se ressaisit et tapota l'épaule du chauffeur.

« Arrêtez-vous à la première épicerie. »

En sortant du magasin, une petit bouteille de bourbon dans sa poche, il aperçut la boutique du fleuriste à côté. Il acheta un gros bouquet de roses, rentra dans la voiture et ôta le bouchon avec ses dents. Le temps que le taxi arrive devant la maison, il avait vidé la petite flasque. Il ne se sentait plus fatigué du tout.

« Tu as changé, remarqua Tess alors que Daniel se mettait à table pour dîner. Quand je te parle tu n'as même pas l'air d'entendre.

— Je me fais du souci. Murray veut déclencher une grève et je crois qu'on finira tous par se faire jeter.

— C'est grave, pour toi ? » interrogea-t-elle, en ôtant son steak du gril. Elle le servit.

« Ça n'arrangera les affaires de personne. » Il entama son steak et en goûta une première bouchée. Il était cuit à point et juteux en même temps, tout à fait comme il l'aimait. Il lui sourit. « Rien ne vaut la cuisine qu'on mange à la maison ! »

Elle parut contente.

« Et l'amour qu'on fait à la maison ? » demanda-t-elle en riant.

Il regarda son ventre énorme.

« Tu en auras des nouvelles dès que tu pourras reprendre du service, fit-il, taquin.

— Ce ne sera pas long. Le docteur a dit qu'on pouvait s'y remettre quelques semaines après la naissance du bébé. » Elle s'assit en face de lui et attaqua son steak, se servant généreusement de purée qu'elle arrosa de jus de viande.

Il l'observait.

« Et ton régime ?

— J'ai laissé tomber. Ça me rendait trop nerveuse. D'ailleurs, des amies à moi m'ont dit que les docteurs houspillent toujours les femmes à cause de leur poids ; c'est pour se faciliter la tâche, mais sinon, ça sert à rien du tout. »

Il ne trouva rien à répondre.

« Toi, tu as perdu du poids, en tout cas.

— J'ai dû voyager sans arrêt.

— Ce serait bien si tu pouvais trouver du travail plus près d'ici. Il y a un type, un certain Browne qui a appelé. Il a dit qu'il faisait partie du syndicat du cinéma, l'I.A. quelque chose. Il veut que tu le rappelles.

— Il a laissé son numéro ?

— Oui, je l'ai noté. Peut-être qu'il veut te proposer un boulot ?

— Peut-être.

— Ce serait formidable. T'aurais plus besoin de repartir.

— Je suis bien obligé. J'ai donné ma parole à Murray.

— Si c'est perdu d'avance, quelle différence ça fait ?

— Je lui ai donné ma parole, c'est tout. »

Il leva les yeux vers Tess.

« D'ailleurs, même si George Browne me proposait un boulot, je le prendrais pas. C'est un vulgaire escroc qui obéit à la populace. En fait, le vrai patron, c'est un type qui s'appelle Willie Bioff et qui reçoit les ordres directement de Chicago. »

Tess le regarda.

« Si c'est vrai, pourquoi est-ce qu'ils essaient pas de changer les choses ? »

Il haussa les épaules.

« J'en sais rien. De toute façon, ça me regarde pas. C'est un syndicat affilié à l'A.F.L. A eux de se débrouiller avec leurs sections et leurs adhérents. La direction de la C.I.O. a parlé à un moment, d'essayer de s'infiltrer dans ce syndicat pour les en déloger. Mais pour l'instant, on a assez de pain sur le planche ! Plus tard, peut-être, quand on aura réglé certains de nos problèmes, on essaiera de faire quelque chose.

— Tu devrais lui téléphoner quand même. Il n'est peut-être pas aussi pourri que tu le crois.

— Je l'appellerai. »

Elle débarrassa la table et mit la vaisselle dans l'évier. « Il y a de la tarte aux pommes avec de la crème glacée pour le dessert.

— Non, merci. J'ai vraiment plus faim.

— Moi, j'en prendrai juste un petit morceau. Il faut que je termine mon repas sur quelque chose de sucré, sinon je me sens pas bien. Tu veux du café ? »

Il accepta et attendit qu'elle pose une tasse devant lui. « A quelle heure est-ce qu'on a rendez-vous chez le docteur, demain ?

— A dix heures. »

Il repoussa sa chaise, se dirigea vers le buffet, se versa un verre de whisky et vint se rasseoir à table.

« Tu devrais arrêter de boire. C'est mauvais pour le foie.

— Je me sens en pleine forme. » Il vida son verre et resta assis à déguster son café tandis qu'elle achevait son dessert.

« Ça te fait rien si je me couche tôt ? Ce voyage m'a vanné.

— Va te coucher tout de suite. Moi, je ferai la vaisselle, j'écouterai peut-être un peu la radio. Ils donnent une pièce de théâtre. J'irai me coucher après.

— D'accord. »

Il passa dans la chambre et entreprit de se déshabiller. Il plia son pantalon qu'il suspendit au dossier d'une chaise et accrocha sa chemise par-dessus. Il posa sa montre et l'argent qu'il avait dans sa poche sur la commode à côté du vase où Tess avait mis les roses qu'il avait apportées. Dans la lumière tamisée de la chambre, les fleurs étaient d'un rouge sombre et leur parfum léger embaumait l'air. Il s'assit au bord du lit, délaça ses chaussures, puis ôta ses chaussettes. Ensuite, ayant gardé ses sous-vêtements, il s'étendit sur le lit.

Ses yeux firent lentement le tour de la pièce. Elle avait raison, il avait changé. Mais il n'était pas le seul. Tout avait changé. Ou peut-être était-ce une illusion ? Jamais elle n'avait cherché à lui faire croire qu'elle s'intéressait à ce qu'il faisait. Et sur ce point, elle n'était pas différente.

Juste avant qu'il ne ferme les yeux et ne s'endorme, la vérité lui apparut. Il en avait eu l'intuition depuis toujours sans vouloir jamais l'admettre. Ils étaient étrangers l'un à l'autre. Et ils le seraient toujours.

« Il n'y a aucune raison d'attendre, déclara le médecin. Elle est incapable de suivre un régime. Plus les jours passent, plus elle prend du poids.

— Vous le lui avez dit ? demanda Daniel.

— Bien sûr, mais c'est plus fort qu'elle. Elle m'a dit qu'elle n'avait rien d'autre à faire, pas d'autre distraction que d'écouter la radio et de manger. Comme vous n'êtes jamais là, elle s'ennuie, voilà tout.

— Quand allez-vous l'opérer ?

— Demain matin. Vous la conduirez à l'hôpital ce soir. J'ai réservé une chambre à deux lits.

— Elle est d'accord ?

— Oui. En fait, elle dit qu'elle se sent soulagée à présent qu'elle sait que ce sera vite fini. »

Daniel ne disait rien.

« Ne vous inquiétez surtout pas, poursuivit le docteur. Les césariennes, nous en faisons tous les jours. Il y a beaucoup de femmes qui préfèrent ça aux douleurs de l'accouchement naturel. Après l'intervention, elle sera en pleine forme. Elle pourra avoir d'autres enfants comme si de rien n'était.

— De toute façon, on n'a pas le choix ?

— Sûrement pas, vu la façon dont l'enfant se présente.

— Bon.

— Mon assistante va vous donner un formulaire d'admission pour l'hôpital. Soyez-y à cinq heures. Et n'ayez crainte, nous nous occuperons très bien d'elle. »

La maternité Sunnyside était située sur le boulevard Pico, non loin de Fairfax. C'était un bâtiment de trois étages au crépi rose, entouré d'une jolie pelouse et d'un jardin. Daniel gara la voiture sur le parking, juste derrière le bâtiment, dans la partie réservée aux patients et aux visiteurs. Il sortit de la voiture et prit la petite valise que Tess avait préparée.

Elle descendit de voiture et le regarda.

« Je me sens toute chose. Je suis encore jamais entrée dans un hôpital.

— Ça a l'air rudement bien, répondit-il tandis qu'ils passaient l'entrée. Ça ne ressemble pas aux hôpitaux que j'ai connus, tout gris et tout sales.

— N'empêche que c'est un hôpital.

— Oui, mais un genre particulier d'hôpital. Un endroit rien que pour les naissances. Ça change tout. »

Ils passèrent l'entrée sans rien dire. Les murs étaient peints en rose clair et on y avait accroché des tableaux gais ainsi que des photos. L'hôtesse d'accueil, en blouse blanche, leur sourit.

« Bienvenue à Sunnyside. Le bureau d'admission est au bout du couloir. »

Le bureau était aussi agréablement décoré que l'entrée. On y avait disposé plusieurs tables avec des chaises de part et d'autre. Il y avait de confortables canapés, le long des murs.

Une infirmière sortit de la pièce voisine et entra dans le bureau. Elle s'assit derrière une table et leur indiqua deux chaises en face d'elle.

« Soyez les bienvenus à Sunnyside. Vous êtes bien M. et Mme Huggins ?

— Oui.

— Nous vous attendions. Nous vous avons réservé une jolie chambre. Mais il faut d'abord que vous remplissiez quelques formulaires. »

Ces formalités prirent à peu près vingt minutes. Lorsque ce fut fini, elle s'excusa et passa dans la pièce à côté pour en revenir quelques minutes plus tard. « Eh bien, c'est parfait », déclara-t-elle tout en poussant devant eux plusieurs papiers. « Si vous voulez bien avoir l'amabilité de signer tous les deux chacun de ces formulaires. Ce sont des autorisations qui nous donnent le droit de veiller au bien-être de Mme Huggins et d'intervenir en cas de nécessité, au mieux de ses intérêts. »

Ils signèrent. L'infirmière reprit les papiers, vérifia les signatures et les agrafa au dossier où se trouvait la liasse déjà remplie. « Encore une chose, M. Huggins. Nous vous prions de bien vouloir nous laisser en dépôt un chèque de deux cents dollars qui couvrira les frais d'hospitalisation pendant huit jours, la mobilisation du bloc opératoire, les honoraires de l'anesthésiste et les différents soins hospitaliers. Bien entendu, quand vous partirez, vous recevrez un relevé exact des dépenses occasionnées et on vous rendra éventuellement une partie de cette somme. »

Daniel sortit son portefeuille. Il paya les deux cents dollars en coupures de vingt. Elle compta la liasse, mit les billets dans le classeur, puis appuya sur un bouton de sonnette placée sur son bureau.

« Une infirmière va venir vous chercher dans un instant pour vous conduire à votre chambre. » Elle les regarda et sourit. « Est-ce que ce sera un garçon ou une fille ?

— Daniel dit que c'est un garçon.

— Je suis sûre qu'il ne se plaindra pas si c'est une fille. »

Tous trois se mirent à rire au moment où une infirmière entrait poussant un fauteuil roulant. Tess parut étonnée.

« J'ai pas besoin de ça. Je peux marcher.

— C'est le règlement de l'hôpital, Mme Huggins, répondit l'infirmière. A partir de maintenant, vous êtes notre patiente et nous sommes responsables de vous. Vous savez, quelquefois, on peut glisser sur le plancher. »

Tess s'installa maladroitement dans le fauteuil.

« Daniel peut m'accompagner ?

— Bien sûr », fit l'infirmière avec un sourire.

Ils sortirent de la pièce, Daniel derrière le fauteuil, la petite valise à la main. « Bonne chance ! J'espère que ce sera un garçon. »

Ils prirent l'ascenseur jusqu'au second étage. Dans le couloir, une fois arrivés devant la chambre, l'infirmière s'arrêta et se tourna vers Daniel.

« La salle d'attente est au bout du couloir. Dans quelques minutes, je viendrai vous chercher dès que nous aurons installé Mme Huggins confortablement. »

Daniel approuva et l'infirmière conduisit Tess dans la chambre. Il longea le couloir jusqu'à la salle d'attente. Trois hommes s'y trouvaient. Deux jouaient aux cartes, le troisième était affalé dans un fauteuil, l'air de s'ennuyer ferme. Les joueurs de cartes ne levèrent même pas les yeux.

Daniel s'écroula dans un fauteuil. Il avait envie de fumer un cigare, mais y renonça. L'infirmière n'avait-elle pas dit qu'elle viendrait le chercher tout de suite ? Partout dans le couloir il y avait des écriteaux rappelant qu'il était interdit de fumer.

Au bout d'un moment, l'homme qui s'ennuyait se redressa dans son fauteuil et regarda Daniel.

« Vous venez juste d'accompagner votre femme ? »

Daniel hocha la tête.

« Moi, je suis ici depuis hier soir, continua l'autre. Je vous souhaite plus de chance que moi. »

Daniel ne répondit pas.

« Les docteurs sont des cons. A chaque coup ils me disent que c'est une question d'heures et chaque fois je me farcis deux jours à poireauter ici !

— Vous êtes venu souvent ?

— Trois fois, fit l'homme d'un ton dégoûté. Cette fois, c'est la quatrième. Je suis trop bien monté, je suis puni. Mais cette fois, c'est la dernière, je vous le jure ! »

L'un des joueurs de cartes éclata d'un rire sonore.

« Faudrait d'abord lui couper la quéquette !

— Ta gueule », fit l'intéressé. Il regarda Daniel. « Et pour le vôtre, qu'est-ce que le docteur vous a dit ?

— C'est pour demain matin.

— Vous avez l'air bien sûr de vous.

— On lui fait une césarienne. »

L'autre le regarda, stupéfait.

« Ma parole, j'aurais dû y penser ! A chaque fois, c'est trois jours de salaire qui me passent sous le nez ! Ah ! il va m'entendre, le docteur ! »

L'infirmière parut sur le seuil.

« Vous pouvez venir voir votre femme maintenant, M. Huggins. »

Tess était assise dans son lit, revêtue d'une liseuse de soie lorsqu'il entra dans la pièce. Elle avait un lit près de la fenêtre. L'autre était vacant. Il traversa la chambre et vint l'embrasser.

« Tu as l'air bien installée. »

Elle sourit.

« Ils sont vraiment très gentils. » Gênée, elle se mit à pouffer. « Ils m'ont fait faire pipi dans une bouteille. Et tiens, regarde... » Elle leva le bras. Elle avait un petit pansement au creux du bras. « Ils m'ont aussi fait une prise de sang. Ça fait pas mal du tout. »

Daniel hocha la tête sans rien dire.

« Ils m'ont dit que je dînerai pas. Tu comprends, il faut que je sois à jeun, mon corps doit être absolument vide.

— C'est exact, Mme Huggins, enchaîna l'infirmière qui entrait dans la pièce. C'est ce dont nous allons nous occuper tout de suite. »

Elle ouvrit un petit placard à côté du lit et en sortit une poire à lavement. Elle se tourna vers Daniel : « Vous pouvez vous retirer à présent, M. Huggins, car ensuite votre femme devra se reposer pour être en pleine forme demain matin.

— Vous voulez dire que je ne le verrai qu'après ? interrogea Tess, soudain effrayée.

— Mais non, vous le reverrez avant, bien sûr. Demain matin, avant de monter à l'étage supérieur, dit l'infirmière en souriant. Maintenant ce qu'il faut, c'est que vous vous reposiez. » Elle regarda Daniel. « En venant demain à sept heures, vous aurez tout le temps de la voir.

— Je serai là », fit Daniel. Il se pencha vers Tess pour l'embrasser. « Sois sage et fais ce qu'on te dit. Je viendrai te voir demain matin.

— Tu ne seras pas en retard ? demanda Tess, anxieuse. Tu as intérêt à mettre le réveil.

— J'y penserai, fit-il pour la rassurer. Ne te fais aucun souci. Tout se passera très bien. »

14

En ouvrant la porte d'entrée, il entendit le téléphone sonner. Laissant la porte ouverte derrière lui, il se précipita dans le salon pour décrocher.

« Allô ? » C'était une voix d'homme. « M. Huggins ?

— Lui-même.

— George Browne à l'appareil.

— Bonjour, M. Browne.

— Votre femme vous a dit que j'avais appelé ?

— Oui, elle m'a dit ça.

— Je voudrais vous voir.

— C'est ce que j'ai cru comprendre.

— Vous ne m'avez pas rappelé.

— C'est que je reviens de l'hôpital. Ma femme est sur le point d'accoucher.

— Je comprends. J'espère que tout se passera bien.

— Merci.

— Quand pourrions-nous nous rencontrer ?

— Peut-être après la naissance du bébé.

— Écoutez, c'est très important. Un instant, je vous prie, ne quittez pas. » Daniel entendit Browne parler à quelqu'un puis il reprit le combiné. « Êtes-vous libre ce soir ? »

Daniel jeta un coup d'œil dans les pièces vides. C'était plutôt déprimant.

« Oui.

— Parfait. Vous connaissez le restaurant *Lucey*, boulevard Melrose ?

— Je trouverai.

— Je peux vous envoyer chercher.

— Inutile, j'ai une voiture.

— Dans une heure. D'accord ?

— Entendu. A tout à l'heure.

— Vous n'aurez qu'à demander ma table. Je vous attends avec impatience. »

Daniel raccrocha, revint à la porte d'entrée pour la fermer. Le téléphone sonna de nouveau.

Cette fois, c'était Chris. Elle parlait à voix basse comme si elle ne voulait pas qu'on entende ce qu'elle disait.

« Il fallait que je t'appelle.

— Je comprends.

— Si ta femme avait répondu, j'aurais raccroché.

— Elle est à l'hôpital.

— Elle va bien ?

— Très bien.

— Tant mieux. Bon sang !

— Qu'est-ce qui se passe ?

— Il suffit que je te parle au téléphone pour me sentir toute excitée. »

Daniel se mit à rire.

« Ça te fait une belle jambe, puisque tu es à Chicago !

— Erreur ! Je ne suis pas à Chicago.

— Où diable es-tu donc ? demanda Daniel qui devina la réponse avant même qu'elle l'ait formulée.

— Ici. A l'hôtel *Ambassador*, boulevard Wiltshire. Dans un bungalow.

— Tu es folle.

— Non, pas du tout. C'est toi qui es fou, si tu crois que je vais te laisser tout seul une semaine entière alors que ta femme est à l'hôpital et qu'il y a toutes ces petites starlettes dans les parages !

— J'en ai jamais vu une seule.

— Peu importe. Je ne prends pas de risques. Où est-ce que tu dînes ce soir ? Ici, j'ai tout ce qu'il faut : salle à manger et tout le tralala.

— Impossible, j'ai un rendez-vous.

— Je ne te crois pas.

— C'est pourtant la vérité. Avec George Browne, président du syndicat des métiers du cinéma.

— Viens après le dîner, alors.

— Non. Il faut que je sois à l'hôpital à sept heures du matin.

— Je te réveillerai, ne t'en fais pas.

— C'est impossible.

— Alors, à quoi vais-je m'amuser toute la nuit ? Je vais devenir folle !

— Pense à moi, répondit Daniel en riant.

— Daniel, fit-elle, brusquement sérieuse, tu n'as pas la même voix que d'habitude. Tu vas bien ?

— Moi, très bien.

— Alors, qu'est-ce que c'est ? Tu te fais du souci pour Tess ?

— Oui. On lui fait une césarienne, demain matin. »

Elle garda le silence un instant.

« Ah, c'est pour ça ! Ne te tracasse pas. Ma sœur aînée a eu deux enfants par césarienne. Elle dit que c'est bien plus facile que d'accoucher naturellement. Et elle est en parfaite santé.

— Ça ira mieux quand ce sera fini.

— J'en suis sûre. Tu m'appelleras après ?

— Bien sûr.

— Bonne chance, Daniel. » Elle eut un instant d'hésitation. « Je parle sincèrement, tu sais.

— Je sais.

— Je t'aime, Daniel. »

Il ne répondit rien.

« Daniel ?

— Oui ?

— Appelle-moi demain.

— D'accord. »

Là-dessus, il raccrocha. Il traversa le salon, passa dans la salle à manger et sortit la bouteille de bourbon du buffet. Il s'en versa un grand verre et le but à petites gorgées en réfléchissant. Elle était folle, mais avec elle, il y avait une chose qui était possible : il pouvait lui parler, ce qu'il n'avait jamais pu faire avec aucune autre femme.

D'un air pensif, il se frotta la joue. La peau était râpeuse. Il avait besoin de se raser à nouveau. Il passa dans la salle de bains en emportant son verre de whisky et se mit à se déshabiller. Une fois dans la salle de bains, il se regarda dans le miroir.

Il avait trente-sept ans : il allait devenir père. La paternité changeait tout. Déjà, il s'était aperçu que l'avenir comptait désormais davantage pour lui. Il s'inquiétait de savoir où il irait, ce qu'il ferait. Avec ce qu'il gagnait, il aurait du mal à élever un enfant. Tôt ou tard, il faudrait que Murray lui confie la responsabilité d'une section. Au moins, il pourrait peut-être en fonder une ici, sur place. C'est ce que tous les autres avaient fait : Lewis, Murray, Green ; Browne lui-même possédait une base à partir de laquelle il pouvait rayonner. On venait juste de le nommer vice-président de l'A.F.L.

Et puis, pour élever son enfant, il fallait que le père soit présent. Tess avait peut-être raison, après tout. Si Browne lui faisait une proposition correcte, il devrait l'accepter. Tout valait mieux que de se tuer à la tâche comme il le faisait.

Ou bien alors passer de l'autre côté, ainsi que Chris le lui avait suggéré. De nombreux dirigeants syndicaux l'avaient fait et ils gagnaient beaucoup d'argent. Il acheva de se raser, toujours songeur. Finalement, il se rinça le visage et se mit un peu de talc pour atténuer le reflet bleuâtre sur ses joues. Il enfila sa chemise distraitement, encore indécis.

Tandis que le maître d'hôtel le conduisait vers une table située dans un angle au fond du restaurant, Daniel se demanda pourquoi la plupart des convives lui semblaient avoir un visage familier. Brusquement, il comprit. C'étaient presque tous des acteurs et des actrices qu'il avait très souvent vus au cinéma. Sur certains, il put mettre un nom. Il y avait Joël McCrea à une table et Loretta Young tout à côté. Les autres, il n'arriva pas à les identifier.

Deux hommes étaient assis à la table. Ils se levèrent. Le plus corpulent des deux lui tendit la main.

« George Browne. Je vous présente Willie Bioff, notre président-directeur général. »

Lorsqu'ils se furent salués et assis, Browne le regarda.

« J'ai entendu dire que vous étiez un grand buveur C'est vrai ?

— Je n'ai jamais refusé un verre.

— Moi, je ne bois que de la bière. J'ai un ulcère. Je ne supporte pas les trucs trop raides. Allez-y, commandez ce que vous voulez.

— Merci » fit Daniel. Il leva les yeux sur le serveur qui attendait les commandes. « Jack Daniel's, pour moi.

— Un simple ou un double, monsieur ?

— Ni l'un ni l'autre. Une bouteille. Avec une carafe d'eau. Sans glace. »

Browne le contemplait fixement.

« Si tout ce qu'on nous a raconté sur vous est à l'avenant, vous devez être un sacré bonhomme.

— Qu'est-ce qu'on vous a dit ?

— Que vous êtes le meilleur organisateur que Murray ait jamais eu à sa disposition. Qu'il vous envoie dans tous les points chauds, les uns après les autres, pour mettre des sections sur pied. Que, s'il y en a un à qui l'on doit le succès du comité des ouvriers sidérurgistes, c'est bien vous.

— Ce n'est pas vrai. Nous avons des gens compétents partout. Moi, je me contente de coordonner leurs efforts.

— On dit que vous êtes également un homme à femmes. »

Le maître d'hôtel revint avec le whisky. Daniel attendit pour répondre que celui-ci l'ait servi et soit reparti. Daniel leva son verre.

« A la bonne vôtre ! » Là-dessus, il le vida d'un trait et s'en resservit un immédiatement. « Moi aussi, j'ai entendu dire beaucoup de choses sur vous et sur votre ami ici présent, déclara-t-il en souriant.

— Ah ! oui, quoi ?

— Que vous vous partagez le gâteau. Que vous faites moitié-moitié avec la Mafia de Chicago. Que vous vendriez père et mère pour trois sous, lâcha Daniel avec un grand sourire.

— Nom de Dieu, qu'est-ce... » éclata Browne. Bioff lui posa la main sur le bras.

« Vous a-t-on dit aussi que nos adhérents sont mieux payés qu'ils ne l'ont jamais été et qu'ils jouissent d'une sécurité d'emploi que beaucoup leur envient ?

— Oui.

— Alors pourquoi n'en avez-vous pas parlé ? » Daniel but une gorgée de whisky.

« Je me disais que je n'en aurais pas besoin. Vous feriez très bien l'article vous-même. » Il siffla son verre et s'en remplit un autre. « A présent que nous en avons fini avec les mondanités, vous pourriez peut-être me dire pourquoi vous teniez tant à me voir.

— Si on commandait d'abord le dîner, proposa Bioff. Les spaghetti sont délicieux ici.

— Je prendrai un steak », dit Daniel.

Ils mangèrent rapidement presque sans parler. Daniel ne laissa rien dans son assiette ; les deux autres chipotaient, sans entrain. A la fin du repas, lorsque le serveur apporta les cafés, Daniel sortit un cigare de sa poche. « Ça ne vous dérange pas si je fume ? »

Personne ne fit d'objection. Il alluma donc son cigare et s'adossa à sa chaise.

« Messieurs, ce repas était excellent. D'habitude, je ne mange pas dans des endroits aussi chics. La plupart du temps, je bouffe dans des gargottes ou des bouis-bouis. Je vous remercie. »

Bioff se tourna vers Browne.

« Ça vous ennuie si je prends la parole ? »

Browne opina : « Faites, je vous en prie. »

Bioff regarda Daniel.

« L'industrie du cinéma compte à peu près sept mille employés. Environ trois mille ici, dans les studios, le reste éparpillé un peu partout dans le pays, dans différentes agences et dans les maisons-mères à New York. Nous avons commencé à les organiser, mais il nous faut vaincre toutes sortes de préjugés, dont la plupart sont le fait des employés eux-mêmes. Les employés de bureau, les cols blancs se considèrent au-dessus de ça. Les compagnies le savent et les encouragent dans ce sens. Nous avons fait quelques progrès, mais ça ne va pas vite. Et voilà qu'on vient d'apprendre que le district 65 s'intéresse à la chose et qu'ils ont beaucoup d'argent à investir. Ils ont déjà noyauté les publicitaires de New York ; mais il s'agit d'un coup monté par les communistes et nous pourrons nous en débarrasser. Ce que nous ne voulons pas, c'est que ça continue.

— Pourquoi ne pas faire ce que vous avez déjà fait auparavant ? Bloquez les salles de cinéma et les compagnies seront forcées de traiter avec vous.

— On ne peut pas. Primo, on a signé un certain nombre de contrats qu'on doit respecter, et puis ce serait trop dangereux pour nos adhérents qui travaillent dans les salles. Secundo, si l'on nous oblige à signer un protocole d'accord, nous n'aurons pas la représentativité voulue. C'est la raison pour laquelle nous avons fait appel à vous. »

Daniel se taisait.

« Vous vous êtes fait une grande réputation, enchaîna Bioff. Vous avez été à l'école de Lewis et de Murray, vous avez toute leur confiance. Vous savez comment fonctionnent la C.I.O. et le district 65. Si vous acceptez de venir chez nous, je suis persuadé qu'on pourra noyauter l'industrie cinématographique tout entière.

— Qu'est-ce que vous m'offrez exactement ?

— Le poste de secrétaire général du syndicat des métiers du cinéma, affilié à l'A.F.L. Quinze mille dollars par an, tous frais payés, pour commencer. »

Daniel le regarda.

« Vous savez combien je gagne en ce moment ?

— Six mille dollars par an.

— Exact. » Daniel se reversa à boire. « J'aimerais pouvoir accepter l'argent que vous m'offrez, messieurs. Mais je ne suis pas l'homme qu'il vous faut. » Il vida son verre d'un trait. « Vous essayez de m'acheter pour de mauvaises raisons. Parce que je suis à la C.I.O. et que j'ai une bonne réputation. Ce que vous oubliez, c'est que j'ai cette réputation-là parce que je travaille avec des gens que je connais bien, que j'ai toujours connus. Les Hongrois, les Polacks et les montagnards, j'ai été élevé avec eux. Je parle la même langue qu'eux. Ils me comprennent. Les employés de bureau me sont totalement étrangers. » Il vida dans son verre ce qui restait dans la bouteille. « Ils ne comprendraient pas un mot de ce que je leur dirais. Et moi, je ne pigerais rien à ce qu'ils me raconteraient.

— Croyez-vous que nous n'y avons pas pensé ? demanda Bioff. Vous êtes intelligent, ça ne fait aucun doute ; vous apprendrez. Quand, après de brillantes études, on sort premier de l'institut de sociologie de New York, ce que vous avez fait, on ne peut pas être aussi limité que vous vous plaisez à le faire croire. Je crois que vous commettez une grave erreur.

— Ce n'est pas mon avis.

— Et si on vous proposait vingt mille dollars par an ?

— Non. Ce que vous avez de mieux à faire, c'est de trouver un homme de chez vous. Quelqu'un que vos adhérents comprendront et respecteront. Il sera cent fois plus efficace que moi.

— Ne considérons pas votre réponse comme définitive. Pourquoi ne pas y réfléchir ? La nuit porte conseil. Demain, quand vous aurez un enfant, vous songerez aux avantages que présenterait cette situation pour votre petite famillle. Vous changerez peut-être d'avis.

— J'en doute, répondit Daniel en se levant. Messieurs, encore une fois, je vous remercie. »

Bioff le dévisagea.

« Quelquefois, on veut se montrer trop malin.

— C'est vrai, répliqua Daniel imperturbable. Mais on n'est jamais trop honnête. »

15

Il eut l'impression qu'elle dormait quand il entra dans la pièce. L'infirmière se tourna vers lui et mit un doigt sur ses lèvres pour l'empêcher de parler. « Nous lui avons administré un léger sédatif pour la décontracter, murmura-t-elle. Elle va somnoler. »

Il fit signe qu'il avait compris, approcha une chaise du lit et s'y assit. Le sommeil donnait à Tess une expression curieusement enfantine et vulnérable. Elle respirait doucement ; son drap se soulevait et retombait régulièrement. Il jeta un coup d'œil à la fenêtre à côté d'elle. Le ciel était bleu, le soleil brillait, baignant la pièce d'une lumière dorée.

Il la sentit plutôt qu'il ne la vit bouger et la regarda. Elle avait ouvert les yeux et le fixait. Un instant plus tard elle les referma, sans avoir rien dit. Mais elle avança la main sur le drap dans sa direction. Il la prit et la sentit se refermer étroitement sur ses doigts.

Au bout de cinq minutes, elle parla.

« J'ai peur, chuchota-t-elle, les yeux fermés.

— Mais non, fit-il doucement. Tout ira bien, tu verras.

— J'ai du mal à respirer, murmura-t-elle. J'ai une douleur quelque part dans la poitrine.

— Ne t'inquiète pas. C'est nerveux. »

Elle lui pressa la main.

« Je suis contente que tu sois là.

— Moi aussi. »

L'infirmière quitta la pièce et ils restèrent un moment silencieux. Soudain ses yeux s'ouvrirent, et elle le regarda.

« Je m'excuse, fit-elle.

— Pourquoi t'excuser ?

— Je t'ai menti, souffla-t-elle. Quand je t'ai dit que j'étais enceinte, je le savais déjà depuis six semaines.

— Ça n'a plus d'importance. »

Elle ferma les yeux et resta immobile un instant.

« Je me disais que tu allais me quitter et je ne voulais pas que tu partes.

— Je n'ai jamais eu l'intention de te quitter. Mais tout ça c'est fini, maintenant. N'en parlons plus.

— Je voulais te dire la vérité avant d'avoir l'enfant. » Elle s'interrompit un instant. « Si jamais il m'arrivait quelque chose ici, je voulais que tu le saches. Je t'aime tant que je voulais pas que tu me quittes.

— Mais non, il ne t'arrivera rien du tout. Tu vas avoir un bébé et tout se passera très bien. »

Elle le regarda de nouveau.

« Tu m'en veux pas ?

— Pas du tout.

— Je suis heureuse », fit-elle en fermant les yeux.

Elle dormit jusqu'à ce que l'infirmière revienne dans la pièce, suivie d'un aide-soignant qui poussait un chariot devant lui.

« Mme Huggins, lança joyeusement l'infirmière, il est temps de monter à l'étage supérieur, maintenant. »

Tess ouvrit les yeux. Lorsqu'elle aperçut le chariot, elle eut l'air effrayée.

« Qu'est-ce que c'est que ça ?

— Un lit roulant, expliqua l'infirmière en approchant le chariot du lit. On vous fait voyager en première classe. » Elle vint se placer derrière Tess. En un tournemain, l'aide-soignant et l'infirmière déposèrent Tess sur le chariot. Rapidement, ils la couvrirent avec le drap et l'attachèrent avec des courroies.

Tess se tourna vers l'infirmière.

« Il peut venir là-haut avec moi ?

— Bien sûr, répondit celle-ci avec un sourire. Il va vous attendre dans une pièce juste à côté de celle où vous accoucherez. Vous le verrez dès que vous sortirez. »

Ils poussèrent le chariot dans le couloir. Daniel marchait à côté, sans lâcher la main de Tess. Dans l'ascenseur, elle leva les yeux vers lui.

« Je me sens toute drôle. J'ai l'impression de flotter, comme si j'avais le vertige.

— C'est normal, intervint l'infirmière pour la rassurer. C'est le penthotal. Ne vous crispez pas. Laissez-vous aller. C'est comme quand on dort. Quand vous vous réveillerez, vous aurez votre enfant. »

Ils sortirent de l'ascenseur et longèrent un nouveau couloir. L'infirmière arrêta le chariot devant la salle d'opération. « C'est là que nous vous quittons, dit-elle à Daniel. Il y a une salle d'attente juste au bout du couloir. Le docteur vous verra après. »

Tess se tourna de son côté.

« Daniel, promets-moi — s'il m'arrivait quelque chose — promets-moi de t'occuper du bébé.

— Mais il ne t'arrivera rien du tout, voyons. »

Tess insista.

« Promets-le moi.

— Je te le promets. »

Elle parut rassérénée.

« Je t'aime. Tu t'en souviendras, hein ?

— Moi aussi, je t'aime, tu sais. »

Il se pencha sur le chariot pour l'embrasser. Il les vit engager le chariot dans les portes battantes et enfila le couloir jusqu'à la salle d'attente.

Moins d'une demi-heure plus tard — en fait, cela lui avait paru beaucoup plus long —, le docteur entra dans la salle où il se trouvait.

« Félicitations, M. Huggins. Vous venez d'avoir un fils. Un grand garçon, comme vous ; il pèse quatre kilos et demi. »

Le visage de Daniel s'illumina. Il serra la main du médecin avec effusion.

« Je n'arrive pas à y croire.

— Vous serez bien obligé d'y croire quand vous le verrez, fit le docteur en souriant.

— Et Tess... ? Comment va-t-elle ?

— Très bien. Elle est en salle de repos. Elle devrait être de retour dans sa chambre d'ici deux heures environ. Vous avez le temps de sortir vous acheter une boîte de cigares et de prévenir votre famille. Quand vous reviendrez, vous pourrez les voir tous les deux. »

Daniel poussa un profond soupir.

« Merci, docteur. »

Il sortit de l'hôpital, traversa la rue et entra dans le bar-restaurant qui se trouvait en face. L'établissement était vide ; il n'y avait que le garçon derrière le comptoir, occupé à essuyer des verres. Daniel s'installa sur un tabouret.

« Un Jack Daniel's, un double. Et un verre d'eau. »

Le barman lui servit adroitement le whisky d'une main et de l'autre, plaça un verre d'eau sur le comptoir.

« Alors ? C'est un garçon ou une fille ?

— Un garçon. » Daniel le dévisagea, surpris. « Comment avez-vous deviné ? »

Le barman se mit à rire.

« Les seuls clients qui se pointent ici à neuf heures du matin sortent de la maternité d'en face. » Il plongea la main sous le comptoir et en ressortit un cigare. « Félicitations ! Avec les compliments de la maison !

— Merci. » Daniel examina le cigare : il était entouré d'une bague dorée portant la mention : « C'EST UN GARÇON ! »

« On les vend également par boîte de vingt-cinq. Ça vaut deux dollars.

— Je vais en prendre une boîte. Puis-je vous offrir un verre ? »

Le barman sourit.

« J'ai pour principe de ne jamais rien boire avant midi. Mais, cette fois, je ferai une exception. D'ailleurs, comme je suis de New York, là-bas, il est déjà midi. » Du même geste, il se servit à boire et posa une boîte de cigares sur le comptoir. « Comment est-ce qu'il s'appelle, ce petit bout de chou ?

— Daniel. Daniel B. Huggins, Junior. »

Le barman leva son verre.

« A sa santé ! »

Ils vidèrent leur verre en même temps. Daniel en commanda un autre et en but la moitié qu'il fit passer avec un peu d'eau. « Si vous avez des coups de fil à donner, il y a une cabine là-bas, dans le coin. »

Daniel parcourut la salle des yeux et fit non de la tête.

« J'ai le temps. » Il attrapa son verre. « Remettez-nous ça, c'est ma tournée.

— Non merci. Pas pour moi, M. Huggins. J'ai encore huit heures à faire. Si je commence à écluser maintenant, j'arriverai pas entier à l'heure du déjeuner. »

Daniel acquiesça. Il ôta la bague du cigare et l'alluma. Il souffla un nuage de fumée vers le plafond. Ça faisait du bien.

« Pas mauvais, ces cigares.

— Le cuisinier vient d'arriver, si vous voulez manger un morceau. »

Brusquement, Daniel s'aperçut qu'il était affamé.

« Un steak à cheval avec des frites. »

Le barman sourit, pivota et se mit à hurler en direction de la cuisine :

« Hé, Charlie ! Sors de ton trou et viens mettre une table. On a un client qui la saute ! »

Il acheta un bouquet de jonquilles avant de retourner à la maternité. En arrivant dans le couloir, il trouva la porte fermée. Tout doucement, il tourna la poignée.

Tess était allongée dans son lit, la tête soutenue par des oreillers. Elle s'était déjà remaquillée et avait mis un peu de rouge à lèvres, mais sa peau paraissait pâle, presque translucide, sous le fond de teint. Elle avait les yeux clos et semblait se reposer sans s'occuper de l'infirmière qui refaisait le lit.

Il traversa la chambre sur la pointe des pieds et s'arrêta à côté du lit pour la regarder. Il sourit et lui tendit le bouquet.

« Félicitations, maman ! »

Elle admira les fleurs.

« Elles sont ravissantes. » Elle parlait d'une voix sans force. Daniel l'embrassa.

« Comment te sens-tu ?

— Ça va, mais je me sens faible. J'ai du mal à reprendre mon souffle. J'ai l'impression d'avoir la poitrine serrée dans un étau.

— Ça ira mieux quand vous vous serez un peu reposée, dit l'infirmière. Il arrive que les bandes qu'on vous met autour du ventre vous fassent cet effet-là. » Elle se tourna vers Daniel : « Je vais mettre vos fleurs dans un vase, M. Huggins. »

Daniel lui tendit son bouquet et ils la regardèrent prendre un vase dans un placard, le remplir d'eau et y disposer les fleurs.

« Tu as déjà vu notre bébé ?

— Non. Et toi ? »

Elle fit signe que non. « Le docteur m'a dit qu'il se portait bien. Il fait quatre kilos et demi.

— Mes frères faisaient tous plus de quatre kilos à la naissance. » Tess se tourna vers l'infirmière :

« On peut le voir ?

— C'est exactement ce que j'allais vous proposer. Je vous amène votre fils dans un instant. »

Elle sortit et referma la porte derrière elle. Daniel approcha une chaise du lit et prit la main de Tess.

« J'ai acheté une boîte de cigares, regarde. » Il lui en montra un. « Tu as vu ? Y a marqué : " C'EST UN GARÇON ". »

Elle sourit faiblement.

« Tu étais là ce matin, avant qu'on me monte là-haut ?

— Bien sûr que j'y étais ! Tu ne t'en souviens pas ? Je t'ai accompagnée là-haut jusqu'à la salle d'opération.

— Il me semblait bien que tu y étais, mais j'étais tellement dans le brouillard. Ils m'ont fait une piqûre avant de monter, alors je me rappelle pas très bien. » Elle regarda Daniel avec attention. « J'ai raconté des bêtises ?

— Non. Tu m'as simplement dit que tu m'aimais. Peut-être que, pour toi, c'est une bêtise.

— J'ai bien fait. » Elle lui pressa la main. « C'est vrai que je t'aime. Tu as toujours été si gentil pour moi. »

Il se mit à rire.

« Toi aussi. J'ai pas à me plaindre. »

La porte s'ouvrit derrière lui et l'infirmière entra, portant le bébé enveloppé dans une couverture. Elle contourna le lit et s'arrêta en face de Daniel. Elle dégagea la tête du bébé et tendit l'enfant à Tess. « Mme Huggins, votre fils. »

Émerveillée, Tess s'empara de l'enfant. Aussitôt, elle le serra contre elle et scruta son petit visage. Elle leva les yeux vers Daniel avec un sourire radieux.

« Oh ! Daniel, comme il est beau ! Il ressemble exactement à... »

Une douleur fulgurante lui crispa les traits. « Daniel ! hurla-t-elle. Oh ! mon Dieu ! »

Le bébé glissait entre ses doigts sans forces. Daniel le lui prit des mains au moment où elle s'effondrait à la renverse sur les oreillers. Une légère écume lui sortait de la bouche. Elle se tourna pour le regarder, les yeux fixes et brillants. Ses lèvres remuèrent comme si elle avait voulu parler. Puis ses yeux perdirent toute expression, sa tête bascula sur l'oreiller, le regard dans le vide, la bouche ouverte sur des mots qu'elle ne prononcerait jamais.

L'infirmière se précipita du côté de Daniel, le bousculant sans ménagement pour appuyer sur la sonnette. Une sonnerie retentit dans le couloir. L'instant d'après, la chambre était pleine d'infirmières et de médecins. On roulait des bonbonnes d'oxygène et toutes sortes d'appareils.

Daniel, immobile, le dos au mur, les regarda faire un moment. L'infirmière leva les yeux et croisa son regard. Il secoua la tête.

« Ça ne servira à rien, déclara-t-il, comme s'il ne s'adressait à personne en particulier. Elle est partie. »

Puis, tout doucement, il abrita la tête du bébé dans la couverture. « Viens, mon fils » dit-il et il emporta son enfant dans le couloir.

16

Daniel remonta son col et ferma sa veste ; il était debout, tête nue, sous la pluie battante. Le pasteur avait une voix grave et bien timbrée ; on eût dit, à l'entendre, qu'il y avait là une foule en deuil, alors qu'ils n'étaient que tous les deux.

« Et poussière, tu redeviendras poussière... »

Daniel fixait le cercueil d'acajou rougeâtre ; la pluie ruisselait sur ses parois vernies et s'écoulait de part et d'autre, dans le trou béant de la tombe. Il paraissait si petit ce cercueil ! C'était curieux. Tess n'avait pourtant rien de particulièrement menu.

Le pasteur s'interrompit et se tourna vers Daniel.

« Vous pouvez ajouter votre propre prière.

— Je n'ai jamais prié beaucoup, mon père.

— Ça n'a pas d'importance ; ce que vous avez à lui dire, Dieu l'entendra. »

Daniel prit une profonde inspiration.

« Tu étais une chic femme, Tess. Que Dieu t'accueille là-haut. »

Les deux fossoyeurs se tournèrent vers le pasteur, attendant un signe de sa part. C'était le dernier enterrement de la journée ; ils avaient hâte d'en finir. Après s'être assuré que Daniel avait fini sa prière, le pasteur leur fit comprendre qu'ils pouvaient commencer.

Adroitement, les deux hommes démontèrent les supports d'acier qui soutenaient le cercueil et se mirent en devoir de le faire descendre au fond du trou où il s'immobilisa, avec un bruit de succion, sur la terre détrempée. Ils empoignèrent leurs pelles.

« Je m'en charge », intervint Daniel qui fit un pas en avant. Comme ils le regardaient, intrigués, il ajouta : « Chez nous, on enterre toujours nos morts. »

Sans rien dire, les fossoyeurs se reculèrent et se mirent à l'observer. Il prit la pelle en mains avec plaisir ; cela lui rappelait le temps passé, son enfance, quand il travaillait dans l'obscurité de la mine. Il regarda la première pelletée tomber dans le trou sur le cercueil, éclaboussant les fleurs dont le couvercle était jonché. Bientôt elle aussi, serait tout entière dans l'obscurité. Il accéléra son rythme. La terre détrempée était lourde et très vite, il sentit qu'il transpirait sous sa veste et il en éprouva une sensation de légèreté et de force. Soudain, il retrouvait le contact avec la terre. Puis, avant même qu'il s'en rende compte, ce fut terminé. Il n'y avait plus, à la place du trou qu'un petit monticule, marquant l'emplacement de la tombe.

Il rendit la pelle à l'un des fossoyeurs en le remerciant. L'homme hocha la tête sans répondre.

Le pasteur le raccompagna jusqu'à sa voiture. Avant d'ouvrir la portière, Daniel s'arrêta et sortit un billet de vingt dollars de sa poche.

« Vous ne me devez rien, déclara le pasteur. L'entreprise de pompes funèbres m'a déjà payé.

— Prenez-le tout de même. Dans votre paroisse, vous en aurez bien l'usage.

— Je vous remercie », répondit le pasteur. Daniel s'installa au volant. « Que ce deuil ne vous plonge pas dans l'amertume, mon fils, ajouta l'homme de Dieu.

— Je ne suis pas amer, mon père, répondit Daniel en mettant le contact. La mort m'est familière et nous ne sommes pas près de nous quitter. »

Pour s'engager dans l'allée entre sa maison et celle des voisins, il lui fallut contourner la grosse limousine noire garée contre le trottoir. Il jeta un coup d'œil au chauffeur, imperturbable, assis derrière son volant et s'élança sous la pluie jusqu'au seuil.

Le salon était encombré de cartons soigneusement fermés et arrimés comme dans l'attente d'un déménagement. Il traversa la pièce vide et entra dans la chambre. Il y trouva Chris en compagnie d'une femme d'un certain âge, corpulente, aux cheveux blonds soigneusement tirés en arrière et rassemblés en chignon. En entendant ses pas, elles tournèrent la tête.

« Il y a une bouteille de bourbon sur la table, déclara Chris sur un ton parfaitement naturel. Va boire un verre. Nous en avons encore pour une minute. »

Il la regarda un moment puis ses yeux tombèrent sur le tiroir béant de la commode et sur le carton qu'on avait posé à côté. Elles étaient en train d'empaqueter ce qui restait des vêtements et des objets personnels de Tess. Sans rien dire, il retourna dans le salon.

Quand elle entra dans la pièce, il était devant la fenêtre et regardait tomber la pluie, un verre de whisky à moitié vide à la main.

« Il fallait bien que quelqu'un le fasse, dit-elle.

— Tu sais, le premier jour où nous sommes arrivés en Californie, avec Tess, il pleuvait. Il se tourna pour la regarder. Et aujourd'hui, il pleut. Ça me paraît presque logique.

— Les chiffonniers d'Emmaüs seront là dans une demi-heure pour emporter les affaires. J'ai commandé des meubles pour la chambre du bébé et un canapé convertible pour le salon. Un qui se transforme en lit.

— J'étais tout seul au cimetière. Je ne connais pas les amis qu'elle s'était fait là où elle travaillait. Alors, je n'ai pas su qui prévenir. Je ne sais pas non plus où habite le reste de sa famille.

— Les peintres seront là demain matin, à la première heure. Ils ont dit qu'ils en auraient pour la journée. Les meubles que j'ai commandés seront livrés après-demain.

— Elle n'avait personne d'autre que moi.

— Daniel ! »

Il se tourna vers elle.

« Elle a eu un fils, le tien. Mais maintenant, elle n'est plus là et personne n'y peut rien. Alors, n'y pense plus. Tu as des responsabilités vis-à-vis de ton enfant ; il faut que tu y songes. »

La douleur se lisait dans ses yeux.

« J'ai peur. Je ne sais pas par où commencer.

— Je vais t'aider. C'est pour ça que j'ai fait venir Mme Torgersen.

— Mme Torgersen ?

— La dame que tu as vue. C'est une gouvernante qui a l'habitude des enfants. Elle pourra s'occuper du tien quand tu ne seras pas là. »

Il lui jeta un regard empreint d'admiration.

« Je te remercie, Chris. »

Elle sourit, se dressa sur la pointe des pieds et l'embrassa sur la joue.

« Et moi je t'aime. Et pas seulement parce qu'on s'entend bien au lit. »

Il la regarda dans les yeux un instant puis hocha lentement la tête.

« C'est ce que je vois. » Il prit la bouteille et remplit son verre. « Mais je vais avoir d'autres problèmes. Je ne sais pas si je peux me permettre tous ces frais. Il faudra peut-être que j'accepte le boulot que Bioff et Browne m'ont proposé.

— Tu m'as dit que c'étaient des truands.

— Rien ne m'oblige à devenir comme eux.

— Allons donc ! Sois sincère avec toi-même, au moins. Si tu as l'intention de passer de l'autre côté, fais-le franchement. Travaille pour mon oncle Tom. Ne fais pas les choses à moitié. Tu vas te retrouver le cul entre deux chaises.

— Je m'en sortirais peut-être mieux si j'emmenais le bébé avec moi dans l'Est.

— Ne dis pas de bêtises. Comment veux-tu faire ? Le trimbaler dans une valise ? Et qui va s'en occuper ? » Il ne trouva rien à répondre. « Ici, tu as une maison très confortable et qui convient parfaitement pour élever un enfant. Tu te déplaces sans arrêt, tu ne pourras jamais t'occuper seul de ton fils. La meilleure solution pour toi, c'est de le confier à Mme Torgersen. Elle a de l'expérience dans un domaine où toi, tu ne connais absolument rien. Elle a élevé les enfants de ma sœur pendant des années.

— Combien faudra-t-il que je la paie ?

— Ça ne te reviendra pas très cher. Elle voulait s'installer en Californie. Elle en a assez du froid et de la neige dans l'Est. Ça te coûtera deux cents dollars par mois. Ma sœur la payait trois cent cinquante.

— Ça fait deux mille quatre cents dollars par an. Ajoutons seize cents à deux mille dollars pour la nourriture et les autres frais. Il ne me reste pas grand-chose.

— Qu'as-tu besoin d'argent ? Le syndicat te défraie entièrement durant tes déplacements ; or, tu es toujours en déplacement. »

Il but une gorgée de whisky.

« Tu as pensé à tout, hein ?

— Pas vraiment à tout.

— Je vois vraiment pas ce que tu as oublié !

— Si tu es trop bête pour deviner, répliqua-t-elle, légèrement irritée, ne compte pas sur moi pour te le dire. »

Il demeura un instant sans rien dire, essayant de lire dans ses yeux. Puis, brusquement, il tourna les talons et revint à la fenêtre.

« C'est trop tôt pour en parler maintenant », fit-il, la gorge serrée par l'émotion.

Elle s'approcha de lui et posa doucement sa main sur son bras.

« Je sais, murmura-t-elle. Mais ça viendra en son temps. »

Mme Torgersen était une femme de confiance. Elle approchait la cinquantaine, et elle était veuve depuis vingt ans. Son mari, lieutenant dans la marine marchande avait sombré avec son bâtiment, coupé en deux par la torpille d'un sous-marin allemand. Elle parlait presque parfaitement l'anglais avec un très léger accent suédois et elle savait tout faire : la cuisine, la couture, le ménage, la lessive, le jardin. Elle savait même conduire. Elle s'acquittait de toutes ces tâches avec une telle efficacité qu'on avait l'impression que rien ne lui pesait.

« Ne vous inquiétez pas, M. Huggins. J'ai les pieds sur terre, je suis une femme responsable. J'ai une vie rangée. Je prendrai soin de votre petit. Je m'en occuperai comme si c'était mon propre fils.

— J'en suis sûr, Mme Torgersen. Ce que je voudrais, c'est être sûr que vous avez tout ce qu'il vous faut.

— Ma foi, il me semble que rien ne manque. Cette maison est très confortable. Je m'y plais beaucoup.

— Demain matin, avant d'aller chercher le bébé à l'hôpital, nous passerons à la banque. Je vais vous ouvrir un compte pour que vos gages vous soient versés automatiquement et que vous n'ayez pas à attendre l'argent chaque semaine. Comme je suis sans arrêt en déplacement, il ne m'est pas toujours facile d'envoyer de l'argent.

— Comme vous voudrez, M. Huggins. Et quand vous rentrerez chez vous, moi je pourrai dormir dans le nouveau canapé. »

Daniel sourit.

« Mais non, ce n'est pas la peine. Je pourrai très bien m'en arranger, moi, pour quelques jours. »

Elle hésita un moment avant de demander :

« Est-ce que Mlle Christina vient à la maternité avec nous ? »

Daniel la regarda, surpris.

« Je n'ai pas pensé à lui demander. Elle ne m'en a pas parlé.

— Veuillez m'excuser, M. Huggins. Mais je connais Mlle Christina depuis dix ans ou presque. Elle n'avait alors que quinze ans. Ce n'est pas le genre à demander. Mais je crois qu'elle aimerait bien venir avec nous. »

Daniel opina.

« Merci, Mme Torgersen. Je lui en parlerai ce soir, pendant le dîner. »

« Non, déclara Chris. Je repars à Chicago demain matin. »

Il la regarda, étonné.

« Je croyais... »

Elle l'interrompit.

« Désolée. J'ai fait tout ce que j'ai pu. Je suis à bout. »

Ils étaient dans son bungalow. Elle se leva de table et se précipita dans sa chambre. Il la suivit. Elle s'était réfugiée dans un coin de la pièce, la tête dans les mains. Il la prit par les épaules et la fit pivoter doucement vers lui.

« J'ai eu un mot malheureux ? » Sans ouvrir la bouche, elle fit signe que non. « Qu'est-ce que c'est, alors ?

— Je me suis décidée à regarder les choses en face. Il faut que je sois givrée pour être allée me fourrer dans ce genre de situation. »

Elle le dévisagea, les yeux embués de larmes.

« Vivre ensemble, on en avait parlé. Mais c'était avant que je vienne ici. C'était quelque chose d'abstrait. Mais maintenant que j'y suis, avec toi, ça ne l'est plus. Ce n'est que trop réel. Je te vois souffrir. Je te vois préoccupé. Je t'aime. Je sais que tu es sincère, qu'il te faut du temps. Mais je suis un être humain, moi aussi. Et j'ai trop mal ! Je serai mieux chez moi, loin de toi. Peut-être que là-bas, je souffrirai moins. »

Sans rien dire, il la serra contre lui et l'étreignit.

« J'aurais voulu que ça se passe autrement.

— Ce n'est pas ta faute. C'est moi qui suis responsable. Après ce que tu m'avais dit, je devais m'y attendre. » Elle avait le visage contre lui et sa voix lui parvenait comme étouffée.

Le téléphone se mit à sonner. Elle le regarda puis traversa la pièce pour aller décrocher.

« Allô ? » Elle écouta un moment puis ajouta : « Je vais le lui dire » ; et elle raccrocha. « C'est Mme Torgersen. Elle dit que M. Murray vient d'appeler. Il veut que tu le joignes tout de suite. Il paraît que c'est urgent. »

Il eut immédiatement Murray au bout du fil.

« Je ne peux plus attendre, je subis des pressions de toutes parts. Quand rentres-tu ?

— Je peux partir dimanche.

— Va à Chicago, je t'y rejoindrai.

— D'accord.

— Tout s'est bien passé ? Alors, c'est un garçon ou une fille ? »

Brusquement Daniel se rendit compte qu'il ne lui avait donné aucune nouvelle.

« Un garçon.

— Félicitations ! Dis bien des choses à ta femme. Je te verrai lundi, à Chicago. »

Daniel raccrocha et se tourna vers Chris.

« Je ferais peut-être mieux de rentrer, déclara-t-il d'un ton las.

— Non. »

Il la dévisagea. Elle soutint son regard.

« Je suis givrée, je te l'ai dit. Par conséquent, tu ne seras pas quitte avant de m'avoir octroye une petite séance d'adieu. »

17

Lorsque Daniel débarqua du train en gare de Chicago, il constata que, déjà, les gros titres des journaux annonçaient la grève à Little Steel. Il acheta un exemplaire du *Herald Tribune* qu'il parcourut silencieusement dans le taxi qui l'emmenait directement au siège du syndicat.

En première page figuraient deux interviews. L'une avec Tom Girdler, président-directeur général de Republic Steel, était placée en tête et bien en vue. L'autre, plus petite, coincée en bas de page, se poursuivait à l'intérieur du quotidien, mais disposée de telle façon, qu'on avait du mal à s'y retrouver : il s'agissait d'un entretien avec Phil Murray, secrétaire général du syndicat des sidérurgistes affilié à la C.I.O.

> Les communistes, les anarchistes et les agitateurs qui s'efforcent de subvertir notre pays pour le livrer tout entier, pieds et poings liés, aux mains avides de l'Union soviétique vont se réveiller en sursaut. Quel choc pour eux quand ils se trouveront face à face avec l'immense majorité des Américains — les vrais Américains —, ceux qui sont décidés à défendre leurs idéaux et leur conception de l'existence, pour eux, comme pour leurs enfants ! Nous ne nous laisserons pas ébranler. Nous ne faillirons pas à notre tâche. Nous les attendons de pied ferme : nous les combattrons dans nos campagnes, dans nos rues, nous les pourchasserons jusqu'aux portes de nos usines, de la même façon que nos soldats ont fait reculer les Boches durant la guerre. Je m'adresse aux grévistes qu'on est en train d'abuser et je leur dis : « N'écoutez pas les faux prophètes qui vous trahiront et vous livreront aux mains de vos ennemis. Retournez à vos postes. Reprenez le travail. En vrais Américains, nous sommes prêts à pardonner et à considérer nos voisins comme des frères. »

Le commentaire de Murray contrastait avec le précédent par sa modération et sa volonté d'apaisement :

Tout ce que nous demandons pour nos ouvriers, c'est la justice : la sécurité d'emploi et les avantages que l'U.S. Steel et d'autres entreprises ont déjà accordés à nos compatriotes. Ces firmes ont reconnu que leurs exigences étaient justifiées et raisonnables. Nous n'avons pas la moindre intention de livrer quoi que ce soit aux mains d'une puissance étrangère, pas plus que nous ne sommes au service d'une quelconque idéologie. Ce que nous voulons, simplement, c'est améliorer les conditions de travail des ouvriers américains qui œuvrent pour nous rendre la vie plus facile et grâce à qui le progrès technique devient une réalité.

En sortant du taxi devant le siège du syndicat, Daniel laissa le journal dans la voiture. La valise à la main, il traversa tout l'étage réservé aux bureaux des sections locales ; comment ne pas être frappé par la différence entre l'organisation actuelle et l'état des choses en 1919, lorsque le syndicat avait tenté de s'implanter dans la sidérurgie ! A l'époque, on avait improvisé au petit bonheur la chance. Aujourd'hui tout était planifié. On disposait d'un département de l'information qui comptait à lui seul plus de quarante employés chargés d'avertir la presse et la radio et de leur transmettre des rapports à jour sur la vie et les activités du syndicat. Il y avait également un département des statistiques, chargé de se tenir au courant de toutes les tendances économiques susceptibles d'affecter directement les positions prises par le syndicat. Il y avait en outre un fonds d'aide, chargé de soutenir financièrement les adhérents, ou de subvenir à leurs différents besoins. Pas l'ombre d'un doute. Tout avait changé. Mais était-ce si différent ?

Certes, on mettait en pratique les techniques de gestion les plus sophistiquées, on disposait du plus puissant soutien financier qu'un syndicat ait jamais connu. Pourtant, il manquait quelque chose. Daniel le sentait confusément, sans pouvoir mettre le doigt dessus. Peut-être était-ce simplement le fait que, porté par la vague pro-syndicale de ces dernières années, le syndicat, plus fort que jamais, se montrait aujourd'hui trop sûr de lui et ne se méfiait plus suffisamment de la détermination manifestée par l'opposition. La subite capitulation des dirigeants de Big Steel l'année précédente, le succès de la percée des ouvriers du textile dans le Sud, l'organisation des ouvriers de l'automobile chez General Motors, tout cela laissait augurer une victoire qui n'était peut-être qu'illusion. En effet, toutes ces réussites enregistrées, tous ces accords obtenus par le syndicat, l'avaient été auprès de grandes entreprises : des firmes dont la part de marché réel était tellement énorme, que les quelques concessions accordées aux syndicats ne les affectaient qu'à peine. En revanche, les entreprises de moindre envergure, pour lesquelles la plus petite différence se répercutait aussitôt sur les marges bénéficiaires, avaient de bonnes raisons de ne pas se laisser faire. La firme Ford, par exemple, n'avait jamais été aussi loin de signer un quelconque accord. Même chose pour Little Steel. Et les dirigeants de ces firmes avaient fait de cette résistance un point d'honneur ; ils considéraient qu'il était de leur devoir de conserver leur liberté de manœuvre et de garder la haute main sur la gestion de leurs affaires. Pas plus que Henry Ford, Tom Girdler n'était prêt à ployer le genou devant la masse des prolétaires. Bien au contraire, ils estimaient que leurs ouvriers auraient dû se montrer reconnaissants de la chance qu'ils avaient de travailler dans leurs usines, après tout ce que leurs patrons avaient déjà fait pour eux.

Les bureaux de la direction du syndicat se trouvaient à l'autre bout de l'étage, loin des ascenseurs. Tous avaient une fenêtre qui donnait sur le centre ville, tous étaient pourvus de moquette, chacun meublé, sinon avec luxe, du moins confortablement. Quel contraste avec ceux des employés, entassés à trente ou quarante dans des pièces sans séparation, conçues pour en contenir tout au plus la moitié ! A présent, les dirigeants syndicaux étaient aussi isolés de la base et de leurs permanents, que l'était n'importe quel directeur d'entreprise, ceux qu'ils étaient précisément censés combattre. Brusquement, Daniel comprit. Une nouvelle hiérarchie était en train de se constituer. Tôt ou tard, l'homme qui se trouvait dans son bureau, derrière sa porte fermée, perdrait le contact avec l'extérieur, avec ceux qu'il avait pour mission de représenter. Il n'y avait plus aucun lien affectif. Le syndicat était devenu une sorte de représentant perfectionné d'un idéal qui, lui-même, s'était transformé en une gigantesque entreprise.

A présent, Daniel comprenait tout le poids, toute la responsabilité qui s'accumulait sur les épaules de Phil Murray. Son syndicat ressemblait à n'importe quel secteur de General Motors. Il avait des buts à atteindre et si, pour une raison ou une autre, il n'y parvenait pas, on en trouverait un autre pour le remplacer, un autre qui devrait atteindre lesdits objectifs. Il s'agissait de se lancer dans le combat, quand bien même l'issue en était douteuse. Murray devait prouver qu'il n'avait pas peur, qu'il ne faillissait pas à sa tâche. Or, pendant ce temps, il savait fort bien que Lewis était tranquillement installé dans son bureau à Washington, soucieux de préserver sa réputation : il était celui qui avait réussi à négocier avec Big Steel sans avoir eu recours à la grève. C'est pourquoi, lorsque les états-majors syndicaux se réunissaient, Lewis évitait soigneusement de prendre position pour ou contre la grève. Il préférait de très loin laisser la décision à Murray. Si ce dernier échouait, il signait son arrêt de mort. S'il réussissait, Lewis le soutiendrait et une partie du succès rejaillirait sur lui, parce qu'il avait montré la voie et qu'il avait bien placé la confiance qu'il accordait à Murray.

Daniel s'arrêta devant une porte où le nom de Murray était inscrit en lettres dorées et se tourna vers la secrétaire, assise à son bureau, juste devant la porte. C'était une nouvelle ; en tout cas, il ne l'avait jamais vue.

« M. Murray est là ? »

Elle leva les yeux de sa machine à écrire.

« Puis-je vous demander de la part de qui ?

— Daniel Huggins. »

Elle prit le téléphone.

« M. Huggins demande à vous voir, M. Murray. »

Un instant plus tard, elle raccrochait et déclarait d'un ton nettement plus déférent : « Vous pouvez entrer tout de suite, monsieur. »

Lorsqu'il le vit se lever de derrière son bureau pour l'accueillir, Daniel trouva que Murray avait l'air fatigué et tendu. Il lui serra vigoureusement la main.

« Je suis bien content de te voir.

— Moi aussi, répondit Daniel, sincère.

— Prends une chaise, fit Murray qui retourna à son bureau. Comment va le bébé ?

— Très bien.

— Ta femme doit être rudement fière ! Tu m'excuseras auprès d'elle de t'avoir rappelé si vite. »

Daniel le regarda dans les yeux.

« Ma femme est morte. »

Murray le dévisagea, interloqué.

« Mais tu ne m'en as rien dit !

— Il n'y avait rien à dire. C'est arrivé, voilà. Et c'est fini. »

Murray garda le silence un instant puis ajouta : « Je suis désolé, Daniel. Si j'avais su, je n'aurais pas insisté.

— Ne t'inquiète pas. J'ai fait ce que j'avais à faire ; maintenant, je peux reprendre le travail.

— Et ton enfant, qui s'en occupe ?

— J'ai trouvé une femme très bien, qui l'élèvera et qui s'occupera de la maison. Tout devrait bien se passer. »

Murray poussa un soupir de soulagement.

« Si je peux t'aider d'une manière ou d'une autre, dis-le moi.

— Merci. »

Daniel attendait. On avait échangé les politesses d'usage ; pourtant, dès l'instant où il avait mis le pied dans le bureau, il avait senti que quelque chose ne tournait pas rond. Il n'aurait su dire quoi exactement, mais il avait l'impression que Murray n'était pas vraiment dans son assiette.

Celui-ci, après avoir farfouillé sur son bureau, trouva finalement le papier qu'il cherchait. Il s'en empara, l'examina un instant, puis se décida à parler.

« J'ai un nouveau travail pour toi. Je vais te confier la coordination des sections locales du Middle West. Tu auras la charge de veiller à ce qu'aucune d'entre elles n'en fasse à sa tête.

— Je ne sais pas si je suis fait pour être bureaucrate. Je suis plutôt un homme de terrain. Pourquoi est-ce que je ne peux pas continuer mon boulot, comme avant ?

— Tu m'es bien trop précieux pour aller vadrouiller dans la nature avec les autres organisateurs. Ici, on a besoin de quelqu'un qui soit capable de nous faire un rapport complet sur notre situation exacte.

— A qui devrai-je rendre compte ?

— A David McDonald, à Pittsburgh. C'est lui qui a la responsabilité des opérations de routine. Moi, je vais repartir à Washington pour continuer à faire pression sur le gouvernement. »

Daniel hocha la tête. McDonald était un type compétent, un vétéran du syndicalisme dans l'industrie lourde. Le bruit courait qu'il était le dauphin de Murray, de même qu'on disait que, tôt ou tard, Murray prendrait la succession de Lewis. A présent, ce bruit se confirmait, du moins en partie. Cependant, Daniel n'y trouvait rien à redire. McDonald était le candidat tout désigné.

« Et mon nouveau poste me donne une autorité particulière ?

— A mon avis tu devrais aller voir David ; vous vous entendrez là-dessus. »

Daniel prit un cigare dans la poche intérieure de sa veste. Il en coupa le bout avec ses dents et l'alluma lentement, sans quitter Murray des yeux pendant l'opération. Finalement, quand son cigare se mit à tirer, il s'appuya au dossier de sa chaise.

« Très bien, Phil, déclara-t-il tranquillement. On se connaît depuis un bon bout de temps. Si tu me disais la vérité ? Pourquoi est-ce qu'on me met sur une voie de garage ? »

Murray rougit. « Ce n'est pas tout à fait vrai.

— Ce n'est pas tout à fait faux, non plus. »

Murray eut un signe de tête résigné.

« Tu ne me lâcheras pas tant que je ne te l'aurais pas dit, hein ? »

Daniel ne répondit rien.

« Il y a trop de gens qui t'ont entendu déclarer que tu étais contre la grève. Il y a beaucoup trop de gens qui sont au courant de ta liaison avec la fille Girdler. Alors ils n'ont plus confiance en toi.

— Et toi, tu as confiance en moi ?

— Ne dis pas de bêtises, s'écria Murray. Si je n'avais pas confiance en toi, je ne te confierais pas un nouveau travail.

— Je ferais peut-être mieux de laisser tomber quand même. J'ai horreur de me lancer à l'aveuglette.

— Pas question de laisser tomber, répliqua Murray avec vivacité. Je m'y oppose, de même que David et Lewis. A notre connaissance, tu es le seul à avoir travaillé dans toutes les sections locales, le seul sur qui nous puissions compter pour obtenir une photographie exacte de la situation. D'ailleurs, ça ne durera pas longtemps. Dès que la grève sera terminée, nous avons prévu de te confier une autre tâche.

— Cette grève n'est pas près de se terminer, déclara Daniel. J'ai l'impression que je n'arrive pas à vous faire comprendre à quel point Girdler est retors. Il s'est arrangé pour constituer une alliance contre nature avec d'autres syndicats qu'il a réussi à mettre dans sa poche. »

Murray restait songeur.

« Une alliance contre nature... Je pourrais utiliser cette formule dans la conférence de presse que je tiendrai la semaine prochaine à Washington.

— Ne te gêne surtout pas.

— Dans trois semaines, c'est la fête nationale. Nous avons prévu de grands rassemblements et des manifestations dans toute la région. A mon avis, cette alliance contre nature dont tu parles pourrait bien être remise en question quand les autres syndicats découvriront que nous avons la grande majorité des ouvriers avec nous.

— Je crois que ça ne leur fera ni chaud, ni froid. Ils sont décidés à briser cette grève, quel que soit le prix à payer.

— Daniel, cesse de me contredire, fit Murray d'une voix soudain lasse. J'ai déjà assez de gens sur le dos comme ça. On dirait que tu fais tout ton possible pour que je ne puisse pas te garder. Tu ferais mieux de m'aider, plutôt. »

C'était la première fois que Murray se montrait vulnérable à ce point et lui parlait aussi franchement. Seuls, des amis pouvaient s'entretenir ainsi, sans arrière-pensées. Lorsqu'il avait eu besoin d'aide, Murray avait toujours été là. Et depuis près de vingt ans il ne s'était jamais défilé. A présent, c'était son tour.

« D'accord, fit Daniel. Qu'est-ce que tu veux que je fasse en premier ?

— Que tu t'occupes des manifestations le jour de la fête nationale. Que tout se passe bien, sans incidents.

— Je ferai de mon mieux. » Daniel se leva. « Si je dois rester à Chicago, je ferais peut-être bien d'aller voir si je peux me trouver un logement. »

Murray le regarda.

« Merci, Daniel.

— Tu n'as pas besoin de me remercier, Phil. Je te dois bien ça. »

Murray eut un sourire fatigué.

« On pourrait discuter sans fin de ce qu'on se doit réciproquement, mais pour l'instant, l'important c'est que tu fasses ton travail. Au fait, j'ai oublié de te dire que le conseil d'administration a décidé de t'allouer un salaire de huit mille cinq cents dollars par an, étant donné tes nouvelles responsabilités. »

Daniel se mit à rire.

« Tu aurais dû me le dire tout de suite. Je ne me serais pas fait prier autant. »

Murray se mit à rire aussi.

« Si c'était seulement une question d'argent, tu aurais accepté l'emploi que te proposaient Browne et Bioff. Mais je te connais, va. »

18

Le bureau qu'on lui avait attribué était minuscule : il y avait juste assez de place pour une table et deux chaises, une devant et une derrière. Dans un coin de la pièce, un portemanteau. Les murs, peints en blanc, étaient nus. Il y avait tout de même une fenêtre : heureusement, sinon il serait devenu complètement fou au bout d'une semaine.

Il se sentait frustré et, de toute évidence, c'était le but recherché. Il se mit à téléphoner à toutes les sections locales pour prendre contact avec les responsables. Ceux-ci se montraient plutôt aimables mais peu disposés à abandonner la moindre parcelle de pouvoir ou d'autorité à quiconque sans un ordre exprès. Or, ils n'avaient reçu aucune instruction de la part du bureau central le concernant. Daniel n'avait pas réussi à joindre McDonald à Pittsburgh : pourtant, Dieu sait que ce n'était pas faute d'avoir essayé. Chaque fois, sa secrétaire lui promettait que McDonald le rappellerait, mais arrivé au bout de la semaine, il dut se rendre à l'évidence : ce n'était pas demain la veille que McDonald lui téléphonerait.

Les journaux du vendredi soir reproduisaient la conférence de presse de Murray à Washington. L'expression « alliance contre nature » avait fait mouche. C'était bien le genre de jargon journalistique dont la presse était friande. Gabriel Heatter lui-même reprit l'expression à son compte ce soir-là, en commentant les nouvelles à la radio. Daniel décrocha son téléphone et appela Murray à Washington. Il fut un tantinet surpris d'entendre Murray lui répondre.

« Félicitations, lança Daniel. La conférence de presse a eu un beau succès. Tous les journaux régionaux en font état. »

De toute évidence, Murray était content.

« Parfait. A mon avis, c'est signe que nous commençons à progresser. Nous allons avoir l'opinion publique pour nous. Qu'est-ce que tu deviens ?

— Moi ? je deviens fou, répliqua sèchement Daniel. Je ne fais strictement rien. On m'a mis hors course.

— Mais je ne comprends pas ! » Murray avait l'air sincèrement surpris. « Tu as pu joindre David ?

— Impossible de l'avoir au téléphone. Quant aux responsables locaux, personne ne les a avertis officiellement de ma prise de fonction. On m'a mis sur une voie de garage ; c'est comme si je n'existais pas.

— Je vais l'appeler.

— Je ne tiens pas à te compliquer la vie. Tu as assez de soucis comme ça. Je ferais peut-être mieux de partir.

— Non, s'écria Murray avec force. Reste là où tu es. Je vais arranger ça.

— Tu ne me dois rien. Et puis, j'ai l'impression que je ferais mieux de retourner en Californie pour aller voir mon gosse. Il est déjà privé de mère ; faut-il qu'en plus il n'ait pas de père ?

— Donne-moi jusqu'à la fin du mois. Si d'ici là, je n'ai pas réussi, tu feras ce que tu voudras.

— Entendu comme ça. » Daniel raccrocha et sortit la bouteille de whisky du dernier tiroir de son bureau. Il se versa un verre, se tourna vers la fenêtre et se mit à regarder le paysage tout en sirotant son whisky à petites gorgées. Il pleuvait ; l'obscurité tombait sur Chicago et, à force de regarder les immeubles disparaître et s'allumer les lumières, il se sentait enfermé, pris au piège.

Il se leva et ouvrit brusquement la porte. Il fut tout surpris de découvrir que la grande pièce était vide ; il n'y avait qu'une fille penchée sur sa machine à écrire, à l'autre bout de la salle. Il jeta un coup d'œil à sa montre. Il était cinq heures.

Décidément, les temps avaient changé. Il n'y avait pas si longtemps, les syndicalistes ne rentraient jamais chez eux. Ils restaient des heures durant à discuter des actions entreprises, des projets qu'ils espéraient mettre à exécution. Mais maintenant le syndicat ressemblait à n'importe quelle administration. A cinq heures tapantes, tout le monde rentrait à la maison.

Le verre à la main, il s'approcha de la fille. En entendant ses pas, elle leva la tête.

« Qu'est-ce que vous êtes en train de faire ?

— M. Gerard veut avoir ce rapport sur son bureau lundi matin, à la première heure.

— M. Gerard ? » Ce nom ne lui disait rien. « Dans quel service travaille-t-il ?

— Service juridique.

— Comment vous appelez-vous ?

— Nancy.

— Et ça vous plaît de travailler dans un syndicat, Nancy ? »

Elle baissa les yeux sur sa machine à écrire.

« C'est un travail comme un autre.

— Mais pourquoi avoir choisi un syndicat ? Vous avez l'impression de participer au mouvement ouvrier, de contribuer à l'amélioration des conditions de travail ?

— Ça, j'y connais rien. J'ai répondu à une petite annonce. Pourtant, on ne me paie que quinze dollars par semaine.

— C'est le salaire habituel d'une secrétaire ?

— Dans les autres bureaux, on en gagne plutôt dix-neuf. Le problème, c'est que je n'ai rien pu trouver d'autre.

— Vous devriez peut-être vous syndiquer », fit-il, sarcastique. Il termina son verre. « Vous voulez boire quelque chose, Nancy ?

— Non merci, il faut que je termine ce rapport.

— Comme vous voudrez », fit-il, et il retourna dans son bureau.

« M. Huggins ? » Daniel se retourna pour la regarder.

« Puis-je vous poser une question ?

— Certainement.

— Depuis qu'on a mis votre nom sur cette porte et que vous occupez ce bureau, tout le monde se demande ce que vous pouvez bien y faire et à quel service vous appartenez. Tout le monde vous trouve très mystérieux. »

Daniel se mit à rire.

« Vous avez déjà entendu parler du service d'outre-tombe ?

— D'outre-tombe ? répéta-t-elle, perplexe. Non, je ne crois pas.

— Eh bien, c'est là qu'on m'a mis ! » Sur ces mots, il repartit vers son bureau et referma la porte.

Il pleuvinait toujours quand il sortit et se dirigea vers le parking pour monter dans sa voiture. Il mit le contact, alluma les phares et resta assis, laissant le moteur tourner. L'idée de rentrer dans son appartement ne lui disait rien du tout. Il avait lu tous les journaux du jour et la perspective d'avoir à passer la soirée assis, tout seul, avec une bouteille de whisky à écouter la radio, ne le réjouissait guère. Il songea à aller au cinéma mais ça ne le tentait pas vraiment. Ça ne suffirait pas à lui remonter le moral.

Pris d'une soudaine impulsion, il se dirigea vers le quartier sud de Chicago, vers un bar situé près de l'usine Republic Steel, une entreprise où il avait recruté des adhérents. Le bar était bondé : des ouvriers de l'usine, qui avaient passé la plus grande partie de leur journée à faire les piquets de grève sous la pluie. Ils avaient soigneusement rangé leurs banderoles contre le mur. REPUBLIC STEEL EN GRÈVE ! POUR DES SALAIRES DÉCENTS, ADHÉREZ A LA C.I.O. Certaines étaient imprimées mais la plupart avaient été écrites à la main par les ouvriers.

Il se fraya un chemin jusqu'au bar et commanda un double whisky. En attendant qu'on le serve, il jeta un coup d'œil sur le comptoir. Il n'y avait que deux verres à whisky parmi d'innombrables chopes de bière. La grève avait modifié les habitudes des ouvriers. Les métallurgistes étaient des buveurs de whisky. D'ordinaire, ils ne buvaient de la bière que pour se rincer la bouche.

Le serveur posa le verre de whisky devant lui, et ramassa le billet de un dollar. Daniel prit son verre au moment où on lui rendait la monnaie. Il s'apprêtait à aller s'asseoir sur une banquette dans un coin de la salle lorsque quelqu'un l'appela de l'autre bout de la salle.

« Hé, Big Dan ! »

Daniel le reconnut ; c'était un homme âgé, un des plus vieux ouvriers de l'usine, l'un des premiers qui avaient adhéré au syndicat.

« Comment ça va, Sandy ? »

Sandy empoigna sa chope et fendit la foule pour s'approcher de lui.

« Ça va, Big Dan. Je m'attendais pas à te revoir par ici.

— Pourquoi pas ?

— On a entendu dire que t'étais reparti en Californie.

— C'est vrai. Mais je suis revenu depuis plus d'une semaine déjà.

— On t'a pas vu au bureau. » Il voulait parler du bureau de la section locale.

« On m'a mis à l'état-major, à Chicago. On m'a confié un nouveau poste.

— C'est ce que j'ai entendu dire aussi », commenta Sandy, sans enthousiasme.

Daniel lui lança un coup d'œil.

« Je ne savais pas qu'on s'intéressait tant à ma personne. Qu'est-ce que tu as entendu dire d'autre ? »

Sandy eut l'air gêné.

« Oh ! des choses.

— Servez-moi un autre whisky », fit Daniel au barman. Quand la commande arriva, il prit les deux verres pleins et se tourna vers Sandy. « Viens, on va aller s'asseoir. »

L'ouvrier le suivit jusqu'à la banquette et s'assit en face de lui. Daniel poussa l'autre verre de whisky vers son compagnon.

« A ta santé. » Tous deux vidèrent leur verre. « On est bien copains tous les deux, Sandy. Tu peux me dire ce qu'on raconte. »

Sandy fixait son verre, puis il leva la tête et le regarda.

« Que je te dise tout de suite : je crois pas un mot de ce qu'ils inventent. »

Daniel gardait le silence.

Sandy termina son verre. « Ils racontent que tu es contre la grève et que tu fricotes avec une fille de la famille Girdler. Et que c'est à cause de ça qu'on t'a mis au rancart. »

Daniel indiqua du geste les hommes qui se trouvaient au bar.

« Et eux, qu'est-ce qu'ils en pensent ?

— C'est rien que des Hongrois, des Suédois et des Nègres, fit Sandy, méprisant. Ils sont même pas capables de penser. On leur fait croire tout ce qu'on veut.

— On leur fait croire par exemple que je suis un type louche. C'est ça ? »

Ce fut le tour de Sandy de garder le silence. Daniel fit signe au serveur. Lorsqu'il apporta la commande, Daniel but une autre rasade. « Et vu d'ici, comment ça se présente ? L'usine est fermée ?

— Pas tout à fait. Elle tourne encore à quarante pour cent. Y a beaucoup d'ouvriers qui ont eu peur de débrayer quand Girdler a fait savoir qu'aucun gréviste ne serait réembauché. » Sandy but une gorgée avant d'ajouter : « Et là-bas, au quartier général, qu'est-ce qu'on en pense ?

— J'ai eu Murray au téléphone aujourd'hui. D'après lui, les choses ont l'air de bien se présenter pour nous. Il compte sur les manifestations qui auront lieu dans tout le pays, le jour de la fête nationale, pour nous rallier l'opinion publique et obliger les aciéries à négocier. »

Sandy opina. « Oui, ce jour-là, on a prévu un grand meeting. Tous les ouvriers de Republic Steel y seront. Il paraît qu'on sera trois cents à se retrouver chez Sam.

— Chez Sam ? La grande salle de réunion qu'on utilisait avant ? »

Sandy hocha la tête et leva son verre.

« J'aimerais bien que tu puisses venir nous y retrouver.

— Moi aussi.

— Le type qu'ils ont envoyé pour te remplacer, un certain Davis, c'est le genre intellectuel. On dirait un prof. Je suis sûr qu'il a jamais tenu une pelle dans ses mains. » Sandy vida son verre. « Remarque, je dis pas qu'il est pas réglo. Il dit tout ce qu'il faut dire. Mais j'ai l'impression que ce qu'il raconte, c'est ce qu'on lui a appris à l'école ou ailleurs. Tu crois qu'y a une chance pour que tu reviennes prendre ton poste ici ? »

Daniel se leva.

« J'en sais rien, fit-il sans entrain ; je connais absolument pas leurs intentions. » Il tendit la main à Sandy. « Bonne chance.

— Bonne chance à toi aussi. »

Daniel traversa la rue sous la pluie et ouvrit la porte de sa voiture. Trois hommes surgirent de l'ombre d'un immeuble et s'approchèrent de lui. Daniel sentit ses cheveux se hérisser sur sa nuque. Les trois individus s'arrêtèrent à deux mètres de lui.

« C'est toi, Big Dan ?

— Oui.

— T'as pas intérêt à remettre les pieds ici. On n'aime pas les jaunes ni les mouchards dans ton genre.

— J'appartiens toujours au syndicat et mes fonctions m'autorisent à aller où je veux.

— Ça, on s'en torche ! T'es qu'un salaud d'espion. Tu nous as vendus pour t'envoyer cette salope de Girdler. Les salauds dans ton genre, on n'en a rien à foutre par ici. »

Ils firent mine de s'avancer. Daniel sortit son revolver de son holster.

« Pas un pas de plus, lança-t-il tranquillement, sinon je vous fais sauter les couilles. »

Les trois hommes s'immobilisèrent, les yeux ronds.

« Maintenant, vous allez traverser la rue, là-bas. Et tâchez de pas faire les mariols sinon vous le regretterez. »

Il les regarda franchir la rue et dès qu'ils furent sur le trottoir, il monta en voiture et démarra.

Quand ils entendirent le moteur, les trois autres firent demi-tour et s'élancèrent derrière lui. Tandis que la voiture prenait de la vitesse il les entendait crier « Salaud de jaune ! lèche-cul ! ». Puis il tourna le coin de la rue et ce fut le silence.

L'usine se trouvait sur son chemin. Il la longea lentement. La nuit, les piquets de grève étaient peu nombreux ; quelques hommes faisaient tristement les cent pas sous la pluie. Derrière les grilles, on apercevait les gardiens, en uniforme impeccable, bien au sec sous leurs capotes imperméables. Il compta au moins vingt gardes contre quatre piquets de grève. Il bifurqua au carrefour suivant et reprit la direction de Chicago.

Il allait introduire la clé dans la porte de son appartement lorsqu'elle s'ouvrit toute grande avant qu'il ne l'ait enclenchée. Il l'ouvrit complètement et fit un pas à l'intérieur, le revolver à la main.

La voix de Chris lui parvint, depuis la cuisine.

« Ma parole, d'où viens-tu, Daniel ? Voilà près de trois heures que j'essaie de tenir le dîner au chaud ! »

19

Il devait être à peu près deux heures du matin, lorsqu'il ouvrit brusquement les yeux. Il tenta de les refermer un moment. Rien à faire, il était complètement réveillé. Sans bruit, pour ne pas la réveiller, il changea de position. En se retournant, il aperçut sa silhouette endormie ; son parfum, auquel se mêlaient les effluves de l'amour, flottait dans l'air. Il se glissa hors du lit et après avoir refermé doucement la porte derrière lui, il passa dans le salon.

Il ne prit même pas la peine d'allumer. Il savait où trouver la bouteille ; il mit la main dessus et se versa un verre. Il le vida d'un trait, s'assit près de la fenêtre et observa la pluie qui s'écrasait en gouttelettes d'or sur les réverbères de la rue. Il se resservit à boire. Mais ça n'arrangeait rien. Il sentait comme un manque, un creux, un vide tout au fond de lui-même. Il avait eu beau faire l'amour, la sensation persistait.

La porte de la chambre s'ouvrit et un rai de lumière jaillit dans la pièce derrière lui. Il se retourna et la vit debout, nue.

« Je ne voulais pas te réveiller, fit-il doucement. Tu ferais mieux de passer une robe de chambre. Il fait humide.

— Qu'est-ce qui te tracasse, Daniel ?

— Mets-toi d'abord quelque chose sur le dos. »

Elle disparut et revint un instant plus tard, toujours nue.

« Tu n'as pas de robe de chambre et moi, je n'en ai pas apporté. »

Il rit. Elle disait vrai. Il n'avait jamais eu de robe de chambre, ni même de pyjama. Quand il voulait mettre quelque chose pour dormir, il gardait ses sous-vêtements.

« Tu n'as qu'à mettre une de mes chemises. »

Elle lui arrivait au-dessous du genou.

« Je me sens ridicule.

— Ça vaut mieux que d'attraper froid. » Il se resservit à boire. « Tu en veux ? »

Elle fit signe que non et attendit qu'il ait vidé son verre.

« Qu'est-ce qui se passe, Daniel ? Je ne t'ai jamais vu comme ça.

— C'est comme si, brusquement, j'étais devenu l'homme invisible.

— Tu veux dire : à cause de ton nouveau travail ? »

Il la regarda, surpris.

« Tu es au courant ?

— Bien sûr.

— Comment l'as-tu appris ?

— De la même façon que j'ai su où tu habitais. Dans les dossiers confidentiels de mon oncle Tom.

— Ils s'occupent de trucs comme ça ?

— Ils ont des dossiers sur tout le monde et sur tous les sujets.

— Et... pour nous, il est au courant ? » Chris fit signe que oui. « Il t'en a parlé ?

— Au début, il était furieux et puis, il a fini par se calmer. Ce n'est pas que ça lui plaise, mais il dit que j'aurais pu choisir pire encore. J'aurais pu tomber sur un Juif communiste ou sur un Nègre. »

Daniel eut un petit rire amer.

« Ça t'étonnerait si je te disais qu'il en sait plus sur mes nouvelles fonctions que la plupart des permanents du syndicat ?

— Il m'a dit qu'on t'avait mis à l'écart parce que tu n'étais pas chaud pour déclencher une grève maintenant. Et il a ajouté que, s'ils n'avaient pas lancé cette grève, ils t'auraient viré sans attendre. Mais en ce moment, ils ont peur que ça ne fasse trop de vagues. Selon eux, s'ils te saquaient maintenant, les responsables locaux qui te connaissent et qui ont travaillé avec toi n'y comprendraient plus rien. »

Daniel eut un geste désabusé.

« Eh bien, ils se trompent ! Ce soir, je m'en suis aperçu : tout le monde s'en fout. Ce qui est sûr, c'est que quelqu'un m'a descendu en flammes. On déforme tout ce que j'ai pu raconter et on fait courir des bruits sur mon compte. A l'usine, tout le monde est au courant de notre liaison. Ils croient que je les ai vendus pour tes beaux yeux.

— Ils devraient te connaître, pourtant.

— Phil Murray me connaît, lui. Mais les autres, ça m'étonnerait qu'ils soient aussi convaincus.

— C'est moche. Qu'est-ce que tu vas faire ?

— Franchement, je ne sais pas. Murray me dit de patienter. Il dit qu'il finira par tout arranger. Seulement, je ne suis pas sûr de pouvoir attendre comme il le voudrait. Rester assis, toute la journée, dans mon bureau à ne rien faire, c'est pas dans mes habitudes.

— Pourquoi est-ce que tu n'en parlerais pas à mon oncle ? A la façon qu'il a eue de me parler de toi, je sais qu'il te respecte, même s'il ne t'aime pas particulièrement. »

Il leva les yeux sur elle.

« Je ne peux pas faire ça. Je suis depuis trop longtemps de ce côté-ci de la barrière pour pouvoir la franchir comme ça, tout d'un coup. Et puis, si je passais de l'autre côté, tout ce qu'on raconte sur moi deviendrait vrai. »

Elle s'approcha de lui.

« Je t'aime. Je ne veux pas te voir souffrir comme ça. »

Il ne répondit pas ; il se contentait de la regarder.

« Je sais : j'avais dit que j'attendrais que tu m'appelles. Seulement, je n'ai pas pu. Tu me manquais trop. Daniel, je veux rester ici avec toi. »

Il poussa un profond soupir.

« Moi aussi, je le voudrais. Mais ça ne ferait qu'envenimer les choses.

— Qu'allons-nous faire, alors ?

— Attendre. Comme Murray me l'a dit. Quand ce sera fini, les choses s'arrangeront peut-être.

— Et si tu n'en peux plus d'attendre, si tu décides de partir ?

— Je vais te faire une promesse. Si jamais je décide de m'en aller, je t'emmènerai avec moi. »

Daniel vit les yeux de Chris se remplir de larmes. Il l'attira contre lui. « Ne sois pas sotte, voyons », fit-il en l'embrassant sur la joue.

« Je ne suis pas sotte, renifla-t-elle. Je suis heureuse, c'est tout. » Elle le regarda dans les yeux. « Et toi, tu m'aimes ?

— Pas de questions indiscrètes, fit-il taquin.

— Un petit peu, seulement ?

— Comment ça : " un petit peu " ? » reprit-il en riant. Il l'embrassa sur la bouche. « Je t'aime beaucoup. »

Il jeta un coup d'œil au calendrier sur son bureau. Vendredi, 28 mai 1937. Les deux dernières semaines s'étaient écoulées avec une lenteur interminable. Il avait passé son temps à attendre un appel qui n'était jamais venu. Malgré la promesse de Murray, McDonald ne lui avait pas téléphoné. Et pendant ce temps, il sentait la pression monter dans les bureaux du syndicat, juste à côté de lui. Il savait qu'on était en train d'organiser les manifestations prévues pour le jour de la fête nationale, mais personne ne lui en touchait un mot ; on le tenait à l'écart des conversations. Il en apprenait davantage sur l'évolution de la grève en lisant les journaux qu'en restant au bureau. Il consulta sa montre : cinq heures et demie passées.

Il ouvrit la porte de son réduit, et risqua un œil. La grande salle était déserte. Il referma sa porte et revint à son bureau. Il décrocha le téléphone et demanda Phil Murray à Washington. Murray était parti pour Pittsburgh et ne serait pas de retour avant lundi. Il essaya de le joindre à son domicile de Pittsburgh, mais ça ne répondait pas.

Il sortit sa bouteille de whisky d'un tiroir. Elle était presque vide. Ça ne valait même pas le coup de sortir un verre. Il termina ce qui restait au goulot. A nouveau, il consulta le calendrier. Murray lui avait demandé d'attendre jusqu'à la fin du mois. S'il n'avait pas la berlue, on y était bel et bien, à la fin du mois ! Une idée lui traversa l'esprit.

Lundi, c'était le 31. Est-ce qu'on ne voulait pas le garder ici, bien tranquillement, à l'écart, jusqu'à ce que les manifestations se soient déroulées dimanche ? Ce que Girdler avait dit à Chris était-il vrai ? Avait-on peur que sa présence ne vienne tout compromettre ?

Il se demanda comment ça se passerait lundi. Murray allait-il l'appeler pour lui faire savoir qu'hélas, il n'avait rien pu arranger ? Ou bien le jugerait-on suffisamment sûr pour lui confier un véritable travail ? Dans un cas comme dans l'autre, il n'était pas plus avancé maintenant. Il posa ses mains bien à plat sur son bureau et les contempla. Si quelque chose en lui avait changé, ça ne se voyait pas à ses mains. Elles étaient toujours pareilles. Grandes, larges, des vraies mains d'ouvrier. Pas celles d'un homme censé réfléchir et évaluer. Or c'était bien ce qu'il avait toujours été : un ouvrier, un travailleur manuel. Quelqu'un qui obéissait aux ordres, aux idées, aux volontés des autres.

Une soudaine bouffée de colère s'empara de lui. Ses mains se crispèrent ; il leva les poings et les abattit de toutes ses forces sur son bureau. Il eut mal jusque dans les bras. Il leva ses poings devant son visage et les regarda. Les articulations étaient blanches, la peau, fendue, saignait. Lentement, il ouvrit les mains. Tant pis pour ce qu'il croyait tenir : à présent, il était temps de lâcher prise.

Il était grand temps de partir. Il lui tardait d'avancer, de découvrir enfin ce qui se passait dans sa propre tête. Il allait ouvrir le tiroir de son bureau lorsqu'il entendit frapper à la porte.

« M. Huggins ? » Une voix féminine.

Il se dirigea vers la porte et l'ouvrit. C'était Nancy, l'air affolé.

« Oui ? interrogea-t-il, maussade.

— Je suis revenue prendre quelque chose que j'avais oublié sur ma table et j'ai entendu un grand bruit dans votre bureau. Il n'y a pas de mal ?

— Non, non, ça va », répondit-il lentement.

Elle parut un peu soulagée.

« Bon, ben, je vais m'en aller, alors. Excusez-moi de vous avoir dérangé.

— Mais pas du tout, Nancy. Merci de vous être inquiétée. » Elle allait partir. Il l'arrêta : « Nancy !

— Oui, M. Huggins ?

— Est-ce que vous avez le temps de me taper une lettre ?

— Ce sera long ? Je sors ce soir et il faut que je rentre chez moi pour me changer.

— Il ne devrait pas y en avoir pour longtemps. Mais, pour moi, c'est très important.

— Entendu. Je vous demande un instant : le temps d'aller chercher mon bloc de sténo. »

Il la regarda se diriger vers son bureau puis se tourna vers le sien et se mit à en vider tous les tiroirs.

20

Elle arriva dans l'appartement peu de temps après le déjeuner. Elle entra dans la chambre et le trouva penché au-dessus de sa valise ouverte.

« Je peux t'aider ? »

Il fit signe que non.

« J'ai presque fini. Il n'y avait pas grand-chose. » Il vida le dernier tiroir de son bureau et boucla sa valise. « Ça y est. »

Elle s'écarta pour le laisser poser sa valise à côté de l'autre, devant la porte d'entrée.

« Mes bagages sont dans la voiture », dit-elle. Il se redressa. Son train ne partait qu'à six heures.

« Il me reste une bouteille de whisky à moitié pleine. Je ne vois pas pourquoi je leur en ferais cadeau. »

Elle approuva. Il alla chercher la bouteille et deux verres. Il lui en tendit un et inclina la bouteille.

« Juste un petit peu », dit-elle.

Il lui versa un doigt d'alcool et remplit son verre. « A la tienne », dit-il. Elle but une gorgée et fit la grimace.

« Comment peux-tu boire ça ? C'est ignoble. »

Il se mit à rire.

« Tu ferais mieux de t'y habituer. C'est l'alcool du pauvre. Ton martini coûte deux fois plus cher. »

Chris ne répondit rien. Il la regarda attentivement. « Tu es bien sûre de vouloir venir ? Tu vas mener une vie très différente. Il est encore temps de changer d'avis. Je comprendrai.

— Je ne te laisserai pas partir aussi facilement », fit-elle avec un sourire. Elle but une autre gorgée. « Pas si mauvais que ça, ce whisky, finalement. » Daniel eut un petit rire.

« Tu as pu avoir Mme Torgersen ?

— Oui. Elle s'est déjà installée dans la chambre du bébé. On pourra donc avoir l'autre. Elle était très contente de savoir que tu venais avec moi. Elle t'aime beaucoup.

— Elle me connaît depuis longtemps. Comment va le petit ?

— Elle m'a dit qu'il se portait comme un charme, fit Daniel avec une pointe d'orgueil. Il grandit. Il a pris près d'une livre et il est gentil comme tout. Il dort toute la nuit sans se réveiller.

— Tu as hâte de le voir ? »

Il la considéra et hocha la tête.

« Oui ; c'est drôle. Je ne m'étais jamais imaginé que je serais père un jour. Mais quand je l'ai tenu dans mes bras, quand je l'ai regardé et que je me suis dit que c'était en partie moi qui l'avais fait, j'ai eu l'impression que je vivrai toujours. »

Chris lui tendit son verre.

« Je crois que je vais en reprendre un petit peu. »

Daniel lui en resservit un fond.

« Quel temps fait-il, dehors ?

— Il y a du soleil et il fait chaud.

— Tant mieux. Au moins, les grévistes ont de la chance. Quand la pluie vous dégouline sur la figure, c'est pas facile d'avoir l'air sûr de soi. La secrétaire qui m'a tapé ma lettre m'a dit que son chef de service était très content. Les actualités cinématographiques Paramount viendront filmer les manifestations, dans la banlieue sud de Chicago. Mardi prochain, elles passeront dans six mille salles de cinéma.

— Je suis contente que tu ne sois pas avec eux. Ce matin, pendant le petit déjeuner, j'ai entendu mon oncle Tom qui téléphonait. Il était en communication avec un haut responsable de la police de la zone sud de Chicago. Il disait qu'il avait peur que ça ne dégénère devant son usine et il a demandé cent cinquante policiers en renfort. Quand il est revenu s'asseoir à table, il était tout souriant. Il a déclaré à ma tante que si les cocos venaient semer la merde, ils allaient trouver à qui parler. »

Daniel la dévisagea.

« Il a déjà près d'une centaine de gardiens à l'intérieur. Pourquoi lui faut-il encore des flics dehors ?

— Je ne sais pas. J'étais bien trop occupée à me demander comment j'allais faire pour quitter la maison avec mes bagages sans que mon oncle et ma tante s'en aperçoivent.

— Il va être déçu. Le meeting doit se dérouler dans une salle à plusieurs centaines de mètres de là. Ils ne s'approcheront pas de l'usine. »

Chris n'ajouta rien.

Une idée lui traversa l'esprit.

« Ton oncle Tom avait l'air sûr qu'ils iraient manifester devant l'usine ? » Elle hocha la tête. Il reposa son verre. « Je ferais mieux d'aller faire un tour là-bas pour m'assurer qu'ils ne s'approcheront pas des grilles.

— Ça ne te regarde plus, Daniel. Tu as donné ta démission. Souviens-t'en.

— Je me souviens de Pittsburgh en 1919. Il y a eu tout un tas de blessés parce que personne n'avait eu le courage de raisonner les manifestants.

— On est en 1937. Et puis, ça ne te regarde plus.

— Peut-être. Mais la plupart de ceux qui seront là-bas, c'est moi qui les ai recrutés. S'il y a des blessés, je ne veux pas les avoir sur la conscience. »

Chris garda le silence.

« Donne-moi les clés de la voiture.

— Ne t'en mêle pas, Daniel. Tu m'as dit hier qu'on allait commencer une nouvelle vie.

— Non, Chris, je ne peux pas commencer une nouvelle vie sur les cadavres de mes amis. Surtout si j'ai une chance de pouvoir empêcher un massacre. Donne-moi les clés.

— Alors, je t'accompagne.

— Non. Attends-moi ici.

— Tu m'as dit que tu m'emmènerais partout où tu irais, fit-elle calmement. On commence dès maintenant. »

Devant chez Sam, les rues étaient noires de monde et encombrées de nombreuses voitures, à tel point que Daniel ne trouva pas de place pour se garer. Il s'arrêta au beau milieu de la rue et sortit de l'auto. « Va te garer au prochain carrefour et attends-moi. »

Le visage de Chris était pâle. Elle acquiesça. Daniel fit demi-tour et se dirigea vers la salle de réunion. Il faisait une chaleur inhabituelle et la foule qui emplissait la rue avait plus l'air d'une grande famille en vacances que de grévistes résolus. Beaucoup d'ouvriers étaient venus accompagnés ; on voyait çà et là des femmes et des enfants au milieu des hommes en bras de chemise.

Daniel se fraya un chemin dans la cohue jusqu'à la salle de réunion. Elle était pleine à craquer. Sur la petite estrade, tout au fond, plusieurs hommes étaient assis. Il y en avait un debout qui hurlait devant la tribune.

« Il n'y a qu'un seul moyen de montrer aux flics qu'ils ne nous font pas peur et que Girdler ne fait pas la loi. Il faut qu'ils voient que nous, le peuple, nous, les grévistes, on est forts, on est courageux. Qu'on ose les regarder en face et leur cracher à la gueule ! »

La foule fit entendre des cris d'assentiment. L'orateur jeta un coup d'œil au papier qu'il tenait en main.

« C'est pourquoi, nous déclarons, nous, membres du syndicat des sidérurgistes, section X..., que nous condamnons l'attitude arbitraire et répressive de la police de Chicago, qui cherche à intimider et à effrayer les ouvriers, pour les empêcher de s'exprimer librement et de se mettre en grève pour améliorer leurs conditions de travail, ainsi que la Constitution de ce pays les y autorise. Que ceux qui sont d'accord, disent : oui. »

Un « oui » massif et assourdissant lui répondit.

« On n'a qu'à leur montrer tout de suite » hurla quelqu'un dans la foule.

« C'est ça, on va leur faire voir ce que c'est qu'un piquet de grève ! Ils croient qu'on est pas plus de dix et on sera plus de mille ! »

Daniel parvint enfin devant l'estrade au moment où toute la salle approuvait vigoureusement cette proposition. Il repoussa l'orateur et s'écria : « Arrêtez ! Arrêtez ! »

La salle était encore en pleine ébullition. L'orateur se tourna vers Daniel.

« Va-t'en d'ici, Huggins. On n'a vraiment pas besoin de toi » siffla-t-il d'une voix que seul Daniel entendit.

« Ah ! c'est toi, Davis. Alors écoute-moi bien. Je te signale qu'il y a cent cinquante flics dehors qui n'attendent que la castagne. Il ne faut pas sortir d'ici. Si vous allez manifester devant l'usine, il y aura des tas de blessés. Pas seulement des hommes, mais aussi des femmes et des enfants.

— Les ouvriers ont le droit de s'exprimer.

— Et leurs dirigeants seront responsables s'il y a des blessés. J'ai vu ce que ça a donné en 1919 quand les chefs du mouvement ont abdiqué leurs responsabilités. Ça peut très bien se reproduire.

— Non. Cette fois-ci, on est trop nombreux. Et puis, les flics n'oseront rien faire devant les caméras des actualités. C'est pour ça que je me suis arrangé pour que les gens de Paramount soient là.

— Les caméras n'ont jamais arrêté les balles, répliqua Daniel qui se retourna vers la foule. Camarades ! s'écria-t-il. Vous me connaissez. Il y en a beaucoup parmi vous que j'ai fait adhérer à ce syndicat. Moi aussi, je souhaite que cette grève réussisse. Mais ce n'est pas en allant manifester contre la police de Chicago qu'on gagnera. Pour remporter la victoire, il faut faire cesser la production et convaincre le reste des ouvriers de se joindre à nous. C'est là-dessus qu'il faut faire porter nos efforts : nous devons trouver des moyens de persuader nos camarades que notre combat est aussi le leur. C'est ici, au syndicat, que nous gagnerons notre lutte. Sûrement pas dehors, devant les grilles de l'usine. »

Une voix sarcastique partit de la foule.

« On te connaît, Big Dan ! Tu nous as vendus pour t'envoyer la fille Girdler, tout le monde le sait. Tu es contre la grève, et ça, tout le monde le sait aussi.

— C'est faux ! cria Daniel.

— Si c'est faux, hurla un autre, prouve-le : viens avec nous au lieu de nous contredire ! »

Daniel regarda l'auditoire brusquement redevenu silencieux.

« C'est ce que je vais faire. Je viendrai avec vous. Mais seuls les hommes iront. Vos femmes et vos enfants ne doivent pas vous suivre. »

La foule poussa un rugissement. Deux jeunes gens bondirent sur l'estrade, s'emparèrent des drapeaux américains et prirent le chemin de la sortie. Daniel regarda Davis.

« Il faut que tu m'aides, mon vieux. Essayons de les arrêter au prochain carrefour avant l'usine. »

Sans laisser à l'autre le temps de répondre, Daniel sauta du podium et se dirigea vers la sortie entre les deux porteurs de drapeaux.

Dehors, il faisait de plus en plus beau et chaud. Daniel ôta sa veste et la porta sur son bras.

« Passons par les champs, cria quelqu'un. La police bloque les rues. »

Sans hâte, mais d'un pas résolu, tout le monde se mit en marche vers l'usine à un peu plus d'un kilomètre de là, à travers champs. Daniel se retourna et regarda derrière lui. Les hommes s'étiraient en une longue file désordonnée. Malgré la mise en garde de Daniel, les femmes et les enfants s'étaient joints à eux. Les gens avaient un air de gaieté presque enfantine ; on aurait dit qu'ils se rendaient à un grand pique-nique du dimanche. Ils ressemblaient fort peu à des piquets de grève.

« Dites aux femmes et aux enfants de partir ! » leur cria-t-il. Mais sa voix se perdit dans le brouhaha. Une main se posa sur son bras. Il se retourna.

« Big Dan ! Je savais bien que tu viendrais. »

Sandy était à côté de lui en compagnie de Davis. Daniel ne répondit pas. Il regarda Davis.

« Vous avez vu, là-bas ? Il y a toute une armée de flics qui nous attendent. Vous me croyez, maintenant ? »

Davis leva les yeux.

« Je les vois. Mais ils ne tenteront rien. Le camion de prise de vues est juste derrière eux. Il faut qu'on se rapproche assez pour qu'on puisse nous filmer, que tout le monde sache que nous sommes très nombreux.

— Qu'est-ce qui est le plus important ? La vie des gens ou les actualités ?

— Les actualités feront passer notre message dans tout le pays. »

Daniel le regarda. Ça ne servait à rien. C'était absurde. Ils allaient comme des moutons à l'abattoir.

« Tenez-les à distance, fit-il sourdement. Essayez de les arrêter. »

Mais c'était peine perdue. La foule derrière eux continuait à pousser. Daniel vit les policiers sortir leurs armes et leurs matraques. Brusquement, une image lui revint. Celle des Boches qui se trouvaient en face, de l'autre côté du *no man's land.*

Ils avaient franchi la moitié du dernier champ, et n'étaient plus qu'à une soixantaine de mètres des policiers. Daniel leur tourna le dos et tenta d'arrêter la foule.

« Stop ! vociféra-t-il. Formez un cordon ici ! »

Une voix inattendue se joignit à la sienne.

« Oui, cria Davis. Formez le cordon ici. Un drapeau à droite, un drapeau à gauche et vous autres, mettez-vous entre les deux. »

La foule flottait, désemparée, ne sachant trop que faire. Daniel donna une bourrade à l'un des porte-drapeaux. « Avance, mon gars ! » L'homme se mit en marche. « Bon, maintenant, suivez-le », hurla Daniel à la foule.

« Suivez-le ! » reprit Davis.

Daniel lui jeta un coup d'œil et le remercia.

« Ne me remercie pas, fit Davis crispé. J'ai la trouille.

— Avec un peu de chance, on devrait pouvoir s'en tirer. »

Mais la chance n'était pas avec eux. Daniel entendit éclater les premiers coups de feu. Il sentit comme un coup de massue s'abattre dans son dos et il plongea vers le sol. Il tenta de se relever sur les mains, mais ses jambes ne le soutenaient plus. Il entendit le cri des femmes et les hommes qui hurlaient, pris de panique. Ensuite, il y eut partout les uniformes bleus de la police ; les flics tapaient dans le tas à coups de matraque et de bâton. Il vit Davis et Sandy tomber sous les coups d'une meute de policiers qui s'acharnèrent longtemps sur leurs corps inertes et prostrés.

Les larmes lui vinrent aux yeux. « Merde ! » s'écria-t-il. Il souffrait plus encore moralement que physiquement. « Merde, merde, merde ! »

Soudain, ses bras cédèrent et il bascula dans la nuit.

AUJOURD'HUI

Était-ce le dimanche ? Était-ce l'heure du déjeuner ? Ou bien l'embargo arabe sur le pétrole avait-il laissé une trace indélébile dans la conscience des automobilistes américains ? Toujours est-il que ça faisait près d'une heure que j'étais assis sur le petit mur de pierre et que je n'avais pas vu une seule voiture passer.

Je me souviens de l'indignation de mon père quand les automobilistes ont commencé à faire la queue devant les pompes à essence et que les usines se sont mises à fermer, faisant des milliers de chômeurs. Il avait tenu une conférence de presse au cours de laquelle il s'en était pris à tout le monde. Au président, au Congrès, aux compagnies pétrolières. « C'est toujours la même histoire, avait-il fulminé, ils sont tous en cheville pour faire monter les prix et vider les poches des ouvriers américains, ceux-là mêmes qui ont travaillé sur les puits de pétrole et qu'on prive maintenant des fruits de leur labeur. Le pouvoir, c'est nous qui l'avons donné aux Arabes, en leur permettant d'exploiter leurs ressources énergétiques aux dépens des nôtres et, plus encore, aux dépens des ouvriers américains. On nous avait promis que, de cette façon, le pétrole nous reviendrait moins cher. A présent, il nous faut payer le prix. Et quel prix ! Il nous faut subir le chantage et l'extorsion. Exterminons-les ! Nous avons pour nous le droit et toutes sortes de bonnes raisons : la sécurité de notre pays, notre existence et notre bien-être se trouvent menacés. Envoyez les marines ! »

Nombre de journaux et de commentateurs le traitèrent de chauviniste rétrograde, de faucon hystérique, l'accusant d'être pro-sioniste et anti-Arabe. Lui, plein de mépris, répliqua : « Nous n'avons pas participé aux deux dernières guerres mondiales pour assurer la sécurité des Arabes et des compagnies pétrolières, encore moins pour leur permettre de s'enrichir à nos dépens. L'histoire de notre pays le prouve amplement : lorsqu'il le faut, nous savons réagir et nous battre pour défendre nos droits. Si nous ne le faisons pas aujourd'hui, dans cinq ans, nous constaterons que nous nous sommes livrés — nous et la civilisation occidentale tout entière — aux mains de Caïn. »

Ces paroles, il n'y avait pas si longtemps qu'il les avait prononcées. Mais maintenant, c'était fini. Pour lui, du moins. Il a disparu et plus personne sans doute ne prête attention à sa voix. Excepté moi. Je me demande dans combien de temps je serai capable de ne plus l'entendre.

« Quand tu me connaîtras, Jonathan.

— Je te connais, papa. Je t'ai toujours connu.

— C'est ce que tu as toujours cru. Seulement, maintenant, tu commences à comprendre, a-t-il répondu d'une voix radoucie.

— A comprendre quoi ?

— D'où je viens. Qui je suis.

— Qui tu étais *», ai-je fait remarquer.*

Il a eu son petit rire.

« C'est un point de vue.

— Je ne vois pas où est le changement. Tu restes conforme à l'idée que je me suis toujours faite de toi.

— Je n'ai jamais prétendu être quelqu'un d'autre. Je resterai toujours conforme à l'idée que tu te feras de moi. De même que tu seras toujours en accord avec l'image que tu as de toi-même.

— Je crois que je vais rentrer à la maison, p'pa. Je commence à en avoir marre de rester assis sur des murets, perché sur des clôtures ou planté au bord de la route. Je n'ai plus rien à découvrir en menant ce genre de vie.

— C'est parce que tu te sens seul. Un peu de patience ! Le voyage tire à sa fin. Une fois rentré, tu verras que ce que tu as appris forme un tout.

— Je ne sais même pas ce que je suis censé apprendre.

— A aimer, mon fils. Il faudrait être bien bête pour rater ça !

— J'en ai ras le bol de toutes ces conneries, p'pa. Je rentre à la maison. Tout de suite.

— Non, a-t-il répliqué d'une voix forte et autoritaire. Regarde la route, mon fils et tu comprendras pourquoi aucune voiture n'est passée depuis une heure et pourquoi tu es assis sur ce muret à ce moment précis. »

Au loin, j'ai vu une voiture se profiler en haut de la côte et descendre à toute allure dans ma direction. Le soleil faisait étinceler sa calandre argentée. Elle est passée devant moi : c'était une Rolls Royce *Corniche* blanche, décapotée, conduite par une jeune femme dont les longs cheveux blonds flottaient au vent. Elle a parcouru encore plusieurs centaines de mètres, puis j'ai vu ses stops s'allumer. Elle s'est immobilisée : les feux de recul se sont éclairés. Elle a fait marche arrière jusqu'à ma hauteur.

La voiture s'est rangée sur le bas-côté et s'est arrêtée. La fille et moi, on est restés chacun assis à se regarder. Sans rien dire. On se regardait, simplement.

Elle était superbe. Elle avait la peau bronzée ; ses cheveux blond très clair lui tombaient au-dessous des épaules, à présent que le vent ne les soulevait plus. Elle avait des pommettes saillantes, une bouche bien dessinée et un menton volontaire. Mais c'étaient surtout ses yeux qui retenaient l'attention : gris pâle, pailleté de bleu vif. Je les avais déjà vus, ces yeux, dix mille fois peut-être, sans pouvoir dire où.

Enfin, elle a souri, découvrant des dents blanches. Cela lui dessinait des petites rides au coin des yeux qui les faisaient paraître plus bleus. Sa voix était plutôt grave mais très douce et son articulation parfaite.

« *Humpty Dumpty s'est assis sur un mur.*

— *Humpty Dumpty s'est cassé la figure,* ai-je enchaîné.

— *Tous les chevaux du roi...*

— *Et tous ses courtisans...* »

Nous avons achevé ensemble :

« ... *n'ont pu remettre Humpty comme il était avant.* »

On s'est mis à rire.

« C'est toi, Humpty Dumpty ? a-t-elle demandé.

— Je ne sais pas. A ton avis ?

— Ça se pourrait bien, a-t-elle répondu sérieusement.

— Non. C'est un personnage de comptine.

— Alors, qu'est-ce que tu fabriques, assis sur ton mur, comme lui ?

— J'en savais rien avant que tu arrives. Maintenant, je sais. Je t'attendais. J'ai failli partir mais on m'en a dissuadé. »

Elle a jeté un coup d'œil circulaire.

« Qui ça ? Je ne vois personne.

— Un ami. Mais il est parti, à présent. »

De nouveau, elle m'a regardé.

« J'ai eu l'impression que tu m'appelais. C'est pour ça que je me suis arrêtée. »

Je n'ai rien dit.

« J'ai vraiment entendu quelqu'un m'appeler, pourtant. »

J'ai sauté à bas du mur.

« C'est moi qui t'ai appelée, Princesse. »

J'ai attrapé mon sac et je l'ai balancé sur le siège arrière. Ensuite, je me suis assis à côté d'elle.

« Princesse »... a-t-elle répétée, rêveuse. « Seule ma mère m'appelait comme ça. Mon nom c'est... »

Je l'ai interrompue. « Inutile de me le dire, Princesse. Je ne tiens pas à le connaître.

— Et toi, comment faut-il t'appeler ? Humpty Dumpty ?

— Non. Jonathan.

— J'aime bien ce prénom ; il te va bien. » Elle embraya et la voiture démarra silencieusement, sans à-coup. En un clin d'œil, nous roulions à cent à l'heure. « Je t'emmène chez moi.

— Bon. »

Elle m'a dévisagé.

« Quel âge as-tu ?

— Dix-huit ans. » Je n'exagérais pas tellement : je vais les avoir dans deux mois.

« Tu fais plus vieux. »

Je n'ai pas relevé. Elle a plongé la main dans le vide-poche situé entre les deux sièges-baquets et en a sorti un étui à cigarettes en or qu'elle a ouvert. « Tu m'en allumes une ? »

C'étaient de minces cigarettes de marijuana, roulées à la machine dans du papier brun foncé à bout doré. Ça m'a impressionné. J'ai allumé le joint. C'était de la bonne came, probablement la meilleure que j'aie jamais goûtée. Deux bouffées, et j'étais déjà parti ! Je lui ai passé la cigarette. Elle l'a placé au coin de la bouche et l'a laissée pendre. Deux secondes plus tard, j'ai regardé le compteur : on faisait du cent quarante. J'ai allongé le bras et lui ai ôté le joint des lèvres.

« Qu'est-ce qui te prend ? »

Du geste je lui ai montré le compteur.

« Tu m'as dit que tu m'emmenais chez toi. J'aimerais être sûr d'y arriver. »

L'aiguille du compteur s'est immobilisée sur le chiffre cent.

« Tu ne risques rien, tu sais.

— Je n'en doute pas. » J'ai éteint la cigarette. « Seulement moi, je suis du genre prudent. »

Elle s'est tue. Quelques minutes plus tard, elle s'est engagée sur la bretelle qui conduit à West Palm Beach et s'est arrêtée au péage. Les employés avaient tous l'air de la connaître. Elle a tendu son ticket avec un billet de cinq dollars à l'homme qui était dans la cabine. Il en est sorti pour lui rendre la monnaie. Le compteur du péage indiquait trois dollars cinquante en chiffres rouges.

« Belle journée, Mme Ross. Votre nouvelle voiture marche bien ?

— Très bien, Tom.

— Le radar de la police de l'autoroute vous a pointée à cent quarante-cinq. Mais vous avez vite ralenti. On leur a dit de vous laisser passer.

— Merci, Tom. » De nouveau elle a tendu la main vers lui. Cette fois, elle lui a passé un billet de vingt dollars. L'employé l'a fait disparaître en retournant dans sa cabine.

« Allez-y mollo sur l'accélérateur, Mme Ross a-t-il ajouté gentiment. On ne sait jamais : le type qui est de service peut très bien ne pas vous connaître.

— Entendu. » Elle a démarré. Nous avons redescendu la bretelle et pris une nationale. Dix minutes plus tard, on traversait un petit pont sur un canal ; elle s'est engagée dans une voie privée. Elle a manœuvré la télécommande, fixée sur le pare-soleil au-dessus de sa tête, et les vantaux du portail électronique se sont ouverts devant nous, au moment où la voiture s'engageait dans l'allée. Quand on s'est arrêtés devant la maison, les grilles s'étaient refermées derrière nous.

Elle s'est tournée vers moi.

« Voilà, on est arrivés.

— Mince, alors ! »

Je suis descendu de voiture et je suis allé lui ouvrir sa portière.

« Il faudra que tu portes ton sac tout seul. Comme on est en août, tous les domestiques sont en vacances, sauf le jardinier.

— C'est pas grave. » J'ai sorti mon barda de la voiture et je l'ai suivie dans la maison. Elle m'a précédé dans une grande entrée et a ouvert une porte. Je l'ai suivie.

« Voilà ta chambre. Cette porte donne sur la salle de bains. La porte à côté de la fenêtre donne directement sur la piscine et la plage. Tu as le choix. A côté, ce sont des placards et une penderie. »

Restait une porte dont elle n'avait pas parlé.

« Et celle-ci ?

— C'est la porte qui conduit à ma chambre. Je t'ai donné celle de mon ex-mari. Tu veux savoir autre chose ? »

Je l'ai regardée un moment.

« Oui. Où est la machine à laver ? Il faut que je fasse un peu de lessive. »

Je me suis retourné dans mon lit et j'ai ouvert les yeux. Le soleil avait disparu et la pièce était plongée dans la pénombre. Je m'étirais avec délices : quel luxe ! J'avais retrouvé de vrais draps ! Voilà un moment que je n'avais pas dormi dans un bon lit. Je ne m'étais jamais rendu compte à quel point c'était agréable.

Je me suis assis. J'avais fourré tous mes vêtements dans la machine à laver. Il était encore temps d'aller les faire sécher pour pouvoir me mettre autre chose que le short que j'avais gardé. J'étais déjà sorti du lit, j'avais enfilé mon short quand j'ai aperçu mes vêtements pliés et soigneusement repassés qu'on avait posés sur le canapé, le long du mur.

J'avais dû dormir à poings fermés : je ne l'avais pas entendue entrer. J'ai touché les vêtements. Ils étaient encore tièdes. Elle avait dû les apporter quelques minutes auparavant. J'avais les joues râpeuses. J'ai décidé de prendre une autre douche et de me raser. Après ça j'aurai à nouveau l'air d'un être humain. La douche que j'avais prise, avant de me mettre au lit, m'avait simplement décrassé.

Je me suis prélassé sous le jet d'eau chaude. La vapeur avait obscurci le pare-douche en verre et quand je suis sorti, j'ai senti une vague odeur de marijuana qui flottait dans l'air. On avait accroché un grand drap de bain, à portée de main. Je l'ai pris, me suis séché et suis revenu dans la chambre. La porte qui menait à la sienne était toujours fermée. Je suis allé à la fenêtre et j'ai regardé vers l'allée. La Rolls avait disparu. J'ai fini de m'habiller et j'ai frappé à sa porte.

Pas de réponse. J'ai frappé à nouveau. Toujours rien. J'ai ouvert la porte et je suis entré. Personne dans sa chambre. Je suis repassé dans la mienne pour emprunter le couloir. J'ai parcouru toute la maison, sans la trouver.

J'ai pris une boîte de bière dans le réfrigérateur ; je l'ai ouverte, j'ai traversé le salon et suis passé dans la véranda. Je me suis écroulé dans un fauteuil et me suis plongé dans la contemplation de l'océan. Là-bas, à l'horizon, un cargo se dirigeait lentement vers le sud. Tandis que je l'observais, la nuit est tombée et il a disparu. Petit à petit, les étoiles se sont mises à scintiller ; de vrais diamants sur un écrin de velours bleu. Tout allait bien ensemble : la Rolls Royce *Corniche*, cette maison, jusqu'au ciel constellé de diamants ! C'était ça, la richesse.

« Tu as faim ? » Elle était derrière moi.

Je me suis levé et j'ai fait demi-tour. Elle tenait dans chaque main un grand sac blanc qui portait la marque d'une chaîne de supermarché.

« J'ai acheté du travers de porc grillé, du poulet rôti, de la salade et des frites. J'avais pas tellement envie de faire la cuisine.

— Ça me paraît suffisant ! Laisse-moi t'aider. »

Je lui ai pris les sacs des mains.

Il y avait dix fois trop à manger. Finalement, je me suis levé de table.

« Si je ne m'arrête pas, je vais éclater ! »

Elle s'est mise à rire. Elle n'avait pratiquement rien mangé : un travers de porc, une aile de poulet. Et encore !

« Je vais mettre le reste au frigo. Peut-être que, tout à l'heure, tu auras un petit creux. »

On a disposé la vaisselle dans la machine. Elle s'est servi un verre de vin rouge, moi une autre bière, et on est sortis sur la véranda. Elle s'est assise dans un fauteuil à côté de moi. L'étui à cigarettes en or a fait sa réapparition, comme par magie. Je l'ai regardée allumer son joint.

« Tu en fumes beaucoup ? »

Elle a haussé les épaules.

« C'est meilleur que le valium. »

Elle m'a passé la cigarette. J'ai tiré quelques bouffées. Elle était encore meilleure que la première. J'avais l'impression de flotter tout en restant lucide et en pleine forme

« Je ne dis pas le contraire. Mais pourquoi tu fumes autant ?

— Ça m'aide à supporter la solitude », a-t-elle répondu sans me regarder.

J'ai tiré encore un peu sur le joint puis je le lui ai rendu.

« La solitude ? Comment ça ? Il ne te manque rien, on dirait.

— Celle-là, je l'attendais. » Elle a aspiré une bonne bouffée. « Le coup de la gosse de riches qui ne devrait pas s'ennuyer, on me l'a déjà fait !

— C'est pas ce que j'ai voulu dire. Une belle fille comme toi ne devrait jamais être seule.

— Je n'ai pas l'habitude de ramasser de jeunes éphèbes sur l'autoroute, répliqua-t-elle avec une certaine humeur.

— Te fâche pas ! Tu racontes n'importe quoi. C'est moi qui t'ai appelée, souviens-toi !

— J'étais défoncée. J'ai inventé n'importe quoi et toi, tu m'as crue.

— Princesse !

— M'appelle pas comme ça ! s'est-elle écriée, furieuse. Mon nom, c'est... »

Je me suis penché vers elle. D'une main je lui ai pris le joint, de l'autre, je lui ai maintenu la tête et je l'ai embrassée. Au début elle serrait les lèvres, puis elle s'est radoucie ; ses lèvres sont devenues tièdes et lorsque je me suis écarté, sa bouche tremblait. Ses yeux humides avaient pris un éclat bleu plus sombre.

« Tu as les mêmes yeux que ta mère, Christina.

— Puisque tu connaissais mon nom depuis le début, pourquoi m'appelles-tu Princesse ? » A sa voix, j'ai compris qu'elle était piquée au vif.

« Si tu avais été ma fille, c'est comme ça que je t'aurais appelée. » Ces mots, je me suis entendu les prononcer mais c'est mon père qui me les a soufflés.

Effrayée, elle s'est emparée de mes mains et les a serrées.

« Jonathan, qu'est-ce que ça veut dire ? Ou bien, je deviens folle ou bien il y a un truc dans cette came qui me donne des hallucinations ! »

Je lui ai pris les mains pour les porter à mes lèvres.

« N'aie pas peur. On joue à cache-cache, c'est tout.

— A cache-cache ? » Elle avait l'air perplexe.

« On est en train d'achever quelque chose que nos parents ont laissé en suspens. » Je me suis levé et je l'ai aidée à se mettre debout. « Les albums de photo de ta mère sont toujours dans la bibliothèque ? » Elle a hoché la tête.

« Sur le dernier rayon, dans le coin. »

Il y en avait cinq, de bonne taille, reliés de cuir, empilés les uns sur les autres. Je les ai tous descendus et les ai posés sur le bureau. Mais je n'ai ouvert que le second et je suis allé tout droit à la page que je cherchais.

« Nous y voici. » Je lui ai montré une des photos.

Elle a regardé le cliché qui représentait une jeune femme et un homme pris de trois quarts qui se souriaient l'un l'autre.

« Ça pourrait être toi et moi, s'est-elle exclamée, stupéfaite.

— En effet, mais ce n'est ni toi ni moi. C'est ta mère et mon père. » J'ai continué à tourner les pages. « Il y a d'autres photos.

— J'en ai assez vu ! » s'est-elle écriée, furieuse.

Elle a quitté la pièce en claquant la porte. J'ai pris soin de refermer l'album et je l'ai suivie. Je l'ai trouvée dans sa chambre en train de sangloter sur son lit. Je suis resté là un moment sans savoir quoi faire.

« Excuse-moi, ai-je fini par dire. Je crois que je ferais mieux de m'en aller. »

Elle s'est tournée vers moi et s'est assise.

« Non !

— Je ne suis pas venu ici pour te tourmenter.

— Je sais. C'est à moi que j'en veux. J'ai dix ans de plus que toi. Je devrais être capable de me dominer. »

Je ne disais rien.

« Daniel ! » a-t-elle appelé. Quand j'ai regardé au plus profond de ses yeux — des yeux que je connais bien — j'ai compris que ce n'était pas elle qui parlait, mais bien sa mère. « Je t'aime encore. J'ai toujours envie de toi. »

Il a fallu que je me cramponne de toutes mes forces pour ne pas sombrer dans le gouffre de son regard. Je me suis penché vers le lit et je l'ai embrassée doucement sur le front.

« Essaie de dormir un peu.

— Je n'ai pas envie de dormir. J'ai trop de choses à te raconter. » Ses mains m'ont attiré sur le lit à côté d'elle. « Tu étais furieux. Je n'ai jamais vu quelqu'un d'aussi furieux que toi à ce moment-là. C'est pour ça que je t'ai quitté. »

Je l'ai obligée à s'adosser contre les oreillers.

« Tu ne m'as pas quitté. Tu ne m'as jamais quitté. »

Elle a trouvé ma main et l'a serrée très fort. Sa voix n'était plus qu'un murmure.

« En un sens, oui, c'est vrai. Je ne t'ai jamais quitté. »

Puis elle s'est endormie.

Après avoir attendu un moment, j'ai quitté la pièce sur la pointe des pieds, pour ne pas la réveiller et je suis retourné dans ma chambre, où j'ai commencé à ranger mes affaires dans mon sac.

« Jonathan !

— Arrête de m'embrouiller les idées. Laisse-moi tranquille, p'pa. Tu es mort.

— Je ne t'embrouille pas les idées. J'ai besoin de toi.

— C'est trop tard, p'pa. Tu n'as plus besoin de rien, ni de personne.

— Je l'aime, Jonathan.

— Tu confonds tout, p'pa. Tu la confonds avec sa mère.

— Elle est tout autant sa mère que toi, tu es moi.

— Je ne peux pas t'aider, p'pa. Va-t'en. Laisse-moi vivre ma vie. » Une idée m'est venue à l'esprit. « C'est ta fille, p'pa ?

— Non. » J'ai perçu comme un profond soupir dans sa voix. « Si

c'était ma fille, je n'aurais pas besoin de toi pour lui dire ce que j'éprouve.

— Sa mère est morte, p'pa. Pourquoi ne lui dis-tu pas toi-même ?

— Les morts ne peuvent pas parler aux morts, mon fils. Seuls les vivants peuvent se parler. »

« Tu parlais à quelqu'un, Jonathan ? »

Elle se tenait sur le seuil de la porte qui faisait communiquer nos deux chambres. Je n'ai pas répondu. Elle est entrée dans la pièce. « J'ai eu l'impression d'entendre des voix.

— Il n'y a personne. »

Elle a vu mon sac à moitié plein sur le lit.

« Tu ne pars plus ? »

J'ai empoigné mon sac et je l'ai vidé sur le lit.

« Non. Je ne pars plus.

— Qu'est-ce qui s'est passé entre ma mère et ton père ? a-t-elle demandé, curieuse.

— Je ne sais pas. C'est un truc que je sens. Mais si quelque chose m'a fait venir ici, c'est que ça doit être important. Il faut que je sache.

— C'est aussi l'impression que j'ai. » Une lueur passa dans ses yeux. « Ma mère tenait un journal. Peut-être...

— Qu'on y trouverait ce qu'on cherche ? Tu sais où il est ?

— Oui. Cette maison appartenait à ma mère. Après sa mort, on a mis toutes ses affaires dans des caisses qu'on a entreposées. Les albums de photos, on ne les a pas touchés parce qu'ils étaient sur le dernier rayon de la bibliothèque ; on ne les a trouvés que plus tard. Et à ce moment-là, je n'y attachais pas d'importance.

— Et le reste, on peut le voir ?

— Tout se trouve dans un garde-meuble à Miami. On peut y aller demain, d'un coup de voiture. »

Je me suis senti soulagé.

« Oui, mais sans dépasser le quatre-vingt-dix à l'heure ! »

Elle a souri. « Entendu, c'est promis. » Elle a regagné sa chambre. « Bonne nuit, Jonathan.

— Bonne nuit, Christina. » J'ai attendu qu'elle ferme la porte, je me suis déshabillé et glissé dans le lit. Je me sentais écrasé de fatigue et j'ai plongé dans un profond sommeil.

30 juin 1937

Aujourd'hui, Philip Murray est venu voir Daniel à l'hôpital. C'est la première fois qu'un membre du syndicat vient lui rendre visite depuis un mois qu'il se trouve ici. Voilà bientôt une semaine que les médecins ont annoncé à Daniel qu'il ne pourrait plus jamais marcher. Il y avait deux hommes avec Murray : un certain McDonald et un autre, nommé

Mussman. Comme j'étais assise à côté du lit, j'ai été la première à les voir traverser la salle et longer les rideaux qui séparent les malades. Je me suis levée quand ils se sont arrêtés au pied du lit de Daniel.

Daniel nous a présentés. Lorsqu'ils ont entendu mon nom, il y a eu comme une gêne. Je me suis donc éclipsée et je suis allée à l'autre bout de la salle. Ils sont restés à peu près un quart d'heure. Quand ils sont partis, ils n'ont pas prononcé un mot et ne m'ont pas accordé un regard. Je suis retournée auprès de Daniel.

Son visage avait une expression que je ne lui avais jamais vue auparavant. Comme si tous les muscles s'étaient changés en pierre. On aurait dit que seuls les yeux restaient vivants : ils étincelaient de colère. Il y avait des papiers étalés sur le drap devant lui qu'il ne songeait même pas à prendre : ses poings étaient tellement serrés qu'on avait l'impression que les articulations allaient déchirer la peau. Au bout d'un moment, il a fini par ramasser une des feuilles qu'il m'a tendue sans pouvoir s'empêcher de trembler.

C'était une lettre à en-tête du syndicat de la métallurgie. Étant donné les grands services qu'il avait rendus, le secrétariat général avait décidé de ne pas tenir compte de sa lettre de démission, celle qu'il avait rédigée avant d'être blessé. En outre, après délibération, on avait résolu de lui allouer un mois de salaire supplémentaire et de lui verser une pension de vingt-cinq dollars par semaine pendant une période de deux ans à compter d'aujourd'hui. Par ailleurs, le syndicat se chargeait de régler les frais d'hôpital qui ne seraient pas remboursés par son assurance sociale. On lui souhaitait beaucoup de succès pour ses futures entreprises, quelles qu'elles fussent. La lettre était signée par Philip Murray.

Je l'ai regardé. Je ne savais pas quoi dire. « La grève est fichue, m'a-t-il annoncé. Tu étais au courant ? »

J'ai fait signe que oui.

« Dix morts à Chicago, le jour de la fête nationale. Moins d'un mois plus tard, douze morts à Youngstown et plus d'une centaine de blessés dont certains resteront infirmes. Maintenant, c'est fini. Le syndicat a cessé de les soutenir. Les ouvriers reprennent le travail comme des chiens battus. Le syndicat guette la prochaine occasion. En attendant, les responsables vont reprendre leurs petits jeux sordides, leurs petites guerres d'influence. Quant aux pauvres gars qu'on a fait monter en première ligne, ceux qui ont versé leur sang ou donné leur vie pour la cause, ils comptent pour rien. Tout juste bons à jeter, comme des citrons qu'on a pressés jusqu'à la dernière goutte. Plus aucune utilité ! »

Ses yeux d'un noir brillant avaient pris une teinte glacée. Il s'exprimait avec une passion que je ne lui avais jamais connue.

« Ils me croient fini. Ils pensent que je ne pourrai plus marcher, que je ne suis plus bon à rien. Une erreur de plus à leur actif ! Comme cette grève qu'ils n'auraient jamais dû déclencher, puisqu'ils savaient qu'elle ne les mènerait nulle part. »

Il m'a fixé droit dans les yeux. « J'arriverai à remarcher ! Et je compte sur toi pour m'aider. » *J'ai acquiescé.* « *La première chose à faire, c'est de me sortir de cet hosto où on ne sait pas dire trois mots sans ajouter " hélas ! "*

— Mais où irons-nous ?

— Chez moi », *a-t-il affirmé d'une voix soudain radoucie.*

16 juillet 1937

Nous sommes descendus du train à Fitchville. Je l'ai laissé dans son fauteuil roulant sur le quai, au milieu des valises. Pendant ce temps, je suis allée acheter une Dodge 35 dans un garage de la grand-rue. Elle m'a coûté deux cent quatre-vingt-quinze dollars. Ensuite, nous avons pris les routes de l'arrière-pays qui grimpent à flanc de colline et nous sommes arrivés à l'endroit qu'il appelle chez lui. On ne peut même pas parler de baraque abandonnée. Il ne reste plus qu'une carcasse noircie et calcinée. Il l'a regardée, impassible, pendant un bon moment, puis s'est tourné vers moi.

« *Demain matin, tu iras en ville. Tu vas embaucher quatre Noirs — les plus costauds que tu pourras trouver. Un dollar par jour, nourri et logé. Ensuite, tu iras au grand bazar ; tu achèteras un marteau, une scie, une hache pour chacun, du bois de charpente et quelques cents de gros clous. Prévois des provisions pour nous tous pendant une semaine. Des haricots, du lard, du café et du sucre. Si tu veux autre chose pour nous, fais à ta guise.* »

Il a sans doute vu la tête que je faisais. Je ne devais pas avoir l'air très rassurée.

« *Ne t'en fais pas. Tout ira bien.*

— Tu es bien sûr que c'est ça que tu veux, Daniel ? Il est encore temps d'accepter l'offre que nous a faite mon oncle Tom. »

Quelques jours auparavant, mon oncle nous avait proposé de payer tous les frais de rééducation, à la condition que Daniel lui signe un papier où il s'engagerait à ne jamais retravailler pour un syndicat.

Daniel avait refusé.

« *Plus de contrats avec qui que ce soit ! Pour ou contre les syndicats. Je veux garder ma liberté de manœuvre. Le seul homme en qui j'aie confiance, c'est moi.* »

Il n'a même pas répondu à ma question.

« *Cette nuit, on va dormir dans la voiture. Demain, on s'installera dans la maison quand les ouvriers l'auront nettoyée.* »

Il s'est allongé sur la banquette arrière aussi confortablement qu'il a pu. Moi, j'étais devant parce que ça m'était plus facile de passer les jambes sous le volant. Au cours de la nuit, je me suis réveillée. Il s'était redressé sur le siège arrière et regardait la maison. Quand il m'a entendue, il s'est tourné vers moi.

« *Ça va ?* » *ai-je demandé.*

Il a fait signe que oui.

« *Je peux te demander un service ?*

— Bien sûr. Que veux-tu ?

— Tu crois que tu peux venir t'asseoir sur moi ?

— Seulement si tu me laisses te sucer après. »

Pour la première fois depuis longtemps, je l'ai entendu rire. Et c'est à ce moment-là que je me suis dit que tout irait bien. Il m'a tendu les bras.

« Viens, ma chérie. On est chez nous. Enfin ! »

28 août 1937

Le docteur Pincus, le médecin orthopédiste a fini d'examiner Daniel. Tout l'après-midi, il l'a ausculté, tâté, palpé. Il a regardé Daniel marcher avec des béquilles, puis progresser en s'accrochant aux barres parallèles ; ses jambes sont encore très raides, mais il les bouge cependant. Ensuite, il l'a fait remarcher avec des béquilles, mais cette fois en attachant une brique, sous chaque soulier, pour lui alourdir les jambes, de façon à exiger un effort plus grand à chaque pas. Enfin, l'examen terminé, Daniel a pu s'étendre, épuisé, tandis que Ulla lui massait et lui pétrissait les jambes du haut des cuisses jusqu'aux orteils.

Le docteur est sorti faire un tour avec moi dehors.

« Je n'arrive pas à le croire. Il y a un mois, j'aurais soutenu qu'il était rigoureusement incapable de faire ce qu'il vient d'accomplir.

— Vous ne connaissez pas Daniel.

— Pourtant, tout ce qu'il a fait est aberrant. Ça contredit complètement toutes les théories que nous appliquons pour la rééducation musculaire.

— Il y a peut-être quelque chose qui cloche dans vos théories. »

Il m'a regardée.

« Où Daniel a-t-il pris ces idées ?

— Dans deux livres qu'il a commandés par correspondance. La Musculation *de Bernard MacFadden et* Comment devenir fort en trente leçons *de Charles Atlas.*

— Et l'infirmière ? Qui vous l'a envoyée ?

— Mme Torgersen, la femme qui s'occupe du fils de Daniel en Californie. Elle avait travaillé avec Ulla à l'hôpital et elle nous a écrit pour nous la recommander. C'est une spécialiste des massages orthopédiques dans son pays. »

Le docteur Pincus secoua la tête.

« Certes, je l'ai vu de mes propres yeux, mais j'ai du mal à le croire. Quoi qu'il en soit, je ne m'oppose pas à ce traitement. A ce train-là, dans un mois, il marchera.

— C'est ce que Daniel a déclaré. Le 30 septembre prochain, il a l'intention de partir d'ici — à pied. »

Le médecin hocha la tête.

« Je crois que je ferais bien de venir toutes les semaines pour l'examiner. Je ne voudrais pas qu'il se surmène et qu'il finisse pas régresser. »

10 septembre 1937

Daniel a envoyé promener ses béquilles. Il fait maintenant le tour de la maison en s'aidant seulement de deux cannes. Il a même essayé de marcher sans, mais au bout de quelques pas, ses jambes le trahissent et il tombe. Ulla le ramasse comme s'il s'agissait d'un bébé et lui reproche de vouloir aller trop vite. Il faut procéder très doucement.

Daniel secoue la tête, obstiné, et il recommence. Cette fois, elle le rattrape avant même qu'il ne soit tombé. Puis, comme on fait avec un enfant, elle glisse ses mains sous ses aisselles pour le soutenir et l'installe dans son fauteuil pour qu'il se repose. Je ne sais pas qui — de Daniel ou de moi — a été le plus surpris de la voir agir ainsi. Ulla est une forte femme qui mesure près d'un mètre quatre-vingts, à la poitrine imposante, aux hanches larges, aux jambes de colosse.

Elle s'est agenouillée au pied de Daniel et lui a délacé ses souliers.

« Défaites votre pantalon », a-t-elle ordonné.

Il m'a consultée du coin de l'œil. Je me suis mise à rire.

« Tu ferais mieux de faire ce qu'elle te dit, sinon tu risques d'avoir la fessée. »

Il a défait sa ceinture et déboutonné son pantalon. Adroitement, elle l'a fait glisser sur les jambes de Daniel qu'elle a posées sur ses genoux et qu'elle s'est mise à masser.

« Ce qu'il faut surtout, c'est que la circulation se fasse bien pour que les muscles ne soient ni raides, ni noués.

— Je comprends », a répondu Daniel en me regardant, l'air gêné.

Je n'ai pu m'empêcher de rire et je suis rentrée dans la baraque. Nous faisons la cuisine à tour de rôle, Ulla et moi. Aujourd'hui c'est mon tour.

27 septembre 1937

Je crois qu'inconsciemment, je savais qu'il couchait avec Ulla mais je refusais de l'admettre. Je m'en doute depuis le jour où je l'ai vue lui baisser son pantalon pour lui masser les jambes. Comme il était en sous-vêtements, j'avais bien vu qu'il était excité. Mais je n'ai pas voulu y croire jusqu'au jour où je les ai surpris. Je revenais de Fitchville où j'avais reconduit le docteur Pincus à la gare. Il ne tarissait pas d'éloges sur Ulla. Il est stupéfait des progrès de Daniel. Il le considère comme un cas : jamais il n'a rien vu de semblable. Déjà Daniel s'aventure à marcher sans canne, d'un pas encore très incertain.

« Le miracle de la volonté humaine ! » s'est écrié le docteur Pincus, dans la voiture. « Je crois que nous ne le comprendrons jamais. Il avait de multiples fractures aux jambes ; les nerfs, les muscles et les tendons avaient terriblement souffert. Théoriquement, il n'aurait jamais pu réussir le tour de force qu'il est en train d'accomplir. ». Il m'a jeté un

coup d'œil malicieux. « Désormais, je ne croirai plus à rien. Même plus aux comptines, puisque Humpty Dumpty peut se remettre d'aplomb, pourvu qu'il le veuille vraiment. »

En rentrant, la voiture a calé et j'ai dû faire à pied les cinq cents derniers mètres jusqu'à la baraque. Je les ai trouvés nus, à même le plancher. Elle était sur le dos, ses énormes seins dressés comme deux collines jumelles, les bras passés sous ses genoux, les jambes écartées. Lui, était au-dessus d'elle, en appui sur les bras, les mains à plat sur le plancher, les jambes allongées. Elle gémissait de plaisir tandis qu'il la pénétrait à grands coups répétés ; il a fini par jouir et par s'écrouler sur son corps de Junon.

Elle l'a caressé gentiment, lui parlant presque comme s'il était un enfant.

« C'était très pon. Si on s'exerce soufent, tes champes tevientront aussi figoureuses que ta pite ! »

J'ai voulu repousser la porte discrètement pour qu'ils ne me voient pas, mais, au dernier moment, il m'a aperçue. Je suis allée m'asseoir sur la véranda après avoir refermé la porte. Dix minutes plus tard, à peu près, Daniel est sorti en s'aidant de ses deux cannes et s'est écroulé dans un fauteuil à côté de moi.

Nous sommes restés un long moment sans rien dire. Il a fini par se décider.

« Je suppose que tu te demandes ce qu'on fabriquait ?

— Je sais très bien ce que vous faisiez. Vous étiez en train de baiser. »

Il s'est mis à rire.

« C'est vrai, mais ce n'est pas tout.

— Ah ! ce n'est pas tout ? ai-je répliqué, sarcastique. Moi j'appelle les choses par leur nom. Baiser, c'est baiser !

— Mais ça fait partie de ma rééducation !

— Ben, voyons ! Que je sache, c'est les jambes que tu t'es fracturé, pas la queue !

— C'est un exercice d'endurcissement.

— C'est ce que j'ai vu !

— Je parle sérieusement. C'est une façon de faire travailler les jambes. »

Je n'ai pas pu m'empêcher de rire.

« Le plaisir est accessoire, sans doute ?

— Tu me connais, j'ai jamais pu résister à une petite chatte.

— Tu parles d'une petite chatte ! Je dirais plutôt un gros matou ! »

Il s'est mis à rire et m'a pris la main. Puis il a repris son sérieux.

« Si tu veux, je la renvoie.

— Pas question. Mais j'ai l'intention d'organiser les choses autrement.

— C'est-à-dire ?

— Si tu as besoin d'exercice, c'est avec moi que tu en prendras. J'ai été trop gentille jusque-là. Je me mettais toujours sur toi pour que tu

ne te fatigues pas. Maintenant tu vas te remettre au travail, moi je me reposerai et j'aurai bien du plaisir. »

10 octobre 1937

Il marche. Avec une canne quand il est fatigué. Mais il marche ! Aujourd'hui, j'ai accompagné le docteur Pincus et Ulla au train. Elle a fait une si forte impression au docteur qu'il l'emmène à Washington travailler dans son cabinet. Il ne s'en doute pas, mais vu la thérapie un peu particulière qu'elle prodigue à ses patients, le docteur Pincus va devenir l'orthopédiste le plus couru de tous les États-Unis.

Quand je suis rentré, j'ai trouvé Daniel assis sur la véranda devant la baraque, un verre à la main, en train de tirer sur son cigare. A côté de lui, sur une table, il avait posé une bouteille de whisky et un autre verre. Il m'a servi à boire.

« On y est arrivés !

— Tu y es arrivé. A toi tout le mérite ! » ai-je dit en levant mon verre. Nous avons trinqué. « Et maintenant, qu'est-ce qu'on fait ?

— D'abord, je repars en Californie voir mon fils. Ensuite, il faut que je me dégotte un boulot.

— Tu vas aller trouver Murray ? »

De rage, il a secoué la tête ; ses yeux brillaient de colère.

« Il peut aller se faire foutre !

— Lewis alors ?

— Non. Pas question, tant que Murray fait équipe avec lui.

— Dans ce cas, tu peux toujours aller voir mon oncle Tom.

— Tu sais bien que je n'irai pas. Je trouverai quelque chose. Je vais peut-être fonder mon propre syndicat.

— Ton propre syndicat ? Mais dans quelle branche ? J'ai l'impression que toutes les places sont déjà prises.

— Pas toutes. J'ai beaucoup réfléchi et je me suis dit que les syndiqués avaient besoin d'une sorte de protection contre leurs propres dirigeants.

— C'est absurde ! Un syndicat à l'intérieur d'un syndicat ? »

Ça l'a fait rire.

« Pourquoi pas ? Ça pourrait bien être quelque chose dans ce genre-là. Quand je vois ce que les dirigeants font faire à leurs adhérents, je commence à me poser des questions : les syndicats prennent-ils effectivement la défense des travailleurs ? Mais je ne suis pas pressé. J'ai tout mon temps. Il faut que j'étudie la question sur place. J'ai encore beaucoup de choses à apprendre.

— Et moi alors, ai-je demandé, qu'est-ce que je suis censée faire pendant que tu travailleras à ce projet ? »

Il s'est resservi à boire.

« Tu as ton poste chez ton oncle Tom.

— Je l'ai laissé tomber. Je ne vais pas aller le supplier de me reprendre, tu le sais très bien.

— Mais tu n'as pas besoin de gagner ta vie, ta fortune personnelle te suffit.

— Tu ne réponds pas à ma question et tu le sais fort bien. » La colère m'a prise. « Je ne te parle pas de travail ; je te parle de notre couple ! »

Il n'a pas répondu.

« Tu sais que je veux t'épouser. »

Toujours pas de réponse.

« Je suis enceinte de deux mois. Le docteur Pincus vient de me le confirmer. »

Le verre s'est brisé dans sa main. Furieux, il l'a lancé au loin ; ses doigts englués de sang et d'alcool ont laissé des traces sur la table de bois.

« Ah ! non ! Bon Dieu ! s'est-il écrié d'une voix rauque. Tu vas pas me faire ça ! Vous, les femmes, vous êtes bien toutes pareilles ! Toujours prêtes à vous servir de votre cul pour nous ligoter. Tess m'a déjà fait le coup et m'a bousillé l'existence. Je ne suis pas près de me faire avoir de nouveau ! » Il s'est levé et s'est dirigé vers la porte. « Débrouille-toi pour te faire avorter, trouve n'importe quoi. Moi, je ne veux rien savoir. C'est ton môme, pas le mien ! »

Il a claqué la porte derrière lui et j'ai entendu un grand bruit ; il avait trébuché et s'était étalé. J'ai ouvert la porte et je l'ai vu allongé sur le plancher.

Il a tourné la tête et m'a regardée, les yeux remplis de colère.

« Va te faire foutre ! » lui ai-je lancé et j'ai fermé la porte. Pour la première fois il n'avait personne pour l'aider à se relever.

15 octobre 1937

Je me suis fait avorter aujourd'hui. Le médecin n'a pas voulu me dire si c'était un garçon ou une fille. Il pleut sur Chicago. Je n'ai aucune nouvelle de Daniel. Je n'arrête pas de pleurer, sans savoir pourquoi. Le docteur m'a dit qu'il reviendrait me faire une piqûre, pour que je puisse dormir.

Après cette date, le journal continuait encore quelque temps. Elle en avait commencé un autre pour la nouvelle année, mais au bout de quelques jours, il semblait qu'elle eût décidé d'abandonner. Au cours des années suivantes, elle n'avait plus rien écrit et nulle part elle ne faisait mention de mon père.

Christina avait baissé la tête et fixait son verre de vin.

« Je me demande s'ils se sont jamais revus.

— Je ne pense pas. » J'ai remis le journal dans la boîte que nous avions été cherché dans le garde-meuble. « Tes parents se sont mariés quand ?

— En 1945. Après la guerre. Mon père était colonel ; il faisait partie de l'état-major d'Eisenhower à Londres. Il a connu ma mère au moment où elle travaillait dans les bureaux de l'intendance. Ils se sont mariés quand ils sont revenus aux États-Unis. Je suis née l'année d'après. Et les tiens ?

— Eux se sont mariés en 1956. Dix ans après que mon père a fondé la C.U.T.I. Il lui a fallu près de neuf années pour mettre sur pied le syndicat dont il avait parlé à ta mère.

— Qu'est-ce qu'il a fait pendant ces neuf années ?

— Je ne sais pas exactement. Je n'ai jamais su grand-chose sur lui. On ne se parlait guère.

— Mais maintenant, tu lui parles.

— Qu'est-ce qui te fait dire ça ?

— Une impression, comme ça. »

Elle a bu une gorgée de vin. « Par moments, tu me fais l'effet d'être complètement différent et, quand je te regarde, ce n'est plus toi que je vois. C'est quelqu'un d'autre. »

J'ai regardé ma montre. Il était plus de deux heures du matin.

« Je crois qu'on ferait mieux d'aller dormir.

— Je me sens nerveuse. Qu'est-ce que tu dirais d'un joint avant ? »

J'ai hésité.

« Juste un taf ou deux. Pour me calmer.

— D'accord. »

Je suis sorti sur la terrasse pendant qu'elle allait chercher ses pétards de luxe. Le ciel luisait comme du velours bleu sombre ; une douce brise à l'odeur salée venait de l'océan. Je me suis allongé sur un divan.

Elle est venue s'asseoir près de moi à mes pieds. Tandis qu'elle terminait son verre de vin, j'ai allumé le joint et, après avoir tiré dessus deux ou trois fois, je le lui ai passé. Elle ne faisait pas semblant, elle ! Elle tétait la cigarette, s'emplissait les poumons et gardait longtemps la fumée, qu'elle finissait par exhaler très, très lentement.

J'ai repris mon tour et ma tête s'est mise à tourner. Je lui ai rendu la cigarette en lui disant :

« Je crois que j'ai mon compte !

— Faut s'habituer, c'est tout, a-t-elle dit en souriant.

— Vaut mieux pas, j'aurais pas les moyens ! »

Elle s'est mise à rire et a tiré de plus belle sur son joint. Elle m'a regardé.

« Et maintenant, où vas-tu aller ? »

Je me suis croisé les bras derrière la tête et je me suis laissé aller en arrière.

« J'avais l'intention de rentrer chez moi. Mais maintenant, je sais plus trop.

— Tu as trouvé ce que tu étais venu chercher ?

— Je ne sais pas ce que je cherche. Si toutefois je cherche quelque chose !

— Tu es à la recherche de ton père.

— Il est mort. C'est trop tard à présent. »

Elle continuait à tirer sur son joint.

« Tu sais très bien que non. »

Je lui ai pris la cigarette des doigts. Cette fois, j'ai fumé pour de bon. J'ai eu l'impression que mon crâne explosait. J'avais la langue toute pâteuse.

« J'ai pas envie qu'on parle de lui, d'accord ?

— De quoi parle-t-on, alors ?

— Quel effet ça fait d'avoir du fric ?

— Je ne sais pas. J'en ai toujours eu.

— Et ton mari ? Il était riche, lui aussi ?

— Oui.

— Et ton père ?

— Aussi !

— Alors, tu étais milliardaire au berceau ? »

Elle est restée songeuse un instant.

« C'est une façon de voir les choses.

— Pourquoi est-ce que tu as divorcé ?

— Tu veux savoir la vérité ?

— Bien sûr, sinon, je ne te poserais pas la question.

— Eh bien, sa fortune le culpabilisait ; moi, ça ne me dérange pas. »

Je me suis mis à rire.

« Ça n'a rien de drôle. Il était incapable d'en profiter sans arrière-pensée. Il restait toujours sur son quant-à-soi.

— Donc tu as divorcé. Il y a combien de temps ?

— L'année dernière.

— Et ça va mieux, maintenant ? »

Elle a haussé les épaules.

« Dans un sens, oui. Au moins, il n'est plus là à me regarder d'un air inquisiteur. A me reprocher de ne rien faire et d'être inutile à la société. Moi, je vois les choses différemment : au moins, je ne prends la place de personne.

— C'est un argument qui me paraît imparable. » De nouveau, j'ai tiré sur la cigarette avant de la lui repasser. « J'ai la tête qui tourne comme une toupie. J'ai jamais décollé comme ça.

— Tu aimes ?

— J'adore !

— Alors, régale-toi ! »

Elle s'est allongée et m'a embrassé. Ses lèvres étaient tièdes. Je l'ai enlacée étroitement. Au bout d'un moment, elle a levé la tête pour me regarder. « Je voudrais que tu restes quelque temps avec moi, Jonathan. Tu veux bien ?

— Je ne sais pas si je pourrais.

— Reste aussi longtemps que possible. J'ai besoin de toi. »

J'ai plongé dans son regard dont l'expression m'est si familière.

« C'est presque un inceste. C'est mon père que tu désires, pas moi.

— Il n'y a pas de mal à cela. Tu es un peu ton père ; comme moi, je suis un peu ma mère. Tu m'as dit qu'on jouait à cache-cache. Tout à l'heure, je ne comprenais pas ce que tu voulais dire. Maintenant, parfaitement. Il faut que nous finissions la partie. »

Je n'ai rien dit.

« Tu as déjà été amoureux, Jonathan ? »

J'ai réfléchi un instant.

« Je ne crois pas.

— Moi non plus. Mais je sais que c'est là, quelque part, que ça peut se produire. Ma mère a découvert l'amour avec ton père. On pourra peut-être l'éprouver l'un pour l'autre. »

Cette fois, je me suis littéralement laissé engloutir dans ses yeux. Et brusquement, je n'ai plus été moi-même. J'ai ouvert les bras, elle est venue s'y blottir, la tête contre ma poitrine. Doucement, j'ai caressé ses longs cheveux soyeux.

« Je crois que nous l'éprouvons déjà, Christina. » J'ai tourné son visage vers le mien. « Mais cet amour ne nous appartient pas. Il ne sera jamais nôtre. Tu le sais très bien.

— Oui, je le sais, a-t-elle répondu, les yeux pleins de larmes. Mais, peu importe à qui il appartient, du moment que nous pouvons l'éprouver. »

Livre III

AUTREFOIS

1

« Quel sacré truand tu fais, Big Dan ! »

Daniel partit d'un grand rire, empoigna la bouteille de bourbon qui se trouvait devant lui et remplit son verre. Il fixa l'autre interlocuteur assis en face de lui.

« Et toi, qu'est-ce que tu en penses, Tony ?

— La même chose. »

Daniel se mit à rire de plus belle. Il vida son verre d'un trait et se leva. Il dominait les deux autres de toute sa stature ; une mèche de cheveux gris-fer lui retombait sur le front.

« Arrêtons les frais puisque nous n'avons plus rien à nous dire.

— Attends un peu, s'empressa d'ajouter celui qui avait parlé le premier. J'ai pas dit ça. Rassieds-toi. On peut toujours discuter. »

Daniel lui jeta un coup d'œil et finit par hocher la tête. Lentement, il se laissa tomber dans son fauteuil et se resservit à boire.

« D'accord, vas-y. Parle.

— Tu es trop gourmand, fit l'autre.

— Tu trouves que je demande trop d'argent ? C'est rien, à côté de ce que je peux faire pour vous ! Grâce à moi, on vous respectera.

— On nous respecte ! Qu'est-ce que tu crois ? » protesta l'homme, entêté.

D'un regard, Daniel l'interrompit.

« Mais pour combien de temps ? On vous respectera tant que vous resterez dans les coulisses. Dès l'instant où vous vous montrerez, vous serez dans leur collimateur. Moi, je vois les choses très simplement. Dave Beck va finir par se faire déquiller. Logiquement, c'est toi, Jimmy, qui devrais prendre sa place et devenir président du syndicat des routiers. Seulement, est-ce que ça va se passer comme ça ? Imagine que ça ne plaise pas à Meany : tu ne peux plus quitter l'A.F.L. pour la C.I.O. maintenant. Ils font cause commune. Par conséquent tu es cuit. Tu ne peux plus aller nulle part. »

Daniel se tourna vers son deuxième interlocuteur. « Même tabac pour toi, Tony. John Lewis n'a pas l'intention de te nommer président de l'U.M.W. le jour où il prendra sa retraite. C'est Tom Kennedy qui décrochera la timbale. Ça ne fait pas un pli. Il est dans le circuit depuis bien plus longtemps que toi. En revanche, tu peux devenir secrétaire général et, avec un patron comme Kennedy, c'est peut-être pas plus mal. Tu resteras peinard au deuxième plan et, quand Kennedy laissera la place, il sera temps pour toi de te lancer.

— T'as tout combiné, hein ? s'exclama Jimmy Hoffa.

— Je ne suis pas né de la dernière pluie, répliqua Daniel.

— Comment se fait-il que tu n'aies pas fait fortune depuis le temps ? s'esclaffa Tony Boyle.

— Je ne suis pas pressé, fit Daniel avec un sourire. Et puis j'attendais que vous deveniez des grands garçons.

— Il faudrait que chacun de nos adhérents verse une cotisation supplémentaire pour faire partie de la C.U.T.I. Lewis ne voudra jamais en entendre parler, objecta Tony.

— Je sais. Mais les sections locales peuvent très bien s'en charger. Il suffit que tu pousses un peu à la roue. Ça reviendra au même.

— Lewis va avoir une attaque d'apoplexie quand il l'apprendra. Il t'en veut à mort après tout ce que tu as été raconter sur son compte.

— C'est vraiment pas une révélation, fit Daniel avec un sourire. Meany, Beck, Reuther, y en a pas un qui peut me blairer ! Ils font tous partie de la même clique. Voilà des années qu'ils me cherchent des poux. N'empêche que je suis toujours là. »

Boyle n'en revenait pas.

« Je me demande vraiment comment tu te débrouilles. Tu n'as pas tellement d'adhérents ? Combien ? Quarante, peut-être cinquante mille gars ?

— Plus près de cent mille, répondit Daniel toujours souriant. Mais là n'est pas le problème. C'est pas le nombre qui compte. Ce qui est important, c'est que ce sont de petits syndicats. Des syndicats indépendants, dont les gros ne se sont jamais souciés, parce qu'ils ne sont pas d'un assez bon rapport. Pourtant mes adhérents ont quelque chose que les autres n'ont pas.

— C'est-à-dire ? interrogea Jimmy Hoffa.

— Une réputation absolument intacte. On n'a jamais eu le moindre problème, le plus petit scandale. Chez nous personne ne s'est tiré en emportant la caisse.

— Ça ne valait pas le coup. Y avait pas assez dedans, lâcha Boyle en riant.

— Peut-être, fit Daniel imperturbable. Mais le fait est. Les gens nous font confiance. Nous sommes le seul syndicat complètement admis ; nos délégués peuvent en faire la preuve et moi, je parle en leur nom.

— Les routiers ne marcheront jamais dans la combine, affirma Hoffa.

— Oui, mais la section 299 — la tienne — marchera, elle. Les gars feront ce que tu leur diras de faire. Deux cent mille adhérents, ça suffit pour lancer l'affaire. Au bout d'un certain temps, tu verras qu'ils finiront tous par vouloir en être.

— Bon, admettons. On voit bien les avantages que tu peux en retirer, mais nous, là-dedans, qu'est-ce qu'on gagne ?

— On vous épaule et on vous conseille. Vous êtes jeunes tous les deux et vous êtes ambitieux. Je peux vous aider à réaliser vos ambitions. Je peux vous protéger contre beaucoup de choses, excepté contre vous-mêmes.

— Tu en as parlé à d'autres syndicats ?

— J'en ai bien l'intention. Mais vous deux, vous êtes les premiers.

— Pourquoi nous avoir choisis ?

— Parce que, tous les deux, vous êtes dans des branches de l'industrie absolument vitales pour l'existence de ce pays. »

Les deux hommes gardèrent le silence un moment.

« Est-ce qu'on peut y réfléchir ? demanda Boyle.

— Bien sûr.

— Qu'est-ce que tu feras si on marche pas avec toi ?

— J'en trouverai d'autres aussi jeunes et aussi ambitieux que vous, dans d'autres sections des mêmes syndicats.

— C'est du chantage, s'écria Hoffa, écœuré.

— Exact, convint Daniel avec un grand sourire.

— Tu nous laisses une semaine ? interrogea Boyle.

— Entendu. Vous avez huit jours. »

Ils se serrèrent la main et Daniel les regarda quitter le bar ensemble. Par la fenêtre ouverte, il les vit se diriger, chacun vers sa voiture. Une fois partis, il se plongea dans la contemplation de son verre. Il se demanda s'ils avaient compris à quel point sa situation était désespérée. Depuis dix ans, il s'était battu pour bâtir sa propre confédération et d'un seul coup, l'année dernière, tout son travail s'était trouvé anéanti, à cause de la fusion de l'A.F.L. et de la C.I.O. A présent, l'un après l'autre, tous les syndicats qui lui avaient fait confiance se retiraient. Il y avait encore assez d'argent dans les caisses pour les faire vivre un mois ou deux. Ensuite, il n'aurait plus qu'à mettre la clé sous le paillasson. Vingt ans de travail pour rien. Tous ses rêves, ses espoirs, ses idéaux en miettes !

Il se dressa péniblement.

« Tu me mettras ça sur mon compte, Joe, lança-t-il au barman, en sortant. Et tu rajouteras dix sacs pour toi.

— Merci, Big Dan », fit ce dernier.

Dans la rue, le soleil le fit cligner des yeux. Il attendit un moment que la circulation soit moins dense et traversa la rue pour se diriger vers le bâtiment à deux étages qui abritait ses bureaux. Il leva les yeux vers les lettres, C.U.T.I., en aluminium, qui surmontaient l'entrée de l'édifice. Elles étaient toutes tachées et piquetées par le temps. Il se dit qu'il faudrait donner l'ordre au concierge de les nettoyer.

Il pénétra dans l'immeuble, évita le grand bureau du rez-de-chaussée et grimpa l'escalier qui menait directement dans son bureau. Daniel Junior l'y attendait.

« Comment ça c'est passé, p'pa ?

— Ils m'ont écouté, répondit Daniel en s'installant derrière sa table.

— Tu crois qu'ils vont marcher ?

— Je ne sais pas. J'en arrive à un point où je ne sais plus rien du tout. » Il ouvrit le tiroir de son bureau, y prit un cigare et l'alluma. « Tu as des nouvelles de ton école ?

— J'ai été reçu premier à Harvard dans la section économique », fit D.J. avec un sourire.

Daniel se leva pour prendre la main de son fils qu'il écrasa presque dans la sienne.

« Félicitations ! Je suis fier de toi.

— Ça me fait plaisir. Mais...

— Mais quoi ?

— Je ne suis pas obligé d'y aller, p'pa. » Junior hésita. « Je suis au courant de la situation financière. Après tout, je suis en âge de travailler.

— Pour ce qui est de travailler, tu travailleras. Un jour, c'est toi qui prendras la succession. Il faut que tu en sois capable.

— Et si Hoffa et Boyle refusent ta proposition ? Tu seras obligé de fermer.

— Je me débrouillerai. Toi, tu vas continuer tes études. C'est ce que tu as de mieux à faire pour le moment. » Le téléphone se mit à sonner. « Réponds, Junior. Moi, il faut que j'aille pisser. »

Malgré ses efforts pour n'en rien laisser paraître, quand Daniel rentra dans le bureau, la voix de Junior trahit son émotion lorsqu'il annonça à son père : « C'était la Maison Blanche. J'ai eu un certain Adams.

— Sherman Adams ? »

Junior acquiesça.

« Qu'est-ce qu'il voulait ?

— T'inviter à prendre le petit déjeuner avec le président le 6 septembre. Il veut que tu rappelles pour confirmer.

— Est-ce qu'il t'a dit qui seraient les autres invités ?

— Je n'ai pas pensé à demander. »

Daniel décrocha son téléphone et pria sa secrétaire de rappeler Adams. Tout en attendant la communication, Daniel regardait son fils.

« Eisenhower doit se faire du mouron. Tous les syndicats ou presque qui sont affiliés à l'A.F.L. — C.I.O. ont pris parti pour Stevenson. » Il eut Adams en ligne. « Sherman ? De quoi s'agit-il ?

— Le président aimerait bien que vous veniez le voir. Il voudrait s'entretenir un peu avec vous.

— Qui d'autre sera là ?

— John L. Lewis. Et peut-être Dave Beck.

— N'invitez pas Beck. Il pourrait vous mettre dans une situation extrêmement embarrassante.

— Vous ne pouvez pas m'en dire un peu plus ? demanda le secrétaire du président.

— Pas au téléphone.

— Je comprends, dit Adams d'une voix songeuse. Vous pourrez venir ?

— J'y serai.

— Bien. Le président sera heureux de l'apprendre.

— Dites-lui bien des choses de ma part. Entendu pour le 6 septembre.

— A 8 heures », précisa Adams avant de raccrocher. Daniel leva les yeux sur son fils assis en face de lui. Il souriait.

« J'imagine que la Maison Blanche n'a pas encore appris qu'on avait des ennuis. » Il jeta un coup d'œil sur ses papiers étalés sur la table. Il faut que je me mette au travail.

— Je te laisse tranquille, p'pa », s'écria Junior qui se dirigea vers la porte. Avant de sortir, il se retourna. « Tu rentreras à la maison pour dîner ?

— Je ne sais pas encore. Dis à Mamie que je la rappellerai pour la prévenir. »

Il resta les yeux fixés un moment sur la porte après que son fils eut disparu. Puis il sortit une bouteille de whisky du dernier tiroir de son bureau et but longuement au goulot. Il revissa soigneusement le capuchon et remit la bouteille dans le tiroir. Enfin, il décrocha son téléphone et demanda à sa secrétaire de lui appeler divers correspondants.

2

« On ne pourra pas aller plus loin que la fin du mois, déclara Moses. Si on n'arrive pas à trouver un peu d'argent, on est fichus. »

Daniel leva les yeux sur son assistant.

« Je croyais qu'on pouvait tenir encore au moins deux mois.

— Les cotisations ne rentrent plus. Apparemment, nos adhérents ne se donnent même plus la peine de nous faire savoir qu'ils nous lâchent. » Le visage du Noir était soucieux. Voilà plus de vingt ans qu'ils se connaissaient, Daniel et lui. C'est à Moses, en premier, que Daniel avait fait appel, lorsqu'il avait fondé la C.U.T.I. « Je crois qu'on ferait bien de commencer par payer ce qu'on doit à nos employés. »

Daniel resta pensif un moment.

« On ne peut pas. Si les gens font courir le bruit qu'on va fermer boutique, ce sera la fin des haricots.

— Alors, je ne sais pas quoi faire.

— Il ne nous reste plus qu'à emprunter. »

Moses eut un rire désabusé.

« Qui va bien vouloir nous prêter de l'argent ? Ce n'est tout de même pas la liste de nos adhérents qui décidera qui que ce soit. Surtout si la personne a la curiosité d'examiner nos livres de comptes de l'an dernier.

— Je sais où je peux trouver de l'argent. En allant voir Lansky. »

Moses ne fit pas de commentaire. Daniel le regarda dans les yeux.

« Ça ne te plaît pas, hein ?

— Pas plus qu'à toi. Tu sais très bien ce que ça signifie. Si tu le laisses rentrer, tu ne pourras plus t'en débarrasser. Je te l'ai entendu dire je ne sais combien de fois.

— C'est vrai, fit Daniel amer. Mais regarde où ça nous a menés. Il est grand temps de voir les choses en face, de se montrer un peu réalistes. Les autres le font bien. Ils n'en souffrent pas trop, que je sache.

— Oui, mais toi et eux, ça fait deux.

— Il est peut-être temps que je change, que je me mette au diapason. Il faut croire que j'avais tort puisque tous les autres fonctionnent différemment. »

Moses ne répondit rien.

« Cesse de faire cette tête de justicier ! s'écria Daniel soudain furieux ; Dieu lui-même a dû faire un pacte avec le diable quand ils se sont partagés l'au-delà

— Il ne s'agit pas de l'au-delà. Il s'agit d'aujourd'hui.

— Si ça ne te plaît pas, tu peux toujours t'en aller, répliqua Daniel d'un ton tranchant.

— Tu sais très bien que je ne le ferai pas, rétorqua Moses, piqué au vif.

— Excuse-moi, fit Daniel contrit. Je dis n'importe quoi. Tu comprends, si j'arrive à conclure un marché avec Boyle et Hoffa, on sera tirés d'affaire. Entre-temps, j'ai mon rendez-vous à la Maison Blanche, la semaine prochaine. Ça ne nous fera pas de mal. Au moins, ça prouvera qu'on existe toujours et que, pour le président, on a une certaine importance. »

Moses garda le silence un moment.

« D'accord, finit-il par dire. Quand as-tu l'intention d'aller voir Lansky ?

— Demain si c'est possible. Je peux prendre un vol du matin pour Miami et être de retour ici dans la soirée. »

Il était près de 6 heures et Daniel s'apprêtait à quitter son bureau quand sa secrétaire l'appela.

« Mlle Rourke demande à vous voir. »

Le nom ne lui disait rien.

« Mlle Rourke ? Qui est-ce ?

— Elle a téléphoné la semaine dernière. C'est vous qu'elle a eu. C'est au sujet de son père qui n'arrive pas à se faire verser sa pension d'invalidité par son syndicat. Vous lui avez dit d'apporter tout son dossier. Je lui avais fixé rendez-vous à six heures, aujourd'hui. »

La mémoire lui revint. Le père de cette fille s'était fait renverser par un tracteur et avait perdu l'usage d'une jambe dans l'accident. A présent, il avait toutes les peines du monde à se faire verser la pension à laquelle il avait droit.

« Entendu, fit-il d'un ton las. Faites-la entrer. »

La porte s'ouvrit et la jeune fille entra dans le bureau. Péniblement, il se mit debout et se présenta.

Elle était très jeune, dix-neuf ans tout au plus, d'après lui. Ses cheveux bruns tombaient souplement sur ses épaules, elle avait les yeux bleus et le teint très blanc des Irlandaises.

« Je m'appelle Margaret Rourke », fit-elle en prenant la main de Daniel. Elle avait une voix fraîche et douce. « Merci de me recevoir. »

Tandis qu'il se rasseyait, il lui indiqua d'un geste la chaise de l'autre côté de son burau.

« Je suis là pour ça. Eh bien, voyons ce problème. »

Elle ouvrit une grande enveloppe de papier kraft et en sortit plusieurs papiers qu'elle posa sur le bureau.

« Je vous ai raconté l'accident qui est arrivé à mon père. Voici tous les renseignements que vous m'avez demandé d'apporter. »

Il prit les papiers et les parcourut rapidement. Elle avait dit vrai. Le dossier était complet : il y avait le constat d'accident, et la carte d'adhérent mentionnant que son père avait versé ses cotisations et qu'il était en règle. Il n'y avait qu'une chose qui clochait : la section à laquelle il appartenait venait de faire faillite. Les sommes qui auraient dû être affectées à la caisse de solidarité avaient disparu depuis longtemps, tout comme le trésorier et le secrétaire général de la section.

Il leva les yeux vers la jeune fille qui n'avait cessé de le dévisager avec insistance.

« Il y a un os.

— Je sais, le syndicat n'a plus d'argent. »

Il acquiesça.

« Exactement.

— Mais mon père m'a dit que c'est vous qui étiez chargé de gérer l'argent destiné aux pensions et que les gens du syndicat n'ont donc pas pu y toucher.

— C'est en effet ce qui était convenu. Mais la section n'a pas respecté ses engagements.

— Comment est-ce possible ? Si c'est vous qui êtes responsable...

— Nous nous bornons à les conseiller, fit-il en l'interrompant. Nous ne sommes pas en mesure de les obliger à faire quoi que ce soit. Nous n'avons pas une autorité suffisante. Nous leur avons soumis un plan de gestion qui garantit la sécurité des adhérents. Si les gens du syndicat le respectent, tout va bien. Sinon...

— Quelle injustice ! s'écria-t-elle avec véhémence. Mon père m'a dit que le syndicat vous payait pour que vous vous en occupiez. C'est donc vous qui êtes responsable.

— Il n'a jamais été question qu'ils nous paient pour gérer leur trésorerie. S'ils nous l'avaient demandé, nous l'aurions fait mais ils se sont contentés de nous consulter sans que nous nous mêlions de rien. »

Elle regarda les papiers étalés sur le bureau.

« Alors tous ces trucs-là ne valent même pas le papier sur lequel on les a imprimés ! »

Daniel garda le silence. Elle leva sur lui des yeux pleins de larmes.

« Que faire maintenant ? Mon père ne peut plus travailler et, à la maison, il y a deux autres enfants plus jeunes que moi. On a demandé des allocations de chômage, mais on nous les a refusées sous prétexte que je travaille. Avec ce que je gagne, c'est-à-dire trente dollars par semaine, on ne peut pas s'en sortir.

— Et votre syndicat ? Votre père leur a-t-il demandé si on ne pouvait pas lui trouver une place de veilleur de nuit dans une usine ou quelque chose comme ça ?

— Le syndicat ? Ils sont incapables de lever le petit doigt ! D'après ce qu'ils m'ont dit, ils en sont encore à se demander comment leur président a pu s'en aller en emportant la caisse !

— Je vais étudier la question. »

Furieuse, elle se leva.

« Vous êtes bien tous pareils. Généreux quand il s'agit de ramasser les cotisations, mais dès qu'il s'agit de payer, il n'y a plus personne !

— Ce n'est pas vrai, répondit-il avec douceur. La plupart des syndicats prennent leurs responsabilités au sérieux. Malheureusement, votre père appartient à une section dirigée par un escroc.

— Vous êtes tous des escrocs ! Vous ne m'ôterez pas cette idée de la tête. »

Daniel attendit un moment avant de répondre.

« Ça ne sert à rien de vous mettre en colère, fit-il gentiment. Vous ne voulez pas vous rasseoir ? On pourrait peut-être essayer de trouver une solution ? ?

Lentement, elle se rassit sans le quitter des yeux.

« Vous croyez vraiment que vous pourriez faire quelque chose ?

— Je ne sais pas, admit-il. Mais on peut toujours tenter. Il tendit le bras vers le téléphone. Laissez-moi le temps de donner quelques coups de fil. »

Près d'une heure s'était écoulée lorsqu'il raccrocha pour de bon. Il lui lança un coup d'œil. « Au moins, nous avons quelques pistes. Il n'y a plus qu'à attendre pour voir ce qu'elles donneront. »

Elle croisa son regard.

« Je m'excuse, M. Huggins. Je n'aurais pas dû vous traiter comme je l'ai fait.

— Il n'y a pas de mal. Je vous comprends. Vous en avez assez qu'on se moque de vous. »

Tout à coup, Daniel se sentait épuisé. « Si je ne vous ai pas donné de nouvelles d'ici la semaine prochaine, rappelez-moi. »

Elle le dévisagea, alarmée par son expression.

« Vous vous sentez bien, M. Huggins ?

— Un peu de fatigue, c'est tout, fit-il d'un ton las. J'ai eu une rude journée.

— Je vous demande pardon. Je suppose que vous avez des quantités de problèmes comme le mien à régler. Je n'avais pas l'intention de vous compliquer la tâche mais je ne savais pas à qui d'autre m'adresser.

— Ça ne fait rien, Margaret. » Il ouvrit le dernier tiroir de son bureau. « Ça ne vous ennuie pas que je me serve un verre ? »

Elle fit non de la tête et le regarda sortir la bouteille et deux verres. Il s'en versa une rasade et la regarda : « Non merci », dit-elle.

Il vida son verre. Elle constata que son visage reprenait des couleurs.

« Où est-ce que vous travaillez ? demanda-t-il en se resservant.

— Je suis dactylo dans une agence immobilière.

— C'est un travail intéressant ?

— C'est correct. J'assure un intérim. Mais j'ai sauté dessus. C'est le premier travail que j'ai pu décrocher.

— Vous habitez loin ?

— Deux heures en bus. Mais ça peut aller. Je finis à quatre heures. Donc quand je rentre, j'ai le temps de préparer le dîner.

— Et votre mère ?

— Elle est morte.

— Je vous demande pardon. Je ferais peut-être mieux de vous laisser repartir à présent. Vous êtes déjà bien en retard pour le dîner.

— Ce n'est pas grave. Je me suis arrangée avec une voisine pour ce soir. »

Il vida son verre et remit la bouteille dans le bureau. Il se leva.

« J'ai ma voiture en bas. Je peux vous déposer à la gare routière.

— Je peux y aller à pied, le prochain bus ne part pas avant 9 heures. »

Daniel regarda sa montre. Il était à peine plus de 7 heures.

« Ça vous dirait de manger un morceau avec moi ? Je vous accompagnerai à l'arrêt du bus. »

Elle hésita.

« Je vous ai déjà beaucoup trop dérangé.

— Ne dites pas de bêtises, fit-il avec un sourire. J'ai ma soirée libre. J'avais l'intention de dîner et de me coucher tôt. » Il décrocha son téléphone et sa secrétaire lui répondit. « Appelez chez moi et dites à Mamie que je dîne dehors. » Il vit qu'elle le regardait, perplexe. « Mamie est ma cuisinière », ajouta-t-il à son intention. Elle hocha la tête sans faire de commentaire. « Je ne suis pas marié, vous savez.

— Je sais.

— Et qu'est-ce que vous savez d'autre sur mon compte ? »

Elle se tut.

« Vous pouvez me le dire ; ça ne me mettra pas en colère. »

Après avoir longuement hésité, elle finit pas se décider.

« Mon père ne voulait pas que je vienne vous voir. Il raconte que toutes les femmes vous courent après. »

Daniel se mit à rire. « Qu'est-ce qu'il a dit encore ?

— Que vous alliez sans doute m'inviter à dîner.

— Eh bien ! il avait raison. C'est ce que j'ai fait. Il n'a rien dit d'autre ?

— Il m'a dit que si j'acceptais de dîner avec vous, il faudrait que je fasse très attention.

— Comme on n'a pas encore dîné, il est trop tôt pour en parler, pas vrai ? » fit Daniel, toujours souriant.

Au bout d'un moment, elle aussi finit par se dérider.

« Oui, vous avez raison.

— Vous allez pouvoir en juger par vous-même. »

Elle souriait encore lorsqu'elle croisa son regard. « Entendu, je prends le risque.

— Nous allons dîner dans un restaurant sans façons. Juste en face ; ils servent de très bons steaks.

— Ça me convient parfaitement. » Elle se leva. « Où sont les toilettes ?

— Traversez le bureau de la secrétaire, dans le couloir à droite. »

Il la regarda se diriger vers la porte puis s'assit et ressortit la bouteille. Vite, il but un coup. Ça tenait à sa façon de marcher : tout à l'heure, lorsqu'elle était entrée, elle avait une démarche différente. Elle lui avait fait l'effet d'être une très jeune fille. Maintenant, tout d'un coup, elle lui paraissait très femme.

3

Lorsqu'il descendit de la passerelle à l'aéroport de Miami, une petite mallette à la main, il transpirait déjà sous son costume d'été. Deux hommes plutôt jeunes se dirigèrent droit sur lui : un grand blond et un petit brun, tous deux vêtus de costumes en *seersucker*.

« M. Huggins ? interrogea le plus petit des deux.

— C'est bien moi.

— La voiture nous attend dehors. Vous avez des bagages ?

— Aucun. »

Le petit homme hocha la tête. « Alors, par ici, je vous prie. »

Flanqué des deux hommes, Daniel traversa l'aéroport envahi par des groupes de touristes qui s'agglutinaient dans le hall avec leurs bagages. Dehors, une grosse Cadillac les attendait, moteur en marche. On lui ouvrit la portière. Le grand blond monta à côté de lui tandis que le petit brun s'installait à côté du chauffeur.

« Nous y serons dans un quart d'heure », déclara le grand blond. La voiture démarra. « Vous avez fait bon voyage ?

— Excellent, répondit Daniel.

— D'ici quelques mois, ce sera encore mieux. Ils vont mettre en service de nouveaux avions à réaction, quand la saison battra son plein.

— Je pensais que c'était déjà fait.

— Il n'y en a que quelques-uns sur cette ligne. Mais d'ici l'automne prochain, il n'y aura plus que des jets. »

Daniel jeta un coup d'œil par la portière. La voiture roulait à vive allure sur l'autoroute qui conduit à Miami Beach. Il ne semblait pas y avoir beaucoup de circulation. Après s'être arrêtés un instant au péage, ils longèrent les petites îles situées dans la baie qui sépare le continent du cordon littoral. Alors qu'on approchait des dernières îles, la Cadillac ralentit et finit par tourner sur un embranchement qui menait à l'une d'elles.

Daniel remarqua des gardiens armés en uniforme qui se tenaient à l'entrée de la bretelle d'accès. Ils connaissaient la voiture car elle passa devant eux sans même ralentir. Ils dépassèrent plusieurs maisons basses, dans le style des bungalows floridiens, entourées de grands espaces couverts de gazon d'Espagne et abritées par des haies soigneusement taillées, puis s'engagèrent finalement dans une allée privée au bout de laquelle se trouvait un haut portail d'acier. La voiture s'arrêta.

Un homme sortit d'une petite guérite et vint examiner la voiture. Un instant plus tard, il rentrait dans sa guérite et le grand portail s'ouvrait. La voiture s'engagea et, aussitôt, le portail se referma, derrière. Ils roulèrent sur une longue allée sinueuse jusqu'à la maison, invisible depuis la route.

Les deux hommes sortirent de la Cadillac, attendant que Daniel en fasse autant.

« Un instant, monsieur, fit le grand blond, poliment. Nous sommes tenus de vérifier que vous n'avez pas d'arme. »

Daniel acquiesça sans rien dire et leva les mains tandis que l'homme palpait ses vêtements d'un geste expert. Quand il eut fini, il se releva. « Veuillez nous montrer votre mallette, je vous prie.

— Elle est ouverte », fit Daniel en la lui tendant.

Le grand blond feuilleta rapidement les papiers qui s'y trouvaient et vérifia qu'il n'y avait pas de double fond, puis rendit la mallette à Daniel.

« Suivez-moi, s'il vous plaît », fit-il avec un signe de tête.

Grâce à l'air conditionné, la maison était fraîche. Daniel les suivit jusque dans une pièce où deux immenses baies vitrées donnaient sur la piscine. Au-delà, il aperçut une petite jetée dans la baie, où était ancré un yacht de vingt mètres.

« M. Lansky sera là dans un instant », fit le grand blond. Du geste, il désigna le bar dans un angle de la pièce. « Servez-vous. »

Daniel le remercia. Tandis qu'il se dirigeait vers le bar, les deux autres quittèrent la pièce. Les étagères étaient remplies de tous les alcools imaginables, de jus d'orange frais et de tomate ; il y avait des seaux à glace, des zestes de citron, des olives, des petits oignons, du tabasco et de la sauce Worcestershire. Fasciné, Daniel contemplait toutes les bouteilles. Aucune n'était entamée. Il choisit une bouteille d'Old Forester, fit sauter la capsule et se versa un verre dans lequel il ajouta un trait d'eau glacée. Tout en dégustant son whisky, il s'approcha de la baie vitrée.

La vue qu'on avait était magnifique. Le bleu du ciel et de la mer se mélangeaient ; des canots à moteur et des voiliers sillonnaient l'eau en tous sens. Il but une petite gorgée. C'était du bon whisky.

« Bonjour, M. Huggins », fit une voix derrière lui.

Lansky était un petit homme, vieilli avant l'âge, les traits tirés malgré son teint hâlé. Daniel ne put réprimer un mouvement de surprise : ils avaient le même âge mais Lansky paraissait beaucoup plus vieux.

« Bonjour, M. Lansky », fit Daniel, la main tendue.

Bien que rapide, la poignée de main de Lansky lui parut ferme. Il se dirigea vers le bar et se servit un jus d'orange qu'il dégusta lentement tout en dévisageant Daniel.

« Les oranges de Floride ! Les meilleures du monde. Toutes les heures, je m'en fais presser des toutes fraîches. »

Il acquiesça et suivit Lansky qui s'installa sur un canapé ; Daniel s'assit en face de lui.

« Comment va la santé, M. Lansky ?

— Ça va mieux, mais c'est pas encore ça. Le cœur n'est plus ce qu'il était, fit-il en se tapotant la poitrine.

— Oh ! vous nous enterrerez tous », fit Daniel.

Lansky eut un petit sourire.

« Si je n'étais pas constamment sollicité, ça irait. Mais on me harcèle de partout.

— Ça, c'est la rançon de la gloire ! »

Lansky hocha la tête. « J'ai entendu dire que vous aviez de gros problèmes, ajouta-t-il soudain d'une voix plus assurée.

— C'est exact.

— Il y a quatre ans, je vous avais prévenu. Je vous avais dit qu'à partir du moment où l'A.F.L. et la C.I.O. fusionneraient, vous seriez hors circuit.

— C'est vrai.

— Vous auriez dû m'écouter. » On aurait dit que Lansky réprimandait un enfant désobéissant. Daniel ne trouva rien à répondre. « Enfin, ça ne sert à rien d'épiloguer ! Comment se présente la situation ? »

Rapidement, Daniel le mit au courant. Lorsqu'il eut fini, Lansky hocha la tête d'un air entendu.

« Votre idée est bonne, mais Hoffa et Boyle n'ont pas vraiment besoin de vous. Leur réputation, ils s'en contrefoutent. Ce sont des bagarreurs, avant tout. Pour qu'ils marchent dans votre combine, il faudrait qu'ils soient vraiment convaincus qu'il y va de leur intérêt.

— Un mot de vous suffirait peut-être », suggéra Daniel.

Lansky hocha la tête.

« Possible. Mais vous avez d'autres problèmes. En admettant qu'ils marchent avec vous, où prendrez-vous l'argent ? Ce ne sont pas les cotisations qui suffiront à payer les frais.

— S'ils acceptent mon projet, nous aurons la gestion d'une grande partie des fonds d'assurance et de maladie.

— Ils ne vous la confieront sûrement pas tout entière !

— Bien sûr. Ce n'est pas ce que j'ai voulu dire. Simplement, il pourrait s'agir d'une co-gestion. Les fonds sont suffisamment importants pour que chacun y trouve son compte. »

Lansky garda le silence un moment.

« Et moi, où est-ce que j'interviens là-dedans ? »

Peu à peu, Daniel reprenait confiance. Lansky savait très bien le rôle qu'il pouvait jouer. Il possédait des compagnies d'assurance, des banques, des sociétés immobilières qu'il pouvait manœuvrer à sa guise. Daniel joua son va-tout :

« Si c'est à moi de vous l'expliquer M. Lansky, j'ai perdu mon temps en venant jusqu'ici. »

Lansky réfléchit un instant.

« On dit que vous avez rendez-vous avec le président, à la Maison Blanche ? »

Daniel acquiesça. Décidément, rien ne semblait échapper à Lansky.

« Je dois prendre mon petit déjeuner avec le président le 6 septembre prochain.

— Vous avez eu Adams ? » Daniel fit signe que oui. « C'est un bon contact. Restez en relation avec lui, fit Lansky approbateur.

— C'est bien ce que j'ai l'intention de faire. »

Après un nouveau silence, Lansky reprit : « Eisenhower va repasser. Vous avez des atouts. Si vous les jouez correctement, ça peut vous rapporter gros.

— Touchons du bois ! »

Pour la première fois depuis le début de l'entretien, Lansky se dérida. Il avait un rire sec, une sorte de gloussement sinistre.

« Pour un homme au bord de la faillite, vous n'avez pas l'air de trop vous en faire. »

Daniel éclata de rire et se resservit à boire. Cette fois, il n'ajouta pas d'eau.

« Si je tombe, j'en entraînerai plus d'un dans ma chute. »

Lansky lui jeta un coup d'œil.

« Alors, vous avez besoin de combien ?

— Deux cent cinquante mille dollars. Ça nous permettra de tenir un an jusqu'à ce que les choses s'arrangent.

— Ça fait beaucoup d'argent.

— Ce n'est rien à côté des sommes qui sont en jeu. L'U.M.W. doit avoir plus de soixante millions de dollars de réserve et les routiers à peu près autant. A raison de vingt pour cent d'intérêt sur ces sommes, elles rapporteront plus de deux millions de dollars par an. »

Lansky avait déjà pris sa décision.

« Entendu. Vous aurez l'argent.

— Merci, M. Lansky.

— Ne me remerciez pas, répondit tranquillement Lansky. Seulement mettez-vous bien dans la tête que nous ferons part à deux : *fifty-fifty*.

— C'est trop. Il m'est impossible de sortir autant d'argent sans qu'on s'en aperçoive.

— Alors, quel pourcentage m'offrez-vous ?

— Vingt-cinq pour cent.

— C'est peu.

— Sans doute. Mais ce sont vos propres compagnies qui vont profiter de l'opération. Vous toucherez de grosses commissions supplémentaires. »

Lansky réfléchit un bon moment.

« Vous êtes dur en affaires.

— Non, je ne suis pas dur. Je vois les choses d'un point de vue pratique. Nous avons déjà bien assez de soucis comme ça, tous les deux. Inutile de nous en créer d'autres.

— Marché conclu », fit Lansky. Il appuya sur un bouton à côté du canapé. Un instant plus tard le grand blond qui avait accueilli Daniel à l'aéroport entra dans la pièce avec un attaché-case noir qu'il plaça sur la table basse et quitta la pièce.

« Ouvrez-la », fit Lansky en désignant la mallette.

Daniel appuya sur les serrures et l'attaché-case s'ouvrit. Il était plein à ras-bord de liasses de billets soigneusement enveloppés dans leur bande d'origine. Il jeta un coup d'œil à Lansky.

« Deux cent cinquante mille dollars, commenta Lansky, l'air détaché. Vous pouvez les compter.

— Oh ! je vous fais confiance », répondit Daniel en refermant la mallette. Il se leva. « C'était déjà tout prêt ?

— Je suis bien obligé, fit Lansky avec un sourire. Lorsqu'une occasion se présente, il ne s'agit pas de la louper ! »

4

Michael Rourke leva les yeux de son journal du dimanche lorsque sa fille entra dans la pièce. Il remarqua qu'elle arborait une nouvelle robe et qu'elle s'était maquillée.

« Tu sors ce soir ? » demanda-t-il.

Margaret fit signe que oui.

« Tout est prêt pour le dîner. Le rôti est dans le four. Il sera cuit à six heures. Les enfants savent qu'ils doivent le sortir à ce moment-là. » Son père garda le silence un moment puis ajouta :

« Tu sors avec Big Dan ?

— Oui. »

Il reposa son journal.

« Tu sais qu'il a rencontré le président à la Maison Blanche cette semaine ?

— Il m'en a parlé.

— Tu l'as vu récemment ?

— Jeudi dernier. Tu te souviens, je t'ai dit que je dînais en ville.

— Et quand tu es rentrée, il était plus de minuit. Tu ne m'avais pas dit que c'était avec lui que tu sortais.

— Il n'y a pas de mal à ça, p'pa. C'est un homme charmant.

— Oui, mais il est plus vieux que moi.

— Si tu le connaissais, tu ne parlerais pas de son âge. Il s'intéresse à tout.

— Ça ne me plaît pas, répliqua son père. A mon avis, tu le vois trop souvent. Tu devrais sortir avec des garçons de ton âge.

— Les garçons de mon âge ne m'intéressent pas. Ils n'ont rien dans la cervelle. Ou plutôt, ils n'ont qu'une chose en tête.

— Et lui alors ?

— Il a toujours été très correct avec moi. »

Son père hocha la tête, sceptique. « Et mon travail, il s'en occupe ?

— Tout ce que je sais, c'est qu'il fait des démarches et qu'il attend des résultats pour bientôt.

— Ben voyons », fit son père, sarcastique.

Margaret le dévisagea. « Tu n'as pas confiance en lui ? Pourquoi raconterait-il des histoires ?

— Parce qu'il ne veut qu'une chose : te sauter ! Voilà pourquoi, s'écria Michael Rourke, désabusé.

— Papa ! s'exclama-t-elle vivement.

— Y a pas de papa qui tienne ! Tu sais aussi bien que moi qu'il n'attend que ça ! » Il lui lança un regard soupçonneux. « Et c'est bien ça que tu veux aussi, sans doute !

— Je ne veux pas en entendre davantage. » Elle fit mine de s'en aller.

« Margaret ! » cria-t-il.

Elle s'arrêta sur le seuil.

« Oui ?

— Je n'ai pas voulu te faire de peine, fit-il en guise d'excuse. Mais je m'inquiète beaucoup à ton sujet. Je t'ai déjà dit la réputation qu'il a. Il boit et toutes les femmes lui courent après. Je ne veux pas que tu sois une parmi tant d'autres, tu comprends ? Je ne veux pas te voir souffrir, ma petite fille.

— Je ne suis plus une petite fille, papa, fit-elle, sur la défensive. Je suis assez grande pour me débrouiller. »

Après l'avoir fixée un moment, il reprit son journal. « Très bien, je t'aurai prévenue, souviens-t'en ! »

Elle referma la porte sur elle, et il resta les yeux dans le vague, à remâcher son impuissance. Si seulement il avait pu être actif comme avant, ça ne se serait pas passé comme ça. Mais il ne pouvait rien faire. C'est sur elle que reposaient toutes les responsabilités domestiques : la maison et ses deux autres enfants. Elle avait peut-être raison. Elle n'était plus une enfant. Elle n'en avait pas même eu le temps !

John L. Lewis trônait dans son fauteuil, derrière une énorme table, dans son bureau entièrement lambrissé de chêne massif. Derrière lui, les fenêtres donnaient sur les bâtiments officiels de marbre blanc, au cœur de Washington. Vêtu comme toujours d'un épais costume sombre, portant faux-col et cravate, il donnait une impression de puissance et de détermination. A côté de lui, de chaque côté de la table se trouvaient ses deux principaux adjoints : Tom Kennedy, qui n'avait pas loin de soixante-dix ans, un homme distingué aux cheveux blancs, et Tony Boyle, beaucoup plus jeune, agressif et ambitieux. Daniel les regarda tous deux. Kennedy réfléchissait, pesait méticuleusement le pour et le contre, avant de se lancer. Boyle, impétueux, savait se servir de son pouvoir et de son énergie pour balayer tous les obstacles qui encombraient sa route. Au centre, se trouvait John Lewis, qui cumulait leurs qualités. S'il était leur égal, il les dépassait en même temps par son charisme naturel et son autorité qui ne souffrait aucune contradiction.

Lewis avait pris la parole.

« La T.V.A. est le plus gros client des mines de charbon du monde entier. En raison de leurs besoins toujours plus grands, d'innombrables compagnies de charbonnage ouvrent des mines sans passer de contrats avec les syndicats, et vendent leur charbon au-dessous des prix fixés par nos centrales. Par conséquent, non seulement les mines qui respectent leurs engagements vis-à-vis de nous vendent moins de charbon, mais de plus, les premiers touchés sont nos adhérents, qui perdent leur emploi au profit d'autres travailleurs non syndiqués.

« Nous avons épuisé tous nos recours auprès du gouvernement et chaque fois que nous avons demandé de l'aide, nos arguments sont tombés dans l'oreille d'un sourd. La situation s'aggrave régulièrement et si cela continue, c'est toute l'organisation syndicale, que nous avons eu tant de peine à mettre sur pied, qui va se trouver menacée. Si nous laissons pourrir cette situation, je vois venir le jour où nos adhérents se poseront la question : à quoi bon rester avec nous ? Si cela devait se produire ce serait la fin de l'U.M.W., telle que nous l'avons conçue. »

Kennedy approuva solennellement sans rien ajouter. Boyle se montra plus décidé.

« Nous n'avons pas le choix. Il faut contre-attaquer avec tous les moyens dont nous disposons. »

Daniel se tourna vers lui.

« En 1946 et 1947 dans la section 19, la violence n'a pas donné de très bons résultats. Pas plus que de 1948 à 1952 dans la section 23. Tout ce que nous avons réussi à faire, ça a été de précipiter la fermeture des mines qui avaient passé un accord avec les syndicats : le prix du charbon avait tellement grimpé, qu'elles n'étaient plus compétitives. Même l'aide financière de l'U.M.W. n'a pas empêché certaines de ces mines de faire faillite. Résultat : non seulement le syndicat a perdu des adhérents, mais beaucoup d'argent et de prestige. Et on ne sait toujours pas ce que nous réserve la décision des tribunaux, au sujet des poursuites dont nous faisons l'objet, pour les actions menées à l'époque. Si les plaignants ont gain de cause sur tous les tableaux, le syndicat fera faillite. Nous devrons fermer boutique : exactement comme si chacun de nos adhérents avait décidé de nous lâcher le même jour.

— Tu as une meilleure idée ? fit Boyle, agressif. Qu'est-ce qu'il faut faire, alors ? Attendre bien tranquillement les jaunes, laisser les magouilleurs nous mettre le grappin dessus ?

— Je n'ai pas encore d'idée précise. En revanche, je sais ce qu'il ne faut pas faire. Nous sommes en période électorale. Nous ne pouvons pas nous permettre d'entreprendre quoi que ce soit qui contraindrait Eisenhower à prendre position contre nous ; ce qu'il serait obligé de faire, le cas échéant, pour s'assurer le soutien des conservateurs.

— Autrement dit, il faut attendre ? interrogea Boyle.

— Tout juste, fit Daniel, froidement.

— Alors bon Dieu, à quoi est-ce que tu nous sers ? s'écria Boyle, furieux. Si on t'a fait venir ici, c'est pour que tu nous apportes des solutions !

— Désolé de vous décevoir. Je n'ai jamais prétendu détenir la solution. C'est vous qui m'avez demandé de venir. Pas moi. » Il se leva. « M. Lewis, c'est toujours un plaisir pour moi de vous rencontrer. »

John Lewis le toisa sans aménité.

« Rasseyez-vous, Daniel. Je n'ai pas dit que l'entretien était terminé. » Il attendit que Daniel ait repris place dans son fauteuil. « S'il y a une chose que j'ai retenue de notre entretien avec le président, c'est qu'il a beaucoup d'estime pour vous. En tout cas, c'est mon impression. »

Daniel n'ajouta rien.

« Je crois que, vis-à-vis du gouvernement, si nous pouvions trouver un moyen de travailler ensemble, notre crédibilité en serait notablement accrue. A mon avis, si nous pouvons annoncer que l'U.M.W. et la C.U.T.I. ont signé un accord, pour étudier la possibilité d'une réorganisation interne, d'une nouvelle gestion de nos fonds et de nos programmes d'aide sociale et de santé, je crois que nous aurions déjà convaincu le président que nous ne sommes pas des révolutionnaires dangereux. »

Daniel regarda le vieil homme dans les yeux.

« Si j'ai bien compris, nous vous servirons d'écran, derrière lequel vous pourrez continuer à agir comme bon vous semble ? »

Lewis se râcla la gorge.

« C'est une façon un peu crue de voir les choses.

— Mais c'est la vérité ? »

Lewis regarda ses assistants, hocha la tête et finit par dire oui.

« M. Lewis, vous savez la réputation que j'ai. Je n'y vais pas par quatre chemins quand il s'agit du sort de nos adhérents. Je ne me priverai pas de donner mon avis.

— C'est un risque que nous prendrons, déclara Lewis. N'oubliez pas que, moi aussi, j'ai combattu toute ma vie pour améliorer les conditions de travail des ouvriers. Nos méthodes et nos opinions diffèrent peut-être, mais nos motifs sont identiques. Et, en fin de compte, la décision doit toujours revenir au syndicat qui fait appel à vos services.

— M. Lewis je vous remercie de l'occasion que vous m'offrez. C'est un honneur pour moi que de pouvoir vous rendre service à vous et à l'U.M.W. » Daniel lui tendit la main. « Quand voulez-vous que nous commencions ? »

Lewis lui serra la main avec un sourire.

« C'est déjà fait. Vous n'avez plus qu'à régler les détails avec Tony et Tom. »

Boyle l'accompagna jusqu'à sa voiture.

« Tu vas travailler avec moi, tu le sais ?

— Oui.

— C'est moi qui ai eu cette idée. Lewis a marché à fond ; une fois appâté, il a tout avalé sans se méfier. Il se fait vieux. Maintenant, il ne désire plus qu'une chose, garder les mains nettes.

— Pour ça, il peut compter sur moi. Mais je ne pourrai pas l'empêcher de faire face à ses obligations financières. A cause de lui, le syndicat dépend de trop de gens : la National Bank de Washington, les charbonnages du Kentucky et de Nashville, toutes sociétés achetées avec l'argent du syndicat, en puisant dans les caisses d'allocations et de pensions. Tôt ou tard, le gouvernement fourrera son nez là-dedans et ce jour-là, ce sera catastrophique. Il faudra qu'il s'occupe d'autre chose que des campagnes électorales soutenues par le syndicat !

— Et tu vas lui dire ça ?

— En temps voulu.

— Il n'appréciera pas.

— Ça m'est difficile de faire autrement. Il m'a demandé de l'aider. J'essaierai. Mais il m'a dit aussi qu'il voulait continuer à agir à sa guise. Ce n'est pas tombé dans l'oreille d'un sourd.

— Et ce dont nous avions discuté ? Ça tient toujours ? »

Daniel le regarda.

« Bien sûr. Je compte bien t'épauler et je veillerai à ce que tu deviennes un jour le patron. Mais dès aujourd'hui, je peux déjà te donner quelques conseils à titre gracieux. Tu n'es pas John Lewis et tu ne le seras jamais. Ce qui veut dire que tu n'arriveras pas à faire la moitié de ce qu'il a accompli. Quand il aura disparu, toute la merde va remonter à la surface. Alors, à ce moment-là, tu auras intérêt à avoir les mains propres.

— Pour ça, fais-moi confiance, affirma Boyle sûr de lui. Je sais ce qui me reste à faire. On ne peut pas diriger un syndicat en faisant plaisir à tout le monde.

— N'entamons pas de discussion là-dessus. Je me borne à te donner un conseil amical.

— La première chose que je voudrais que tu fasses c'est d'envoyer une équipe à Middlesboro. Qu'elle nous ponde un rapport circonstancié sur toutes les nouvelles mines qui sont en train de s'ouvrir dans les parages. Il nous faut une estimation sur leur production et sur l'implantation syndicale. J'ai idée que si on ne s'y pointe pas rapidement, elles vont nous faire une concurrence telle que les mines qui appartiennent aux syndicats n'arriveront plus à vendre quoi que ce soit à la T.V.A.

— Je m'en occupe, fit Daniel. Il monta en voiture. Mais il va me falloir de l'argent.

— Dis-moi de combien tu as besoin, répondit Boyle. Et tu l'auras dans les vingt-quatre heures. »

5

Lorsqu'il rangea sa voiture le long du trottoir, il la vit qui l'attendait dans la rue, devant son bureau. Il ouvrit sa portière et s'approcha d'elle.

« Pourquoi n'êtes-vous pas entrée ?

— Votre bureau était fermé et je n'ai trouvé personne.

— Vous auriez dû m'attendre à la réception.

— La standardiste m'a dit qu'elle partait et qu'elle ne savait pas si vous rentreriez.

— Je suis vraiment désolé » fit Daniel en lui ouvrant la porte et en s'effaçant pour la laisser passer. Ils prirent l'escalier pour monter à son bureau, au deuxième étage. « Ça fait longtemps que vous êtes là ?

— Depuis six heures. »

Il jeta un rapide coup d'œil à la pendule murale : elle marquait sept heures passées.

« J'ai été retenu à une réunion. » Il tira une clé de sa poche et ouvrit la porte. Elle le suivit dans son bureau. Il ouvrit un tiroir et en sortit sa bouteille de whisky. Il se servit un verre.

« Ça n'a pas d'importance. Je savais que vous n'oublieriez pas notre rendez-vous. »

Il vida son verre.

« J'aurais dû vous appeler.

— Mais non, ça ne fait rien. Je vous assure.

— Vous êtes bien jolie aujourd'hui, fit-il avec un sourire.

— Merci, dit-elle en se sentant rougir.

— Je crois que, si ça l'intéresse toujours, j'ai trouvé un boulot pour votre père. Plus ça va, plus il y a de travail ici et on aurait besoin d'un gardien de nuit, pour surveiller les lieux et répondre au téléphone.

— Il va être rudement content, j'en suis sûre.

— Ça fait beaucoup d'heures de présence. Il faudra être là de sept heures du soir à sept heures du matin.

— C'est pas ça qui lui fait peur !

— Venez avec lui la semaine prochaine ; vous irez voir M. Barrington de ma part. Il arrangera tout ça.

— Merci, M. Huggins.

— Il serait peut-êre temps que vous m'appeliez Daniel ? » fit-il en se resservant à boire. Elle eut un brusque accès de timidité.

« Si vous y tenez.

— J'y tiens beaucoup, Margaret.

— Entendu, Daniel, murmura-t-elle.

— Voilà qui est mieux. J'ai deux ou trois coups de fil à donner. Pendant qu'on y est, on pourrait peut-être se tutoyer ? Tu veux qu'on aille dîner tout de suite ?

— Non, non, je ne suis pas pressée. »

Il décrocha son téléphone et composa le numéro de Moses Barrington. Dans l'appareil, on entendait des cris d'enfants.

« Je te dérange pendant le dîner ?

— Non, on n'a pas encore commencé. C'est pour ça que tu entends les gosses hurler.

— Je n'en ai pas pour longtemps. Simplement, je me suis dit que, pour une fois, tu serais peut-être content d'apprendre de bonnes nouvelles.

— Boyle a marché ? fit Moses, tout excité.

— Mieux que ça ! John Lewis désire que nous collaborions avec lui.

— Tu plaisantes ! s'écria Moses, incrédule. Ne me fais pas des coups pareils, j'ai le cœur fragile, Daniel. »

Daniel se mit à rire. « C'est tout ce qu'il y a de plus officiel. Il souhaite que nous fassions pour lui des enquêtes objectives dans tous ses secteurs. On commencera par aller sur le terrain, dans le Kentucky et à Middlesboro. Tu vas mettre une équipe sur pied et tu te rendras là-bas aussitôt.

— Il va me falloir d'autres gars.

— Vas-y, recrute. Et emmène Junior avec toi. Il sera directement sous tes ordres. Je veux qu'il se mette dans le bain.

— Et ses études à Harvard ?

— Faudra qu'il fasse une croix dessus. Pour lui, rien ne remplacera l'expérience sur le terrain. Ses études, il pourra toujours les reprendre plus tard. Quand tu sentiras qu'il commence à piger, tu le laisseras sur place et tu reviendras au bureau.

— D'accord, Big Dan. Tu as eu un appel de Miami, ajouta-t-il en baissant la voix. On m'a dit qu'il fallait que tu rappelles le plus tôt possible.

— Je m'en occupe.

— Félicitations ! s'écria Moses en reprenant sa voix normale. Pour les tours de passe-passe, tu te poses un peu là ! Comment as-tu fait ? J'y comprends rien !

— Et ce n'est qu'un début, répondit Daniel sans dissimuler sa satisfaction. On se verra demain matin à la première heure. »

Il raccrocha et regarda Margaret assise en face de lui.

« Encore un petit coup de fil et on y va.

— Rien ne presse. »

Il passa par une opératrice pour son appel longue distance. En attendant son correspondant, il mit la main sur le combiné.

« C'est une nouvelle robe que tu portes ? »

Elle acquiesça.

« Elle est très jolie. Mais pas autant que toi !

— Merci », fit-elle en rougissant du compliment.

Une voix répondit au bout du fil. On se contenta d'annoncer le numéro.

« Ici, Daniel Huggins.

— Un instant, monsieur. » Un déclic et il eut Lansky en ligne. Celui-ci n'y alla pas par quatre chemins.

« J'ai un service à vous demander.

— Je vous écoute.

— Il va y avoir une élection chez les routiers du New Jersey. Je veux que ce soit un homme à moi qui soit élu.

— Je ferai mon possible. Comment s'appelle-t-il ?

— Tony Pro. »

Daniel ne répondit pas tout de suite. Tony Pro : Anthony Provenzano, un membre de la Mafia !

« Vous ne choisissez pas des candidats faciles ! Vous savez bien que Dave Beck est sur les rangs.

— Ça, c'est votre affaire, répliqua froidement Lansky. Vous n'avez qu'à dire à Hoffa que si Tony Pro est élu à la tête de cette section, je lui garantis que les transporteurs routiers auront la vie facile sur toute la côte Est.

— Je m'en occupe immédiatement.

— Tenez-moi au courant. » Là-dessus, Lansky raccrocha.

Lentement, Daniel reposa le combiné. Il allait composer le numéro de Moses, mais il changea d'avis. Ça attendrait bien jusqu'à demain matin. C'était la famine ou l'abondance. Tantôt on avait trop à faire, tantôt rien. Brusquement, il se sentit épuisé.

« Tu as des ennuis ?

— Non je suis fatigué, c'est tout. Quelle journée !

— Ne te crois pas obligé de m'emmener dîner. Si tu préfères rentrer chez toi pour te reposer, je ne t'en voudrai pas.

— Tiens, c'est une idée. En effet, pourquoi ne pas aller chez moi ? Je vais dire à Mamie de nous préparer un bon petit dîner ; après, on s'installera bien tranquillement devant la télévision. »

A nouveau, elle se sentit rougir mais son regard ne flancha pas.

« Comme tu voudras. »

Un sourire éclaira soudain son visage, le faisant paraître plus jeune. Il empoigna son téléphone et appela chez lui.

« Mamie ? Mets les petits plats dans les grands ! J'amène une jolie fille à dîner. »

C'était une petite maison, très différente de ce qu'elle avait imaginée, un genre de bungalow comme à Cape Cod. Daniel habitait une banlieue où les maisons étaient strictement identiques. Il n'y avait pas de garage et Daniel rangea sa voiture dans la rue. Pour accéder à la porte d'entrée, il fallait franchir une petite pelouse.

Avant même qu'ils n'y soient parvenus, la porte s'ouvrit : une grosse mama noire qui souriait de toutes ses dents blanches s'écria :

« Bonsoir, M. Dan.

— Mamie, je te présente Mlle Rourke, fit Daniel en la précédant dans la maison.

— Bonsoir, mam'selle Rourke.

— Enchantée de vous connaître, Mamie. J'espère qu'on ne vous dérange pas trop.

— Oh ! non, mam'selle Rourke ! Quand on travaille chez M. Dan, on a l'habitude. On sait jamais qui il y aura à dîner. Mettez-vous à votre aise. Pendant ce temps, je finis de préparer le repas. »

Elle se tourna vers Daniel.

« Vous avez le temps de prendre une douche et de vous changer, si vous voulez.

— Bien, patronne », répliqua Daniel. A Margaret, il expliqua : « Mamie se prend pour ma mère. C'est elle qui organise mon existence. »

Mamie fit semblant de s'en offusquer :

« Faut bien que quelqu'un s'occupe de vous ! Allez, vous feriez mieux de monter. Vous inquiétez pas pour la demoiselle ; avec moi, elle manquera de rien. »

Margaret approuva : « Mais oui, ça ira très bien. »

Il monta les escaliers et Mamie la conduisit dans le salon.

« Là, installez-vous et je vous apporte ce que vous voulez à boire.

— Je n'ai besoin de rien. Est-ce que je peux vous aider ?

— Tout est prêt, fit Mamie avec un sourire. Reposez-vous. » Elle allait sortir de la pièce quand elle se ravisa. « Vous connaissez M. Dan depuis longtemps ?

— Pas très. Depuis deux mois, à peu près.

— Alors vous devez avoir quelque chose de plus que les autres. C'est la première fois qu'il amène une petite amie à la maison. C'est du jamais vu ! »

Margaret la regarda quitter la pièce. Elle entendit une porte claquer à l'étage. Lentement, son regard fit le tour de la pièce, encombrée de meubles désuets, aux formes massives, taillés dans un bois sombre. Les fauteuils et le canapé envahissaient tout l'espace disponible. Dans un angle, on avait installé un bureau avec un téléphone et contre le mur, en face du canapé, il y avait un poste de télévision surmonté d'étagères remplies de livres qui donnaient l'impression de n'avoir jamais été lus. Plusieurs tableaux abstraits décoraient les murs. C'était tout.

Une idée la frappa soudain. A nouveau elle parcourut la pièce, du regard. Bizarre ! il n'y avait pas un seul portrait ni une seule photo de qui que ce soit. « C'est la première fois que j'entre dans une maison où je ne vois pas la moindre photographie », songea-t-elle. Chez elle, c'était pourtant petit, mais il y en avait partout !

Elle entendit des pas dans l'escalier et se tourna vers Daniel. Il s'était changé : il avait mis une chemise de sport, déboutonnée, qui laissait voir l'épaisse toison lui couvrant la poitrine. Il avait passé un pantalon noir. Ses cheveux étaient encore tout mouillés et il sourit lorsqu'il s'aperçut qu'elle le dévisageait.

« Il y a quelque chose qui cloche ? »

Il paraissait beaucoup plus jeune, habillé ainsi.

« Non, mais c'est la première fois que je te vois sans costume ni cravate.

— Oh ! je les enlève aussi pour aller au lit. »

Elle rougit de plus belle.

« Je vais aller voir si le dîner est prêt. On mange ici ou dans la cuisine ?

— Comme tu veux.

— Dans la cuisine, alors. C'est là qu'on mange d'habitude, c'est plus commode. »

Après le dîner, ils revinrent au salon. Il alluma la télévision et posa une bouteille de whisky sur la table devant eux. Il se servit à boire.

Ils regardèrent l'écran qui chauffait, éclairant la pièce d'une lueur étrange. Margaret observait, fascinée. Chez elle, il n'y avait pas de télévision. Daniel semblait s'ennuyer mais regardait sans rien dire tout en s'arrosant consciencieusement. Un peu plus tard, ils virent un film puis les informations de onze heures. Tout au long de la soirée, ils n'échangèrent guère que quelques mots et restèrent assis sur le canapé à distance respectable. Il finit par se lever.

« Il se fait tard. Je vais te raccompagner à l'arrêt du bus. » Elle le regarda sans bouger. « Tu m'entends ?

— Oui, j'ai entendu.

— Alors, on y va ! »

Elle se leva sans rien dire et s'approcha de lui.

« Daniel ! fit-elle.

— Qu'y a-t-il ?

— Je ne suis pas seulement venue ici pour dîner. »

Daniel la dévisagea. « Je suis assez vieux pour être ton père.

— Mais tu n'es pas mon père.

— Tu sais très bien tout ce qu'on raconte sur moi. Ton père lui-même t'a mise en garde.

— C'est vrai.

— Et ça ne te fait rien ?

— Si.

— Alors, il vaut mieux que je t'emmène tout de suite à l'arrêt de bus avant de faire quelque chose qu'on regrettera tous les deux. »

Elle le regarda bien en face. « Tu n'as pas envie de moi ? »

Daniel ne répondit pas.

« J'ai envie de toi, moi. Dès l'instant où je suis entrée dans ton bureau, j'ai eu envie de toi.

— Je ne prends pas les filles au berceau, répliqua-t-il sèchement.

— Je te répète ce que j'ai déjà dit à mon père. Je ne suis plus une enfant. »

Daniel garda le silence.

« D'ailleurs, je ne suis plus vierge si c'est ce qui t'inquiète. Mais, pour la première fois, j'ai vraiment envie d'un homme. J'ai tellement envie de toi que je ne tiens plus sur mes jambes. J'ai l'impression de ne même plus pouvoir marcher ! »

Il la considéra un long moment puis fit demi-tour et alla se planter à l'autre extrémité de la pièce.

« Allons, remets-toi, fit-il, bourru. Je vais te ramener chez toi. Je voudrais parler à ton père.

— Non, protesta-t-elle de toutes ses forces. Tout ce que tu veux dire à mon père, tu peux me le dire, à moi.

— Quel âge as-tu ?

— Presque dix-sept ans, répondit-elle après un instant d'hésitation.

— Raison de plus pour que je parle à ton père. Car, vois-tu, j'ai l'intention de t'épouser. »

6

La pluie tournait à la neige fondue ; elle recouvrait la route qui menait au centre ville. Daniel se tourna vers Moses qui conduisait.

« Où est Junior ?

— A la pension Green. Il nous attend », répondit Moses, s'efforçant d'apercevoir la chaussée à travers le pare-brise et le ballet des essuie-glaces.

« Et les autres ?

— Ils sont avec lui. »

Daniel lui jeta un coup d'œil à la dérobée. Moses restait étrangement silencieux. Ce n'était pas dans ses habitudes. D'ordinaire, on ne pouvait pas en placer une. Daniel prit un cigare dans la poche de sa veste et l'alluma.

« A ton avis, quand est-ce que vous aurez fini votre rapport ?

— Ça y est. Nous l'avons terminé. On n'attendait plus que toi. Tu jetteras un coup d'œil et puis tu voudras peut-être examiner la situation toi-même avant qu'on ne le rédige définitivement. »

Daniel approuva. Les choses se présentaient curieusement : d'habitude Moses ne l'attendait jamais pour rédiger.

« Et Junior ? Comment s'est-il débrouillé ?

— Très bien. » Moses lui jeta un coup d'œil. « C'est bien ton fils. Il ne faut pas lui raconter d'histoires. Il va droit au but.

— J'ai hâte de le voir. J'ai une grande nouvelle à lui annoncer.

— Si c'est que Margaret attend un bébé, je crois qu'il est parfaitement au courant.

— Mais moi, je ne le sais que depuis la semaine dernière ! fit Daniel, tout surpris.

— Elle est enceinte de deux mois, je crois. Félicitations !

— Merci, fit Daniel sèchement. Tout le monde est au courant, décidément. Comment se fait-il ? On a planqué des micros dans ma chambre ?

— Qu'est-ce que tu vas imaginer ? Tu sais bien que les femmes sont incapables de garder un secret !

— Ça alors ! » Soudain, Daniel comprit. Mamie avait vendu la mèche. Junior l'appelait chaque semaine pour prendre des instructions. « Je parie que vous avez été aussi surpris que moi, ajouta Daniel en riant.

— Pas du tout. En fait, on se disait même que tu y avais mis le temps ! »

Ils passèrent devant un panneau situé sur le bord de la route et qui annonçait : BIENVENUE A JELLICO, 1 200 HABITANTS.

« On en a pour cinq minutes », déclara Moses en s'engageant dans la rue principale. Ils longèrent des maisons collées les unes contre les autres de chaque côté de la rue. Devant eux, on apercevait les lumières du centre ville. Malgré la neige qui tombait, il y avait foule dans les rues ; les gens s'arrêtaient pour admirer les vitrines.

« Quelle animation ! On ne dirait jamais une ville de douze cents habitants !

— La plupart de ceux que tu vois ne sont pas d'ici. Les gens du cru sont restés chez eux.

— Alors qui sont-ils, ceux-là ?

— Des mineurs.

— Tiens, il n'en ont vraiment pas l'air ! Trop bien habillés ! Et puis, que je sache, la plupart du temps, les mineurs sont trop fatigués pour déambuler comme ça, dans les rues. »

Moses gardait le silence.

« Où est-ce qu'ils travaillent ?

— Pas ici. Ils viennent des environs. Mais ce sont des mineurs. Et tous syndiqués, je t'assure. » Après avoir dépassé le centre ville, il tourna à gauche et arrêta la voiture devant une grande maison. « Nous y sommes. »

Daniel attendit que Moses ait fermé les portières et le suivit dans la maison. Junior le guettait dans l'entrée et l'accueillit avec un grand sourire.

Daniel lui serra la main. Son fils avait changé. Il avait perdu cet air enfantin qu'il avait encore trois mois auparavant.

« Comment vas-tu, fiston ?

— Bien et toi ?

— En pleine forme.

— Viens. Tout le monde t'attend dans la salle à manger. »

Cinq hommes se trouvaient assis autour de la table. Daniel en connaissait deux qui travaillaient pour la C.U.T.I. : Jack Haney, jeune juriste, spécialiste du droit du travail que Daniel employait depuis un an et l'assistant de Moses, un brillant statisticien frais émoulu d'une grande école de commerce. Quand Daniel leur eut serré la main, Junior lui présenta les trois autres.

Max Neal et Barry Leif avaient été dépêchés sur place par l'état-major de l'U.M.W. de Middleboro. Quant à Mike Carson, le shérif-adjoint de la localité, c'était un vétéran de l'U.M.W. Selon toute vraisemblance, c'était une sorte de tête de pont que l'U.M.W. avait placée là pour assurer son implantation dans le secteur.

Daniel s'assit en bout de table et, après avoir jeté un coup d'œil circulaire, il alla droit au but.

« Vous savez tous pourquoi je suis ici. John L. Lewis m'a demandé de lui faire un rapport sur certains aspects de notre recrutement dans cette région. Par conséquent, je ne tournerai pas autour du pot. Première question à l'ordre du jour : qui a planqué le whisky ? »

Tout le monde s'esclaffa. Carson, le shérif-adjoint, exhiba une bonbonne qu'il prit sous la table et s'écria :

« Je me demandais quand tu allais te décider, Big Dan. »

Des verres apparurent comme par enchantement. Il en remplit un et le tendit à Daniel. « C'est du whisky maison, du vrai ! Y a pas mieux ! »

Daniel le goûta. Il sentit l'alcool lui réchauffer le corps.

« Tu as raison, fit-il en souriant. Ça me rappelle le temps où j'aidais mon vieux à distiller sa gnôle. Ça fait un moment que j'en avais pas bu du comme ça !

— Merci, Big Dan. Dans ta bouche, je sais que c'est un grand compliment. » Carson remplit les autres verres et les distribua à la ronde, puis leva le sien. « Sois le bienvenu chez toi, Big Dan ! »

Daniel hocha la tête et vida son verre.

« Maintenant, mettez-moi au parfum. »

Jack Haney regarda les autres et prit la parole.

« Pas d'objection à ce que je fasse un rapide compte rendu de la situation ? » Personne ne protesta. Il jeta un coup d'œil sur ses papiers. « Les mines Osborne constituent l'essentiel du problème. Ce sont les plus importantes de la région. Elles possèdent une chaîne de dépôts et livrent le charbon à la T.V.A., par l'intermédiaire de transporteurs clandestins, ce qui leur permet de vendre leur charbon moins cher que dans les mines où l'on respecte les accords syndicaux. Primo, Osborne paie ses employés au-dessous du tarif syndical. Secundo, il refuse d'acquitter la taxe de quarante cents à la tonne qui alimente le fonds d'entraide. Il prétend que s'il payait aux mineurs ce qu'on demande, il ne pourrait plus rien vendre à la T.V.A., et que ce serait la faillite. Étant donné qu'il s'agit de la compagnie la plus importante, la quarantaine de petites exploitations existantes s'alignent sur elle. Voilà la situation.

— Vous avez chiffré sa production ?

— Oui » répondit Moses. Son assistant lui passa une liasse de papiers. « Voilà.

— Vous avez vérifié ? »

Moses acquiesça.

« Et alors ?

— En gros, ils ont raison. Vu la façon dont Osborne s'y prend, s'il paie la taxe et les salaires qu'on exige, c'est effectivement la faillite.

— La façon dont il s'y prend, dis-tu ?

— C'est une exploitation archaïque. Ils ont un rendement de huit tonnes par mineur, alors que dans les mines bien équipées, qui respectent les tarifs syndicaux on arrive à trente tonnes par ouvrier. S'il pouvait investir pour s'équiper, il pourrait payer des salaires décents et s'acquitter de la taxe. Mais il prétend qu'il n'a pas de capitaux à investir.

— Et il en a ?

— Non. Étant donné son mode de fonctionnement, l'entreprise couvre tout juste ses frais.

— Et les autres mines ?

— Elles sont en aussi mauvaise posture, pour ne pas dire pire. » Il reposa sa liasse de papiers. « Il s'agit pour la plupart d'entreprises de type familial. »

Barry Leif prit la parole :

« Le résultat, c'est qu'on se fait tous couillonner. Les mines qui respectent les accords syndicaux ne peuvent pas vendre à un prix aussi bas et sont obligées de débaucher des mineurs, que les autres s'empressent de récupérer. Quatre mines importantes qui emploient plus d'un millier de nos adhérents sont sur le point de fermer.

— En traversant la ville tout à l'heure, j'ai vu plein de monde dans les rues, déclara Daniel. Ce sont tous des mineurs ? » Leif acquiesça. « Ils travaillent par ici ?

— Non, intervint Max Neal. Il s'agit de volontaires que nous avons fait venir de Middleboro pour nous aider à nous sortir du pétrin.

— Et vous espérez vous en sortir comment ? interrogea Daniel.

— En faisant pression sur ces salauds de jaunes : nous comptons les obliger à se syndiquer. Sinon, ils auront affaire à nous. »

A nouveau, Daniel jeta un coup d'œil circulaire. Au bout d'un moment, il hocha la tête.

« Je vois le tableau. Demain, vous m'emmènerez faire un tour pour que je puisse me rendre compte de la situation sur le terrain.

— A quelle heure ?

— Juste après le petit déjeuner, vers huit heures. D'accord ? »

Lorsque les délégués de l'U.M.W. et le shérif-adjoint furent partis, Daniel s'adressa aux autres.

« Bon alors, dites-moi ce qui se passe ; sans fioritures. »

Ce fut Moses qui prit la parole.

« On est assis sur un volcan qui va entrer en éruption d'un moment à l'autre. Hier, ils ont commencé à arrêter les camions qui passaient par la ville pour charger le charbon. Quand les chauffeurs refusaient de faire demi-tour, le shérif leur collait une amende pour défaut de signalisation du véhicule. Quant à ceux qui étaient repartis, on les a arrêtés, on les a sortis de leur camion, on leur a cassé la gueule et on a déversé leur chargement. On vient d'apprendre qu'Osborne a embauché des gardes armés pour protéger ses camions jusqu'à la limite de l'État. Carson dit qu'il les attend de pied ferme : il a recruté plus d'une centaine de volontaires de l'U.M.W. et leur a distribué des permis de port d'arme. Certains ont prévu d'aller dynamiter les plus petits puits et d'envoyer des commandos dans les autres mines, pour forcer les ouvriers à se syndiquer. Or, certaines de ces mines sont la propriété des mineurs eux-mêmes : il s'agit de montagnards qui n'entendent sûrement pas se laisser faire. Eux aussi sont armés et prêts à se défendre. Tout laisse prévoir un bain de sang ! »

Daniel se tourna vers Jack Haney.

« Et juridiquement, comment se présente la situation ?

— Plutôt mal, répondit le jeune avocat. Étant donné la nouvelle législation, l'U.M.W. sera tenue pour responsable de tous les dégâts occasionnés. Même s'ils réussissent, en employant la force, à syndiquer tous les mineurs et à leur faire cesser le travail, ils seront tenus pour responsables du manque à gagner. Les tribunaux mettront des années à fixer le montant des dommages, mais le jour où ils le feront, cela risque d'avoir de graves répercussions sur les finances de l'U.M.W.

— Ne peut-on envisager l'intervention d'un médiateur ?

— L'U.M.W. n'en veut pas. Vu qu'ils ne sont pas suffisamment implantés ici, ils seront en mauvaise position pour négocier.

— Et pourquoi pas une négociation directe entre les deux parties ?

— Perdue d'avance. Aucune des deux ne fait confiance à l'autre !

— Vous avez une idée pour élaborer un compromis acceptable par les deux bords ? »

Comme personne ne répondait, Junior prit la parole.

« Moi, j'en ai une. Mais je ne sais pas si on pourra la mettre en pratique.

— Dis toujours, fiston.

— L'U.M.W. a fait venir ici cinq cents hommes, au moins. Il faut bien les payer ! Rien que pour les entretenir, l'U.M.W. doit verser au minimum deux mille cinq cents dollars par jour. Je crois que les patrons accepteraient d'appliquer les tarifs syndicaux si on leur faisait grâce de la taxe à la tonne.

— Lewis ne marchera jamais. Cela créerait un précédent dangereux pour les accords à venir.

— En apparence, oui ; mais on ne supprimerait pas la taxe de quarante cents à la tonne. Supposons simplement que les entreprises acceptent d'en payer le quart et que le solde soit prélevé sur les bénéfices escomptés à la fin de chaque année. Si les bénéfices sont insuffisants, on peut reporter la dette sur l'année suivante. En attendant, le syndicat dispose du quart de la taxe affectée au fonds d'entraide ; quant au solde, il reste dû. Au bout de trois ans, en admettant que la production reste la même qu'aujourd'hui, même si le syndicat n'arrive pas à récupérer son dû, il perdra moins d'argent qu'en entretenant ses adhérents pendant deux mois encore, sans parler des dommages dont il sera tenu pour responsable, étant donné la situation. »

Daniel regarda son fils et opina en silence. Il se garda bien de montrer l'orgueil qu'il ressentait. Ce plan avait sans doute des défauts, mais c'était un pas de fait dans la bonne direction, un compromis qui pouvait satisfaire les deux parties. Mais surtout, c'était son fils qui l'avait élaboré. Son fils, et personne d'autre ! Il regarda ses compagnons.

« Qu'en pensez-vous ? »

Ce fut Moses qui répondit. « C'est une bonne idée ; ça pourrait marcher. Mais il faut d'abord que Lewis l'accepte.

— Nous disposons de combien de temps ?

— Très peu. Quelques jours, tout au plus. Neal et Leif sont prêts à tout faire sauter.

— Pas moyen de les faire patienter ? »

Moses fit signe que non. Daniel se versa à boire et vida son verre d'un coup. « Si ça doit sauter, y a-t-il moyen de soutenir et de justifier la position de l'U.M.W. ? Après tout, c'est pour ça qu'on nous a engagés. »

Avant de répondre, Moses consulta les autres du regard.

« Je ne vois pas lequel. Si les deux parties ont tort, cela ne nous donne pas automatiquement raison pour autant. »

Daniel se sentait las.

« Si nous échouons, nous perdons Lewis et l'U.M.W. Retour à la case départ ! Ils ne nous paieront pas et nous nous retrouverons au bord de la faillite !

— Nous n'avons pas à intervenir, p'pa répliqua Junior. Il suffit que nous prenions notre temps pour rédiger notre rapport, voilà tout. Lorsqu'il arrivera entre les mains de Lewis, il sera trop tard pour faire quoi que ce soit. En attendant, nous aurons rempli la mission dont on nous a chargés.

— A première vue, oui. Mais on sait bien que la réalité est différente. Ce ne serait pas honnête de notre part.

— Personne ne nous demande d'être honnêtes. »

Daniel considéra son fils sans rien dire.

« Pour nous, c'est une question de vie ou de mort ; c'est comme ça que je vois les choses. La prochaine fois, peut-être, nous pourrons nous permettre d'être honnêtes. Mais avant de vouloir être quoi que ce soit, il nous faut tout bonnement subsister !

— Moi, je ne vois pas les choses ainsi. J'irai demain à Washington pour parler avec Lewis.

— Mais pourquoi donc, papa ? Pourquoi ne pas nous laisser finir notre rapport et l'envoyer par la voie habituelle ? Pourquoi te crois-tu obligé d'aller débarquer là-bas comme Zorro sur son cheval ! Qu'est-ce que tu espères obtenir ?

— Si les choses se gâtent ici, beaucoup de gens auront à en souffrir. Des deux côtés. Quels qu'ils soient. Or, il y a peut-être un moyen d'éviter cette catastrophe.

— Ce combat ne nous regarde pas. Toute ta vie, tu as participé à des combats qui ne te concernaient pas et en fin de compte, qu'est-ce que tu en as retiré ?

— Désolé, fiston. Mais ton idée est bonne et je suis sûr que, lorsque Lewis saura ce qui se passe ici, il trouvera le moyen de la mettre en pratique. »

Junior regarda son père droit dans les yeux.

« Q'est-ce qui te fait croire qu'il n'est pas au courant ? C'est ainsi que les choses se sont passées depuis 1944, à chaque fois que l'U.M.W. s'est lancée dans une action dure. Dans les mines de Meadow Creek à Sparta, dans le Tennessee en 1948 : dynamite, violence et terreur. Même stratégie dans le comté de Hopkins, contre la West Kentucky Coal Company en 1949. Je pourrais continuer cette liste pendant des heures. John Lewis, c'est l'U.M.W. et les choses resteront ainsi jusqu'à ce qu'il prenne sa retraite ou qu'il meure. Parce qu'il laisse le sale boulot à Tony Boyle et à ses autres adjoints, tu crois qu'il n'est pas au courant de ce qui se passe ?

— Tu as peut-être raison. Ça n'empêche que j'irai le voir tout de même.

— Non, papa. Tu n'es pas juste envers toi-même, ni envers les gens qui te soutiennent depuis des années et qui se sont sacrifiés, eux et leur famille, à la poursuite d'un idéal impossible à atteindre dans notre société, telle qu'elle est. Tu l'as reconnu toi-même quand tu as fait cette proposition à Boyle et à Hoffa et quand tu es allé chercher de l'argent chez ton ami, en Floride. C'est toi qui as passé ce contrat. Tu ne peux pas le rompre maintenant.

— C'est facile à dire pour toi, fit Daniel d'une voix radoucie. Peut-être même as-tu raison. Ce n'est pas notre combat. Seulement moi, j'ai vécu cela. Je me suis trouvé au milieu de cette violence, entouré de morts et de blessés. Je ferai tout pour éviter un nouveau bain de sang, si j'en ai la possibilité. »

Tous gardaient le silence et Daniel les observa tour à tour.

« Ce que je viens de dire ne concerne que moi. Reste encore à faire le travail que nous sommes censés accomplir. Quand ce sera fini, il nous faudra fournir des preuves à l'U.M.W., une sorte de justification qui leur donne l'impression que notre intervention était vraiment indispensable. » Daniel se leva. « Annulez mon rendez-vous de demain matin. Vous leur direz que j'ai été rappelé d'urgence. » Il se tourna vers son fils. « Tu crois que tu peux me reconduire à l'aéroport ? »

La neige avait cessé mais la route restait glissante. Pendant qu'ils roulaient vers l'aéroport, tous deux restèrent silencieux un long moment puis Daniel se tourna vers son fils.

« Je suis très fier de toi, tu sais.

— Je croyais que tu m'en voulais. Ça m'a fait de la peine. Je ne veux surtout pas te contrarier, même si nous ne sommes pas toujours d'accord.

— Je ne t'en veux pas. Ce que tu as dit est vrai. Mais je suis un peu dépassé, je crois. Je me rappelle la façon dont les choses se passaient avant. Les rêves qu'on faisait quand j'étais jeune. Mais c'est toi qui es dans le vrai : le monde a changé.

— Le monde est resté le même. Ce sont les façons de faire qui ont changé.

— Quand ce rapport sera terminé, je veux que tu reprennes tes études.

— Tu crois que c'est vraiment nécessaire ? Je peux t'être utile, tu vois.

— Tu viens de dire que les façons de faire avaient changé ; dans ce cas, il faut que tu en saches plus que moi. »

Il sortit un cigare qu'il remit aussitôt dans sa poche. « Inutile de l'allumer. On va me le faire éteindre dès que j'aurai mis le pied dans l'avion. »

Junior sourit et s'engagea sur la bretelle qui conduisait à l'aéroport.

« Comment va Margaret ?

— Très bien.

— Elle est contente d'attendre un bébé ?

— Je crois. » Daniel lança un coup d'œil à son fils. « Et toi, ça te fait plaisir ?

— Oui, du moment que tu es content.

— Je le suis. Margaret est une gentille fille.

— Elle est un peu jeune, non ? »

Daniel sourit. « Sans doute. Mais moi, dans le fond, je suis resté un montagnard. Et chez nous, on les prend jeunes ! » Junior ne répondit pas. « Tu n'es pas d'accord, hein ?

— Tu as cinquante-six ans, papa. Ce ne sont pas les femmes qui te manquaient. Je ne t'ai jamais vu seul. Ce que je ne comprends pas bien, c'est la raison pour laquelle tu l'as épousée, elle.

— Peut-être parce qu'elle me rappelle les filles que j'ai connues quand j'étais jeune. Ces filles qui étaient adultes avant l'âge, parce qu'elles avaient trop tôt pris l'habitude de faire vivre leur famille. » De nouveau Junior garda le silence. « Peut-être est-ce tout simplement parce que je l'aime. »

Junior arrêta la voiture devant l'aérogare et se tourna vers son père.

« Ça me paraît être la meilleure des raisons. Tu n'as pas besoin d'autres justifications. »

Daniel sortit de l'auto puis se pencha à la portière.

« Tu sais, fiston, je t'aime, toi aussi. »

Junior avait les yeux embués de larmes.

« Moi aussi, p'pa. »

7

Il se retourna brusquement dans son lit et ouvrit les yeux. Margaret le fixait. Il lui sourit, se pencha vers elle et l'embrassa.

« Tu as dû rêver cette nuit.

— Je ne m'en souviens pas.

— Tu pleurais en dormant. Serais-tu malheureux ? »

Il fit signe que non et sortit du lit.

« Et toi, comment te sens-tu ?

— Ça va. Je crois que le bébé commence à bouger. »

Il se retourna pour l'observer. « Tu aurais dû me réveiller.

— Je n'étais pas très sûre que ce soit ça. Je n'en suis pas encore au cinquième mois.

— C'est bien possible quand même. Surtout si c'est un garçon.

— C'est un garçon que tu veux ? » Il approuva tout en s'étirant. « Tu as déjà un fils, pourtant. Il ne te suffit pas ?

— Si, mais... » Après un moment de réflexion, il ajouta : « Junior n'a hérité que d'un seul aspect de ma personnalité, l'aspect pratique. Il se débrouille bien et il finira pas réussir mieux que moi dans la voie qu'il a choisie.

— Alors, pourquoi veux-tu un autre garçon ?

— J'aimerais avoir un fils qui ait les mêmes réactions que moi, qui fasse les mêmes rêves que moi, quand j'étais jeune, qui soit sensible à la beauté des gens et des choses qui l'entourent, un fils pour qui l'existence ne soit pas seulement une suite de problèmes à résoudre le plus logiquement possible.

— Et une fille ne pourrait pas être comme ça ?

— Si, sûrement, fit Daniel avec un sourire. Mais ce sera un garçon !

— Alors si c'est une fille, tu seras malheureux ?

— Non. »

Après un moment de silence, elle déclara : « En effet, ce sera un garçon. » Elle se leva et alla se regarder dans la glace. « Je n'ai pas encore beaucoup de ventre mais mes seins sont gonflés.

— Tu es très belle.

— Tu aimes les gros seins ? »

Il se mit à rire.

« J'aime *tes* seins. »

Elle enfila son peignoir. « Je descends préparer le petit déjeuner.

— Mamie s'en occupera.

— J'aime bien te servir le petit déjeuner. Mamie se charge déjà de tout le reste. »

Il s'approcha d'elle et l'enlaça.

« Pas vraiment de tout.

— J'espère bien », répondit-elle en l'embrassant sur la joue.

Il glissa ses mains sous son peignoir et lui caressa les seins, fermes et lourds sous ses doigts. Il les sentit se durcir tandis que le désir montait en lui. Elle s'abandonnait contre lui.

« Allons nous recoucher.

— Tu vas être en retard au bureau.

— Pas si tu laisses Mamie s'occuper du petit déjeuner ! »

Il fit glisser son peignoir sur ses épaules, découvrant la blancheur laiteuse de sa poitrine. Il se pencha sur ses seins pour en lécher le bout carminé.

Tandis qu'il la poussait vers le lit, elle sentit son membre déjà raidi. Elle tomba à la renverse sur le lit, accrochant ses jambes autour de sa taille, tout en le guidant vers elle.

« Daniel, murmura-t-elle, les yeux mi-clos. C'est tellement bon. Tellement bon ! »

Lorsqu'elle descendit dans la cuisine, seul Junior s'y trouvait.

« Bonjour, maman Maggie, fit-il, souriant.

— Bonjour, D.J. » répondit-elle en se dirigeant vers la cuisinière où elle se servit une tasse de café. Elle revint s'asseoir à table. « Ton père est déjà parti ?

— Oui. Il a emmené Mamie pour la déposer au marché. »

Elle but une gorgée de café.

« Tu reprends tes cours lundi ?

— Seulement si on peut vous laisser seuls, les deux tourtereaux ! répliqua-t-il en riant.

— D.J. ! », protesta-t-elle. C'est ainsi qu'elle l'avait baptisé dès leur première rencontre. Elle trouvait que cette abréviation de Daniel Junior sonnait mieux que Junior tout court. Lui, avait répliqué en la baptisant maman Maggie, mais ils éprouvaient une réelle affection l'un pour l'autre, un respect mutuel de leurs sentiments pour l'homme qui les liait l'un à l'autre. « Il n'a pas bien dormi la nuit dernière. » D.J. leva les yeux sur elle. « Il y a quelque chose qui le tracasse. Depuis une semaine, il a pris l'habitude de porter un holster sous sa veste.

— Il t'a dit quelque chose ?

— Non. Quand je lui ai posé la question, il m'a répondu qu'il en avait toujours été ainsi.

— C'est vrai. Je l'ai toujours vu porter un holster. Depuis que je suis tout petit.

— Qu'est-ce qui se passe, D.J. ? Je ne suis plus une enfant, quoi qu'il en pense. Je suis sa femme.

— Il ne me fait pas de confidences non plus. » Après avoir réfléchi un moment, D.J. ajouta : « Il s'est créé beaucoup d'ennemis en soutenant l'U.M.W. après les émeutes et les incidents qui ont eu lieu à Jellico il y a deux mois.

— Tu crois qu'il se sent menacé ? »

D.J. fit un signe de dénégation.

« Je ne crois pas. C'est un combat qu'il a mené toute sa vie.

— Mais alors, que se passe-t-il ? »

D.J. l'observait. « Ce que tu me dis commence à m'inquiéter aussi.

— Ce n'était pas mon intention. » Elle avait les larmes aux yeux. « Je l'adore, tu sais. C'est l'homme le plus merveilleux que j'aie jamais connu.

— Peut-être que ce n'est pas si grave, fit-il maladroitement. Il a toujours porté une arme. On est peut-être en train de se monter la tête. »

Elle pleurait à présent tout doucement et sans bruit.

« Je voudrais l'aider, lui parler. Mais comment m'y prendre ? Il en sait tellement plus que moi. Je ne sais pas comment lui dire. »

Il lui prit la main et la caressa doucement.

« Calme-toi, voyons, maman Maggie. Si tu te rends malade avec cette histoire, tu feras également du mal au bébé.

— Tu es bien comme ton père », répondit-elle en reniflant. Un sourire timide apparut sur ses lèvres. « C'est exactement ce qu'il aurait dit !

— C'est peut-être ce qu'il aurait dit, reconnut D.J. Mais j'ai bien peur de ne pas être tout à fait comme lui. Je voudrais bien, pourtant ! »

Daniel gara sa voiture dans une ruelle derrière l'entrepôt, monta l'escalier branlant et frappa à la porte métallique qui servait de sortie de secours. Trois coups rapides suivis d'un coup plus appuyé.

Elle s'ouvrit presque aussitôt. Un homme corpulent apparut et le dévisagea.

« M. Huggins ? » Daniel fit signe que oui. « Par ici. »

Daniel le suivit dans l'immense entrepôt désert où la poussière s'accumulait sur des caisses vides ; puis ils grimpèrent un nouvel escalier, à l'autre extrémité du bâtiment. Après avoir franchi une seconde porte blindée, ils se retrouvèrent dans un bureau. Installés devant une longue table, un certain nombre d'hommes et de femmes triaient des liasses de papiers. Ils ne levèrent même pas les yeux lorsque Daniel et son compagnon passèrent devant eux, avant d'entrer dans une autre pièce. Dans celle-ci également, il y avait une table autour de laquelle se trouvaient assis d'autres hommes et d'autres femmes. Mais ceux-là ne triaient pas de papiers : ils comptaient de l'argent. Des billets et des pièces. Les pièces étaient introduites dans une machine d'où elles ressortaient en rouleaux bien calibrés, comme à la banque. Là non plus, on ne fit pas attention à eux et ils passèrent dans la pièce adjacente.

Lansky était assis derrière son bureau, dans une salle presque sans meubles, aux murs simplement blanchis. Il y avait juste quelques chaises et un ou deux canapés. Il avait avec lui ses deux gardes du corps, ceux que Daniel avait déjà vus lors de son voyage en Floride. Sur un geste de Lansky, ils sortirent de la pièce, les laissant seuls tous les deux.

« Prenez une chaise. »

Daniel s'assit en face de Lansky sans mot dire.

« Vous avez fait du beau boulot. Je crois que c'est la première fois que les syndiqués touchent la part qui leur revient sur leurs assurances et leurs pensions. Ils ont tellement l'habitude de se faire arnaquer par leurs responsables que je me demande s'ils se rendent bien compte de tout ce que vous faites pour eux. »

Daniel ne fit pas de commentaire.

« Pour nous non plus, ça ne va pas trop mal, ajouta Lansky. Pourtant, certaines compagnies d'assurances sont venues se plaindre à moi de ce que vous vous montriez trop durs en affaires.

— Laissez-les tirer la langue. Ils en ont déjà bien assez ramassé. On ne va pas les laisser nous plumer. »

Lansky le considéra, l'air perplexe.

« Vous êtes un drôle de bonhomme, Big Dan ! Pour autant que je sache, vous avez travaillé comme un âne et ça ne vous a pas rapporté un centime. Vous payez vos traites à temps, les commissions sont reversées à la trésorerie du syndicat, vous ne touchez que votre salaire, sans même gonfler vos frais personnels. Où est votre intérêt là-dedans ? »

Daniel sourit. De toute évidence, Lansky avait tout fait vérifier.

« Pour moi, l'argent n'est pas tout. Je suis un idéaliste.

— Un idéaliste ? Mon œil ! Tout le monde aime l'argent.

— Je n'ai pas dit que je crachais dessus. Je dis seulement qu'il n'y a pas que ça. Vous, M. Lansky, vous avez tout l'argent que vous voulez. Pourquoi est-ce que vous continuez à travailler ? »

Lansky le regarda l'air songeur et ne répondit rien.

« Pourquoi est-ce que vous ne vous retirez pas des affaires pour profiter un peu de la vie ?

— Ce n'est pas si simple. J'ai certaines obligations.

— L'argent peut tout acheter. Il y a une autre raison. Il y a quelque chose à quoi vous ne voulez pas renoncer.

— A quoi, selon vous ?

— Au pouvoir, fit Daniel, tout simplement. »

Lansky le dévisagea un instant.

« Et c'est ça que vous visez ?

— Oui. Mais je ne l'achèterai pas aux dépens des gens que je suis censé représenter.

— Alors, comment ferez-vous pour l'obtenir ?

— En faisant un pacte avec le diable, tout bonnement.

— N'est-ce pas trahir la confiance qu'on vous accorde ?

— Non. Moi, je vois les choses autrement. En pactisant avec le diable, je l'empêche de nuire dans une certaine mesure. Grâce à l'action que j'ai entreprise depuis six mois, plus de six cent mille syndiqués vont toucher vingt pour cent de plus sur leurs assurances et leurs mutuelles. Et si je ne l'avais pas forcée, l'U.M.W. n'ouvrirait jamais ces dix hôpitaux, en Virginie et dans le Kentucky, en juin prochain.

— Mais en agissant de cette façon, est-ce que vous ne confortez pas la puissance du diable ?

— Je ne suis pas chargé de faire la police, M. Lansky. Ce n'est pas moi qui ai élu les gens aux postes qu'ils occupent. Ce sont les adhérents — les syndiqués — qui décident eux-mêmes de choisir tel ou tel représentant. » Daniel prit un cigare dans sa poche et se le ficha au coin de la bouche sans l'allumer. Il le regardait l'air pensif. « J'ai consacré toute ma vie aux syndicats, M. Lansky. J'ai vu toutes sortes d'injustices. D'un côté comme de l'autre. Et j'en suis arrivé à la conclusion qu'on ne pouvait pas changer les choses de l'extérieur. La seule façon de rendre le système plus juste, c'est d'en faire partie, pour l'améliorer de l'intérieur. »

Lansky ne le quittait pas des yeux. « Vous pouvez fumer. Ça ne me dérange pas. » Il attendit que Daniel ait allumé son cigare.

« Imaginons que je prélève cinq millions de dollars par an sur les pensions pour faire un petit placement, ça ne vous intéresserait pas ? Bien entendu, vous toucheriez une commission de cinq pour cent sur l'opération qui vous serait versée à vous, personnellement.

— Vous parlez de l'argent qu'ils sont en train de compter à côté ? interrogea Daniel en montrant du geste la porte qui se trouvait derrière lui.

— Oui.

— Non, ça ne m'intéresse pas. »

Lansky prit son temps avant de répondre.

« Pourtant vous ne verriez pas d'objection à travailler pour n'importe quel syndicat ? Même pour ceux que l'A.F.L.-C.I.O. risque d'exclure de la fédération pour malversations ?

— Vous voulez parler du syndicat des Transporteurs Routiers, de ceux de la Boulangerie, et de la Blanchisserie en particulier ?

— D'eux et de quelques autres : du syndicat du Bâtiment et des Travaux publics, de l'Industrie cinématographique. La liste n'est pas close ! Je parle de deux millions et demi de travailleurs syndiqués qui risquent fort d'avoir à se trouver un nouvel abri au cours des prochaines années.

— Je n'y verrais pas d'inconvénients, à condition que je travaille pour eux dans les mêmes conditions qu'aujourd'hui. Je n'ai pas l'intention de créer une nouvelle confédération pour concurrencer l'A.F.L.-C.I.O. Comme je vous l'ai déjà dit, ce que je vise c'est le maximum de profits pour les travailleurs — ceci en accord avec leurs représentants élus. Mais je ne cherche pas à exercer sur eux un pouvoir absolu. »

Lansky eut un sourire.

« Vous connaissez l'histoire de Faust et de Méphistophélès ? Vous êtes bien sûr de ne pas vous appeler Daniel Faust Huggins ?

— Non, non, je m'appelle Daniel Boone Huggins, fit Big Dan en riant.

— Eh bien ! moi, je ne suis pas Méphistophélès ! fit Lansky d'une voix douce. Je ne vous demande pas de me vendre votre âme pour sauver le mouvement syndical.

— Voilà une bonne nouvelle, M. Lansky. Je commençais à me faire du souci.

— En tout cas, vous vous êtes fait des ennemis, Big Dan. Certains de ceux que vous avez aidés le plus, commencent à prendre ombrage de votre popularité au sein de leurs propres syndicats.

— Je me suis fait des ennemis toute ma vie, M. Lansky. J'ai pris l'habitude de vivre avec.

— Moi aussi, Big Dan, répondit Lansky de sa même voix douce. C'est pourquoi je vous suggère de prendre les mêmes précautions que moi pour rester en vie. »

Daniel n'ajouta rien. Ainsi donc c'était la raison pour laquelle il l'avait fait venir. Au bout d'un moment, il se leva. Ces menaces n'étaient pas nouvelles. Voilà pourquoi il s'était remis à porter son arme. Curieusement, il était content que la menace ne vienne pas du petit homme qui se trouvait en face de lui. Il se sentait une étrange affinité avec Lansky. Tous deux, en quelque sorte, étaient des marginaux.

« Merci, M. Lansky. Je ferai de mon mieux. »

Lansky sourit et pressa un bouton sur son bureau. Les deux gardes du corps rentrèrent dans la pièce. L'entretien était terminé.

8

« Deux cent mille dollars en une semaine ! Et ce n'est qu'un commencement ! s'écria Hoffa. Quant à Dave Beck, pas question qu'il fourre ses sales pattes dessus ! »

Daniel le regardait sans rien dire.

« J'ai décidé que nos sections du Middle-West allaient fonder leurs propres caisses de retraite et vous allez m'aider, poursuivit Hoffa. C'est pour ça que je vous ai fait venir, les gars. »

Daniel jeta un coup d'œil à Moses et à Jack Haney qui l'accompagnaient. A l'autre bout de la pièce, il aperçut les deux acolytes de Hoffa : Bobby Holmes et Harold Gibbons.

« Et qu'est-ce qu'on est censés faire, exactement ? interrogea-t-il.

— Je veux que vous mettiez au point un système absolument sûr qui nous permette de gérer notre propre caisse de retraite pour en faire bénéficier nos adhérents.

— Qui s'en occupera personnellement ?

— Moi, bien sûr, s'exclama Hoffa, surpris. A qui voudrais-tu que je fasse confiance avec tout le fric qui est en jeu ?

— Tu risques d'avoir des problèmes, fit Daniel, impassible. Il pourrait y avoir un conflit d'intérêts, entre toi et le syndicat.

— Pas du tout. Ce qui est bon pour moi est bon pour le syndicat.

— Je n'en disconviens pas. Mais ce ne sera peut-être pas facile de convaincre les autres.

— Ça, ça te regarde. Alors, comment est-ce qu'on s'y prend ?

— Tu veux une réponse immédiate ?

— Un peu que je veux ! s'exclama Hoffa. Voilà près d'un an maintenant qu'on collecte de l'argent ; il y a plus de dix millions de dollars qui dorment à la banque sans rien produire ! »

Daniel eut un sourire.

« Cet argent commence à te brûler les doigts, hein, Jimmy ? »

Pour la première fois, Hoffa se détendit. « Je te crois ! On nous a fait quelques propositions qui peuvent nous rapporter beaucoup d'argent.

— Quel genre de propositions ?

— J'ai deux bons amis à moi, des gens de Detroit, qui ont de grosses affaires à Las Vegas. Nos capitaux les intéressent rudement ! Ils sont disposés à nous verser de gros intérêts parce que les banques ne veulent rien leur prêter. »

Daniel hocha la tête. Il se rappelait sa conversation avec Lansky, le mois dernier. Tout devenait clair. Décidément, ce diable de bonhomme avait des relations étendues et insoupçonnées.

« Ça me paraît intéressant. Mais il faudra que tu diversifies tes investissements. Tu ne peux pas tout miser sur des affaires de ce genre. Comment marchent les fonds d'assurance-maladie ?

— Plutôt bien. C'est un de mes amis qui en assure exclusivement la gestion. Alors, tout est en ordre.

— Ravi de l'apprendre. Disons que tu nous fournis toutes les informations dont tu disposes. D'ici une semaine, on revient te voir avec un projet tout à fait au point ; ça te va ?

— D'ici une semaine ?

— Pas plus tard. »

Hoffa se tourna vers Gibbons. « Passe-lui le dossier.

— Des photocopies, ça vous ira ? demanda Gibbons en regardant Daniel. Je n'aime pas me défaire des originaux. »

Gibbons et les autres quittèrent la pièce. Hoffa se pencha vers Daniel.

« On peut se dire deux mots seul à seul ? »

Daniel acquiesça et attendit que la porte se soit refermée.

« Qu'est-ce qui te tracasse ?

— Dave Beck, lâcha Hoffa. Il a l'air en mauvaise posture.

— C'est vrai.

— Tu crois qu'ils vont mettre combien de temps à se débarrasser de lui ?

— Avec les recours dont il dispose, il en a peut-être encore pour un an, quinze mois au plus. »

Hoffa prit un crayon et se mit à jouer avec pendant un moment. « On raconte qu'il pourrait manger le morceau, moyennant une condamnation moins sévère.

— Je ne crois pas qu'il aille jusque-là. Tout ce qu'on lui reproche, c'est d'avoir fraudé le fisc. Pas de quoi être condamné à perpète ! Il est beaucoup trop malin pour se mettre à table : il sait qu'il se priverait des fonds du syndicat des Routiers. Ce serait remettre en question tous les accords qu'il a passés avec eux.

— Par conséquent je devrais pouvoir me porter candidat, à la convention, en automne 1957 ?

— Oui.

— Tu crois que j'ai des chances ?

— J'en suis sûr. Il n'y a personne d'autre. Mais au cas où tu ne le saurais pas déjà, mieux vaut que je t'avertisse : la prochaine cible, ce sera toi. Tu vas avoir les flics au train. Comme si tu avais tué père et mère !

— Rien à foutre ! Ils ne pourront rien me mettre sur le dos.

— C'est aussi ce que Dave Beck pensait. Seulement, ils ont fini par trouver quelque chose. La preuve.

— Je ne suis pas un imbécile. Je paie mes impôts, moi.

— On en veut au syndicat des Routiers. L'énorme influence qu'il exerce sur l'économie du pays fait peur aux gens. Les politiciens peuvent fort bien exploiter cette peur et lancer une attaque contre lui. Tôt ou tard, un homme politique va se jeter là-dessus. Ses responsables ont trop souvent déclaré qu'ils pouvaient paralyser l'économie du pays en se mettant en grève.

— C'est la vérité.

— Si vous faites ça, vous signez votre arrêt de mort. Le gouvernement s'en mêlera et vous fera virer.

— Je sais, déclara Hoffa en reposant son crayon. Et Meany, làdedans, où est-ce qu'il est ?

— L'A.F.L.-C.I.O. ne lèvera pas le petit doigt pour les routiers. Elle a pris prétexte des accusations de corruption lancées contre Dave Beck lors des enquêtes et des procès.

— Mais le gouvernement n'a rien trouvé.

— Meany n'a pas besoin de preuves. Il lui suffit d'un prétexte pour te mettre hors course.

— Il a peur qu'on s'introduise dans la place et qu'on lui pique son poste.

— Peut-être.

— Ça ne m'intéresse pas. Tu peux lui dire de ma part.

— Entendu. Mais il n'a aucune raison de me croire. Il ne m'aime pas plus que toi. » Daniel dévisagea Hoffa. « La grande différence entre nous deux, c'est que lui ne peut rien contre moi. La C.U.T.I. n'est pas un syndicat. Nous ne sommes qu'un organisme d'assistance. Nous conseillons les syndicats et nous sommes prêts à aider n'importe lequel, du moment qu'il désire employer nos services. La politique à suivre, ce n'est pas nous qui la dictons. Nous nous bornons à conseiller. Ce sont les syndicats concernés qui décident eux-mêmes de la marche qu'ils entendent suivre. En outre, ils sont libres de se passer de nos services à tout moment et pour n'importe quelle raison.

— Le bruit a couru que Meany avait déclaré à certains syndicats que s'ils avaient recours à la C.U.T.I., leur démarche serait considérée comme une violation des accords passés entre eux et l'A.F.L.-C.I.O.

— C'est ce que j'ai entendu dire aussi. Mais je n'ai aucune preuve. D'ailleurs, ça ne m'empêche pas de dormir.

— Je m'en doute. D'après ce que je sais, tu as passé des contrats avec bon nombre de centrales dans tout le pays. »

Daniel approuva. « On commence peut-être à comprendre que nous faisons exactement ce que nous promettons.

— Au cas où tu déciderais de mettre sur pied une nouvelle fédération nationale du travail, tu peux compter sur l'appui des Transporteurs Routiers.

— Merci. Mais il n'y a pas de place pour deux fédérations. L'A.F.L. et la C.I.O. s'en sont bien aperçues puisqu'elles ont fini par fusionner. Les choses telles qu'elles sont me satisfont pleinement. »

Hoffa éclata de rire.

« De deux choses l'une, Big Dan : ou bien tu es le plus malin que je connaisse dans le milieu syndical, ou bien tu es le plus bête. »

Daniel fit chorus et ajouta : « As-tu jamais pensé que je pouvais être les deux à la fois ? »

Plus tard, dans la voiture qui les emmenait à l'aéroport, Moses se pencha vers Daniel pour lui dire à voix basse : « Tu sais, Hoffa nous a raconté des craques tout à l'heure.

— A propos de quoi ?

— Quand il a dit qu'il disposait de dix millions de dollars. D'après moi, il s'agit plutôt de cinquante millions. Il a oublié de mentionner un certain nombre de sections importantes qu'il contrôle.

— J'y ai pensé.

— D'ici trois ans, il aura plus d'un milliard de dollars à sa disposition, ajouta Moses à voix basse, comme si le chiffre l'effrayait.

— Et alors ?

— A côté, l'U.M.W. fait figure de misérable boutique. Lewis ne se laissera sûrement pas faire.

— L'argent qu'ils ont ne nous regarde pas.

— Bien sûr que si, insista Moses, puisqu'ils nous demandent ce qu'ils doivent en faire.

— Non, pas vraiment. Ce qu'ils nous demandent, c'est de leur donner des conseils sur la façon de l'investir et de leur garantir la valeur de leur capital, pour en faire bénéficier leurs membres.

— En fait, ce qu'ils veulent, c'est que tu couvres leurs agissements pour qu'ils puissent se livrer à des escroqueries.

— Ils peuvent toujours courir ! Ils auront uniquement ce qu'ils ont demandé.

— Tu ne pourras pas rester en dehors de leurs micmacs. S'ils ont des ennuis, ils viendront te demander de justifier leurs agissements.

— Il sera toujours temps de s'en préoccuper le moment venu.

— Quand même, il vaudrait mieux y penser tout de suite, fit Moses, d'une voix lugubre.

— D'accord. D'après toi, quelle est la première chose à faire ?

— Les sections du Middle-West nous versent dix cents par adhérent. Si nous nous occupons de leurs caisses de retraite, ils devraient, à mon avis, nous payer dix cents de plus.

— Je ne vois pas bien comment ça nous aidera à résoudre leurs problèmes.

— Il va falloir que nous étoffions notre équipe. Ça va nous coûter de l'argent. Il faudra bien que quelqu'un paie ce personnel supplémentaire. »

Daniel le dévisagea. « Et à ton avis, c'est à eux de payer ?

— Selon moi, ce n'est que justice. Ils en ont les moyens. Pas nous. »

Après avoir réfléchi un instant, Daniel répondit : « Je n'y vois pas d'objection. Ajoutons cette clause dans le projet qu'on leur soumettra.

— Et s'ils ne sont pas d'accord ?

— On fera le travail quand même. Que ça me plaise ou non, j'ai conclu un marché avec Jimmy Hoffa. Je n'ai pas l'intention de revenir sur ma parole. »

9

Par la fenêtre ouverte, on entendit une voiture klaxonner. Daniel leva les yeux de son journal.

« La voiture est déjà là.

— J'ai entendu », fit Margaret.

Il vida sa tasse de café. « Faut que je me dépêche.

— Tu rentreras dîner ce soir ?

— Je ne sais pas. On a du travail par-dessus la tête. Je n'aurais jamais dû accepter ce boulot supplémentaire pour le syndicat des Routiers. Nous sommes obligés d'examiner et de vérifier tous les dossiers de candidatures. Il y en a tout un tas que nous devons leur remettre avec notre avis circonstancié. Et leur comité exécutif se réunit après-demain !

— En dix jours, tu n'es rentré dîner que deux fois à la maison. »

Daniel la regarda. « Je n'y peux rien. Je dois assumer mes responsabilités.

— Tu as aussi des responsabilités envers moi, répliqua-t-elle.

— Je sais bien, fit-il en se levant. Mais tu connaissais le genre de travail que je faisais avant qu'on se marie.

— Tu n'étais pas aussi occupé, à ce moment-là. Tu avais plus de temps, pour toi, et pour moi.

— Oui, mais nous étions sans cesse au bord de la faillite !

— Tu crois que l'argent arrange tout ?

— Au moins, on peut payer nos factures. Cette nouvelle maison, où on va s'installer, dans la banlieue de New York, c'est pas une baraque de fauchés !

— Moi, je me plais bien ici. Pourquoi faut-il déménager ? Pourquoi aller à New York ?

— Je te l'ai déjà expliqué, fit Daniel patiemment. Il se trouve que nous nous occupons de plus en plus de la gestion des caisses de retraite. L'argent, c'est à New York qu'il se trouve ! Voilà pourquoi nous installons nos bureaux non loin de Wall Street. »

Elle le regarda mettre sa veste sans rien dire. « Calme-toi. Tout se passera très bien. Le dernier mois, c'est toujours le pire. Après la naissance du bébé, tu te sentiras beaucoup mieux.

— Je suis tellement moche », soupira-t-elle en secouant la tête. Il fit le tour de la table pour l'embrasser.

« Mais non, tu es resplendissante.

— Jamais je ne retrouverai ma silhouette !

— Mais si, fit Daniel en riant. Ne t'inquiète donc pas !

— J'ai peur que tu trouves une autre fille et qu'elle t'éloigne de moi, insista Margaret en le regardant dans les yeux.

— Ça ne risque pas !

— Voilà plus d'un mois qu'on ne peut plus se toucher. Je te connais tu sais. Je vois bien dans quel état tu es quand tu te réveilles le matin.

— Il suffit que j'aille pisser, que je prenne une bonne douche froide et il n'y paraît plus ! s'esclaffa Daniel.

— Et tu en prends combien des douches froides, pendant la journée ?

— Que veux-tu que je te dise », soupira Daniel, à bout d'arguments. Margaret se taisait. « Ce n'est pas si grave que ça voyons !

— Je peux même plus te sucer ! J'ai des nausées sans arrêt.

— Arrête de dire des bêtises ! »

Les larmes se mirent à ruisseler sur ses joues. « J'ai peur. Je vais te perdre. Je le sens. » Il l'attira à lui en prenant garde de ne pas appuyer sur son ventre.

« Mais non, je ne te quitterai jamais. »

Dehors, la voiture klaxonna de nouveau.

« Je suis en retard. Il faut que je file. »

Margaret le suivit jusqu'à la porte.

« Alors, tu rentres dîner ?

— Je ferai tout mon possible. Je t'appellerai dans l'après-midi. »

Elle demeura sur le seuil et le regarda descendre l'allée jusqu'à la voiture. Le chauffeur en sortit et ouvrit la portière à Daniel. Il s'installa sur le siège arrière. Elle attendit que l'auto ait tourné le coin de la rue et rentra dans la maison.

Mamie sortait justement de la cuisine, son cabas au bras.

« Je vais faire les courses. Vous avez besoin de quelque chose, Mme Huggins ?

— Non, merci. Ça va. J'ai juste besoin d'aller m'étendre un peu. »

Ils n'avaient pas parcouru un kilomètre quand George, le chauffeur, lança à Daniel un coup d'œil dans le rétroviseur.

« Il y a une voiture qui nous suit, M. Huggins.

— Vous êtes sûr ? »

George regarda de nouveau dans le rétroviseur. « Certain. Une

Dodge bleue. Ils sont deux dedans, assis à l'avant. Ils me collent depuis que je suis sorti du garage ce matin. »

Daniel jeta un œil par la lunette arrière. Comme il y avait beaucoup de circulation, il n'apercevait pas la voiture.

« Où ça ?

— La septième voiture derrière nous, je crois. »

Soudain Daniel la vit. C'était une voiture tout ce qu'il y a de plus banale. Il distingua deux hommes assis à l'avant sans pouvoir dire à quoi ils ressemblaient.

« Vous les connaissez ? »

George fit signe que non. « Je les ai jamais vus !

— Quand vous êtes sorti du garage, vous êtes venu directement chez moi ?

— Non, monsieur. Il fallait d'abord que j'aille prendre M. Gibbons à son hôtel. Je l'ai conduit au syndicat des Transporteurs Routiers, où il avait rendez-vous avec M. Beck. Je l'ai laissé là, et je suis venu vous chercher. »

La voiture et le chauffeur appartenaient au syndicat des Routiers. Il était bien normal qu'ils soient les premiers servis. Hoffa les avait proposés à Daniel s'il en avait besoin.

« Vous avez une idée de qui ça peut être ?

— J'en sais rien. Des flics, probablement. Ce serait bien leur genre de rouler dans un tas de boue comme ça !

— Vous en avez parlé à M. Gibbons ?

— Non. A ce moment-là, je n'étais pas vraiment sûr que la voiture était suivie. C'est seulement après l'avoir déposé, quand j'ai vu qu'ils étaient derrière moi, que j'en ai eu la certitude.

— Vous êtes armé ?

— Non, monsieur.

— Qui d'autre savait que vous veniez me prendre ce matin ?

— Tout le monde. Les rendez-vous des chauffeurs sont affichés la veille sur des panneaux. »

Daniel regarda de nouveau par la lunette arrière. Il compta environ cinq voitures entre eux et la Dodge. Il se retourna vers le chauffeur.

« Brûlez le prochain feu rouge et prenez à droite. Enfilez-vous dans la première rue, arrêtez la voiture et allongez-vous sur le siège avant. »

En jetant un coup d'œil au rétroviseur, George eut le temps de voir Daniel sortir son revolver de son holster.

« Vous croyez qu'ils vont tirer ? », demanda-t-il d'une voix blanche.

Daniel fit tourner le barillet de son arme. « Je ne crois pas, mais l'expérience m'a appris qu'il valait mieux ne pas être pris au dépourvu. »

George se cramponna des deux mains au volant. Ils franchirent trois carrefours avant de pouvoir effectuer la manœuvre. Il grilla le feu rouge et prit à droite sur les chapeaux de roue. Daniel, les yeux fixés sur la vitre arrière perdit de vue la voiture bleue lorsqu'ils bifurquèrent dans une rue transversale. George s'arrêta à mi-chemin du carrefour suivant et se retourna pour voir ce qui se passait.

« Couchez-vous ! » lança sèchement Daniel.

George se tassa sur son siège. Une minute plus tard à peu près, la Dodge dépassait la rue où ils étaient garés.

« Parfait, déclara Daniel. Tirons-nous d'ici en vitesse et conduisez-moi au bureau. »

George braqua son volant et fit demi-tour tandis que Daniel remettait son revolver dans son étui.

« Nom de Dieu ! soupira George.

— Vous avez d'autres gens à prendre après moi ?

— On m'a dit de me mettre à votre disposition toute la journée.

— Quand vous m'aurez déposé, vous rentrerez au garage. Dès que vous y serez, vous m'appellerez pour me dire s'ils vous suivent toujours. »

George jeta un coup d'œil dans le rétroviseur.

« Ils sont à nouveau derrière nous.

— Je m'y attendais. Je voulais simplement savoir quelles étaient leurs intentions. » Daniel aperçut la mine soucieuse de George. « Ne vous inquiétez pas, ajouta-t-il pour le rassurer. Ils se savent repérés. Ils ne tenteront rien. »

Leur voiture vint se ranger devant l'immeuble de deux étages qui abritait les bureaux de la C.U.T.I. Sans se retourner, Daniel pénétra dans le bâtiment et se rendit directement dans son bureau. Il était en train de dépouiller son courrier quand le téléphone sonna.

« George à l'appareil, M. Huggins. Je suis au garage. On ne m'a pas suivi.

— Très bien, George. Merci.

— Puis-je vous être utile ?

— Non, George. Je vous rappellerai si j'ai besoin de vous. Merci encore. » Daniel appuya sur le bouton de son interphone. Un instant plus tard, Moses et Jack entraient dans son bureau. « Il y a une Dodge bleue — une conduite intérieure — garée quelque part devant l'immeuble avec deux types dedans. Ils m'ont suivi depuis que je suis parti de chez moi, ce matin.

— Tu sais de qui il s'agit ? interrogea Moses, soucieux.

— Pas la moindre idée. Envoyez quelqu'un relever le numéro d'immatriculation. Ensuite, on verra si on peut trouver à qui appartient la voiture en nous adressant à l'un de nos sympathisants dans la police.

— Je vais y aller, déclara Moses aussitôt.

— Non. S'ils me connaissent, ils te connaissent aussi. Demande à l'un des garçons de bureau ou à une dactylo. Dis-lui d'être discret. Il suffit de passer devant la voiture et de relever le numéro.

— Entendu. »

Moses quitta la pièce. Daniel se tourna vers Jack. « Qu'est-ce qu'on peut faire s'ils viennent nous poser des questions sur les affaires de nos clients ?

— S'il s'agit d'une procédure légale et qu'on te demande de témoigner sous serment, tu n'as pas le choix. Tu seras obligé de répondre à leurs questions. » Daniel restait silencieux. « Tu ne jouis pas du même privilège qu'un avocat vis-à-vis de son client ou qu'un médecin vis-à-vis de son patient, si c'est ce que tu espères.

— Et les dossiers que nos souscripteurs nous ont confiés ?

— S'ils ont un mandat de perquisition, tu es obligé de les leur montrer. »

Daniel hocha la tête et contempla fixement son bureau.

« Mieux vaudrait rassembler tous les documents provenant de l'extérieur que nous avons ici et s'arranger pour les retourner aux différents syndicats concernés. Je veux que ce soir, il n'y ait dans nos bureaux que des dossiers à nous.

— Tu ne nous facilites pas la tâche. Nous avons besoin de la plupart de ces documents pour pouvoir travailler.

— Je m'en moque éperdument. Je ne tiens pas du tout à ouvrir ma porte au premier salaud venu pour dégommer l'un de nos souscripteurs. Tu vas me faire disparaître ces dossiers d'ici. Demain, on mettra sur pied de petites équipes qui iront travailler sur place, dans les bureaux de nos clients. Ça présente peut-être des inconvénients, mais, au moins, on pourra faire notre boulot.

— Ça va également nous coûter de l'argent, objecta Jack.

— Tu connais beaucoup de choses qui ne coûtent rien ? » interrogea Daniel en le regardant tranquillement. Moses revint dans le bureau.

« On sait à qui appartient la voiture. On n'a même pas eu besoin de faire appel à la police. C'est marqué sur la plaque d'immatriculation : GOUVERNEMENT DES ÉTATS-UNIS. »

Daniel dévisagea son adjoint.

« Tu connais quelqu'un à la Sûreté qui pourrait nous dire à quel service appartient la voiture ?

— Je crois que oui. » Moses décrocha le téléphone et composa rapidement un numéro. Il s'entretint un instant avec son correspondant puis couvrit le combiné avec sa main. « Il est en train de chercher. » Au bout d'un moment, il remercia et raccrocha. « C'est un véhicule qui a été attribué à une certaine commission McClellan », annonça-t-il.

Il s'agissait en fait d'une commission désignée par le Sénat pour enquêter sur la gestion des entreprises et des syndicats.

« Très bien, fit Daniel. Au moins, nous savons à qui nous avons affaire. Il n'y a que deux syndicats qui peuvent les intéresser : ceux de l'Automobile et des Transporteurs Routiers. Étant donné que le syndicat de l'Automobile n'a pas fait appel à nos services, je suppose que, s'ils s'intéressent à nous, c'est à cause des Routiers. » Il se tourna vers Jack. « Veille bien à ce que leurs dossiers soient les premiers à partir d'ici. »

10

« De vrais imbéciles, voilà ce qu'on est ! s'exclama Daniel en repoussant le gros rapport qu'il avait devant lui.

— Qu'est-ce qui cloche ? demanda Moses, inquiet.

— Rien, fit Daniel. On est assis sur une mine d'or et on ne s'en est jamais rendu compte. Nous nous chargeons de conseiller des investissements pour la caisse de retraite du syndicat des Transporteurs Routiers et nous ne faisons rien pour nous.

— Que pourrait-on faire ? interrogea Jack.

— On pourrait très bien lancer notre propre caisse.

— On ne dispose pas de suffisamment d'argent pour ça, objecta Moses.

— Il suffit de le trouver. » Daniel alluma un nouveau cigare et souffla un nuage de fumée au plafond. « Une caisse de retraite mutuelle. On l'ouvrirait en s'arrangeant pour que les syndiqués puissent cotiser individuellement et que les sections puissent y souscrire aussi. Il y a des centaines de petites sections indépendantes qui n'ont pas assez d'argent pour se constituer leur propre caisse et qui sauteront sur l'occasion si on la leur fournit.

— Ça n'empêche qu'il faut tout de même des fonds pour lancer l'opération, fit remarquer Jack. Ne serait-ce que dix ou quinze millions de dollars pour commencer.

— Je peux les obtenir, déclara Daniel, sûr de lui. Entre les Transporteurs et l'U.M.W., c'est bien le diable si je n'y arrive pas. D'ailleurs, ça améliorera leur image de marque. Si certains de leurs investissements leur procurent de jolis bénéfices, ils sont un petit peu voyants. Ça mettra une bouffée d'air pur dans leurs magouilles.

— Ça me paraît intéressant, fit Jack prudemment.

— Je ne sais pas trop, enchaîna Moses, sur ses gardes. Ça bouleverserait complètement la nature de nos activités. De conseillers, nous deviendrions gestionnaires.

— Je ne vois pas où est le mal. C'est dans la perspective que nous nous sommes fixée. Assurer la plus grande sécurité possible à tous les syndiqués.

— Ça risque d'être coton, observa Moses. La gestion d'une caisse de cette importance, ça nous dépasse !

— On embauchera des spécialistes. Je ne connais pas un seul courtier, ni un seul agent de change, qui refuserait de sauter sur une occasion comme celle-là. Aujourd'hui, nous comptons plus de trois millions d'adhérents répartis dans différents syndicats qui nous sont affiliés. Supposons que chaque membre nous verse simplement cent dollars, ça nous fait plus de trois cents millions de dollars à investir. Il n'y a pas besoin d'être expert pour savoir qu'en investissant uniquement sur des valeurs sûres, on touchera un intérêt moyen de huit pour cent. Ce qui signifie vingt-quatre millions de dollars par an. Or, si les frais de gestion ne sont pas trop élevés, ça devrait nous laisser un bénéfice net de trois millions de dollars à l'année.

— C'est près de deux fois ce que nous rapportent nos cotisations en ce moment, s'écria Moses. Et pour ça, nous n'aurons pas besoin d'aller tirer les gens par la manche.

— Je vois que tu commences à comprendre », observa Daniel. Il ramassa le rapport qui se trouvait sur son bureau. « Jack, tu te mets là-dessus tout de suite. Je veux savoir exactement de quoi nous avons besoin pour lancer l'affaire.

— Entendu. »

Daniel se tourna vers Moses. « Tu vas dire aux gars de la statistique qu'ils me fassent une liste de tous nos adhérents, section par section. Je veux les noms et les adresses.

— Pour ça, il va falloir demander aux différents syndicats. Nous n'avons pas de listes nominales. On perçoit les cotisations en se fondant sur les rapports que nous envoient les syndicats.

— Eh bien, demande-leur, dans ce cas !

— Quelle justification vais-je leur donner ? Tu sais comme ils sont méfiants dès qu'il s'agit de fournir les noms de leurs adhérents.

— Dis-leur que nous entreprenons une étude sur les conditions de vie des travailleurs syndiqués. N'importe quoi, mais trouve quelque chose ! Débrouille-toi pour obtenir ces informations.

— D'accord. »

Les deux hommes se levèrent.

« Tu veux que j'envoie ça à Hoffa ? demanda Jack en désignant le rapport posé sur le bureau.

— Non, fit Daniel. Celui-là, j'ai l'intention d'aller lui porter moi-même. »

« Tu as quelque chose derrière la tête, déclara Hoffa, les yeux brillants de ruse. Sinon, tu n'aurais pas pris la peine de venir jusqu'ici pour m'apporter ce rapport.

— Exact, reconnut Daniel. Outre les conseils qui se trouvent dans ce projet, je voudrais que tu investisses quinze millions de dollars dans une caisse mutuelle que nous allons fonder. »

Hoffa le dévisagea. « Qu'est-ce qui te fait croire que je vais te filer du fric pour fonder ta caisse alors qu'on pourrait créer la nôtre ?

— Ton désir d'avoir une bonne image de marque, fit Daniel en souriant. Cela prouvera que tu as à cœur de passer par-dessus les clivages qui divisent traditionnellement le monde ouvrier. Tu montreras que tu ne te soucies pas uniquement des intérêts des transporteurs routiers, mais que tu te sens également concerné par le sort de tous les travailleurs syndiqués.

— Qu'est-ce que c'est que ce baratin ? » s'exclama Hoffa. Daniel se mit à rire.

« Tu veux savoir le fin mot de l'affaire ?

— Un peu que je veux !

— Depuis deux semaines, je suis surveillé par des agents de la commission McClellan. Grâce à mes relations à la Maison Blanche, j'ai fini par savoir pourquoi : c'est après toi qu'ils en ont. Parce que nous sommes associés, ils s'imaginent que je pourrais les amener à découvrir quelque chose qu'ils utiliseraient contre toi. Tu peux t'attendre à recevoir leur visite d'un jour à l'autre. Ils vont venir fouiller dans tes dossiers.

— Mais qu'est-ce qu'ils cherchent, bon Dieu ?

— Je l'ignore. Mais j'ai comme l'impression qu'ils ne le savent pas eux-mêmes. Simplement, ils ont dû se mettre dans la tête, qu'avec tout l'argent que tu brasses, tu as sûrement des petites combines pas très catholiques.

— Ils ne trouveront rien dans mes dossiers.

— Dans les miens non plus. J'ai pris soin de te réexpédier tous les papiers que tu m'avais confiés et cela, depuis deux semaines.

— Comment se fait-il que personne ne m'ait prévenu ?

— Je ne sais pas. Moi, j'ai tout fait adresser à Gibbons.

— Je vais l'appeler, s'écria Hoffa, empoignant le téléphone.

— Ça peut attendre. A présent, ça n'a plus d'importance. Tu ferais mieux de faire ce que j'ai fait. Adresse-toi à ton conseil juridique pour savoir exactement quels sont tes droits au cas où ils se pointeraient chez toi. »

Hoffa fixa Daniel, hébété, puis finit par déclarer : « Ouais, c'est ce que je vais faire. » Daniel ne fit pas de commentaire. « Qui d'autre investit de l'argent dans ta caisse mutuelle ?

— L'U.M.W. est prête à verser cinq millions.

— Alors, pourquoi faudrait-il que j'en verse quinze ?

— Parce que tu es trois fois plus riche qu'eux !

— Tu n'y vas pas par quatre chemins, Big Dan ! », s'esclaffa Hoffa. Il ouvrit le fameux rapport qu'il se mit à feuilleter. « Qu'est-ce qui te fait croire que ce sera un meilleur investissement que n'importe lequel de ceux que tu me recommandes dans ce rapport ?

— Je ne sais pas s'il sera meilleur. Mais ce que je sais, c'est qu'il sera plus sûr. Dans le dossier que tu as entre les mains, chaque investissement proposé comporte une part de risque. Tu peux gagner beaucoup d'argent, comme tu peux en paumer tout un tas. Nous, on se contente de valeurs pépères. Pas de fantaisie : des intérêts modestes mais des rentrées régulières, comme une pendule. Tu ne gagneras peut-être pas autant d'argent mais tu n'auras pas le moindre pépin.

— Est-ce qu'on nous saura gré d'avoir été les premiers à investir ?

— Tu pourras placer un de tes hommes au conseil d'administration. »

Hoffa ricana.

« Tu parles d'un cadeau ! Mon conseil est déjà farci de bons à rien. Résultat : je suis obligé de prendre toutes les décisions moi-même. » Il se laissa aller à la renverse dans son fauteuil. « Pour quinze bâtons, tu pourrais quand même me faire une fleur ! »

Daniel fit non de la tête. « C'est très précisément ce que je veux éviter. Il s'agira d'une caisse mutuelle ouverte à tous. Je ne tiens pas du tout à ce que les politicards viennent y fourrer leur nez pour s'y livrer à leurs petites combines habituelles. J'ai l'intention de jouer franc jeu.

— D'accord, Big Dan, on jouera franc jeu. »

« Cinq millions de dollars », répéta Lewis, songeur. Du regard, il consulta ses adjoints assis de l'autre côté du bureau. « Qu'est-ce que vous en pensez, Tom ? »

Kennedy acquiesça. « Ça ne se présente pas trop mal.

— Et vous, Tony ? interrogea Lewis.

— Je crois que le projet de Big Dan tient debout. Ça permettrait à tous les travailleurs syndiqués d'avoir accès au marché boursier américain pour une mise dérisoire. Et si on s'y associe, notre image de marque en sera améliorée.

— Cinq millions de dollars, ça fait beaucoup d'argent », commenta Lewis.

Daniel ne disait rien. Lewis, pour le compte de l'U.M.W. venait d'acquérir une banque de Washington qui disposait d'un capital de plus de deux cents millions de dollars et les sommes déposées par l'U.M.W. dans cette même banque, faisaient apparaître, à ce jour, un solde créditeur de plus de cinquante millions de dollars ! Le vieux Lewis avait un sacré toupet de jouer les misérables. Il se pencha vers Daniel.

« Combien de capitaux avez-vous déjà réunis pour votre projet, M. Huggins ? »

Daniel sourit.

« Si vous me donnez ces cinq millions, j'aurais vingt millions de dollars pour démarrer.

— Et si je ne vous les accorde pas ?

— Je n'aurai pas un sou, répliqua froidement Daniel.

— Qui vous procure les quinze autres millions ?

— Le syndicat des Transporteurs Routiers.

— Dave Beck ? fit Lewis, incrédule.

— Non, monsieur. Jimmy Hoffa.

— Par conséquent, si je ne vous donne pas cet argent, Jimmy Hoffa n'investira pas non plus ?

— Ce n'est pas ce que j'ai dit, monsieur. Hoffa n'a pas posé de conditions pour investir. Mais si vous ne participez pas à l'affaire, je n'accepterai pas son argent.

— Et pour quelle raison ?

— Un seul syndicat ne me suffit pas : il faut que je dispose d'une base plus large, que je m'appuie sur l'ensemble du mouvement ouvrier. Je veux que mon projet dépasse tous les clivages qui séparent les différents syndicats. Je rêve de quelque chose qui pourrait bénéficier à tous les travailleurs syndiqués, quel que soit le syndicat auquel ils appartiennent. »

John Lewis l'observait. « Ça me paraît très idéaliste.

— Ça l'est peut-être, monsieur. Mais des idéalistes, il en faut bien. S'il n'y en avait pas, si vous même n'aviez pas été un idéaliste, les mineurs en seraient au même point qu'il y a quarante-cinq ans, quand je suis descendu au fond d'un puits pour la première fois. »

Lentement, Lewis hocha la tête.

« C'est vrai. Nous avons parfois tendance à oublier les luttes qui ont rendu possible le progrès social d'aujourd'hui. Des luttes qui ne prendront jamais fin et qui réclament de notre part une vigilance constante. » Il se tourna vers Tom Kennedy. « Tom, veuillez régler les derniers détails avec M. Huggins. Selon moi, il va faire faire un grand pas en avant aux ouvriers américains. »

11

« Ce sont les petits porteurs qui détermineront le succès, ou l'échec de notre entreprise. Sans eux, on pourra nous accuser de faire comme n'importe quel grand syndicat : essayer de monopoliser l'argent des cotisations », déclara Jack Haney sur un ton qui se voulait objectif. « Et Wall Street pourrait alors nous considérer d'un autre œil. Pour le moment, notre projet n'a pas l'air de les enthousiasmer.

— Rien à foutre ! répondit Daniel. Leur considération, on s'en bat l'œil !

— C'est pas une manière de voir, répliqua Jack. Sans leur soutien, nous n'obtiendrons aucun résultat rapide. Il faut se faire admettre dans leur cercle, qui est très fermé. Et l'argent n'y suffira pas. »

Daniel garda le silence un moment.

« Nous avons besoin de l'argent des Transporteurs Routiers et de l'U.M.W. Sans eux, on ne peut rien démarrer.

— Cela, ils le savent et ils l'admettent. En revanche, ils pensent que nos fonds devraient provenir d'une origine plus diversifiée, du moins au début. Si nous avions, ne serait-ce que cinquante mille petits actionnaires, ils seraient satisfaits.

— Pour les trouver, ça va être long. Le temps d'envoyer les circulaires, les prospectus, de dépouiller les réponses et de vendre les parts, il faut bien compter six à dix mois ! je ne veux pas attendre aussi longtemps.

— Je ne vois pas bien comment on pourrait faire plus vite », fit Jack.

Moses, resté silencieux jusque-là, prit la parole.

« Je sais comment on peut activer les choses. » Il se tourna vers Jack. « Tu n'étais pas là tout au début, quand nous avons lancé la C.U.T.I., et quand Big Dan a sillonné le pays pour recueillir les adhésions. Je ne connais personne qui sache aussi bien s'y prendre. Tout le monde l'adore ; les travailleurs le considèrent comme l'un des leurs. »

Daniel l'observait.

« Je ne sais pas trop. Cette fois, il s'agit de tout autre chose.

— Mais non, c'est la même chose, Big Dan, s'écria Moses. Il faut que tu ailles sur le terrain. Là, tu es imbattable ! Une fois que tu auras payé de ta personne, tout le monde suivra.

— Ça prendra quand même du temps, objecta Daniel.

— Je peux t'arranger ça de façon à ce que tu parcoures le pays en deux mois, insista Moses. Nous avons gardé des amis partout. Et si on appâte les délégués et les responsables en leur offrant une commission de dix pour cent, sous forme de parts gratuites, au prorata des adhésions qu'ils parviennent à récolter dans leurs sections, on ne peut pas louper notre coup ! »

Daniel réfléchit un instant.

« Il te faut combien de temps pour organiser cette tournée ?

— Disons que dans une semaine, tu seras prêt à partir. Dans deux mois tu seras de retour ici, et on aura suffisamment de petits porteurs pour contenter tout le monde !

— Il faut absolument que je sois ici le quinze du mois prochain, au plus tard. C'est la date prévue pour l'accouchement de Margaret.

— On peut très bien prévoir ça dans notre emploi du temps. A toi de décider. »

Daniel se tourna vers Jack.

« Y a-t-il une autre solution ?

— Je n'en vois vraiment pas. »

Après avoir réfléchi un moment, Daniel donna finalement son accord. « Bon ! Vous pouvez commencer à vous y atteler. Mais rappelez-vous qu'il me faut une semaine de libre au milieu du mois prochain. »

Daniel consulta sa montre : il était sept heures passées. « Je ferais bien de rentrer. J'ai promis à Margaret d'être à l'heure pour le dîner. »

Arrivé dans le hall de l'immeuble, il trouva deux hommes qui l'attendaient. Il reconnut l'un d'eux comme le garde du corps de Lansky ; le grand blond qui l'avait accueilli à l'aéroport de Miami.

« M. Huggins, demanda l'homme poliment. Mon patron voudrait vous voir.

— Très bien. Dites-lui de m'appeler chez moi. On prendra rendez-vous.

— Il désire vous voir tout de suite, insista le grand blond.

— Je suis déjà en retard, répondit Daniel. Ma femme m'attend pour dîner.

— Le patron aussi vous attend, fit l'autre sur un ton plus sec.

— Eh bien ! il attendra !

— C'est hors de question. »

Daniel baissa les yeux et aperçut la bosse que faisait un revolver dans la poche du grand blond. L'arme était braquée sur lui.

« Je crois que vous avez raison, fit Daniel en riant.

— La voiture est devant l'immeuble. » Son acolyte se dirigea vers la limousine noire garée le long du bâtiment. Le grand blond resta à la hauteur de Daniel. Le chauffeur était au volant. Les deux hommes montèrent à l'arrière avec Daniel. La voiture démarra et se mêla au flot de la circulation.

Daniel jeta un coup d'œil par la lunette arrière et aperçut la Dodge bleue qui les suivait. Il se tourna vers le blond.

« M. Lansky ne va pas apprécier. Vous lui amenez les fédéraux devant sa porte.

— Qu'est-ce que vous racontez ?

— Regardez derrière : cette Dodge bleue qui porte des plaques d'immatriculation officielles. Ce sont des gars du F.B.I. Ça fait des semaines qu'ils me suivent. »

Le grand blond regarda Daniel puis lança au chauffeur : « Sème-les !

— Je ferais pas ça, si j'étais vous. Ils ont déjà relevé votre numéro. Dès qu'ils vous auront perdu de vue, ils lanceront un avis de recherche général. » Le garde du corps parut embarrassé. « A mon avis, vous devriez téléphoner à M. Lansky pour lui dire ce qui se passe.

— Bon, arrête-toi, lança le blond au chauffeur. Là-bas au coin, devant le drugstore. » La voiture s'était à peine immobilisée qu'il en sortait. « Reste ici avec lui », lança-t-il à son acolyte, assis à côté de Daniel, avant d'entrer dans le magasin. Quelques minutes plus tard, il en sortait et réintégrait la voiture.

Gêné, il se tourna vers Daniel. « M. Lansky m'a dit qu'il fallait qu'on vous ramène chez vous.

— Ah ! voilà qui me semble plus raisonnable ! » commenta Daniel, tandis que la voiture retrouvait le flot de la circulation.

« Il a dit également qu'il vous appellerait ce soir.

— Il me trouvera. Je n'ai pas l'intention de sortir. »

Un quart d'heure plus tard, la voiture s'immobilisait devant la maison de Daniel. Celui-ci sortit et se retourna vers le grand blond.

« C'est gentil à vous de m'avoir accompagné jusque chez moi. » Le garde du corps fronça les sourcils sans mot dire.

Daniel le regardait en souriant. Comme par enchantement, le revolver se trouva dans sa main et il l'enfonça dans la joue du grand blond. « La prochaine fois que tu viendras me chercher, fit Daniel sans perdre son sourire, tu feras mieux de tirer sans poser de question. Parce que, moi, dès que j'apercevrai ta sale gueule, je te collerai un pruneau dans le buffet ! Tu peux le dire à Lansky de ma part. »

De la même façon qu'il était apparu dans la main de Daniel, le revolver disparut ; Daniel claqua la portière et, tournant le dos aux trois hommes, remonta l'allée qui menait jusqu'à sa porte. Lorsqu'il entra chez lui, la voiture était partie.

A peine s'était-il assis à table que le téléphone se mit à sonner. Ce fut Mamie qui décrocha.

« C'est un certain M. Miami qui demande à vous parler, dit-elle.

— Dis-lui que je viens juste de commencer à dîner ; qu'il me rappelle dans une heure. »

Margaret regarda Daniel. « Qui est ce M. Miami ? »

Daniel prit le temps de découper un morceau de steak avant de répondre : « Lansky.

— Pourquoi ne donne-t-il pas son vrai nom ? » Daniel haussa les épaules. « Qu'est-ce qu'il te veut ?

— Sa " livre de chair ".

— Je ne comprends pas, fit Margaret, perplexe.

— Il a sans doute appris qu'on allait lancer notre caisse mutuelle, expliqua Daniel. Il s'imagine qu'il a le droit d'y participer.

— Et ça le regarde ?

— Non.

— Eh bien ! comme ça, c'est réglé. Tu n'as qu'à le lui dire. »

Daniel dut se forcer pour ne pas sourire.

« Ce n'est pas quelqu'un à qui on peut dire non si facilement. »

Margaret garda le silence un bon moment.

« Tu ne t'es pas fourré dans une sale affaire, au moins ? Dis-moi, Daniel ?

— Pas du tout.

— On parle beaucoup de ce M. Lansky dans les journaux. C'est un gangster, n'est-ce pas ?

— C'est ce qu'on raconte.

— Alors, pourquoi es-tu en relation avec lui ?

— Les affaires que je traite avec lui sont légales. Ce qu'il peut faire par ailleurs ne me regarde pas.

— Moi, si j'étais toi, je ne ferais plus d'affaires avec lui. »

Daniel lui sourit. « C'est bien mon intention. » Il termina son steak et repoussa son assiette. « Ah ! c'était bien bon »

Elle se mit péniblement debout. « Va te reposer dans le salon. Je t'apporte le café. » Elle se pencha vers lui pour prendre son assiette. Il lui caressa le ventre.

« Il n'y en a plus pour longtemps, maintenant.

— D'après le médecin, encore huit semaines.

— Tu n'as pas pris de poids ?

— Je n'ai même pas grossi de cinq cents grammes, ce mois-ci.

— C'est bien. » Daniel s'approcha du buffet pour y prendre une bouteille de bourbon et un verre. « Tu m'apporteras de l'eau glacée avec le café », ajouta-t-il avant de passer dans le salon.

Lorsqu'elle posa le café sur la table basse, elle le trouva assis dans son fauteuil, son verre de bourbon à moitié vide à la main.

« La semaine prochaine, je pars en tournée : j'ai une série de meetings de prévue, annonça-t-il.

— Qu'est-ce que c'est que cette histoire ? fit Margaret interloquée.

— Il faut que je fasse de la publicité pour notre caisse mutuelle, auprès de plusieurs syndicats.

— Il faut que ce soit toi qui y ailles ? Pourquoi pas Moses ou Jack ?

— Je suis obligé de payer de ma personne. Je suis le seul à pouvoir les convaincre.

— Et tu pars pour combien de temps ?

— Je ferai des aller et retour. L'emploi du temps qu'on est en train de mettre au point me permettra d'être là pour la naissance du bébé.

— C'est trop aimable à toi, fit-elle, soudain furieuse.

— Pourquoi te fâcher ? Je viens de te dire que je serai là pour la naissance du bébé.

— Et moi, qu'est-ce que je vais faire pendant que tu vas vadrouiller sur les routes pour tenir ces soi-disant meetings ? Rester là à t'attendre bien gentiment, en me tenant le ventre à deux mains ?

— Les affaires sont les affaires, fit-il, tranchant. Cesse de te conduire comme une enfant !

— Ce n'est pas parce que j'ai dix-sept ans qu'il faut m'accuser de faire l'enfant, répliqua-t-elle, blessée. J'agis comme une femme qui va avoir un bébé et qui veut avoir son mari près d'elle à ce moment-là ! »

Il la regarda un long moment sans rien dire. Dix-sept ans ! C'est vrai, il l'avait presque oublié. Et lui qui en avait cinquante-six ! Il y avait entre eux une telle différence d'âge que le fossé était impossible à combler. Il lui prit la main.

« Je te demande pardon, Margaret. Mais je ne me lancerais pas dans cette tournée si quelqu'un pouvait me remplacer. Malheureusement j'y suis obligé. »

Le téléphone se mit à sonner. Margaret se libéra de son étreinte.

« C'est sûrement ton cher ami, M. Miami-Lansky, gangster et Cie, fit-elle froidement. Tu ferais mieux d'aller répondre. Ne compte pas sur moi pour lui parler. »

12

« Vous vous souvenez de l'endroit où on s'est vus la dernière fois ? »

Lansky semblait sur ses gardes.

« Oui.

— Vous pensez pouvoir y arriver sans être suivi ?

— On peut toujours essayer. Si je n'arrive pas à m'en débarrasser, je ne viendrai pas.

— Il faut que je vous voie.

— Vous y serez combien de temps encore ?

— Deux heures.

— Bon, d'accord.

— Si vous ne pouvez pas venir, appelez-moi demain matin en Floride. Utilisez le téléphone public.

— Entendu. » Daniel raccrocha et retourna dans le salon. « Il faut que je sorte. »

Margaret leva les yeux vers lui : « J'ai peur, dit-elle.

— Il n'y a pas de quoi. Je vais parler affaires. » Il se dirigea vers la fenêtre pour jeter un coup d'œil au dehors. Il faisait déjà sombre, mais la conduite intérieure bleue était toujours là, garée sous un réverbère Apparemment, on tenait à ce qu'il sache bien qu'il était surveillé Voilà ce qu'il n'arrivait pas à comprendre ! Sinon, on aurait pris la peine de dissimuler la voiture. On aurait dit qu'ils tenaient avant tout à l'effrayer.

De nouveau, le téléphone sonna. C'était Hoffa qui appelait de Detroit.

« Ton tuyau était bon. J'ai eu la visite de la commission McClellan aujourd'hui.

— Qu'est-ce qu'ils voulaient ?

— Examiner mes dossiers. Je les ai flanqués dehors. Ils n'ont rien obtenu.

— Qui c'était ?

— Un certain Bob Kennedy, un petit jeune qui prétend être le grand manitou. Un vrai con ! Il était accompagné de deux sous-fifres. » Hoffa s'interrompit puis demanda : « Ils te collent toujours au train ?

— Ils sont garés juste devant chez moi. Bien en vue. Histoire de me faire savoir qu'ils sont là.

— Qu'est-ce que tu en penses ?

— Ils pataugent. Ils ne savent pas trop ce qu'ils cherchent. Tout ce qu'ils espèrent c'est qu'on fasse une connerie qui leur permette de nous épingler.

— J'ai suivi ton conseil : j'ai consulté mon avocat. Il m'a dit de me tenir peinard et de ne rien leur donner tant qu'ils n'ont pas de mandat de perquisition. Et même avec un mandat, il m'a dit qu'il avait les moyens de leur mettre des bâtons dans les roues. »

Daniel réfléchit un instant.

« Je crois que mon idée de caisse mutuelle n'a jamais présenté autant d'avantages qu'à présent. Ce sera une opération parfaitement propre. Personne ne pourra y trouver à redire. Nous ferons ça au grand jour et nous serons au-dessus de tout soupçon.

— En Floride, le bruit court que ce ne sera pas si propre que ça. Il paraît que ton ami veut y participer et qu'il est furieux que tu ne lui aies rien proposé.

— Tant pis pour lui. Pas question qu'il en fasse partie !

— Il est dangereux.

— Et nous, alors ? » s'esclaffa Daniel.

Hoffa fit chorus. « Si t'as besoin d'un coup de main, tu peux m'appeler au secours.

— Si j'ai besoin d'aide, j'aurai pas le temps de t'appeler.

— Alors, fais gaffe. Bonne chance !

— Merci. »

Daniel raccrocha. Il se figea un instant et appela Moses chez lui.

« Viens me chercher en voiture. Gare-toi dans la rue derrière chez moi et attends-moi.

— Qu'est-ce qui se passe ?

— Rien de particulier. Je voudrais simplement pouvoir sortir d'ici sans être suivi par mes petits toutous.

— J'y serai dans un quart d'heure. »

Daniel revint dans le salon. Margaret était assise sur le canapé.

« Moses viendra me chercher dans un quart d'heure. Je sortirai par la porte de derrière et je passerai par le jardin des voisins pour aboutir dans l'autre rue.

— Pourquoi ne sors-tu pas par la porte d'entrée ?

— Parce que dehors, il y a des types de la commission McClellan. Ça fait plusieurs semaines qu'ils me suivent ; je ne veux pas qu'ils sachent où je vais. »

Sans répondre, Margaret le regarda remplir son verre. Elle attendit qu'il ait bu.

« Pourquoi ne m'as-tu jamais parlé de ces gens ?

— Je ne voulais pas t'inquiéter. D'ailleurs ça n'a rien de grave.

— Rien de grave ? C'est ce que tu veux me faire croire ! Ce n'est pas grave et tu ne sors plus jamais sans ton revolver ! Tu me prends pour une idiote ? Je me fais un sang d'encre, en pensant au danger que tu cours et toi, tu ne veux rien me dire !

— J'ai toujours porté une arme.

— C'est ce que D.J. m'a dit mais je croyais que c'était uniquement pour me rassurer.

— Non, il a dit la vérité. C'est plus par habitude qu'autre chose, d'ailleurs. Il y a très longtemps, je me suis fait enlever, on m'a tabassé, on m'a baladé trois jours en voiture et on m'a abandonné sur une route déserte, en pleine tempête de neige. Je me suis juré que plus jamais je ne me laisserais prendre au dépourvu.

— Tu vas voir Lansky ? » Daniel acquiesça. « C'est risqué ?

— Non, nous avons à parler affaires.

— Tu en as pour combien de temps ? »

Il regarda sa montre. Il était presque dix heures.

« Ce ne sera pas long. Je serai là avant minuit. Si j'avais du retard, je t'appellerai.

— Je t'attends. »

Il sourit, se pencha et l'embrassa sur la joue. « Ne te fais pas de bile, Margaret. Tout ira bien. »

Moses arrêta la voiture dans le parking, derrière l'entrepôt.

« Tu veux que je t'accompagne ? demanda-t-il.

— Non. Attends-moi ici dans la voiture. »

Il grimpa les marches et frappa à la porte blindée. Elle s'ouvrit. Le même homme qui l'avait accueilli la première fois lui fit signe d'entrer. Daniel le suivit.

A l'intérieur, rien n'avait changé. On s'affairait à compter de l'argent autour des tables et personne ne remarqua Daniel et son guide lorsqu'ils passèrent devant eux pour se rendre au bureau. Comme la fois précédente, Lansky se trouvait assis à sa table.

Son garde du corps, le grand blond, s'approcha de Daniel lorsque celui-ci entra dans la pièce.

« T'as un feu sur toi ? interrogea-t-il sèchement.

— Non. Quand je vais chez des amis, je laisse mon artillerie chez moi. »

Le garde du corps se tourna pour consulter Lansky du regard.

« S'il dit qu'il n'a pas d'arme, fit Lansky de sa voix douce, c'est qu'il n'en a pas. »

Le garde du corps opina, puis, se retournant brusquement, balança un formidable coup de poing dans l'estomac de Daniel. Daniel se plia en deux, luttant contre la douleur et la nausée qu'il sentait monter. Il resta courbé, se força à respirer lentement jusqu'à ce que la nausée ait disparu, puis il se redressa. Un demi-sourire flottait sur le visage de Lansky.

« Mon petit gars a horreur qu'on lui mette un revolver sous le nez.

— Je comprends ça », répliqua Daniel. Il fit un pas en avant vers le bureau comme s'il voulait contourner le garde du corps. Celui-ci se tourna pour surveiller sa progression et n'eut pas le temps de voir ce qui lui arrivait : le poing de Daniel lui percuta le menton comme un coup de marteau. Le choc fut si violent que Daniel en ressentit l'impact jusque dans son épaule. L'uppercut, parti presque du plancher, souleva littéralement le grand blond par-dessus le bureau. Il s'affala à la renverse, s'immobilisa contre le mur et s'écroula lentement sur le plancher. Sa mâchoire pendait lamentablement de travers, ses dents cassées s'étaient enfoncées dans la lèvre inférieure, le nez et la bouche pissaient le sang, son regard était glauque.

Daniel l'observa un moment puis se tourna vers Lansky et s'adressa à lui comme si de rien n'était.

« Moi non plus, je n'aime pas trop qu'on me fourre des revolvers sous le nez. »

Lansky le considéra un instant puis jeta un coup d'œil à son garde du corps. Il fit signe aux deux autres hommes qui se trouvaient dans la pièce.

« Vous feriez mieux de le sortir d'ici et d'aller lui laver la figure.

— A votre place, intervint Daniel, je l'emmènerais voir un médecin. Votre petit gars a la mâchoire fragile. Je l'ai sentie qui se brisait en trois endroits différents. » Il s'approcha du fauteuil. « Je peux m'asseoir ? »

Lansky l'y invita d'un geste. Ils attendirent d'être seuls dans la pièce et lorsque la porte se fut refermée, Daniel demanda :

« A quoi ça rime, tout ça ?

— Désolé, fit Lansky. Mais vous savez ce que c'est. Il faut bien que je lui laisse faire ses preuves.

— Et qu'est-ce qu'il a prouvé ? Rien du tout !

— Si. Il a prouvé qu'il était incapable de faire ce métier. A quoi bon avoir un garde du corps, s'il a une mâchoire de porcelaine ? »

Daniel sourit puis reprit son sérieux. « Bon, trêve de plaisanteries. Il paraît que vous vouliez me voir. »

Lansky alla droit au but. « C'est à propos de cette caisse mutuelle. Je suis profondément vexé. Vous ne m'avez pas proposé d'y participer.

— Exact.

— Je veux en être.

— Cela ne fait pas partie de notre marché.

— Ce n'est pas ce que j'ai dit. Je veux y participer, c'est tout.

— Dans ce cas, c'est très simple, M. Lansky. Si je ne vous ai pas offert de participation, c'est que je ne le souhaite pas. Il s'agit d'une opération qui doit demeurer parfaitement saine.

— Vous êtes vraiment naïf ! Vous risquez de graves ennuis. Un geste et vous n'existez plus ! ajouta Lansky en faisant claquer ses doigts.

— Si je n'existe plus, vous n'aurez plus rien, fit Daniel en souriant. Plus de caisse mutuelle, finies les affaires que nous avons en cours !

— Vous avez une femme enceinte et un fils à l'université, sussura Lansky.

— Et vous, qu'est-ce que vous avez, M. Lansky ? interrogea Daniel à voix basse. Vous vivez comme une ombre, protégé par des rigolos censés vous empêcher de vous faire trucider. Avez-vous jamais pensé que, chaque fois que le commis boucher ou que l'épicier vient vous livrer, chaque fois que l'électricien ou que l'employé du téléphone pénètre dans votre maison, chaque fois qu'on vous livre, c'est un membre du syndicat qui s'introduit dans votre domicile ? Des syndiqués, il y en a vingt millions. Un mot de ma part et vous n'en réchapperez pas. Vous mourrez d'une mort qui semblera parfaitement naturelle ! »

Lansky le regardait fixement en silence. Daniel se leva. Lansky se décida enfin.

« C'est que je ne suis pas le seul concerné. Il va falloir que je donne des explications à mes associés. »

Daniel le toisa. « Vous parlez yiddish M. Lansky ? » Lansky fit signe que oui. « Quand j'étais à l'institut de sociologie à New York, il y a de cela bien des années, j'ai appris quelques expressions yiddish qui disent bien ce qu'elles veulent dire. En voici une : vous direz à vos associés que je suis le *shabbes goy*, celui qui allume la lumière et le feu le jour du sabbat, quand les juifs n'ont pas le droit de le faire. S'il y en a un qui peut sauver la réputation du mouvement syndical aux yeux de l'opinion publique, c'est bien moi ! Et s'ils veulent toujours se débarrasser de moi — ce qui m'étonnerait — ils tueront la poule aux œufs d'or !

— Je ne sais pas si ça les convaincra.

— S'ils ne sont pas convaincus, on sera deux à le regretter. »

Lansky le dévisageait, perplexe. Finalement, un sourire éclaira son visage.

« Vous m'avez convaincu, docteur Faust ! »

13

Daniel considéra les dossiers qui s'empilaient sur le bureau, devant lui. Il les prit et les feuilleta rapidement avec un sentiment de désespoir croissant. Pour finir, il les reposa sur la table et donna un grand coup de poing dessus.

« Nom de Dieu ! Ça ne marchera jamais ! »

Moses et Jack le regardaient sans rien dire. D.J. observait son père, le dos appuyé au mur. On était fin juin et les cours ne reprenaient pas avant l'automne.

« Ces dix derniers jours, j'ai parcouru plus de six mille kilomètres, je me suis adressé à plusieurs sections qui comptent toutes huit ou neuf mille adhérents, minimum. Et qu'est-ce que nous récoltons ? Cinq cent soixante-dix malheureuses souscriptions ! Comment faire comprendre à ces imbéciles que c'est le plus beau cadeau qu'on puisse leur faire ? Pour la première fois de leur vie, ils pourront enfin récupérer leur mise !

— Le vieux dicton selon lequel personne n'est prophète en son pays doit avoir du vrai, fit Moses pour le consoler.

— Voilà qui ne nous avance guère. Il nous faut quatre-vingts à cent mille souscriptions minimum !

— Il faut leur forcer la main, déclara Jack. Leur faire voir la vie en rose, leur faire miroiter des bénéfices fabuleux !

— C'est pas tellement mon genre. Je ne suis pas un margoulin ! » D'un coup de dents, il cassa le bout de son cigare. « Où se tient le prochain meeting ?

— C'est une réunion très importante. Cette fois à Detroit, nous attendons quinze mille personnes. En plus des transporteurs routiers, Reuther nous a promis la participation massive des ouvriers de l'industrie automobile. Il s'agit d'un meeting tellement important que la télévision et la radio couvriront l'événement. »

Daniel mâchouilla son cigare un instant.

« On ferait peut-être mieux de l'annuler. J'ai pas tellement envie que le pays tout entier me voie me casser la gueule.

— Papa, fit D.J. en s'approchant du bureau. J'ai une idée, mais je ne suis pas sûr de ce qu'elle peut donner. »

Daniel le regarda. « Je t'écoute. Au point où j'en suis, je suis prêt à écouter n'importe quelle proposition.

— Peut-être n'est-ce pas directement applicable à nos problèmes immédiats, mais, récemment, j'ai suivi des cours sur les achats à crédit et le financement des prêts. Tu sais, les crédits pour acheter des voitures, des biens d'équipement, des meubles etc. »

Daniel eut l'air intéressé. « Explique-moi ça.

— On paie une certaine somme comptant, et tant par semaine ou par mois, jusqu'à ce qu'on ait remboursé. Dès que le contrat est signé, le vendeur l'envoie à la banque qui lui restitue la somme correspondant au montant de l'achat. Quant à l'acheteur, lui, il a la marchandise.

— Pour nous le problème n'est pas le même.

— Peut-être. Mais dans notre cas, on peut considérer une part de la caisse mutuelle comme une marchandise que nous proposons. Tu sais aussi bien que moi que la plupart des gens y regarderont à deux fois avant de se défausser de cent dollars d'un coup, tandis que deux dollars par semaine, ça ne se sent pas.

— Je crois que D.J. vient d'avoir une très bonne idée, intervint Jack.

— On n'est pas équipés pour se lancer dans des affaires comme celles-là, déclara Daniel.

— On peut s'en sortir. Il suffit que les adhérents paient directement leurs traites à leurs sections syndicales qui nous les feront parvenir chaque mois.

— Il a raison, approuva Jack. Et si nous parvenons à rédiger les contrats adéquats, je suis certain que nous trouverons un organisme de crédit qui se chargera du reste. »

Daniel avait fini par allumer son cigare. Il hochait la tête. Qui sait ? Ça pouvait marcher.

« Il est tout trouvé : la National Bank de Washington, dont le principal actionnaire est l'U.M.W. Je suis sûr que, sur un mot de John Lewis, Barney Colton, le directeur, nous débloquera les fonds. » Il regarda D.J. « Une sacrée bonne idée que tu as eue là, fiston ! »

D.J. devint tout rouge.

« Attends, papa. On ne sait pas si ça marchera.

— Il le faut et ça dépend de nous, rétorqua Daniel en se tournant vers Jack. Comment se fait-il que la télévision et la radio s'intéressent à ce meeting ?

— Ils trouvent que c'est un événement important. Pour la première fois, des travailleurs syndiqués vont créer leur caisse mutuelle et investir leur argent dans l'économie capitaliste. »

Daniel jeta un coup d'œil à Jack. Brusquement, il sourit ; sa voix était à nouveau confiante : « Ça va marcher. Tout se combine parfaitement. Sans le savoir, ils nous donnent l'occasion de convaincre le pays tout entier. »

« Tu es bien nerveux », fit Margaret en le regardant préparer la petite valise qu'il emportait à Detroit.

Daniel poussa un profond soupir. « Cette fois, si ça ne démarre pas, il faudra abandonner tout notre projet et repartir à zéro.

— Ce serait si grave que ça ? On se débrouille pas si mal.

— Comprends-moi bien, fit-il en se tournant vers elle. Dans le mouvement syndical, quand on se met à stagner, mieux vaut laisser tomber. Parce que ça signifie qu'on est en pleine déconfiture.

— Mais on gagne bien assez d'argent avec les cotisations ? On peut vivre décemment, non ?

— Pour le moment, oui. Mais ça durera combien de temps, d'après toi ? Tôt ou tard, les syndicats ne nous confieront plus de missions. Alors, à moins d'avoir d'autres syndicats dans notre manche, nous n'aurons plus de travail. C'est un cercle vicieux, mais la réussite appelle la réussite. Dès l'instant où nos clients comprendront que nous n'attirons plus de nouveaux adhérents, ils commenceront à se demander pourquoi ils ont besoin de nous. A partir du moment où ils se poseront cette question, on sera foutus. »

Elle le regarda boucler sa valise puis l'interrogea : « Est-ce si important pour toi, Daniel ?

— Oui. Toute ma vie, j'ai rêvé d'accomplir de grandes choses au sein du mouvement ouvrier et, chaque fois que j'ai essayé, j'ai fini par échouer lamentablement ! Tout ça à cause de la politique. Il me fallait ma propre section comme point d'appui et ils ne m'ont jamais autorisé à en diriger une, parce que j'ai ma façon à moi de voir les choses. Ils avaient peur que je n'observe pas les règles du jeu. Enfin, je tiens l'occasion de passer par-dessus eux tous, tant qu'ils sont, de les obliger à m'écouter. Et je leur parlerai le seul langage qu'ils comprennent : celui du fric et du pouvoir. »

Il saisit sa valise et elle le suivit au rez-de-chaussée. Il laissa son bagage dans le couloir et entra dans le salon, y prit une bouteille de whisky et se remplit un verre.

« Tu as déjà terminé ton discours ?

— Non, il faut que je travaille encore dessus. Je l'aurai fini avant le meeting demain après-midi.

— J'aimerais bien t'accompagner.

— Moi aussi, je voudrais que tu sois là. »

Il but une gorgée. « Mais il n'y a plus longtemps à attendre maintenant. Plus que deux semaines.

— J'ai l'impression que ça n'en finira pas.

— Ça se passera beaucoup plus vite que tu ne crois », fit Daniel avec un sourire. Il reposa son verre. « Tu sais où me joindre en cas de besoin ?

— J'ai le numéro de ton hôtel, à côté du téléphone, confirma-t-elle.

— Je t'appellerai pour te dire comment ça s'est passé.

— Je te regarderai à la télévision. Jack m'a dit qu'au journal télévisé, ils retransmettraient une partie de ton discours.

— J'espère que je serai à la hauteur. La télévision joue parfois de drôles de tours !

— Tu seras très bien, j'en suis sûr.

— Tu es de parti pris, dit-il en souriant.

— Peut-être. N'empêche que tu t'en tireras très bien. Je me fais déjà assez de souci à cause des femmes que tu peux rencontrer. Après ton passage à la télévision, je vais m'en faire deux fois plus. »

Daniel se mit à rire.

« A quoi bon te faire du souci ? Pense à des choses plus agréables. »

Margaret se mit à rire, elle aussi.

« J'en ai assez d'attendre. Je me fais l'effet d'être vierge. La prochaine fois qu'on fera l'amour, je crois que je ne pourrai plus m'arrêter de jouir.

— Que tu dis ! Je m'en souviendrai.

— Daniel ! »

Il la regarda. Elle était soudain redevenue sérieuse. « Même si ça ne marche pas, ce n'est pas si important. Nous sommes deux. Et, avec toi, je me contente de peu. » Il l'embrassa sur la joue.

« Je sais, ma chérie. C'est une des raisons pour lesquelles je t'aime. »

Elle sourit doucement.

« Je suis contente que tu dises ça. Il n'y a pas si longtemps, j'étais persuadée que seul mon joli petit corps t'intéressait.

— Je n'ai pas dit qu'il ne m'intéressait pas », répliqua-t-il en riant. On entendit dehors une voiture qui klaxonnait. « L'auto est là ; il faut que je parte. »

Elle l'accompagna jusqu'à la porte et il saisit sa valise.

« Dis bonjour de ma part à D.J. et aux autres.

— Je le ferai. » Il se retourna vers elle. « J'ai oublié de te dire : si tu as besoin d'aide, Jack Haney reste ici. N'hésite pas à l'appeler. Tu le trouveras chez lui ou au bureau.

— Je croyais qu'il partait avec toi.

— Nous avons dû changer nos plans au dernier moment. Il reste là pour récupérer les nouveaux formulaires de contrats quand ils sortiront de chez l'imprimeur. Il pourra les relire et nous les faire parvenir à temps à l'heure du meeting.

— Alors, il n'y aura que Moses et D.J. avec toi ?

— Je n'ai besoin de personne d'autre. Hoffa va mettre une partie de son équipe à ma disposition. » Il se pencha et l'embrassa sur la joue. « Prends bien soin de toi. Je serai de retour après-demain.

— Bonne chance, fit-elle en l'embrassant. Et surtout, n'approche pas de toutes ces vilaines femmes ! Je t'aime.

— Moi aussi », lança-t-il en riant.

Elle demeura sur le seuil et le regarda monter en voiture. Il se pencha par la portière pour lui faire un signe d'adieu. Elle agita la main et la voiture s'éloigna. Elle la suivit des yeux jusqu'à ce qu'elle ait disparu au coin de la rue. Le téléphone sonna. Elle ferma la porte et prit l'appareil. C'était Jack Haney.

« Big Dan est déjà parti ?

— A l'instant.

— Bon. Je l'appellerai quand il sera à Detroit.

— Vous avez des problèmes ?

— Non. Je voulais seulement qu'on se mette d'accord sur certaines formulations qui figurent dans le contrat. » Après avoir hésité un moment, il ajouta : « Vous serez chez vous demain ?

— Oui.

— Je vous appellerai pour savoir comment vous allez. Big Dan m'a chargé de veiller sur vous.

— C'est ce qu'il m'a dit. » A son tour, Margaret hésita. « Dites, si vous ne faites rien de particulier demain, pourquoi ne viendriez-vous pas dîner à la maison ? On pourrait regarder Daniel à la télévision.

— Je ne voudrais surtout pas vous déranger.

— Ça ne me dérangera pas. C'est Mamie qui s'occupe de tout. Et puis, comme ça, je me sentirai moins seule que d'habitude quand il est parti.

— Entendu. Je vous rappellerai demain au cas où vous auriez changé d'avis.

— Je ne changerai pas d'avis ! »

De nouveau, il hésita. « D'accord. A quelle heure voulez-vous que je vienne ?

— Disons sept heures, ça va ?

— J'y serai. Merci. »

Elle raccrocha et monta dans sa chambre. Lentement elle ôta sa robe et alla chercher son peignoir. Elle aperçut son reflet dans la glace. Son ventre lui parut énorme. Elle n'en était pas sûre mais il lui sembla que l'enfant commençait à descendre. Elle passa son peignoir et s'allongea sur le lit.

Elle s'appuya contre les oreillers. Elle était contente d'avoir demandé à Jack de venir dîner. C'était la première fois qu'elle lui parlait seul à seul. Elle le trouvait plutôt gentil — un peu timide peut-être, mais ça, c'était sans doute parce qu'elle était la femme du patron. Pourtant, il s'était toujours montré très aimable et courtois envers elle. A l'inverse des autres, dont l'attitude lui laissait penser qu'ils la prenaient pour une petite arriviste, qui avait su utiliser sa jeunesse et ses charmes, pour se faire épouser par Daniel.

Elle poussa un profond soupir. Elle s'en fichait, après tout. Quand le bébé serait né, elle leur montrerait à quel point ils s'étaient tous trompés.

14

Daniel patientait dans les coulisses de la salle où se tenait la convention. Devant lui, la foule était telle qu'elle semblait raréfier l'atmosphère. Les syndicats de l'Automobile et des Transporteurs Routiers avaient bien fait leur boulot. Les adhérents étaient venus en masse. A présent, tout dépendait de lui. S'il ne parvenait pas à les persuader d'acheter les parts à crédit, ce serait un échec complet.

Il consulta les notes qu'il tenait à la main. Il s'agissait de petites fiches de bristol dactylographiées en lettres capitales. Chaque fiche exposait un argument : Sécurité. Capital pour la retraite. Augmentation des ressources. Progression du revenu. Tous les avantages en un. Une formule de crédit très souple. Deux dollars par semaine, par action.

Tout y était. S'il se plantait, il ne pourrait s'en prendre qu'à lui. Il prit une profonde inspiration.

Depuis une demi-heure, divers orateurs s'étaient succédé à la tribune, pour expliquer le principe de la caisse mutuelle à l'assistance. Le dernier, l'un des dirigeants de la section locale du syndicat de l'Automobile, terminait à son tour. Daniel l'entendait grâce aux haut-parleurs.

« Et maintenant, pour vous en dire plus sur l'occasion unique qui nous est offerte à tous de participer à la croissance économique et au progrès de notre pays, voici l'homme qui, grâce à son génie, a su échafauder ce projet, celui qui a consacré son existence tout entière au mouvement ouvrier, un homme que je suis fier de compter parmi mes amis : le président de la C.U.T.I., j'ai nommé Big Dan Huggins ! »

Daniel s'avança sur le podium. L'orateur se tourna vers lui avec un grand sourire. Tandis qu'ils se serraient la main, l'homme chuchota à Daniel : « Tu peux y aller Big Dan, on t'a chauffé la salle. »

Daniel sourit et s'approcha de la tribune. Il posa ses fiches devant lui et leva la main pour répondre aux applaudissements. Puis, d'un geste, il commanda le silence : lentement, les applaudissements diminuèrent et l'assistance se tut.

Daniel demeura un instant sans rien dire tandis qu'il parcourait la salle des yeux. Une bonne moitié des gars étaient encore en bleu de travail. Ils avaient sans doute dû venir directement de l'atelier. Quant aux autres, ils étaient en manches de chemise. Il faisait plus de trente degrés dehors ; les vestes étaient donc rares. Placées entre la première rangée et le podium, les caméras de télévision avancèrent pour avoir Daniel dans leur champ.

A nouveau, Daniel observa son public. Des ouvriers. Il les connaissait. Il aurait presque pu les nommer un par un. Avec eux, il avait grandi. Avec eux, il avait bu, mangé et dormi. Il se sentait des leurs.

Daniel baissa les yeux sur ses fiches. Quelque chose le chiffonnait. Il se sentait dans la peau de ceux qu'il avait devant lui, de ceux qui composaient son auditoire. Il n'avait rien envie de leur vendre, il n'était pas courtier en assurances. Sans doute, son projet était valable, mais tous ces hommes n'étaient pas venus pour entendre des boniments de camelot. S'ils avaient pris la peine de se déranger, c'était pour l'entendre, lui, pour qu'il leur redonne confiance, pour qu'il leur prouve qu'ils ne se syndiquaient pas en vain. Il fallait leur dire qu'il y croyait plus que jamais, que sa mission lui tenait à cœur.

Lentement, il ramassa les fiches sur le pupitre et les brandit bien haut pour que tout le monde puisse les voir.

« Camarades, chers amis ! Ces fiches que je tiens dans ma main, ce sont les notes que j'avais prises pour le discours que je devais vous faire. J'étais venu vous dire qu'il était indispensable que, tous, vous participiez à notre projet. Je comptais vous expliquer en détail les bénéfices que vous retireriez de cette participation — des bénéfices substantiels. »

Après une légère interruption, Daniel reprit : « Mais j'ai changé d'avis. Je ne ferai pas le discours prévu. D'autres le feront, à ma place, et beaucoup mieux que moi. D'ailleurs, quand vous êtes entrés dans cette salle, on vous a remis à chacun une feuille sur laquelle vous trouverez tous les renseignements nécessaires. Par conséquent, je ne ferai pas le discours que j'avais préparé. »

Il ouvrit la main et laissa tomber les fiches sur le podium. Il les contempla un instant puis leva les yeux sur l'assistance.

« Le peu de temps que nous avons à passer ensemble est trop précieux pour le gâcher. Je préfère vous parler de quelque chose que je considère comme beaucoup plus important, de quelque chose qui nous touche tous, de très près, quotidiennement. A savoir : la vie que nous menons, quelque chose qu'on pourrait appeler *Le Défi démocratique.* »

Daniel marqua un temps et scruta les visages qu'il avait devant lui. Ces hommes lui ressemblaient. Doucement, il reprit la parole en prenant soin d'articuler clairement.

« Un homme naît, il travaille et il meurt. Ensuite il disparaît... Telle est notre destinée, à nous tous qui appartenons à la classe ouvrière. Nous l'avons acceptée. Parce que, traditionnellement, il en a toujours été ainsi.

« Mais un beau jour, il y a déjà de cela un certain temps, des hommes ont décidé de se réunir pour établir les principes de ce qu'ils ont appelé la démocratie, des principes suivant lesquels tous les hommes seraient considérés comme égaux. Quelles que soient leur race et leur origine. Et ce sont ces principes qui constituent le Défi démocratique. En effet, il est toujours plus facile de se fixer un idéal, que de le réaliser.

« La réalisation de cet idéal est devenue notre combat à tous. Parce que, nous les travailleurs, nous devons relever le Défi démocratique. Nous devons tout mettre en œuvre pour appliquer ces principes. »

De nouveau, Daniel s'interrompit et regarda son auditoire.

« Ce défi, camarades, nous l'avons accepté. Nous avons créé des syndicats pour améliorer nos conditions d'existence. Nous devons continuer à améliorer le fonctionnement de ces syndicats et en créer d'autres pour ceux qui en ont besoin. Mais ce défi va au-delà du syndicalisme. Notre vrai défi, c'est notre existence elle-même. Nous méritons autre chose que de naître, de travailler et de mourir. Nous méritons autre chose que l'oubli. Parce que le monde dans lequel nous vivons, c'est *notre* monde aussi. Et, tous autant que nous sommes, par nos actes, nous devons y laisser notre empreinte. De telle sorte qu'on se souvienne toujours de chacun d'entre nous. »

Daniel prit le verre d'eau qu'on avait posé devant lui. Durant un moment, le silence qui suivit ses paroles lui fit penser qu'ils n'avaient pas compris ce qu'il essayait de faire passer. Puis les applaudissements éclatèrent. Il sut qu'il les avait touchés. Il leva la main et le silence se fit.

« Nous devons continuer notre combat. Nous devons veiller à ce que soient respectés les principes de la démocratie. Si nous cherchons en nous-mêmes les buts que nous devons atteindre, nous serons capables d'aider les autres à atteindre les leurs. »

De nouveau, une salve d'applaudissements l'interrompit, de nouveau Daniel leva la main.

« Nous devons viser le bien-être de tous, autant que nous nous soucions de notre bien-être particulier. Voilà ce qu'il nous faut faire... »

Il demeura plus d'une heure sur le podium. Il leur parla de sa jeunesse, des rêves qu'il avait caressés, de l'enthousiasme qui s'amenuisait. Puis il leur confia sa vision de l'avenir : la façon dont il rêvait le monde. Un rêve qu'eux seuls pourraient transformer en réalité, parce que c'était leur rêve à eux aussi. Or, ce rêve, s'ils tenaient à le réaliser, il leur fallait relever le défi qui leur était lancé. Y renoncer, c'était automatiquement placer leur destin dans des mains étrangères, régresser et perdre peu à peu tous les acquis qu'ils avaient si durement gagnés.

Lorsqu'il se tut, l'auditoire demeura silencieux. Il fit demi-tour et s'apprêta à quitter le podium lorsque la salle se mit à scander : « Big Dan ! Big Dan ! »

Daniel se retourna. Des larmes coulaient sur ses joues. Il eut tout juste la force d'ajouter : « Merci. »

Il y eut un étrange silence lorsqu'il se retrouva dans les coulisses. Aucune des manifestations habituelles : poignées de mains, tapes dans le dos, embrassades. Au contraire, ceux qui n'avaient pas hésité à lui prédire qu'il allait ramasser un demi-million de dollars de souscription, comme rien se montraient curieusement réservés et distants. En voyant leurs têtes, Daniel comprit. Il avait tout gâché.

Moses et D.J. eux-mêmes restèrent étrangement silencieux dans la voiture qui les ramenait à l'hôtel, où ils avaient loué une grande suite pour donner une réception, à laquelle étaient conviés tous les responsables syndicaux qui avaient participé au meeting. Sans un mot, ils s'engouffrèrent dans l'ascenseur et pénétrèrent dans la suite.

Daniel resta planté au beau milieu du grand salon et contempla les préparatifs de la réception. On avait dressé un grand bar et des tables couvertes de sandwiches pour tous ces gens qui devaient être affamés.

Il se tourna vers Moses : « Je crois que tu ferais mieux de dire aux employés de l'hôtel de débarrasser tout ça. Je vais faire ma valise. A quoi bon rester ici ? Si c'est possible, je reprendrai l'avion ce soir même. »

Moses acquiesça sans rien dire.

« D.J., rassemble toute cette paperasse. Pas la peine de classer. Tu fourres tout dans un carton et tu laisses ça ici. Je n'ai pas l'impression qu'on en aura besoin de sitôt.

— Entendu, papa. »

Au moment où il passait dans sa chambre, le téléphone se mit à sonner. Il ferma la porte derrière lui, pour ne plus entendre la sonnerie. Il se laissa pesamment tomber sur le lit. Mais qu'est-ce qui lui avait donc pris ? Il avait tous les atouts et voilà qu'il avait tout bousillé. Pour rien. Uniquement pour leur dire ce qu'il ressentait. Pas plus tard que ce soir, ils l'auraient oublié en se mettant à table. Comment avait-il pu s'aveugler à ce point ? Se persuader que ce qu'il avait à leur dire était si important ? Les idéaux, c'était bien joli, mais il y avait longtemps que ça n'intéressait plus personne. Qui pouvait encore y croire ? Le pouvoir et l'argent : il n'y avait que ça qui les impressionnait.

La porte de la chambre s'ouvrit et Moses passa la tête par l'entrebâillement.

« Le président veut te parler, fit-il à mi-voix.

— Le président ? répéta Daniel ahuri.

— Le président des États-Unis. »

Daniel le fixa un instant puis se tourna pour décrocher le téléphone à côté du lit.

« Allô ? »

Il entendit une voix de femme demander : « M. Huggins ?

— Oui.

— Un instant, je vous prie. Je vous passe le président. »

Il y eut un déclic et il entendit la voix d'Eisenhower, qu'il connaissait bien.

« M. Huggins, je vous appelle pour vous féliciter de votre discours. Vous avez été admirable. Je viens de vous voir à la télévision.

— Merci, monsieur le président.

— Vous avez parfaitement énoncé tous les grands principes qui ont fait de l'Amérique une grande nation. Grâce à vous, voilà restauré l'idéal qui nous a toujours inspirés, un idéal, qui est non seulement celui de tous les travailleurs, mais également celui de tous les vrais Américains qui aiment leur pays et leurs compatriotes. Je tiens à ce que vous sachiez que, non seulement vous avez parlé au nom de tous les Américains, mais aussi en mon nom. C'est un discours que j'aurais été fier de pouvoir prononcer.

— Merci, monsieur le président.

— Encore toutes mes félicitations, M. Huggins. A bientôt. »

Daniel entendit raccrocher au bout de la ligne. Il leva les yeux et aperçut Moses et D.J. sur le seuil.

« Le président semble avoir apprécié mon discours », fit-il, perplexe.

Brusquement, dans la suite, tous les téléphones se mirent à sonner en même temps et une foule de gens se précipitèrent dans la pièce.

Au beau milieu du discours de Daniel, Margaret commença à ressentir les premières douleurs. Ils étaient assis dans le salon, devant le poste de télévision. Lorsque Daniel eut pris la parole, Jack, surpris, se tourna vers elle.

« Ce n'est pas le discours qu'on avait préparé. Il vous a dit qu'il allait le changer ?

— Comme il ne m'en a pas parlé, je serais bien incapable de dire si c'est le même ou non. »

Quelques minutes plus tard, les douleurs revinrent. Un spasme qui la déchira comme si on l'avait fouaillée avec un couteau. Elle essaya de lutter contre la souffrance. Bizarrement, cela la gênait que Jack en soit témoin. Margaret prit une profonde inspiration et la douleur disparut.

Deux minutes plus tard, elle revint. Plus forte, cette fois. Elle étouffa un gémissement et se pencha en avant dans son fauteuil. Jack la regarda :

« Vous vous sentez bien ? »

Elle avait le visage en sueur.

« Le bébé ! Je crois que ça vient. Appelez le docteur. Il y a son numéro à côté du téléphone. »

Jack bondit et appela Mamie qui apparut presque aussitôt sur le seuil.

« Je crois que madame Huggins est sur le point d'accoucher. Restez avec elle pendant que j'appelle le médecin pour savoir ce qu'il faut faire. »

A l'hôtel, un vent de folie soufflait maintenant sur la suite. Une foule de gens se pressaient dans les salons. D'où sortaient-ils tous ? Mystère. En tout cas, ils étaient là, débordant d'enthousiasme. Selon le dernier pointage, on avait collecté des parts pour plus d'un million de dollars et tout n'était pas encore décompté !

« Sacré vieux renard ! s'exclama l'orateur qui avait présenté Daniel, tout à l'heure sur le podium. Tu nous as tous laissé croire que tu étais devenu fou, mais tu savais très bien ce que tu faisais. »

Moses s'approcha de Daniel avec une poignée de télégrammes.

« Ça n'arrête pas ! Téléphones et télégrammes affluent de partout. Tout le monde te réclame : Dave Dubinsky de New York te réserve le Madison Square Garden pour un meeting et met les services de sa banque à ta disposition. Harry Bridges aimerait que tu viennes faire un discours aux dockers de San Francisco. George Meany lui-même t'envoie un télégramme de félicitations et t'assure de son soutien pour ton entreprise. »

Soudain, Daniel se sentit fatigué. Lentement, il se fraya un chemin, à travers la pièce bondée, jusqu'à sa chambre. Il frôla un homme déjà passablement éméché qui lui tapa joyeusement sur l'épaule.

« Big Dan ! Tu seras le prochain président des États-Unis ! Il suffit que tu le veuilles. »

Il s'éclipsa dans sa chambre et ferma la porte. Il s'affala sur le lit. Il avait besoin de se reposer. Trop, c'était trop. Ces hauts et ces bas l'avaient épuisé. La porte s'ouvrit et D.J. entra.

« Ça va, papa ?

— Un peu fatigué, c'est tout.

— Tu as eu une idée formidable ! Instinctivement, tu as su comment il fallait les prendre pour les convaincre. Je dois t'avouer que pas un seul d'entre nous n'a compris où tu voulais en venir. »

Daniel regarda son fils. Et ils n'avaient toujours rien compris. D.J. lui-même était convaincu que son discours était un chef-d'œuvre d'habileté, destiné à forcer la main de son auditoire. Daniel ne fit rien pour le détromper. A côté du lit, le téléphone se mit à sonner. Il fit signe à D.J. de répondre.

« C'est pour toi, papa. C'est Jack Haney. »

Daniel prit l'appareil.

« Oui ?

— Margaret est en train d'accoucher. Je viens de l'emmener à la clinique. Le travail a commencé.

— Comment va-t-elle ?

— L'accoucheur dit que ça se présente bien. Tout est normal. La naissance devrait avoir lieu d'un instant à l'autre, maintenant. » Daniel entendit des voix au bout de la ligne. « Ne quitte pas. Une seconde ! » On percevait un brouhaha confus. Jack reprit l'appareil. « C'est un garçon, Daniel ! » Il était tout excité. « Trois kilos et demi. Félicitations ! »

Daniel poussa un grand soupir.

« Dis à Margaret que je serai là ce soir. Je pars à l'instant. »

Il raccrocha et leva les yeux sur D.J.

« Tu as un petit frère. »

Le visage de son fils se fendit d'un large sourire.

« Félicitations ! » Il s'empara de la main de son père et la serra. « Je suis rudement content pour toi, tu sais.

— Va chercher Moses. Je voudrais le voir avant de partir. Vous deux, vous resterez là pour tout régler. »

Quand Moses et D.J. revinrent dans la chambre, ils trouvèrent Daniel en train de boucler sa valise.

« Je vais partir par là, sans repasser par le salon. Personne ne s'en apercevra. »

Moses approuva en souriant.

« Félicitations, Daniel. Ne te donne pas cette peine, fit-il en montrant la valise. On te la rapportera demain.

— Bonne idée », déclara Daniel. Il se dirigea vers la porte qui donnait sur le couloir. « Je vais chercher un taxi pour me conduire à l'aéroport », ajouta-t-il en sortant. D.J. et Moses le suivirent. Une bonne douzaine de personnes se pressaient devant la porte du salon.

« Il en arrive encore, constata Moses. Tu ferais mieux d'aller prendre l'ascenseur de l'autre côté. »

Daniel jeta un coup d'œil vers la foule et acquiesça. Il allait faire demi-tour quand une silhouette lui rappela quelque chose. Un déclic se fit dans son esprit. Il pivota brutalement, cherchant d'une main son revolver sous sa veste, refoulant de l'autre Moses et D.J. sur le seuil de la chambre. Moses s'écroula sur D.J. et tous deux tombèrent à la renverse dans la pièce au moment précis où le premier coup de feu éclatait.

Daniel sentit le projectile s'écraser sur son torse au niveau du plexus solaire. Il avait encore présente à l'esprit l'image du grand blond. De toutes ses forces, il s'appliqua à lever son arme. Le second coup de feu le fit tomber sur les genoux. Mais, à présent il braquait son revolver en le tenant à deux mains. Il dut faire appel à toute son énergie, pour appuyer sur la gâchette. Il vit le visage du grand blond exploser littéralement, projetant du sang et des fragments d'os, puis l'image se brouilla alors qu'un nouveau coup de feu l'atteignait, qui le fit basculer en arrière, inconscient.

« Je vais mourir, mon fils. Au moment précis où tu nais. Je ne te verrai jamais. On ne se connaîtra même pas.

— Tu ne mourras pas encore cette fois, p'pa. J'arrive du futur et tu en fais toujours partie.

— Je te lègue mes rêves, mon fils.

— Tu as le temps, p'pa. J'attendrai. Mais il faudra que tu me montres la voie. »

De toutes ses forces, Daniel tentait d'échapper à l'étau de la souffrance. Il sentit qu'on l'étendait sur une civière. Au moment précis où on le soulevait, il parvint à ouvrir les yeux et vit D.J. et Moses anxieusement penchés sur lui. Il parvint à ébaucher un sourire.

« Je suis vraiment idiot. J'aurais dû m'y attendre.

— Ne te fais pas de souci, papa, chuchota D.J. Tu t'en tireras très bien. Le médecin a dit que tu n'avais pas de blessures graves.

— Je sais, murmura Daniel. Ton petit frère me l'a déjà dit. »

AUJOURD'HUI

J'aspirais avec délice l'air frais qui m'entrait dans les poumons. On était en octobre et, tout autour de nous, les collines de Virginie étalaient leurs couleurs rouges, dorées et orange en un épais tapis de feuilles. Celles qui tenaient encore aux branches frissonnaient nerveusement. Nous sommes arrivés au sommet de la côte.

« C'est là », ai-je dit.

Christina a rangé la Rolls blanche sur le bas-côté de l'autoroute. Elle s'est tournée vers moi :

« Tu es toujours décidé à y aller ?

— Oui, je me suis juré de repasser par ici avant de rentrer. » J'ai attrapé mon sac sur le siège arrière. « J'ai planté des fleurs, tu comprends, ai-je ajouté en sortant de la voiture.

— Alors, à demain matin, huit heures ? Je viendrai te prendre ici. Tâche d'être à l'heure. Tu as promis à ta mère que tu serais là pour son mariage. »

Ma mère et Jack devaient se marier à la maison le lendemain soir. Le juge Paul Gitlin, chez qui Jack avait fait un stage autrefois, devait célébrer la cérémonie.

« Je serai là à huit heures, ai-je promis en fixant les courroies de mon sac à dos.

— Tu as tout ce qu'il te faut ?

— Ne t'inquiète pas. J'ai même ma brosse à dents. Je ne vais y passer qu'une nuit. »

J'ai attendu que la Rolls ait disparu derrière la colline puis j'ai traversé l'autoroute et enjambé la glissière pour passer de l'autre côté. Christina s'était réservé une chambre dans un motel de Fitchville. Cette fois, je n'ai pas eu à chercher mon chemin. Je le connaissais.

Il ne m'a pas fallu une heure pour atteindre le petit cimetière au sommet du tertre. Betty May avait tenu parole : elle avait planté les fleurs en plates-bandes tout autour des tombes et leurs teintes vives, rouges, jaunes, bleues et violettes, se détachaient sur le bleu du ciel. Je suis resté un long moment à contempler le petit cimetière fleuri : à présent, l'endroit avait perdu son air solitaire et abandonné.

En contrebas, les chaumes du champ de maïs dansaient dans la brise du soir. De minces volutes de fumée sortaient de la cheminée de la maison. Quant à la camionnette, elle était toujours devant la porte, couverte de poussière.

Tandis que j'observais le paysage, Jeb Stuart est sorti et s'est arrêté sur le seuil pour observer les alentours. Il a levé la tête vers le tertre et m'a aperçu, clignant des yeux dans le soleil. Je lui ai fait signe. Quand il m'a reconnu, son visage s'est fendu d'un grand sourire et il a répondu à mon salut. J'ai descendu la colline tandis qu'il ouvrait la porte.

« Betty May ! Jonathan est de retour ! »

Le vent portait et je l'entendais parfaitement. Elle est sortie sur le seuil, derrière lui, et m'a fait de grands signes en souriant. Elle m'a paru changée, et ce n'est qu'en m'approchant que j'ai compris. Elle était beaucoup plus mince, maintenant qu'elle avait accouché.

Jeb Stuart a descendu les marches et m'a serré la main de toutes ses forces.

« Comment vas-tu, Jonathan, comment vas-tu ?

— Ça fait plaisir de te revoir, Jeb Stuart.

— On t'a attendu jour après jour. On croyait que tu nous avais oubliés.

— Pas du tout. » Je me suis tourné vers Betty May. « Félicitations ! Est-ce que j'ai le droit d'embrasser la jolie maman ?

— Sûr que tu peux ! »

J'ai grimpé les marches et j'ai embrassé Betty May sur les deux joues

« Tu es superbe. Est-elle aussi jolie que toi ? » Betty May rougit.

« Comment as-tu deviné que c'était une fille ?

— J'en étais sûr. Mais tu n'as pas répondu à ma question.

— Sûr qu'elle est jolie, a tranché Jeb. C'est le portrait de sa mère ! Viens donc la voir ! »

Je les ai suivis dans la baraque. L'intérieur était mieux arrangé. Il y avait des rideaux de chintz aux fenêtres ; les meubles en bois étaient repeints de neuf et on avait installé un grand rideau pour séparer le coin-séjour du coin-chambre. Il y avait des lampes tempêtes sur la table et sur les étagères.

Betty May a écarté la tenture.

« La voilà ! » a-t-elle déclaré, toute fière.

Le bébé était installé dans un vieux berceau qu'on avait découpé dans un tonneau à whisky. Peint en blanc, il reposait sur deux trépieds. Je me suis penché au-dessus d'elle. Son petit visage était un peu rouge et tout chiffonné. Elle grimaçait dans son sommeil en serrant ses petits poings et, comme ses cheveux étaient blonds, elle avait l'air chauve.

« Elle est vraiment mignonne. Quel âge a-t-elle ?

— Six semaines aujourd'hui. Elle est née le jour où nous avons fini la moisson.

— On aurait dit qu'elle avait attendu que sa mère ait fini de m'aider, ajouta Jeb Stuart.

— Et comment s'appelle-t-elle ?

— On a beaucoup réfléchi mais on ne s'est pas encore décidés. On ira la faire baptiser comme il faut à Fitchville, répondit Betty May. Pour le moment, on l'appelle Bébé !

— Ça lui va bien ! Je lui ai apporté un cadeau. » Je suis allé chercher mon sac et je l'ai ouvert. Dedans, j'avais mis la boîte que Christina avait achetée dans un magasin chic. Je l'ai tendue à Betty May.

« Tu n'aurais pas dû.

— Ouvre-la. »

Avec beaucoup de soin, elle a ôté le papier qui enveloppait la boîte. « Ce papier est si joli que je vais le garder. » Elle a soulevé le couvercle comme une enfant timide. A l'intérieur se trouvait une layette complète : robe, chapeau, chaussettes, chaussons, oreiller, draps, couverture. Tout était d'un joli rose. Betty May m'a regardé puis elle a contemplé la layette. « Que c'est beau ! Je n'ai jamais rien vu d'aussi joli !

— C'est pour son baptême. »

Jeb Stuart restait là, sans rien dire. Il m'a pris le bras et je me suis retourné : « Betty May et moi, on sait pas trop s'exprimer, mais nous te sommes très reconnaissants, Jonathan.

— Merci, Jonathan », a ajouté Betty May. A ce moment un petit cri s'est fait entendre. Betty May s'est penchée sur le berceau. « C'est l'heure de la tétée. Elle est réglée comme une pendule ! »

J'ai suivi Jeb pendant que Betty May s'occupait de sa fille. On s'est assis sur les marches.

« Tout se passe comme tu veux ?

— Ma foi, oui. La récolte a été bonne. Je viens juste de distiller et de mettre en tonneaux. J'ai maintenant trente fûts de whisky de première qualité qui va vieillir naturellement. Je pourrais le vendre dès maintenant cent dollars le tonneau. Mais si j'attends le printemps prochain, j'en tirerai au moins le double, sinon plus.

— Qu'est-ce que tu vas faire ?

— Je crois que je vais en vendre dix. Ça nous permettra de passer l'hiver et, au printemps prochain, je vendrai le reste.

— Ça me paraît être une bonne idée. » J'ai sorti un paquet de cigarettes, je lui en ai offert une et la lui ai allumée.

« Tu n'as plus entendu parler du shérif ?

— Plus jamais. Je croyais qu'il reviendrait un de ces jours mais on l'a pas revu.

— Et cette histoire de constat d'adultère ? Il l'a enterrée comme il l'avait promis ?

— Probablement. Mais maintenant, ça n'a plus d'importance. Mon ex-femme a obtenu le divorce et s'est remariée avec un commerçant. Aussi, quand on ira à Fitchville faire baptiser la gosse, on en profitera pour régulariser notre situation, Betty May et moi.

— Tout va pour le mieux, alors ?

— Sans doute ! Mais si tu n'avais pas été là quand le shérif s'est pointé, on aurait sûrement eu de gros ennuis.

— C'est du passé, tout ça.

— Tu restes un petit moment ?

— Seulement cette nuit. Je m'en vais demain matin à la première heure. Il faut que je sois chez moi demain soir.

— Tu pourras peut-être revenir pour le baptême ? Betty May et moi, on serait rudement fiers que tu sois le parrain.

— Tout l'honneur sera pour moi, ai-je répondu, la gorge subitement serrée. Tu n'auras qu'à me prévenir et je viendrai, c'est promis. »

Betty May est sortie sur le seuil, derrière nous.

« Le dîner sera prêt dans une demi-heure.

— C'est parfait. » Jeb Stuart s'est levé. « Tu veux jeter un coup d'œil à la distillerie ? »

J'ai acquiescé. Nous avons suivi le petit sentier qui serpentait, presque invisible, à travers le bois. Tout était resté exactement à sa place. Une seule différence pourtant : les petits tonneaux de bois qu'on avait empilés soigneusement sur un tas de bûches. Jeb Stuart s'est saisi d'une grande bâche dont il a couvert les fûts.

« Ça craint l'humidité », a-t-il expliqué. Je me suis dirigé vers le petit torrent ; j'ai plongé ma main dans l'eau et me la suis passée sur le visage. Elle était toujours fraîche et douce.

« L'année prochaine, quand j'aurai un peu d'argent, je me brancherai sur le torrent pour avoir l'eau courante à la maison.

— C'est une bonne idée. » Je me suis approché de l'alambic. Le jour commençait à tomber. On distinguait encore les étagères qui couraient sur le mur du petit abri contigu.

« Mon grand-père mettait son fusil là, sur l'étagère du haut. »

Jeb Stuart m'a dévisagé. « Comment le sais-tu ? »

J'ai haussé les épaules. « Je le sais, voilà tout ! »

Il s'est approché des étagères et a tendu le bras vers la plus haute.

« C'est là que je le mets aussi. Mais ton grand-père n'a jamais eu de fusil comme celui-ci ! »

Il s'agissait d'un fusil automatique. J'ai vu que le chargeur était plein.

« Où as-tu trouvé un engin pareil ?

— C'est un ami à moi qui l'a ramené du Vietnam. Je lui ai acheté pour dix dollars avec quatre chargeurs. Il y a trente balles dans chaque. » Il a pointé le fusil vers le sol. « Une petite pression sur la gâchette et ça vous coupe un homme en deux ! » Je n'ai rien dit. « Les voleurs peuvent toujours se fouiller. Ils n'auront pas mon whisky ! »

J'ai eu comme un frisson.

« Si on rentrait ?

— D'accord. »

Il a reposé son fusil sur l'étagère et on a redescendu la colline.

Pour le dîner il y avait une potée au lard fumé, avec du chou et des haricots. Betty May avait préparé des galettes de maïs et du café noir bouillant, en guise de dessert. Elle s'est excusée : « Je suis vraiment confuse. On n'a rien de mieux à t'offrir pour souper. Mais on n'a pas eu le temps de descendre à Fitchville depuis la naissance du bébé.

— Il n'y a pas de quoi. J'ai très bien dîné. » J'ai attrapé mon sac de couchage. « Je crois que je vais aller dormir un peu. Il faut que je sois sur l'autoroute de bonne heure.

— Pas besoin d'aller dans le champ de maïs, m'a dit Jeb. Tu peux dormir ici, sur le plancher, maintenant qu'on a un rideau.

— Mais non, ça ira très bien !

— Pas question, a déclaré Betty May d'un ton sans réplique. On n'est plus en été : le sol est froid et humide, tu attraperais du mal.

— Tu as entendu ? Il faut obéir à la patronne ! a insisté Jeb Stuart en souriant. Étends ton sac sur le plancher, près du poêle, là où il fait chaud. »

Ce n'est qu'en me glissant dans mon sac de couchage que je m'en suis rendu compte : j'étais épuisé. La chaleur m'a achevé. J'ai fermé les yeux et j'ai sombré immédiatement.

J'ai senti une main sur mon épaule et j'ai ouvert les yeux. Jeb était à genoux, à côté de moi. Je le voyais à peine dans la lueur grise qui précède l'aube. Il a mis un doigt sur sa bouche pour m'empêcher de parler. Je me suis assis, soudain tout à fait réveillé.

« Y a cinq ou six gars avec un camion à deux kilomètres d'ici, m'a-t-il chuchoté.

— Qui est-ce ?

— J'en sais rien. Peut-être des agents du fisc ou des voleurs. J'ai entendu des bruits bizarres et je suis allé voir ce qui se passait.

— Qu'est-ce qu'ils viennent fabriquer ici ?

— Pour l'instant, rien. Ils ne bougent pas. Ils ont l'air d'attendre quelqu'un.

— Le shérif, tu crois ?

— Ça se pourrait. Je veux pas prendre de risques. On va tous aller se planquer dans la distillerie. A part nous, personne ne sait où elle est. »

Je me suis extrait de mon sac de couchage et j'ai enfilé mes chaussures. J'avais dormi tout habillé. A l'autre bout de la pièce, Betty May avait déjà enveloppé le bébé dans sa couverture. Elle s'est tournée vers nous.

« Le bébé est prêt, a-t-elle déclaré d'une voix calme.

— On va sortir par la fenêtre de derrière. Pas la peine de s'exposer au cas où ils surveilleraient déjà la porte de devant. »

On s'est tous dirigés vers la fenêtre. Sans faire de bruit, Jeb l'a ouverte.

« Passe le premier, m'a-t-il dit. Betty May te donnera le bébé. »

J'ai franchi la fenêtre. Il faisait un froid de canard ; ça m'a saisi. Je me suis retourné et Betty May m'a tendu sa fille. L'instant d'après, elle était à côté de moi et pendant que Jeb passait à son tour, elle a repris son bébé dans ses bras.

« Baissez la tête, murmura Jeb en se dressant sur la pointe des pieds pour attraper son fusil de chasse posé sur le rebord. On va contourner le champ de maïs et on grimpera la colline. Suivez-moi. »

A demi courbés, on s'est mis à courir le long du champ. Quand on a atteint le bois, l'aurore commençait à poindre, éclairant le ciel ; on apercevait les premières lueurs roses du levant.

On s'est engagés sur le sentier. Betty May haletait. En la voyant peiner, je lui ai proposé de prendre le bébé. Elle a refusé d'un signe de tête et a continué à grimper. Jeb m'a attendu pour me dire : « Allez-y, vous deux. Moi je vais revenir un peu sur nos pas pour brouiller les traces. Je voudrais pas qu'on puisse nous repérer. »

Il a dévalé le sentier pendant que nous arrivions à la distillerie. Devant la muraille végétale qui dissimule l'entrée, Betty May s'est laissée tomber sur les genoux.

« Passe d'abord à travers les buissons. Je te confierai le bébé. »

Je me suis enfoncé à travers les ronces et je me suis retourné. Elle m'a mis le bébé dans les bras, puis elle a franchi la broussaille. Presque aussitôt, elle a repris son bébé et nous sommes allés sous l'abri qui donnait sur l'autre versant de la colline, là où il y a les étagères. Elle s'est assise, berçant son bébé dans ses bras.

« Ça va ? ai-je demandé.

— Très bien, merci. » Elle avait l'air aussi calme et se montrait aussi polie qu'à l'ordinaire. Le bébé poussa un petit cri. Aussitôt, elle ouvrit son corsage. « Elle a faim, la pauvre chérie, chantonna-t-elle. Elle veut sa tétée du matin. »

J'ai vu le bébé tendre une bouche affamée vers un sein tout gonflé. La petite s'est mise à téter avec de grands bruits et des gargouillis sans fin. Je sentais les larmes me monter aux yeux ; je me suis relevé et j'ai respiré un grand coup. Un spectacle aussi attendrissant paraissait déplacé dans ce petit matin lugubre. On a entendu un bruit de branches remuées ; Jeb Stuart a fait son apparition. Il s'est arrêté un instant pour regarder Betty May et son enfant, puis s'est haussé sur la pointe des pieds pour attraper la carabine automatique qu'il m'avait montrée la veille. Après avoir fait sauter le chargeur pour le vérifier, il l'a remis en place. Il m'a jeté un coup d'œil.

« C'est le shérif.

— Tu es sûr ?

— J'ai reconnu sa voiture particulière. Il n'est pas ici en mission officielle.

— Comment le sais-tu ?

— Il ne porte pas son uniforme. S'il accompagnait des agents du fisc, ils auraient apporté des pioches et des haches. Il est venu piquer ma gnôle. » Il a raflé les trois autres chargeurs sur l'étagère et les a fourrés dans les poches de sa chemise. « C'était trop beau pour que ça dure, je m'en doutais ! s'est-il écrié amèrement.

— Peut-être qu'il ne nous trouvera pas.

— Que si ! Il nous trouvera. Il a pensé à tout. Il a amené des chiens avec lui. Quand je les ai vus, j'ai même pas pris la peine de brouiller nos traces. »

J'ai regardé Betty May. Elle donnait toujours le sein à son bébé, comme si elle n'avait pas entendu notre conversation. Je me suis retourné vers Jeb.

« Qu'est-ce qu'ils font maintenant ?

— Quand je les ai perdus de vue, ils remontaient à pied la route qui mène à la maison.

— Et si je descendais pour leur parler ?

— Ils te tueront. Ils sont armés jusqu'aux dents. Ils sont venus pour piquer mon whisky — un whisky de première bourre — pas pour discuter.

— Alors, pourquoi tu ne leur donnes pas ? Ça vaut pas le coup de mourir pour ça ! »

Jeb m'a regardé dans les yeux. « Tu ne les connais pas, Jonathan. S'ils prennent ma gnôle, ils peuvent pas se permettre de laisser des témoins qui risquent de les dénoncer. »

La voix du shérif nous est alors parvenue, grossie par un porte-voix et répercutée par l'écho des collines.

« Jeb Stuart ! C'est moi, le shérif, qui te parle ! Vous allez sortir de cette maison les mains en l'air et on vous fera pas de mal, ni à toi, ni à Betty May. »

Jeb s'était tourné pour écouter puis il nous a fait face.

« Dans dix minutes, il se sera rendu compte qu'on n'est pas dans la maison. Ensuite il lâchera ses chiens. Tu vas emmener Betty May et le bébé de l'autre côté de la colline, jusqu'à l'autoroute. Moi, je resterai ici pour les occuper.

— Je ne pars pas sans toi, Jeb Stuart. » Malgré ses airs de ne pas écouter, Betty May avait bien entendu.

« Tu vas faire ce que je te dis, nom de Dieu !

— Tu ne pourras pas me forcer. Ma place est à côté de toi, de toute façon. »

A nouveau on entendit le shérif hurler dans le porte-voix. « Jeb Stuart ! Tu as deux minutes pour sortir de là, sinon c'est nous qui irons te chercher.

— Ils n'oseront pas, ai-je dit. Ils bluffent sûrement. Ils savent bien que vous avez un bébé.

— Ils n'en savent rien du tout. On n'est jamais allés en ville depuis qu'elle est née. Elle n'est pas déclarée à l'état civil. A part nous, personne ne connaît son existence. Pour eux, c'est comme si elle n'existait pas. D'ailleurs, même s'ils étaient au courant, ça ne ferait aucune différence.

— Dernier avertissement, Jeb Stuart ! hurla le porte-voix. Le délai est écoulé ! » L'instant d'après, on a entendu un crépitement d'ar mes à feu que l'écho amplifiait. Puis une déflagration plus nourrie, suivie de jurons. A nouveau, d'autres coups de feu, enfin, le silence.

Jeb Stuart s'est tourné vers nous. « Maintenant ils savent que la maison est vide. Ils vont lâcher les chiens. »

Il avait deviné juste. Soudain, on a entendu les aboiements et les jappements aigus que la brise apportait jusqu'à nous. A en juger par leurs cris, les chiens approchaient de la colline. Jeb Stuart regarda sa femme.

« Betty May, si tu ne veux pas que ces salauds viennent massacrer ton bébé, tu ferais mieux de filer en vitesse. »

Têtue, Betty May a fait signe que non.

« Pourquoi est-ce qu'on ne se sauve pas tous en même temps, ai-je suggéré. Merde, après tout, qu'ils le prennent ! C'est jamais que du whisky ! »

Jeb Stuart m'a regardé dans les yeux. « C'est pas seulement mon whisky qui est en jeu, mais mon honneur. Quand un homme est incapable de se défendre, il n'est plus bon à rien. »

A présent, les aboiements des chiens étaient tout proches. On entendait même les hommes piétiner les broussailles du sentier. Ils semblaient à deux pas lorsque, brusquement, tous les bruits ont cessé. Le silence a duré un moment. Puis le porte-voix nous a déchiré les oreilles.

« On t'a repéré, Jeb Stuart. T'as pas la moindre chance de t'en sortir. On est cinq ! Alors, tu vas sortir les mains en l'air et on s'arrangera à l'amiable. On fera de mal à personne. »

Jeb gardait le silence. A nouveau, la voix du shérif a résonné dans l'instrument.

« Je suis du genre arrangeant, Jeb Stuart. Je te propose un marché. »

Jeb Stuart a mis ses mains en porte-voix.

« Quel genre de marché, shérif ?

— Vingt-cinq dollars le tonneau de gnôle et on se quitte bons amis.

— Pas question, a hurlé Jeb. Je fais pas copain-copain pour si peu !

— Disons trente dollars. Mais c'est seulement parce que ça me ferait de la peine que Betty May attrape un mauvais coup.

— Je ne marche pas.

— Alors, descends et on va discuter.

— T'as qu'à monter, toi, sans arme et on pourra causer ! »

Il y eut un moment de silence, puis le shérif a repris son porte-voix : « Montre-toi. J'arrive !

— Arrive d'abord. Je me montrerai ensuite !

— Je viens !

— Cette fois, ça y est. » Jeb Stuart s'est tourné vers nous. « Maintenant, Betty May, tu vas partir d'ici avec le bébé ! »

Betty May l'a regardé un moment puis soudain, elle s'est retournée et m'a tendu son enfant.

« Jonathan va s'en occuper.Moi, je reste avec toi. » Elle a ramassé le fusil de chasse posé à terre, là où Jeb l'avait abandonné pour prendre son arme automatique.

J'ai dévisagé Jeb un moment. Il a fini par hocher la tête.

« Ça ne te regarde pas, ces histoires, Jonathan. Prends le bébé et fiche le camp ! »

J'étais cloué sur place.

« Fais ce qu'il te dit, mon fils. C'est pour ça que tu es revenu. Pour chercher l'enfant que tu n'as pas encore eu. »

La voix du shérif m'a semblé provenir de tout près, juste en face de nous.

« Je suis là, Jeb Stuart. Montre-toi ! »

Jeb Stuart a ramassé une longue branche de bois mort sur le sol. La tenant aussi loin de lui qu'il pouvait, il a agité les buissons, à un bon mètre de l'endroit où il se trouvait. Tout d'un coup l'air matinal a été déchiré par une salve meurtrière dirigée sur les buissons, là-même où les autres pensaient que Jeb allait apparaître.

« Bande de salopards ! » Jeb s'est couché à plat ventre, engageant le canon de son arme automatique devant lui entre les branches. Et il a écrasé la détente. Le fusil s'est mis à cracher de courtes rafales qui faisaient un bruit rauque.

« Youpie ! Je lui ai fait sauter le caisson à ce fumier ! » Il s'est retourné et m'a aperçu. « Tire-toi de là, nom de Dieu ! Tu crois que j'ai envie de voir crever mon gosse ? »

C'est l'instinct qui m'a poussé. Sans ajouter un mot, je me suis mis à dévaler le sentier derrière la distillerie en pressant l'enfant contre ma poitrine, au moment où la fusillade reprenait. J'ai entendu les balles s'écraser derrière moi sur les parois de la distillerie. Puis j'ai distingué le bruit bien particulier de la carabine automatique de Jeb. Je courais toujours, hors d'haleine, la gorge en feu, sans me retourner. Je venais juste de franchir le sommet de la colline quand j'ai entendu l'explosion.

Je me suis retourné à temps pour voir une boule de feu monter vers le ciel, suivie d'un nuage de fumée ; puis il y a eu une autre explosion et un tourbillon de flammes s'est élevé au-dessus de la colline. J'ai regardé, bouche bée. Du whisky de première bourre, avait dit Jeb. Il avait suffi d'une étincelle !

Je me suis laissé tombé sur le sol, tâchant de reprendre ma respiration. C'était fini. Tout avait disparu. Personne ne pouvait survivre à une explosion pareille. J'ai soulevé un coin de la couverture pour donner de l'air au bébé. Elle dormait paisiblement, l'estomac encore tout plein du lait de sa mère. J'ai senti les larmes m'aveugler et me suis penché pour embrasser le bébé sur son petit front.

« Tout ira bien, Danielle, ai-je murmuré en la recouvrant. Je t'emmène à la maison. » Ensuite, je me suis remis debout et j'ai dévalé la colline jusqu'à l'autoroute où Christina m'attendait dans sa Rolls décapotable.

Il était 4 heures de l'après-midi : il y avait tellement de voitures devant chez moi que j'ai dû continuer et contourner le pâté de maisons, pour m'engager dans l'allée qui mène chez Anne, juste derrière chez nous. Tandis que je coupais le contact, j'ai regardé Christina. Danielle était endormie dans le petit berceau sur ses genoux. A côté d'elle, il y avait un biberon plein de lait, acheté chez un pharmacien qui nous avait recommandé cette marque. Deux autres biberons pleins, attendaient au chaud dans un thermos. Au moment où j'ouvrais la portière de la voiture, Anne sortait de chez elle ; elle s'est dirigée vers nous.

Elle est restée un instant immobile, à me dévisager.

« Je savais que tu arriverais par là. Je t'attendais.

— Où sont tes parents ?

— Chez toi. » Elle s'est approchée et s'est jetée dans mes bras. Je l'ai embrassée. « Tu m'as manqué. Je me demandais si tu reviendrais un jour !

— Allons donc, tu me connais !

— Oui, a-t-elle admis en m'embrassant encore une fois.

— Viens. » Je l'ai conduite vers la Rolls. Christina est descendue de la voiture. « Je te présente Christina. Sa mère était une grande amie de mon père. Christina, je te présente Anne, ma petite amie. »

Elles ont eu l'air de bien s'entendre tout de suite. Après s'être serré la main, elles se sont embrassées.

« Comment le trouves-tu ?

— Pas mal, a dit Christina avec un petit sourire.

— Anne, viens voir ! » J'ai soulevé la couverture pour lui montrer le bébé endormi. « Elle s'appelle Danielle.

— A qui est ce bébé ? a demandé Anne, les yeux écarquillés. D'où sort-il ?

— C'est le mien depuis peu. Tu te rappelles son père et sa mère : Jeb Stuart et Betty May, ça te dit quelque chose ?

— Bien sûr. Où sont-ils passés ? »

J'étais incapable de lui raconter. C'était encore trop récent.

« Ils sont morts. »

Anne me regardait, interloquée. J'ai bien vu qu'elle brûlait d'envie de me poser des questions. « Je t'expliquerai tout à l'heure. En attendant, je me suis dit que tu pourrais peut-être garder le bébé chez toi, jusqu'à ce que la cérémonie soit terminée. Je ne voudrais pas contrarier ma mère le jour de son mariage, si je peux m'arranger autrement.

— Bien entendu. Je vais la garder. » Elle s'est tournée vers Christina. « On va l'emmener là-haut, dans ma chambre. Tu ferais mieux d'aller chez toi, a-t-elle ajouté à mon intention. Ils vont devenir dingues si tu n'arrives pas. La cérémonie est censée commencer d'un moment à l'autre et ta mère a raconté à tout le monde que tu avais promis d'y assister. »

J'ai sauté par-dessus la barrière comme je le fais toujours. En grimpant les marches qui mènent à la cuisine, je me suis retourné. Elles emmenaient le bébé à l'intérieur de la maison. J'ai poussé la porte et je suis entré chez moi.

Mamie était devant ses fourneaux. Quand elle s'est retournée, j'ai cru qu'elle allait tourner de l'œil. Son visage a blêmi, elle est devenue toute grise. Elle s'est précipitée vers moi et m'a serré contre sa volumineuse poitrine.

« Jonathan, mon petit ! Enfin, tu es revenu ! Tu as tellement grandi ! On dirait ton père tout craché. »

Je l'ai embrassée, riant et pleurant à la fois.

« Je ne vois pas pourquoi vous vous êtes inquiétés. J'avais dit que je serais là, non ?

— C'est ta mère qui va être contente ! Je vais la chercher.

— Non. Je veux d'abord monter me débarbouiller. Je ne tiens pas à lui faire peur !

— Je t'ai repassé ton complet bleu. »

J'ai grimpé les escaliers jusqu'à ma chambre et me suis débrouillé pour y arriver sans rencontrer personne. Au rez-de-chaussée, on entendait un brouhaha de conversations et des tintements de verres. Je me suis dirigé vers la salle de bains, je me suis rasé et j'ai pris une douche. Moins de dix minutes plus tard, je m'habillais. Je me suis regardé dans la glace. Mamie avait raison : je ressemblais de plus en plus à mon père ! Je me suis appliqué à faire mon nœud de cravate, j'ai enfilé ma veste et me suis dirigé vers la chambre de ma mère. J'ai frappé.

« Qui est-ce ?

— Ton fils. »

Le mariage a eu lieu à cinq heures tapantes. A sept heures, tous les invités étaient partis. Il ne restait que la famille et les amis intimes : mon frère et sa femme Sally, Moses Barrington, le juge Gitlin, sa femme Zelda et les parents d'Anne.

Mon frère s'est penché vers Moses.

« Tu crois vraiment qu'on va pouvoir se passer de Jack pendant trois semaines ? Il me semble qu'on a une affaire importante qui doit être jugée la semaine prochaine. »

Moses a fait durer la plaisanterie.

« Je crois que tu as raison, ça va nous poser un gros problème.

— Arrêtez de me charrier, vous deux ! » leur a lancé Jack, en riant.

J'en ai profité pour me lever.

« Je reviens dans deux minutes. » Je suis sorti, j'ai repassé la barrière et je suis monté dans la chambre d'Anne. Le bébé était couché sur le lit ; elle gazouillait béatement.

« Elle est rudement mignonne, m'a dit Anne.

— Oui. On était en train de se dire qu'on n'allait sûrement pas te la rendre, a ajouté Christina en souriant.

— N'y comptez pas ! Mettez-lui sa couverture, je l'emmène chez moi. »

Anne s'est chargée du bébé tandis que je manœuvrais la Rolls pour l'amener devant chez moi. J'ai grimpé les trois marches du seuil et j'ai appuyé sur la sonnette. C'est ma mère qui a ouvert. Quand elle m'a vu, elle m'a fixé avec des yeux ronds. Tour à tour, elle nous regardait Danielle, puis moi. Pour la première fois de sa vie, elle ne savait quoi dire. Quand j'ai fait mon entrée dans le salon, avec le bébé, tout le monde est resté coi, puis les questions ont fusé de toutes parts. Finalement le juge Gitlin a fait taire tous les invités.

Lui, je l'aime bien. D'une certaine façon, il me rappelle mon père. Partout où il va, il trimbale sa bouteille de whisky. Mon père, lui, avait un penchant pour le bourbon. Le juge Gitlin, ce serait plutôt le scotch. De temps en temps, tout comme mon père, il s'oublie et tète directement à la bouteille, au lieu de remplir son verre. Et, à chaque fois, ça ne rate pas, sa femme Zelda le houspille exactement comme ma mère avait l'habitude de le faire.

« Du calme ! Laissez-le raconter son histoire comme il l'entend, s'est-il écrié en caressant sa barbe soigneusement taillée à la Van Dyck. D'ailleurs, j'en ai déjà la chair de poule, a-t-il ajouté.

— Je ne vois pas le rapport, a dit Zelda.

— Il n'y en a aucun. J'ai dit ça pour faire l'intéressant. » Il m'a adressé un grand sourire. Je savais très bien quelle était son intention. Il avait voulu faire diversion. « Allez, Jonathan, on t'écoute. »

J'ai confié Danielle à ma mère. Elle s'est mise à gazouiller, toute contente dans ses bras.

« Il y a des couches dans la voiture, au cas où...

— Elle n'en a pas besoin pour l'instant. » Ma mère la contemplait, ravie. « Quels beaux yeux bleus elle a ! »

Le juge Gitlin m'a fait un clin d'œil. Lui aussi avait compris ce que je faisais.

« Prends ton temps. Commence par le commencement, Jonathan. »

Après avoir jeté un regard circulaire sur les invités, j'ai choisi mes mots avec soin. Je voulais éviter de froisser mon auditoire.

« Tout a commencé à l'enterrement de papa. Je me suis demandé si, parmi nous, il y en avait un seul qui le connaissait vraiment bien. Tous, tant que nous sommes, nous le considérions différemment, parce que, chacun à notre façon, nous ne voyions chez lui que ce que nous voulions bien y voir. A juste titre, d'ailleurs. Mais il était plus que cela, plus que ce qu'on pouvait savoir de lui. Il était lui-même. »

J'ai dû parler assez longtemps. J'ai commencé mon récit le matin où le camion nous a pris en stop, Anne et moi sur l'autoroute et je l'ai terminé en racontant ce qui venait de se passer le matin même. Quand j'ai eu fini, la pendule de la cheminée sonnait dix heures.

« Ils n'avaient pas eu le temps de lui donner un nom. Alors, je l'ai baptisée Danielle en souvenir de papa. Maintenant, je désire la garder. elle n'a plus personne. Elle est sans famille. Elle n'a même pas d'acte de naissance. Jeb Stuart n'a jamais été la déclarer à Fitchville. Ils avaient l'intention de le faire à l'occasion du baptême. Ils n'ont pas pu. »

Le juge Gitlin a hoché la tête, songeur, et a tété un bon coup de scotch à même le goulot. Pour une fois, Zelda n'a pas protesté.

« Ce n'est pas aussi facile que tu as l'air de le croire, Jonathan. En premier lieu, parce que tu es mineur et qu'aucun tribunal de ce pays ne te confiera la garde de cet enfant.

— Pourquoi pas ? Il me suffit de déclarer que je suis son père.

— Tu ne pourras pas. Il y aura une quantité de problèmes juridiques à surmonter. Il faudrait faire une enquête pour savoir si elle a de la famille. Au cas où elle en aurait, il faudrait obtenir son consentement. S'il s'avère qu'elle n'en a pas, elle deviendra pupille de la nation, jusqu'à ce qu'on ait réglé son cas.

— C'est absurde ! me suis-je écrié. Qu'est-ce qui m'empêche de m'enfuir avec elle ?

— Tu sais très bien que ce n'est pas raisonnable, Jonathan. » Tout en me regardant, il réfléchissait. « Mais il y a peut-être une solution pour qu'elle reste avec toi, sans trop de problèmes. Seulement, il faudrait que Jack et ta mère soient d'accord.

— Comment ça ?

— S'ils consentent à l'adopter, je trouverai sans doute une façon d'accélérer la procédure. » Il s'est interrompu, puis il a ajouté : « Mais il s'agit là d'une décision qui les regarde personnellement. On ne peut en aucun cas les y forcer. »

Je me suis tourné vers maman. Elle pleurait en regardant Danielle. Jack s'est approché et s'est agenouillé près d'elle. Il a levé les yeux vers elle, puis a regardé Danielle, et de nouveau sur maman.

« J'ai toujours rêvé d'avoir une petite fille », a-t-il déclaré, la voix rauque.

Restait encore une tâche à accomplir. Le mois suivant, peu de temps après la Toussaint, mon frère et moi avons ramené mon père dans son pays natal. Les premiers frimas avaient gelé le sol et tandis que les fossoyeurs creusaient la tombe, j'ai emmené D.J. sur l'emplacement de la distillerie.

Il ne restait plus rien qu'un trou noir dans la terre et un enchevêtrement de tuyaux tordus et calcinés qui se confondaient avec le sol brûlé. J'ai contemplé ce triste spectacle pendant un moment puis je me suis éloigné. J'avais l'impression que tout cela était arrivé la veille, mais ce jour-là resterait à jamais gravé dans ma mémoire.

On est redescendus jusqu'à la baraque. Elle tombait déjà en ruine. Les rideaux dont Betty May était si fière pendaient en lambeaux et la peinture pourtant récente, s'écaillait sur les cloisons. La plupart des fenêtres étaient cassées et des courants d'air glacés s'engouffraient dans la pièce.

« C'est donc là que tout a commencé. Je n'en savais rien ! m'a dit D.J.

— Personne ne l'a jamais su. S'il ne m'avait pas guidé jusqu'ici, je l'aurais toujours ignoré. C'est ici que j'ai compris combien il était bon, et à quel point je l'aimais. »

Nous sommes remontés vers le petit tertre où se trouve le cimetière. Les deux fossoyeurs avaient presque fini de creuser la tombe. Ils sont sortis du trou et ont placé les deux trépieds de chaque côté de la fosse. Ils ont déposé des cordes sur les planches et sont descendus jusqu'au fourgon mortuaire.

Le chauffeur et son assistant les ont aidés à sortir le cercueil du fourgon. Très lentement, en faisant attention où ils mettaient les pieds, ils ont gravi la pente jusqu'en haut du tertre. Il faisait très froid ; pourtant, lorsqu'ils sont passés devant nous, pour poser le cercueil sur les deux trépieds, j'ai vu qu'ils avaient le visage en sueur. Ils se sont reculés ; chacun tenait l'extrémité d'une corde. Ils attendaient notre signal.

Je me suis tourné vers mon frère. Nous étions convenus qu'il n'y aurait pas de cérémonie religieuse. D.J. a fait un signe de tête. Les hommes ont tendu les cordes, soulevant légèrement le cercueil. J'ai dégagé l'un des trépieds, D.J. a libéré l'autre. Lentement, les hommes ont fait descendre le cercueil dans la tombe. Au moment où il allait toucher le fond, ils ont remonté les cordes.

Daniel et moi, nous nous sommes baissés pour ramasser une poignée de terre que nous avons jetée sur le couvercle. Aussitôt, deux des fossoyeurs, armés d'une pelle, se sont mis à combler la fosse. Tout d'abord, en tombant sur le bois, les pelletées ont rendu un son creux, qui peu à peu, s'est assourdi. Lorsqu'ils ont eu fini, ils ont tassé la terre avec le dos de leurs pelles et sont resdescendus, nous laissant seuls, tous les deux.

Daniel m'a regardé. J'ai hoché la tête. Il s'est retourné vers la tombe et d'une voix rauque et basse, il s'est mis à réciter :

« *Le voici donc rendu à sa terre bien-aimée,*
Comme le vieux marin qui a rejoint le port,
Comme le chasseur las qui s'étend et s'endort. »

J'ai regardé mon frère : ses joues ruisselaient de larmes. Je lui ai pris la main et l'ai serrée très fort : « Si tu écoutes bien, tu l'entendras. » On a entendu comme un murmure dans la brise : « *Merci, mes enfants.* »

Imprimé aux Etats-Unis, 1984